Hartstocht in Toscane

Bezoek onze internetsite www.karakteruitgevers.nl
voor informatie over al onze boeken en softwareproducten.

Francesca Santini

Hartstocht in Toscane

Karakter Uitgevers B.V.

Oorspronkelijke titel: Zypressenmond
© 2001 by Verlagsgruppe Lübbe GmbH & Co. KG, Bergisch Gladbach
Vertaling: Els Musterd-de Haas
© 2004 Karakter Uitgevers B.V., Uithoorn
Omslag: Studio Jan de Boer

ISBN 90 6112 322 4
NUR 332

Ter nagedachtenis aan mijn beide oma's, Berta en Regina, die in hun jaren van een weergaloze sterkte en een onverstoorbare kracht blijk hebben gegeven en wier wijsheid in de ouderdom werkelijk bijbels was. In mijn gedachten leven jullie verder.

1

De Amerikaanse soldaat was jong, nauwelijks ouder dan Sophia, pas eenentwintig, en hij zou vandaag nog sterven. Sophia zat naast zijn bed en hield zijn hand vast. Af en toe veegde ze het zweet van zijn voorhoofd. Veel meer kon ze op dit moment niet voor hem doen.

Van Benedetta had ze gehoord dat zijn toestel door een motordefect bij Grosseto een noodlanding had moeten maken – waarschijnlijk was hij eerder neergestort, naar zijn zware verwondingen te oordelen. Hij was samen met het eerste gewondentransport naar Montepulciano gebracht. Sophia had geen idee wat er met de rest van de bemanning van het vliegtuig was gebeurd.

Het gezicht van de jonge man was vertrokken van pijn, en het zweet liep in straaltjes van zijn voorhoofd. Hij mompelde wat in zichzelf, steeds weer dezelfde woorden, een litanie van hulpeloosheid. Het duurde even voor Sophia begreep wat hij zei. De half ingeslikte, onduidelijke flarden van woorden die de soldaat hortend uitbracht, leken weinig op de BBC-berichten die dagelijks op de radio te horen waren, en al helemaal niet op de verfijnde, Engelse sonnetten die Sophia als basis voor het taalonderwijs op de middelbare school geleerd had.

De jongen sprak een gebed uit. Het was niet een van de gangbare gebeden, zoals het onzevader of het Ave Maria – die zou Sophia wel onmiddellijk hebben herkend – maar een kort kindergebed. Een eenvoudig verzoek aan God om in het hart van de berouwvolle zondaar te kijken en daar de bereidwilligheid om boete te doen te ontdekken. Het gebed eindigde met de smeekbede dat alles weer goed zou komen.

Sophia hield de hand vast van de jonge piloot voor wie niets meer goed zou komen.

Twee uur geleden had men hem geopereerd. Sophia's oom had zijn beide benen moeten amputeren, vlak boven de knie. Daarbij had hij ook nog inwendige verwondingen, die in het nette handschrift van de operatiezuster op de ziektestaat waren bijgeschreven: naast de volledig verbrijzelde onderbenen gebroken ribben, pneumothorax, gescheurde milt, darmperforaties.

Het was te voorzien dat de jongen deze verwondingen niet zou overleven, maar toch had Giovanni Scarlatti voor hem gedaan wat hij kon. Net zoals hij dat voor elk ander mens gedaan zou hebben.

Sophia vroeg zich af of God, waar hij in deze oorlog ook mocht zijn, de smeekbede van de jongen om vergeving en genade zou verhoren, en of deze God zou kunnen vergeven wat hijzelf en de piloten van de andere *Liberators* op deze paasmaandag onschuldige mannen, vrouwen en kinderen had aangedaan.

Plotseling verstijfde de jongen op het bed en hij kneep zo hard in Sophia's hand dat ze het bijna uitschreeuwde.

'Help me,' bracht hij hijgend uit. Zijn ogen rolden wild rond, tot het wit te zien was.

Sophia boog zich over hem heen. Zo goed ze kon, mompelde ze sussende en troostende Engelse woorden, al kon de jongen in zijn delirium van pijn en verdoving ze nauwelijks horen. Onrustig gooide hij zich heen en weer. De verbanden om zijn beenstompen waren met bloed doordrenkt.

De deur ging open en Benedetta kwam binnen. Het kinderlijk knappe gezicht van de jonge verpleegster was getekend door uitputting, en haar jas was met bloed bevlekt.

'Ik heb je nodig, Sophia.' Benedetta's blik gleed over de gewonde soldaat, voordat ze snel haar oogleden neersloeg – maar niet snel genoeg: Sophia had de uitdrukking van woede gezien die in de ogen van haar vriendin was opgevlamd.

'Het gaat niet goed met hem,' verklaarde Sophia. Meer hoefde ze niet te zeggen. Benedetta en zij kenden elkaar al sinds hun schooltijd. Ze wisten allebei wat ze eigenlijk met die woorden bedoelde.

Hij ligt op sterven. Er moet iemand bij hem blijven.

Het gebed van de jonge soldaat ging over in een zacht gekreun. Toen fluisterde hij iets. Sophia boog zich naar hem toe om hem beter te kunnen verstaan.

'Mommy?' fluisterde hij.

Sophia merkte dat ze op het punt stond haar zelfbeheersing te verliezen.

'Ik kan hem nu niet alleen laten, Benedetta.'

Koppigheid tekende zich af op Benedetta's gezicht. 'Je kunt toch niks meer voor hem doen.'

'Hij heeft erg veel pijn,' zei Sophia. 'Kan hij niet nog een dosis morfine krijgen?'

'Je oom heeft gezegd dat we nog maar heel weinig hebben. Wat we nog aan morfine hebben, is voor ons.'

'Voor óns?' zei Sophia twijfelend. 'Dat heeft hij vast niet gezegd.'

'Maar ík zeg het,' antwoordde Benedetta. 'Als je je met de vijand wil verbroederen, ga je gang. Maar ik weet waar ik sta.'

Het lag Sophia op de lippen om te zeggen dat in deze tijd nauwelijks nog iemand in Italië met zekerheid zou kunnen zeggen wie vriend en wie vijand was, maar voor ze haar mond open kon doen, begon Benedetta opeens te trillen. Ze veegde doelloos met haar handen over haar bevlekte jas alsof ze zo de talloze bloedvlekken kon wegvegen.

Sophia legde de nu weer slappe hand van de gewonde voorzichtig op het bed en stond op. Ze ging naar Benedetta toe en omarmde haar.

'Kom, word nu niet hysterisch.'

'O, god, Sophia, zoveel dode kinderen!'

'Ik weet het,' zei Sophia hulpeloos.

'En in de kraamzaal ligt een vrouw met weeën.' Benedetta begon te huilen. 'Ik hoor geen hartslag meer! Ik weet niet meer hoe het verder moet! Ze gilt en gilt en houdt niet op! Ik ben bang dat ze doodgaat! En de baby... Die is vast al dood! Je moet me helpen, alsjeblieft!'

'Waar is de verloskundige?'

'Bij een andere bevalling. Een vrouw met een schotwond.'

Sophia besefte dat ze een beslissing moest nemen. Ze vond het moeilijk, maar eigenlijk had ze geen keus.

7

'Ik ga met je mee.'

Ondertussen werd er een bed met een pas geopereerde patiënt de kamer ingereden. Een man met een groot verband om zijn hoofd en een gipsen been. Zijn doodsbleke gezicht viel nauwelijks op tegen het witte kussen.

Hij hoorde het koortsige gemompel van de Amerikaanse soldaat en siste: 'Moordenaar, vervloekte moordenaar! Mijn god, de kinderen...afgereten armen en benen...' De man begon onbedaarlijk te snikken. 'Ze zaten op de draaimolen... En toen de schoten...' Zijn gesnik zakte weg en ging over in een zacht gejammer.

De soldaat had opgehouden met kreunen. Pijn, schuld, berouw en boetedoening speelden geen rol meer voor hem. Hij zou zijn moeder nooit meer terugzien, en ook nooit meer de bodem van zijn vaderland betreden.

Sophia haalde diep adem en dwong zich rustig te blijven, terwijl ze Benedetta volgde naar de kraamzaal. Onderweg was het een grote chaos. De gangen van het kleine ziekenhuis waren overvol met mensen, en van alle kanten klonken opgewonden stemmen. De geur van bloed en zweet hing zwaar in de lucht. Er klonk gekreun en af en toe waren kreten van pijn of het gehuil van kinderen te horen. Angstige familieleden belegerden de deuren van de operatiekamers, en een paar lichtgewonden zaten op de weinige stoelen of zaten apathisch in elkaar gedoken tegen de muren. De gezichten van de wachtenden drukten verschillende gevoelens uit. Op de eerste plaats zag Sophia wanhoop en zorgen, maar ook pure woede en vlammende haat, waarbij onmogelijk was te zeggen of dat laatste zich tegen hun eigen fascistische regering richtte of tegen de geallieerde agressors die de Italiaanse steden onder een bommentapijt begroeven.

Sophia zelf voelde zich innerlijk net zo verscheurd als haar land. Ze wist niet meer wat ze moest denken, behalve dan dat deze zinloze oorlog eindelijk moest eindigen. Benedetta had het eigenlijk veel makkelijker dan zij. Anders dan Sophia was Benedetta een vurig aanhangster van de *Duce* en kon daardoor moeiteloos een standpunt innemen. Haar wereldbeeld was duidelijk: de Duitsers waren bondgenoten en dus goed, de geallieerden waren de vijand en dus slecht.

Sophia daarentegen haatte het fascisme uit het diepst van haar hart.

Net als haar vader wachtte ze vurig op de dag waarop de huidige regering afgezet zou worden, want pas dan, daarvan was ze net zo overtuigd als haar vader, was het mogelijk met de geallieerden over een afzonderlijke vrede te onderhandelen en daarmee zonder verder bloedvergieten de strijd te beëindigen.

'Opzij!' riep de gebiedende stem van een EHBO'er. De mensen weken terug en lieten twee mannen in Rode-Kruisuniformen door. Ze droegen een brancard met een bewusteloos kind van een jaar of vijf, zes. Iemand had het tot aan de nek toegedekt, maar door de dunne stof was te zien dat het rechterbeen ontbrak.

Sophia balde haar handen tot vuisten. 'Die vervloekte oorlog!'

De omstanders stemden er mompelend of luidkeels mee in. Velen slaakten opgewonden uitroepen. 'Die vervloekte oorlog!'

'Dat vervloekte fascisme!'

'Weg met Mussolini!' riep een man met woedend opgeheven vuist. Het merendeel van de Italiaanse bevolking was deze mening toegedaan. De meeste mensen waren van mening dat deze oorlog aan de zijde van Duitsland het Italiaanse volk was opgedrongen, beraamd door de *Fascia* met Benito Mussolini voorop. Bijna niemand geloofde nog in de overwinning van de asmogendheden, integendeel: de bevolking was verlamd van angst, want er werd algemeen aangenomen dat de Duitsers met hun Afrikaanse veldtocht binnenkort een nederlaag zouden lijden, en dat Italië dan het volgende land zou zijn waar de geallieerden zouden binnentrekken. De huidige bombardementen dienden alleen ter uitputting, men was ervan overtuigd dat ze maar een begin waren van de alom gevreesde, vernietigende landoorlog op Italiaanse bodem.

'Sophia!' De welluidende stem van haar oom kwam met gemak over het geroezemoes van de wachtenden heen. Sophia keek over haar schouder. Giovanni Scarlatti baande zich achter haar een weg door het gedrang. Mensen gingen opzij om plaats te maken voor de arts die zich naar zijn nicht toe haastte. Net als bij Benedetta was zijn gezicht grauw van zorgen en uitputting, en ook zijn jas zat onder het bloed. Terwijl hij dichterbij kwam, knoopte Giovanni Scarlatti met snelle bewegingen de vuile jas los en trok hem uit. Hij gaf hem aan een zuster die met haastige trippelpasjes achter hem aan liep en hem in ruil een schone gaf.

'Je vader heeft gebeld.'

'Hier naar het ziekenhuis?' vroeg Sophia verrast. 'Hoe wist hij dat ik hier ben?'

'Hij heeft niet hier naartoe gebeld, maar naar mijn huis. Hij heeft je tante gesproken. En zij heeft weer hier naartoe gebeld, al twee keer.'

'Maar waarom? Wat is er dan aan de hand?'

'Dat weet ik niet. En ik heb waarachtig geen tijd om me daar mee bezig te houden. Ik vermoed, na wat Anna de zuster aan de telefoon heeft verteld, dat je vader zich zorgen om je maakt. Hij heeft in elk geval uitdrukkelijk gezegd dat je terug moest bellen.'

Giovanni Scarlatti trok de gesteven jas aan en knoopte hem met snelle, handige bewegingen dicht. Als zo vaak viel het Sophia ook nu weer op hoeveel deze man op haar vader leek, wat zich niet alleen uitte in een grote gelijkenis – wat niet zo verwonderlijk was, omdat Giovanni en Roberto Scarlatti tweelingbroers waren – maar ook in dezelfde manier van doen van de beide mannen, zelfs tot in alledaagse bezigheden als het aansteken van een sigaar of, zoals net, in het dichtknopen van een kledingstuk.

Giovanni Scarlatti had haast. 'Ik moet verder, kind. Er wachten nog tientallen operaties.'

'Als ik kan helpen...'

'Dat kun je inderdaad,' zei haar oom. 'Door meteen je vader te bellen en hem uit te leggen hoe een onschuldig paasbezoek aan je oom kon veranderen in een soort frontactie. Ik had niet moeten toestaan dat je mee hier naartoe kwam. Roberto kennende, zal hij mijn hoofd eraf rukken.'

'Maar dit is mijn beroep,' stoof Sophia op.

Giovanni, die al doorliep, wimpelde het af. 'Mij hoef je niet te overtuigen. Praat met je vader.'

Zijn rijzige gestalte verdween in het gedrang.

'Kom,' zei Sophia vastbesloten tegen Benedetta.

'Waarheen?' vroeg die onthutst. 'Naar de telefoon?'

'Nee, naar je bevalling.'

'Maar wil je dan niet eerst je vader bellen?'

'Dat komt wel.'

Benedetta's twijfelende uitdrukking gaf aan dat zij zich niet kon voorstellen dat je een bevel van de Marchese zou kunnen negeren, maar Sophia lette er niet op.

Vastbesloten liep ze achter Benedetta de kraamzaal in.

Er lagen twee vrouwen. De beide bedden waren door een gordijn van elkaar gescheiden. Iets wat zinloos was, omdat ze het gegil dat vanuit het bed bij het raam weerklonk niet tegenhielden. Het was tot op de gang te horen.

De andere vrouw zat rechtop, het laken tot haar kin opgetrokken, en staarde met grote angstogen naar het gordijn waarachter het gegil klonk.

'Waar bleef u nou zo lang?' voer ze tegen Benedetta uit. 'Ze heeft vreselijk veel pijn! Het is afgrijselijk! Het is gruwelijk! Ik denk dat ze doodgaat!'

'Onzin,' zei Sophia kordaat, terwijl ze achter het gordijn verdween. Benedetta bemoeide zich ondertussen met de zenuwachtige patiënte die een uur eerder bevallen was. 'U moet blijven liggen,' riep ze verwijtend uit, toen ze het bloed op het laken ontdekte. Snel verwisselde ze de onderlegger en bekeek de hoeveelheid bloed. 'Lukt het?' vroeg ze aan Sophia. Er kwam geen antwoord. Benedetta deed een stap in de richting van het midden van de kamer en keek om het gordijn heen. Ze zag dat Sophia ingespannen over de opgezwollen buik van de zwangere patiënte heen gebogen stond, en met de stethoscoop naar de hartslag van de ongeborene zocht. Het gezicht van de vrouw was wit en ingevallen. Haar voorhoofd en haar bovenlip waren bedekt met koud zweet, haar handen voor haar borst verkrampt. Toen was de pauze in de weeën ten einde en begon de vrouw opnieuw te gillen en te kronkelen. Sophia stopte met haar onderzoek. Ze zag de bange blik van haar vriendin en haalde bedrukt haar schouders op.

Een luid gejammer riep Benedetta naar het bed van de andere vrouw terug. 'Het doet zo'n pijn daar beneden!'

Benedetta sloeg nogmaals het laken opzij en keek naar de hechtingen, zichzelf verwensend dat ze daar niet meteen aan gedacht had. Ze had al vaker bij bevallingen geholpen, maar in haar hele opleiding maar één enkele knip zelf gedaan, en alles wat ze over hechtingen wist, had ze geleerd door goed toe te kijken. Maar het was oorlog en bovendien was het vandaag, na het vreselijke bombardement, een dag van uitzonderingen. Iedereen moest helpen waar hij kon. Nadat de verloskundige naar de zwangere met de schotwond geroepen was, merkte Benedetta dat ze er alleen voor stond. En dus had ze de vrouw, een negentienjarige die beviel van haar eerste kind, tijdens de persweeën bijgestaan, haar gemasseerd en later, toen ze dreigde uit te scheuren, eigenhandig een knip gegeven. Aansluitend had ze de – gelukkig kerngezonde – baby zorgzaam in een doek gewikkeld en naar de zuigelingenafdeling gebracht. Daarna had ze de knip netjes gehecht, zonder zich erg aan de gepijnigde kreten van de jonge moeder te storen. Ze had zich gewoon voorgesteld dat ze een erg precies borduurwerkje moest maken.

De jonge kraamvrouw boog zich bezorgd voorover en probeerde een blik tussen haar benen te werpen over haar nu slappe, maar nog steeds naar voren stekende buik. 'Is het erg?' vroeg ze op jengelende toon.

'Alles is in orde,' zei Benedetta nors, terwijl ze de jonge vrouw weer toedekte. 'Het zal nog wel een paar dagen pijn doen, maar daarna zal het snel over zijn.'

'Waar is mijn baby?'

'Bij de andere baby's in de zuigelingenzaal. Ze zullen hem later wel voor de voeding brengen. Maar eerst moet u uitrusten. Hier, neemt u dit.'

'Wat is dat?'

'Alleen maar iets om rustig te worden. U moet proberen wat te slapen, u moet uw krachten sparen voor uw baby.'

Benedetta wachtte tot de jonge vrouw de tabletten met wat water had ingenomen, en liep toen naar het andere bed. 'Sophia?'

Sophia schudde nauwelijks merkbaar haar hoofd. Ze had nog steeds de stethoscoop vast, maar ze zou hem niet meer nodig hebben. Machteloosheid overspoelde haar. Ondanks minutenlang, zorgvuldig luisteren had ze geen hartslag van de baby kunnen bespeuren. Eén of twee keer had ze gedacht dat ze iets hoorde, maar daarna gemerkt dat het de polsslag van de moeder was en niet het twee keer zo snelle *tok-tok, tok-tok* dat ze zocht. De baby leefde niet meer. Hij zou dood ter wereld komen en zij zou het de moeder moeten vertellen.

Later, dacht Sophia verdoofd, niet nu, niet voor de baby er is!

Ik ken deze vrouw, bedacht ze plotseling. Ze was de afgelopen zomer een paar keer op het landgoed geweest. Sophia herinnerde zich dat ze haar met Antonio had gezien, de zoon van de rentmeester. Toen had de vrouw – eigenlijk was het nog maar een meisje, ze kon niet veel ouder dan achttien zijn – een felblauw gebloemde jurk en witte schoenen met hoge hakken gedragen. *Onfatsoenlijk hoge hakken*, zoals Signora Bartolini, hun lerares in de eindexamenklas, zulke pumps altijd noemde. Dat detail, die witte schoenen, stond Sophia opeens weer helder voor ogen.

'Hoe heet je?' vroeg ze spontaan aan het meisje.

'Luciana,' kwam het kreunende antwoord.

'Luciana, ik ken je,' zei Sophia, terwijl ze zachtjes het vochtige haar van het bezwete voorhoofd van het meisje veegde. 'Je bent deze zomer bij ons op het landgoed geweest. Op La Befana.'

Ze had alleen maar vriendelijk willen zijn en schrok toen het meisje in huilen uitbarstte. Sophia wierp Benedetta een vragende blik toe, maar die haalde haar schouders op. 'Zo reageert ze steeds. Ze huilt en gilt en huilt en gilt. Als je wat vraagt, geeft ze geen antwoord. Haar naam is alles wat ik van haar weet. Tenminste, bijna alles...'

Met een veelbetekenende blik keek ze naar Luciana's handen. *Geen ring.*

Luciana trok haar benen op en begon hortend en stotend te hijgen. Bij de volgende wee braken haar vliezen. Het vruchtwater stroomde in een golf over het laken tussen Luciana's benen en een deel spatte ook op Sophia's jas.

Het zag er groen uit en Sophia deinsde onwillekeurig terug, al had ze zoiets wel verwacht. De baby moest al dagen, waarschijnlijk zelfs al weken dood zijn. Ze kwam dichterbij en legde haar hand op de strakgespannen buik.

'Benedetta, ze is zover. Hoe dan ook, bij de volgende wee moet ze persen.'

'We moeten een arts halen.'

'Je weet dat er op het moment niemand tijd heeft voor een bevalling. De baby komt zo ook wel. Hij ligt goed en ze heeft geen bloedingen.' Bijna had Sophia eraan toegevoegd: de rest ligt in de handen van God, maar ze onderdrukte het op het laatste moment. Met steeds groter wordende bitterheid bedacht ze dat God deze dagen iets anders om handen moest hebben. Het deed hem al niets dat in deze oorlog in Europa vele duizenden mannen, vrouwen en kinderen stierven. Waarom zou Luciana's baby hem dan interesseren? Benedetta en Sophia wreven hun handen met desinfecterende lotion in. Het bijtende spul prikte vreselijk in hun huid. Sophia aarzelde om verder te gaan. Van angst had ze het gevoel dat er een knoop in haar maag zat.

Op de ver uit elkaar liggende boerderijen van La Befana had Sophia de verloskundige vaak bij bevallingen geholpen, en ook vaak kinderen alleen op de wereld geholpen als de verloskundige niet op tijd was – maar ze had nog nooit de geboorte van een dood kind meegemaakt.

'Ze moet na de geboorte goed in de gaten gehouden worden,' zei ze op neutrale toon tegen Benedetta. 'Het vruchtwater was verkleurd,' voegde ze er toen verklarend aan toe.

Benedetta knikte. Bij kraamvrouwen bestond altijd de mogelijkheid van een bloedvergiftiging, maar als een baby al langere tijd dood was, zoals in dit geval, was de kans veel groter.

'Ik zal het de verloskundige meteen zeggen,' beloofde ze, terwijl ze een stapel schone lakens uit een kast haalde. Zwijgend verschoonden de vrouwen het onderlaken, voordat de volgende wee begon.

Luciana stootte een lang, doordringend gehuil uit. Ze verstijfde alsof ze uiteen werd gereten.

'Probeer bij de volgende wee mee te persen,' beval Sophia. Ze zat tussen de opgetrokken benen van Luciana en drukte haar knieën uit elkaar.

Luciana gehoorzaamde. Ze gilde en perste afwisselend.

'Dat doe je prima zo,' zei Sophia.

Luciana kreunde toen de wee haar hoogtepunt bereikte.

Benedetta hield haar schouders vast en moedigde haar aan. 'Nog een keer. Niet opgeven nu.'

'Als we geluk hebben, gaat het vanaf nu heel snel,' zei Sophia tegen Benedetta. 'Het hoofdje ligt nu helemaal in het geboortekanaal.'

'Op de goede manier?'

'Precies goed.'

Daarna volgde wee op wee. Meteen na het eindigen van de ene wee begon de volgende.

'Wil je knippen?' vroeg Benedetta.

'Nee, het moet zonder kunnen. Het moet.'

Ze wilde niet dat het meisje na de bevalling nog langer pijn zou moeten lijden. Ze zou al genoeg hebben aan het verwerken van de dood van haar baby.

Sophia transpireerde. Tijdens de opleiding had ze geleerd dat het helpen bij een bevalling een van de meest inspannende bezigheden in haar beroep was, en ze had al vaak in de praktijk ondervonden hoe waar dat was.

'Ik zie het hoofdje,' riep Benedetta opgewonden uit.

'Ja, ik ook.' Sophia veranderde de stand van haar handen. 'Nu niet meer persen, Luciana! Ophouden nu!'

Maar Luciana bevond zich in een toestand van groeiende apathie. Ze was niet meer in staat iets op te nemen. Sophia had zoiets al vaker meegemaakt. Aan het einde van een bevalling had de vrouw vaak helemaal geen energie meer over en kon niet eens meer de simpelste bevelen opvolgen.

Toen, een seconde later, gleed de baby als vanzelf naar buiten, een bleek lijkje met een gerimpelde huid en blauw opgezwollen ledematen. Het was een jongetje. Sophia wikkelde hem snel in een laken. Ze hoefde de navelstreng niet door te knippen, want al bij de eerste nawee volgde de placenta. Sophia onderzocht de placenta snel en zag tot haar opluchting dat hij compleet en onbeschadigd was.

'Ik wil hem zien,' zei Luciana met een holle stem. Haar hoofd lag op het gekreukte kussen, het bleke, vertrokken gezicht was roerloos naar het laken toegewend.

Sophia haalde diep adem. De knoop in haar maag was in een ijsklomp veranderd. Nu was het moment aangebroken dat Benedetta en zij zo gevreesd hadden. Er was geen mogelijkheid het uit te stellen of te verbergen.

'Luciana, de baby... Hij is...'

'Dood, dat weet ik.'

Sophia hief haar hoofd op. 'Wist je dat al?' Ze had de vraag nauwelijks uitgesproken of ze besefte al hoe overbodig hij was. Alleen iemand die zelf nog geen kind had gedragen, kon zo'n domme vraag stellen.

'Ik heb al drie weken geen leven meer gevoeld. Hoe zou ik het dan niet weten?' Ze haalde bevend adem. 'Alsjeblieft, ik wil hem zien. Het is toch een jongen, hè?'

'Ja, maar het is geen mooi gezicht, Luciana.'

'Alsjeblieft.'

'Doe het niet, Sophia,' zei Benedetta smekend.

Sophia luisterde niet naar haar vriendin. Behoedzaam wikkelde ze de kleine bundel uit elkaar, maar alleen zo dat het gezichtje tevoorschijn kwam. De gelaatstrekken van de dode baby zagen er ontspannen uit, haast vredig, en Sophia stelde vast dat hij er lang niet zo akelig uitzag als ze eerst gedacht had. Ze legde het kind in Luciana's armen en liet haar hem een poosje bekijken. De verloskundige die in de dalen van Chiana en Orcia werkte en ook vaak in de buurt van La Befana onderweg was, had Sophia een keer verteld dat de moeder het gezichtje van haar doodgeboren baby moest zien, voordat hij voor altijd werd weggehaald. Alleen zo kon ze haar angst overwinnen, vrede vinden en genoeg moed opbrengen om een ander kind te dragen.

'Hij zou prachtig zijn geworden,' fluisterde Luciana geroerd.

'Prachtig,' bevestigde Sophia zachtjes.

Benedetta liet een gesmoord geluid horen en toen Sophia opkeek, zag ze dat het gezicht van haar vriendin nat was van de tranen.

'Wat gebeurt er nu met hem?' wilde Luciana weten. Haar stem klonk plotseling schuchter als die van een klein meisje.

Sophia moest tot haar schande erkennen dat ze het niet wist.

'We nemen hem mee,' zei ze. 'Dan komt alles vanzelf wel goed.'

Maar daar was Luciana het niet mee eens. 'Ik wil dat hij gedoopt wordt,' zei ze beslist.

Sophia wilde al zeggen dat dat waarschijnlijk niet zou kunnen, maar tot haar verrassing was Benedetta haar voor. 'Ik zal hem dopen.' Toen ze Sophia's verbaasde blik zag, zei ze haastig: 'Ik weet dat het kan. Je hoeft geen priester te zijn om een kind te dopen. Ik heb al twee keer meegemaakt dat de verloskundige hier een nooddoop heeft gedaan.'

Ze pakte Sophia bij de schouders en trok haar achter het gordijn. Daar keek ze even naar de andere kraamvrouw, maar het kalmeringsmiddel had zijn werk gedaan. De jonge vrouw lag bewegingloos in bed en sliep diep.

'Begrijp je het niet,' fluisterde Benedetta. 'Ze is niet getrouwd. De baby is dood geboren. Ze is bang dat hij geen christelijke begrafenis zal krijgen.'

Die angst, dacht Sophia, zou wel eens terecht kunnen zijn, al was ze niet zo op de hoogte van zulke theologische vraagstukken.

Benedetta wikkelde de baby weer in de doek.

'*In nomine patris, filii et spiritus sancti*, ik doop je en geef je de naam...' Ze keek Luciana vragend aan.

'Antonio,' fluisterde Luciana.

'Ik doop je en geef je de naam Antonio. Amen. Zo, nu kan hij in elk geval fatsoenlijk begraven worden.'

Sophia betwijfelde of deze overhaaste doop, die zonder enig gebed was uitgevoerd, wel geldig was, maar toen ze de opluchting op Luciana's gezicht zag, vond ze dat Benedetta goed had gehandeld. Spontaan besloot ze persoonlijk met Monsignore Petruccio te gaan praten, als er problemen over de begrafenis zouden ontstaan. Verder zou ze er niet omheen kunnen om op korte termijn de *Fattoria* op La Befana op te zoeken om met Antonio te praten.

2

In Montepulciano volgt de Corso als hoofdstraat van het berg-stadje de rug van een langgerekte heuvel, de *Mons Politianus*, waar het plaatsje zijn naam aan te danken heeft. Vanaf de Corso voeren smalle steegjes richting dal naar de lagergelegen zijstraten. Het stadje stond vol met middeleeuwse bouwwerken, barokke ker-ken en indrukwekkende renaissancepaleizen, gebouwd onder lei-ding van beroemde architecten als Michelozzo, Antonio da Sangal-lo en Vignola.

Het grote huis van Sophia's oom bevond zich niet ver van de Cor-so, in de buurt van het Palazzo Gagnoni-Grugni, een niet-afge-bouwd paleis van Vignola uit het midden van de zestiende eeuw. De villa van Giovanni Scarlatti daarentegen was van veel recentere datum. Hij was gebouwd rond de eeuwwisseling, een onopvallend, zandstenen gebouw van twee verdiepingen, met een onversierde voorgevel en een sober, door slanke cipressen geflankeerd portaal zonder het hier gebruikelijke houtsnijwerk. Binnenin openbaarde zich evenwel het klassieke stijlgevoel van de oude, Italiaanse adel. Anna Scarlatti, Sophia's tante, had een onfeilbare smaak. De ruim-tes in haar huis waren met antieke meubels gevuld, elk stuk uitste-kend onderhouden en van een onberispelijke schoonheid. Schilde-rijen van Fragonard en Boucher verfraaiden de muren boven de fijne, houten betimmeringen met filigraan inlegwerk. De salon was een kunstwerk van Louis XVIe-stukken, een prima gestemd spinet uit de zeventiende eeuw, kostbare Venetiaanse spiegels en een indrukwekkende verzameling middeleeuwse gobelins. Toch zag dit alles er niet erg vormelijk of stijf uit. Binnen in het huis sprak alles van de behoedzame zorgvuldigheid van een vrouw, die van haar huis hield en zich er vol vreugde op stortte om het helemaal naar eigen wens en smaak in te richten. Kleuren en vormen vulden elkaar aan op een manier die de waarnemer deed wensen er een poosje te mogen blijven staan, om dit beeld van volkomen harmonie in zich op te nemen.

De bibliotheek – tegelijk de werkkamer van Sophia's oom – gaf sterker de indruk van gezelligheid dan de andere ruimtes; hij was comfortabeler en vooral praktischer ingericht, aangepast aan de verlangens van een drukbezet arts. Maar ook hier waren alle meubels liefdevol uitgezocht en perfect op elkaar afgestemd, van de fauteuils met hoge rugleuning en het stevige bureau met de gedraaide poten tot aan de boekenkasten met glas-in-loodramen.

Gewend aan de eerder degelijke dan elegante inrichting van het ruime huis op het landgoed La Befana, voelde Sophia zich altijd een beetje bedeesd als ze de overdadig antiek ingerichte kamers van haar oom en tante binnenkwam. Als kind had ze nauwelijks haar voeten durven neerzetten uit angst dat ze voetafdrukken zou achterlaten op de tapijten van Chinese zijde.

Maar Sophia was nog het meest onder de indruk van de stilte die er in het huis hing, en die iets verhevens, ja bijna heiligs had, vooral vergeleken met de levendige bedrijvigheid die er bij haar thuis heerste. Op La Befana was het buiten en binnen altijd lawaaierig. Het lawaai was een nooit ophoudende bron, gevoed door het geblaf van de honden, het gemekker van de geiten, het geblaat van de schapen, het geratel van de ossenkarren en het gestamp van de olijfpersen.

In het huis van haar oom daarentegen schenen alle geluiden door de dikke tapijten en de zware, fluwelen gordijnen opgeslokt te worden, zelfs het tikken van de staande klok, het geloei van de vlammen en het knapperen van het hout in de open haard.

Vroeger had Sophia vaak haar adem ingehouden om te luisteren of ze behalve haar ademhaling nog iets anders kon horen; het brommen van een auto in de verte, het knetteren van een motorfiets, het geblèr van een radio of het geschreeuw van kinderen. Ze had haar ogen dichtgedaan en zich voorgesteld dat alle mensen in het huis opeens waren verdwenen, door een hogere macht ontvoerd. Allemaal behalve zijzelf, en dat ze voor eeuwig alleen in dit huis zonder geluid moest wonen, tot ze oud was en haar haren grijs als as.

Eén keer had ze zelfs, om een geluid te horen, een zachte gil gegeven, waardoor haar tante meteen was verschenen, vol bezorgdheid dat Sophia zich misschien pijn had gedaan.

Later, in de tijd dat ze in het ziekenhuis had gewerkt, was Sophia hier langere tijd te gast geweest, maar nooit had ze helemaal aan die voortdurende stilte kunnen wennen.

Toen Sophia op deze maandagavond van het ziekenhuis naar de villa van haar oom terugging, was slaap het enige waar ze aan kon denken. Haar ledematen waren loodzwaar van vermoeidheid en haar ogen brandden niet alleen door de ether en de carbol, maar ook door de niet-gehuilde tranen. Het was alsof het beeld van al die verschrikkingen diep in haar netvlies was gebrand. De herinnering aan de gezichten van de vele gewonden liet haar niet los. Steeds weer zag ze de gebroken ogen van de Amerikaanse jongen voor zich, die zonder zijn moeder had moeten sterven, en ook het beeld van de dode baby kon ze niet van zich afzetten.

Al was het buiten zacht, ze was koud tot op haar botten. Bij haar overhaaste vertrek had ze er niet aan gedacht een jas mee te nemen. Haar tante deed zelf open. Ze droeg haar kamerjas; het dienstmeisje was om deze tijd al vrij. Ontzetting verspreidde zich over Anna Scarlatti's fijne gelaatstrekken toen ze zag hoe Sophia eraan toe was. Maar ze herwon snel haar kalmte. Onderzoekend keek ze naar het bleke, uitgeputte gezicht van haar nichtje.

'Het moet zwaar zijn geweest.'

Sophia knikte. 'Ik moet van oom Giovanni zeggen dat hij vannacht niet meer naar huis komt.'

Anna knikte bekommerd. Ze pakte Sophia's handen.

'De hele tijd niets van je horen... Ik maakte me zoveel zorgen.'

'Het spijt me.'

'Niet nodig. Je had het natuurlijk vreselijk druk.' Ze stopte. 'Heb je je vader nog wel gebeld?'

Sophia knikte onbehaaglijk. Ergens tussen het verschonen van verbanden door had ze tijd gevonden de Marchese op te bellen. De mening van haar vader klonk nog na in haar oren. Hij had haar bevolen onmiddellijk naar het huis van zijn broer terug te gaan. Ze had het beloofd, maar toen was ze Benedetta weer tegengekomen die haar hulp vroeg bij het in het gips zetten van een breuk. Daarna waren er huilende ouders te troosten wier kind was gestorven. En zo was het verder gegaan. De ene taak had de andere opgevolgd en Sophia had tot laat in de avond geen rust gekregen.

'Ik ben zo moe dat ik bijna omval,' zei ze.

Anna loodste Sophia de bibliotheek in waar een vuur in de open haard brandde. Op het bureau stond een karaf met cognac klaar. Anna schonk vastbesloten een glas vol en drukte het Sophia in de hand.

'Langzaam drinken, je bent er niet aan gewend.'

Sophia zonk neer in een uitnodigende, leren stoel bij het vuur. Ze nipte en trok een gezicht, maar al snel merkte ze dat de alcohol en de zorgzame aanwezigheid van haar tante haar rustiger maakten.

Sophia had zich er al vaak over verbaasd dat twee mannen die zo op elkaar leken als haar vader en haar oom, twee zo volkomen verschillende vrouwen hadden getrouwd. De Marchesa was tijdens haar leven niet alleen qua temperament heel anders geweest dan haar schoonzus, maar ook qua uiterlijk. Ze was lang geweest en – tenminste voor haar ziekte – steviggebouwd, met ronde borsten en lange benen. Haar huid was blozend geweest en goed doorbloed, en haar diepzwarte haar viel glanzend en vol over haar schouders. Anna Scarlatti daarentegen was tenger gebouwd. Haar huid was etherisch bleek, haast doorzichtig, en haar fijne donkerblonde haar viel in perfecte krullen om haar fijne gezicht. Ze was het zachtste, meelevendste mens dat Sophia ooit was tegengekomen.

'Heb je honger?'

Sophia schudde haar hoofd. 'Ik wil alleen maar slapen.'

'Maar eerst moet je je wassen. Ik laat zo een bad vollopen. Zodra je een beetje bent uitgerust en je je cognac hebt opgedronken.' Anna ging naar de open haard en porde het vuur op.

'En vertel me nu alsjeblieft wat er aan de hand was. Niemand weet het precies!'

Sophia vertelde wat ze in de loop van de dag had gehoord van de mensen die de aanval van vlakbij hadden meegemaakt.

'Ze kwamen om twee uur 's middags, een formatie van zesentwintig *Liberators*. Nadat ze het vliegveld hadden gebombardeerd, vlogen ze over de Corso Carducci. Het volksfeest was in volle gang toen de aanval werd ingezet. Ze hebben in het wilde weg geschoten, midden in de menigte. Ook op de draaimolens vol kinderen.' Anna drukte haar vuist tegen haar mond. Haar ogen vulden zich met tranen. 'Was er dan geen luchtalarm afgegaan?'

'Daarvoor waren ze er te snel.' Bitter ging Sophia verder: 'Ze hebben zelfs mensen achtervolgd die wegrenden om zich in de velden in veiligheid te brengen.'

'Lieve hemel!'

'Je hebt het ergste nog niet gehoord. Nadat ze het feestplein met hun machinegeweervuur hadden bestookt, vlogen ze terug naar de stad en maakten een duikvlucht boven het Domplein. Voor de poort van de kathedraal stonden veel mensen bij de priester. Hij had daar in het portaal de stervenden absolutie gegeven, toen het vuur op hen werd geopend.'

Anna was bleek geworden. Ze kon geen woord uitbrengen. Ook Sophia zweeg. Er hing een drukkende stilte. Beiden dachten na over de zinloosheid van de oorlog, en over wat hen nog te wachten stond.

'Ik kan niet begrijpen dat de koning werkeloos toekijkt,' bracht Anna ten slotte uit. 'Hij moet deze vreselijke regering afzetten en met de geallieerden over vrede praten!'

Hetzelfde had Sophia die dag al vaker gehoord. *Weg met die zwarthemden! Leve de koning! De koning moet met Hitler breken en een verdrag sluiten met de geallieerden, zodat er eindelijk vrede komt!*

Maar er waren ook andere meningen geweest, die haar nadenkend hadden gestemd. Ze praatte er met haar tante over. 'Velen denken als jij. Iedereen wil vrede. Maar zodra Italië het asverbond verbreekt, zullen er Duitse troepen bij ons binnenvallen. Daarmee halen we de oorlog pas echt binnen, en wel meteen en helemaal.' Ze slikte, want ze merkte dat ze haar moeizaam bewaarde kalmte verloor. 'Elk moment kan er een bom op dit huis vallen. Misschien zijn we morgen al allemaal dood.'

'Zo mag je niet denken.'

'Maar...'

Anna onderbrak haar nichtje met een gebiedend hoofdschudden. 'Daar denken we niet aan. Je moet tot rust komen.'

Sophia staarde in het vuur. De flakkerende vlammen tekenden een wisselend patroon van licht en schaduw op haar handen, waarmee ze het glas cognac in haar schoot omklemd hield. Toen ze het glas op het bijzettafeltje neerzette, knoeide ze een paar druppels op het ingelegde blad, maar Sophia lette er niet op. Ze stond op en liep naar de tegenoverliggende muur, waar ze voor de goedgevulde boekenkast van haar oom bleef staan. Het was alsof ze daar troost kon vinden, op de plek die altijd al een magnetische aantrekkingskracht op haar had uitgeoefend, zolang als ze zich kon herinneren. Vanaf het begin hadden de medische vakboeken van haar oom haar gefascineerd. Als kind al had ze enthousiast in de dikke encyclopedieën zitten bladeren en uitvoerig de woorden en afbeeldingen van allerlei ziektes bekeken, waarna ze haar oom met vragen had bestormd. De vakbibliotheek van Giovanni Scarlatti was er de reden van dat ze als kind al zo veel tijd in dit huis had doorgebracht. Tijdens haar bezoeken was er nauwelijks een avond voorbijgegaan dat ze niet, verdiept in een boek, daar bij de open haard had gezeten, de warmte van het vuur als een strelende hand op haar wangen, de stilte van het huis als een beschermende deken om zich heen.

'Ik zal een bad voor je klaarmaken.' Anna liep naar Sophia toe en legde even een hand op haar schouder.

'Dank je.' Sophia luisterde naar de zich verwijderende voetstappen van haar tante, tot ze even later niet meer te horen waren.

Ze opende de kast waar ze voor stond, pakte er willekeurig een boek uit en begon te bladeren. Pas toen ze verschillende mismaakte foetussen zag, merkte ze dat ze een naslagwerk over verloskunde en gynaecologie in handen had. Ze had het, als zoveel boeken in de kast, al gelezen.

Ze klapte het dicht en zette het weer op zijn plaats, toen ademde ze uit en legde haar voorhoofd tegen het koele glas van de boekenkast. De zachte stem van haar tante haalde haar uit haar gepeins. 'Je bad is klaar, kind.'

'Bedankt.' Sophia volgde Anna Scarlatti over de met oosterse lopers bedekte trap naar boven. Terwijl ze in bad lag, loste een deel van haar gespannenheid zich op in het warme water, en het daaropvolgende ritueel van afdrogen, haren kammen en tandenpoetsen kalmeerde haar nog meer. Voordat ze in haar nachthemd glipte, bekeek ze haar naakte lichaam in de beslagen spiegel. De blik waarmee ze haar spiegelbeeld in zich opnam, was kalm. Van andere mensen hoorde ze vaak dat ze een schoonheid was, en omdat iedereen beweerde dat ze zoveel op haar moeder leek, zat er misschien wel een spoortje waarheid in, want haar moeder was, voor haar ziekte, inderdaad een beeldschone vrouw geweest. Sophia zelf vond dat er behalve haar glanzende haar en onberispelijk witte tanden nauwelijks iets aan haar was wat erg mooi was. Daarvoor waren volgens haar te veel lichaamsdelen te groot geworden. Met haar bijna één meter tachtig was ze bijna zo lang als haar broer en haar vader. Haar neus was te lang, haar kin te krachtig om te voldoen aan het traditionele ideaal van bekoorlijkheid. Al toen ze zestien was, waren haar borsten zo weelderig geweest dat Sophia ze met verband strak had ingesnoerd om aan mannelijke blikken te ontkomen – blikken die ze als jong meisje eerst niet had begrepen, omdat de staat van haar lichamelijke rijpheid die van haar verstand ver vooruit was.

Tegenwoordig gebruikte ze geen verband meer, maar ze droeg wel altijd een strakke beha. Verder lette ze erop dat haar kleren niet te strak zaten, want het was haar opgevallen dat vooral de tegenstelling tussen haar volle borsten en haar smalle taille de opmerkzaamheid van de mannen opwekte.

Toen Sophia naar bed ging, voelde ze zich vreemd losgemaakt, en ondanks haar vermoeidheid had ze het gevoel te zweven. Haar bestaan tot nu toe leek zich in de stoom van de badkamer te hebben opgelost, om voor een andere, bedrieglijker werkelijkheid te wijken die steeds meer vorm kreeg.

Niets had haar op de kracht van de pijn voorbereid, die de dood van zoveel onschuldige mensen op één enkele dag had teweeggebracht. Het was alsof er op deze dag een scheur in haar wereld was gekomen, waarachter een onbekende verschrikking lag. Sophia had een vaag gevoel van angst, omdat ze vermoedde dat dit pas het begin was.

Ingebed in een weids, eenzaam, ongetemd landschap, met het voor dit deel van Toscane typische, ruwe klimaat lag La Befana kilometers van het eerstvolgende dorp verwijderd. Een smalle toegangsweg met hoge cipressen erlangs boog van de weg, die naar het noorden leidde, af en liep over een lengte van bijna een kilometer naar het landgoed. Met bochten slingerde hij zich door een dal omhoog tot halverwege een berg, waarvan de hellingen met olijven, druiven, klaver en tarwe waren begroeid.

In zuidelijke richting werd de landbouwgrond overal afgewisseld door de *Crete*, gekloofde, vaalgrijze heuvels met hier en daar bomen, tot in de verte achter blauwachtige mistslierten het Amiatamassief oprees. Vanaf La Befana had je een prachtig uitzicht over het heuvellandschap, dat de indruk van weidsheid met begrensdheid verbond. Het land straalde een stugge, stille schoonheid uit, al ontbrak de betovering van lieflijke bevalligheid volkomen. Kraterachtige kegels wisselden af met steile heuvels van tufsteen, doorspekt met troosteloos aandoende, uitstekende aardkorsten.

Hier in het zuiden van Toscane was het landschap meer dan in andere gebieden in Italië aan de jaargetijden onderworpen.

Door het naastgelegen dal stroomde een riviertje dat in de winter tot een kolkende stroom aanzwol, maar in de zomer veranderde in een nietig stroompje dat zich moeizaam een weg baande door de eindeloze steenwoestenij.

Zodra de tarweoogst was binnengebracht, in de tijd van de ergste augustushitte, werd het land van La Befana droog en grijs als stof. De zon schitterde dan boven een verdord landschap zonder schaduw en zonder groen, tot in september de regen kwam.

Daarna begon de tijd van de wijnoogst, een tijd van levendigheid en van een grote verscheidenheid aan kleuren. Blauwe en witte druiven werden geoogst en geladen op hoge karren met twee wielen die door ossen werden voortgetrokken. Gele maïskolven, die opgehangen waren om te drogen, versierden de boerderijen in de omgeving. De olijven glansden eerst groen, dan rood en later, tegen de tijd van de oogst, blauwzwart in de boomgaarden.

In de winter ten slotte stak er een ijzige noordenwind op, de *Tramontana*, die maandenlang over de kale berghellingen, over de lege velden en door de kale takken van de bomen blies en het leven in de openlucht ondraaglijk maakte.

Het landgoed La Befana bestond uit een stuk grond van ongeveer tweeduizend hectare met een aantal pachtboerderijen. Veel van de ongeveer twee dozijn boerderijen lagen zo afgelegen dat ze alleen met ezelskarren te bereiken waren, over smalle paden die zich kriskras over de bergen door onherbergzaam gebied slingerden.

De overleden Marchesa had veel tijd besteed aan het bezoeken van de pachters, en Sophia was vaak met haar meegegaan. Ze hadden cadeaus aan kraamvrouwen gebracht, zieke gezinnen met medicijnen verzorgd, schoenen en jassen voor de kinderen meegenomen en in het algemeen gezorgd dat alles goed ging. De pachters hadden de lange, altijd goedgehumeurde vrouw vereerd. Voor haar man, de Marchese, hadden ze respect. Dat ze hem als landheer erg graag mochten of zelfs van hem hielden, was te veel gezegd, want daarvoor hadden de meestal erg arme pachtboeren een te grote hekel aan het traditionele, in deze landstreek nog altijd in de praktijk gebrachte systeem van de *Mezzadria*. Het betekende namelijk dat ze de helft van hun oogst aan de landheer moesten afdragen, ook al betaalde hij daarvoor dan wel de benodigde aankopen en reparaties aan hun boerderijen.

Roberto Giuliano Alfonso di Scarlatti had het in deze tijd erg druk, en hij was vaak onderweg. Het was allang geen gerucht meer dat van de omliggende boerderijen jonge mannen verdwenen om zich aan te sluiten bij de partizanen, die zich om de Monte Amiata verzamelden en daar in de dichte beuken- en kastanjebossen een schuilplaats zochten, om tegen de Duitsers en de Zwarthemden te vechten.

De Marchese was een invloedrijk man, maar tegen deze ontwikkeling kon hij niet veel doen. Dus hield hij zich bezig met het beperken van de schade, omdat dat het enige was wat hij in de gegeven situatie voor zijn pachters kon doen. Hij waarschuwde de boeren voor de eventuele consequenties. Duitsland en Italië hadden nog steeds een verbond, en dus moest iedereen die zich open tegen de as uitsprak, rekening houden met de dood. Hij zei hun dat hun zonen er rekening mee moesten houden dat ze zouden worden opgeroepen, want de oorlog zou zich uitbreiden en dan zouden de Zwarthemden elke beschikbare man rekruteren. Omdat de oorlog zich over kortere of langere tijd over het vasteland zou uitbreiden, liet de Marchese geen gelegenheid voorbijgaan om alle denkbare voorzorgsmaatregelen te nemen. Zo had hij bijvoorbeeld eigenhandig met Salvatore, de rentmeester, op meerdere avonden achter elkaar in een bos in de buurt van zijn villa meel, benzine, balen stof, kaarsen en zilver begraven.

Voor Roberto Scarlatti was het niet aan de orde passief af te wachten wat er zou gebeuren. Hij was een man die voor de zijnen zorgde.

Op een middag in mei bracht Sophia eindelijk de moed op met haar vader over haar plannen te praten.
De Marchese zat in de bibliotheek op de begane grond over een grote landkaart gebogen.
Door de wijd openstaande deuren kwam een zacht windje binnen. Het liet de gordijnen opbollen en nam een zwakke rozengeur met zich mee. Het gemurmel van de fontein vermengde zich met het geritsel van de bladeren van de steeneiken, die naast de borders groeiden en de schaduw voor het terras verzorgden.
Even genoot Sophia van de in elkaar vloeiende geluiden en het onbelemmerde uitzicht over het land. Achter de kleine zandsteenmuur, die het achterste deel van de tuin begrensde, golfde het koren op het land. Als stippels verschenen hier en daar bomen en struiken tussen het koren. Over het golvende heuvellandschap spande zich een stralende hemel in een bijna pijnlijk blauw, waarvan de randen in de nevelige verte verloren gingen.
De Marchese hief zijn hoofd op en wendde zich naar haar toe, en een ogenblik lang zag Sophia een blik van ergernis in zijn ogen.
Sophia wist dat haar grote gelijkenis met haar moeder voor haar vader pijnlijk was. Het kwelde hem al de foto's van zijn vrouw te bekijken, dus moest het hem nog meer pijn doen steeds weer een levend evenbeeld te zien van de vrouw waar hij zoveel van gehouden had.
Voor Sophia zelf was het niet minder erg.
Nog steeds dacht ze met verdriet aan die afmattende weken afgelopen december, toen de toestand van haar moeder zo was verslechterd dat bijna elke dag met het einde rekening gehouden moest worden. Toen de dood uiteindelijk kwam, was dat niet alleen voor de Marchesa maar ook voor de andere gezinsleden een opluchting geweest. Als men haar zag, kon niemand meer op genezing maar wel op een snel einde hopen. De Marchesa, die tot vorige zomer nog een van leven bruisende vrouw was geweest, die veel en graag lachte en ongegeneerd in het openbaar zong als ze daar zin in had, had op het einde nog maar vijfenveertig kilo gewogen. Vermagerd tot een bleke spookgestalte van huid en botten en

met talloze gezwellen vlak onder de strakgespannen huid, was ze die laatste dagen in een genadige morfineroes geraakt. Zonder die roes zou de onvoorstelbare pijn niet te dragen zijn geweest.

Sophia lachte aarzelend. 'Sorry dat ik stoor.'

'Je stoort me niet.' Roberto wees op een stoel. 'Ga zitten. Ik merk al een tijdje dat je met me wilt praten.'

Sophia probeerde een ontspannen houding aan te nemen toen ze ging zitten.

'Ik wilde je niet lastigvallen. Je hebt het al zo druk.'

Hij knikte afwachtend.

Zoals altijd als hij 's middags thuis was, droeg hij gemakkelijke kleding. Van zijn witte overhemd waren de mouwen opgestroopt, de bovenste knoop stond open en liet zijn donkere, krullende borsthaar zien. Onder de vlotte broek droeg hij lichte, linnen schoenen. Als hij buiten was droeg hij bij dit alles een versleten strohoed.

Sophia bekeek haar knappe vader vol genegenheid, een gevoel dat op dit moment een beetje verzwakt werd door de angst dat hij haar voorstel zonder pardon zou afwijzen, wat hij al een keer gedaan had. Na de dood van haar moeder had Sophia het vanzelfsprekend gevonden dat ze de eerste weken op La Befana zou blijven. Maar toen, zonder dat het haar bewust was opgevallen, was die tijd om en was ze nog steeds niet gaan werken. De Marchese stond op het standpunt dat Sophia op het landgoed veiliger was dan in een provinciaal ziekenhuis.

Daar was het bij gebleven, maar Sophia dacht er niet aan het zomaar op te geven.

Ze drukte haar vingertoppen tegen elkaar en concentreerde zich. Hoe rustiger ze het vertelde, hoe eerder ze haar vader duidelijk zou kunnen maken dat ze hier op het landgoed doodging van verveling als ze niet snel iets te doen kreeg.

Sophia haalde adem en barstte toen uit: 'Papa, ik...' en verstomde toen weer.

Alle omzichtige woorden die ze voorbereid had, waren opeens vergeten.

Roberto keek haar onderzoekend aan. Zijn mondhoeken vertrokken en toen verscheen er een lachje op zijn gezicht.

Sophia kreeg een spoortje hoop, dat echter bij de volgende woorden van haar vader weer verdween.

'Mijn lieve kind, ik weet wel waar je heen wilt. Maar mijn antwoord luidt nog steeds nee.' Hij hief zijn hand op toen Sophia opstoof. 'Wacht even. Laat me eerst uitpraten.' Zijn gezicht werd weer ernstig. 'Je moet weten dat ik het je echt niet misgun je werk weer op te pakken. Ik heb er sinds Grosseto diep over nagedacht. Intussen is het me ook duidelijk dat je baan niet zomaar een bevlieging is. Het is je echt ernst.'

'Waarom verbied je het me dan?'

Hij negeerde de onderbreking, maar zijn toon werd merkbaar strenger. 'Ik kan niet toestaan dat je in de stad bent, terwijl er steeds bombardementen zijn. De luchtaanvallen zijn duidelijk gevaarlijker geworden. Ze richten zich niet meer alleen op strategische doelen, maar ook op de burgerbevolking. In de steden is het niet meer veilig, Sophia. Welke man die bij zijn verstand is, zou zijn dochter vrijwillig aan zulk gevaar blootstellen?' Zijn gezicht werd zachter toen hij Sophia's teleurstelling zag.

'Denk toch alsjeblieft niet dat ik je wil dwarszitten! Het is alleen ... Jij en je broer – jullie zijn alles wat ik nog heb! Ik verwacht van je dat je op zijn minst probeert me te begrijpen!'

Zijn ongewoon bevelende toon deed Sophia zwijgen. Ze besefte hoe groot de druk was waaronder hij leefde. Haar vader zuchtte. Hij verschoof de landkaart een stuk, trok een vel papier tevoorschijn en gaf het aan Sophia. Ze bekeek het met gefronste wenkbrauwen. Het was een tekening van Italië met alle belangrijke steden erop aangegeven, met een oproep aan het Italiaanse volk om zich van het fascisme en de Duitsers te bevrijden.

'Waar komt dat vandaan?' vroeg ze.

'Draai het eens om.'

Sophia gehoorzaamde en voelde een rilling van angst, toen ze op de achterkant een groot doodshoofd boven gekruiste botten zag.

'Duizenden van deze pamfletten werden een paar weken geleden boven Rome afgeworpen. De boodschap is duidelijk genoeg, nietwaar?'

Dat was hij inderdaad. Alleen een gek zou zo dom zijn om niet te begrijpen waar het hier om ging. De geallieerden zouden met tonnen tegelijk dood en verderf op de ingetekende steden laten regenen, als Italië niet meewerkte en het verbond met Hitler verbrak. Rome, Florence, Napels, Venetië... Ze dreigden met niet meer en niet minder dan een duizend jaar oude cultuur in vlammen op te laten gaan!

Sophia was geschokt. 'Dat kunnen ze toch niet doen!'

'Ze doen het, geloof me maar. Uit Londen heb ik communiqués gehoord dat de luchtaanvallen met onverminderde hardheid zullen doorgaan, tot het asverbond is verslagen. Men staat daar op het standpunt dat om het kwaad te verslaan men kwaad moet doen.'

'Als de geallieerden op het vasteland oprukken, zullen er al snel meer Duitsers hierheen komen, hè?'

'In Chiusi staat al een Duits tankbataljon,' zei haar vader toonloos. 'Ik hou er elke dag rekening mee dat er hier Duitse eenheden zullen opduiken om de streek uit te kammen, op zoek naar gevluchte krijgsgevangenen, of om voorraden voor de troepen te vorderen. Het is zelfs mogelijk dat de invasie van de geallieerden op de Toscaanse kust zal plaatsvinden.'

Sophia schrok. Zo dichtbij!

Hij raadde haar gedachten. 'Misschien loopt de volgende frontlinie wel over ons land. En er is niks, helemaal niks, wat ik daartegen kan doen!' Nijdig sloeg hij met zijn platte hand op het blad van zijn bureau. Het pamflet werd door de luchtdruk opgetild en zweefde naar de grond.

Sophia was ontdaan over de woede die uit zijn ogen straalde.

De Marchese vouwde de landkaart weer in elkaar en stond op. Met zijn duimen achter de riem van zijn broek gehaakt, liep hij naar de openstaande deuren en staarde over de zonovergoten velden. Op zijn gezicht lag een zwakke uitdrukking van droefheid samen met een vaag verlangen. 'Sophia, ik wil je een voorstel doen wat je baan betreft. Wat zou je ervan vinden hier op het landgoed een polikliniek te beginnen?'

Niets had Sophia meer kunnen verrassen. Wat had dat te betekenen? Een polikliniek was toch geen ziekenhuis!

Maar toen keek ze peinzend. Ze bedacht hoe vaak de pachters – hoofdzakelijk de vrouwen – in het verleden over de ontoereikende medische verzorging op La Befana hadden geklaagd. Vooral bij ziektegevallen die niet zo ernstig waren dat er onmiddellijk een dokter nodig was, maar die toch ook zo hardnekkig of lastig waren dat men ze niet kon negeren.

Toen Sophia samen met haar moeder bij de boerderijen langsging, of naar aanleiding van een geboorte samen met de verloskundige een boerderij bezocht, werd haar vaak gevraagd of ze kon helpen; een hardnekkige hoest verzachten, een diepzittende steenpuist weghalen, een etterende wond desinfecteren, zware aanvallen van migraine behandelen of een ziek kind dat niet wilde eten onderzoeken.

Sophia stelde zich meteen voor wat ze hier, op de centrale plek van het landgoed, voor de boerenbevolking zou kunnen betekenen. Waarom was ze zelf niet allang op dat geweldige idee gekomen? Als La Befana iets dringend nodig had dan was het toch wel een goed uitgeruste polikliniek!

Sophia kon wel juichen.

Haar ogen straalden toen ze sprakeloos naar haar vader toeliep. Ze had graag zijn hand gepakt of hem op een andere manier laten blijken hoe dankbaar ze was en hoeveel ze van hem hield, maar tussen hen was er nooit sprake geweest van lichamelijke intimiteit.

'Heb je al een ruimte in gedachten?' vroeg Sophia opgewonden.

'Ik dacht eraan om de wasserij te laten verbouwen.' Zijn stem klonk verstrooid, alsof hij met zijn gedachten mijlenver weg was. 'Het lijkt me het beste dat je het gebouw eens bekijkt en opschrijft wat je nodig hebt. Ik zal dan alles naar jouw wensen laten inrichten.'

'Papa, ik wil je zeggen hoe erg ik...'

'Bedank me niet,' onderbrak hij haar, met een bijna bruuske klank in zijn stem. 'Je bent mijn kind. Als jij gelukkig bent, ben ik dat ook.'

Sophia lachte naar hem en even benam haar schoonheid hem de adem, toen ze door de geopende deuren naar buiten liep, zich over het pad tussen de rozenperken en langs de fontein haastte, en toen steeds sneller liep tot ze ten slotte rende.

3

Roberto lachte terwijl hij haar nakeek. Als hij haar zo zag lopen, met die grote, energieke stappen, werd hij aan zijn eigen jeugd herinnerd. Hij zag zichzelf daar rennen, zichzelf en zijn evenbeeld Giovanni, allebei vol onstuimigheid, ondernemingslust en levenshonger, ongetemd en vastbesloten de wereld te bewijzen wat voor dekselse kerels ze waren.

Zoals altijd droeg Sophia, in verband met haar lengte, lage schoenen. Haar wijde jurk fladderde in de wind. Hij voelde een vleugje weemoed opkomen bij de aanblik van zijn onstuimige dochter, maar hij onderdrukte het en dacht in plaats daarvan aan de uitgaven en de zeker grote kosten die de verbouwing van de wasserij met zich mee zou brengen. Dat waren belangrijke dingen om over na te denken.

Al te vaak had hij zich de laatste tijd overgegeven aan plotselinge emoties, wat hem ergerde, omdat hij vond dat het tegen zijn natuur inging.

Hij hief onwillekeurig zijn hand op en masseerde de linkerkant van zijn borst, waar hij het trekkerige gevoel de laatste weken vaker voelde dan eerst. Hij was pas achtenveertig, maar de laatste tijd dacht hij vaker aan de dood dan vroeger. Aan zijn eigen dood, maar ook aan die van alle jonge mannen die bij bosjes aan het front omkwamen, zinloos opgeofferd als kanonnenvoer voor een oorlog die niemand meer kon goedkeuren. Hoe graag had hij de plaats van zijn zoon ingenomen, als hij hem daarmee weg had kunnen krijgen uit de Balkan, weg uit de gevarenlinie!

Maar anders dan Sophia had Francesco zich aan Roberto's beschermende invloed onttrokken. De jongen had niet alleen zijn eigen weg gekozen, maar was hem ook gegaan.

Een zoon was, als hij net zo oud was als Francesco, ook tegelijkertijd een man, die geen vaderlijke dwang meer accepteerde, hoe terecht die ook mocht zijn.

Bitter dacht de Marchese eraan dat hij zelf Francesco zo had opgevoed dat hij altijd voor zijn overtuigingen moest opkomen, en er zo nodig voor moest vechten.

Tegenwoordig ervoer hij de post van zijn zoon niet alleen als een welkom levensteken, maar tegelijk als het stille bewijs van zijn eigen falen. Steeds weer stelde hij zichzelf de onvermijdelijke vraag wat hij had kunnen doen – of beter: moeten doen – om zijn zoon duidelijk te maken hoe fataal de aantrekkingskracht van de gewapende strijd was, hoe dodelijk de zuigkracht van de oorlog.

De dood scheen voor dit soort zelfbenoemde helden een verschrikking te zijn die alleen in de fantasieën van anderen bestond. De Marchese had niet kunnen verhinderen dat zijn zoon zich vrijwillig bij het leger had aangemeld.

Roberto gaf het op erover te piekeren. Hij had het te druk om zichzelf te kunnen toestaan al te veel gedachten aan de dood te verspillen, en al helemaal niet aan zijn eigen dood. Er waren te veel mensen van hem afhankelijk, van zijn beleid, zijn planning, zijn bekwaamheid. Hij had geruchten gehoord dat de commandant in Montepulciano van plan was Engelse krijgsgevangenen op het landgoed te interneren. Bovendien moest hij er elke dag rekening mee houden dat de partizanen in de omgeving actief zouden worden, wat zeker represailles van de Duitsers tot gevolg zou hebben. Ze zouden diegenen aanpakken die ze konden bereiken – de familieleden van de onderduikers. Nog een probleem waar ik me mee bezig moet houden, dacht hij, terwijl hij naar buiten liep.

Verderop bij de *Fattoria* zag hij een beweging. Als door een magneet aangetrokken, ging hij erop af. In de middaghitte zag het terrein om het huis van de rentmeester en de omliggende gebouwen er uitgestorven uit. Een hond lag te dommelen onder een boom, daarnaast speelde een kind met een paar stenen. Verder was er in de wijde omtrek geen levend wezen te bekennen.

De Marchese bereikte het stenen gebouw, waarin de *Fattoria* was ondergebracht. Aan de kant van de berghelling stond een raam open. Gordijnen bolden in de zwakke bries.

Elsa verwachtte hem, het geopende raam was het afgesproken teken.

Hij keek om zich heen en glipte toen door de achterdeur, die op een kiertje stond.

Ze ontving hem met een omarming. 'Roberto! Eindelijk! Ik dacht dat je nooit zou komen!'

Hij kuste haar met koortsachtige hartstocht en vond dat hij zichzelf daarvoor moest haten, maar zoals altijd voelde hij alleen die verterende begeerte, die hem ertoe bracht zijn overhemd van zijn lichaam te rukken, zijn broek los te maken, haar jurk los te knopen, haar achteruit de slaapkamer in te duwen, haar op het bed te leggen en haar te nemen als een bronstige stier.

Elsa was slank maar had volle, ronde borsten die ze naar hem omhoog duwde, terwijl hij op haar lag en steeds weer bij haar naar binnen stootte. Hij beantwoordde het onuitgesproken voorstel en nam haar tepels om de beurt in zijn mond, tot ze het hijgend uitschreeuwde, haar vingernagels in zijn rug begroef en zich onder hem kromde.

Seconden later stortte hij zich uit in haar vochtige hitte, daarna rolde hij van haar af en bleef naast haar liggen zonder haar los te laten. Ze lagen in elkaars armen en kwamen tot rust. Dromerige tevredenheid tekende zich af op Elsa's fijngesneden trekken. Zoals altijd in deze ogenblikken van lichamelijke tevredenheid zag ze eruit als een jong meisje, niet als een vrouw van tweeënveertig jaar, die drie kinderen had gehad en in haar leven niet veel anders had gekend dan hard werken. Roberto was op een manier van haar bezeten die hij niet kon verklaren. In het begin had hij gedacht dat het alleen de seksuele ontbering was die hem tijdens de ziekte van zijn vrouw steeds meer in een hongerig dier had veranderd. Hij herinnerde zich de eerste keer met Elsa, zes weken geleden. Haar man was met de vrachtwagen naar de stad gegaan om inkopen te doen. Elsa was die middag naar de villa gekomen toen Roberto alleen thuis was. Het dienstmeisje was uit en de kokkin was naar haar zus in Siena gereden. Sophia was naar haar vriendin in Montepulciano.

Elsa was door een van de openstaande deuren de bibliotheek binnengekomen, waar hij over een paar rekeningen zat gebogen. Ze was voor hem gaan staan in een gebloemde, katoenen jurk, die ze ook de laatste keer naar de kerk had gedragen, een jurk die haar lichaam accentueerde; haar borsten, haar heupen, haar dijen. Haar asblonde haar hing los op haar rug.

'Wat wil je?' had hij kortaf gevraagd, maar ze had alleen geheimzinnig gelachen en was begonnen haar jurk los te knopen. Daaronder was ze naakt. Haar huid was wit als melk en had de glans van parels.

Toen Elsa op hem toekwam trilde zijn hele lichaam, doordrongen van het besef dat hij hiervoor aan hel en verdoemenis ten prooi zou vallen. Maar hij was niet in staat geweest zich ertegen te verzetten, wilde het eigenlijk ook niet. In plaats daarvan legde hij zijn handen om haar taille en trok haar tegen zich aan, terwijl hij kreunend zijn hoofd tussen haar borsten begroef. Ze zonk op haar knieën tussen zijn dijen, maakte zijn broek open en boog zich over zijn stijve lid. Ze nam hem schaamteloos op een manier die hij zich in zijn stoutste dromen niet had kunnen voorstellen.

Sindsdien waren ze zo vaak als maar mogelijk was bij elkaar gekomen. Als het nodig was bedacht Roberto opdrachten voor Salvatore, haar man, die hem ver weg brachten.

Elsa's hand gleed zacht over zijn rug. Zijn huid was bezweet, maar het stoorde hem niet en haar ook niet. Elsa kende zijn lichaam net zo goed als hij het hare. De Marchese had, ook al was hij drieëntwintig jaar lang met een temperamentvolle vrouw getrouwd geweest, nooit zoveel ongeremdheid meegemaakt als met Elsa. In het echtelijk bed had Roberto's vrouw zeker niet afwerend, maar wel met een zekere terughoudendheid, gereageerd, wat hem had tegengehouden voorbij het in zijn ogen betamelijke te gaan.

Elsa daarentegen kende geen verlegenheid. Ze had een heerlijke, natuurlijke onbevangenheid; ze hield ervan zijn lichaam met ogen, handen en mond te onderzoeken, en stond erop dat Roberto haar op dezelfde manier behandelde.

Het samenzijn met haar was voor Roberto een roes, die hem, nadat hij die eenmaal ervaren had, niet meer losliet. 's Nachts werd hij wakker, opgewonden en bevend van begeerte. Als hij bij haar was, verloor hij zich er volledig in haar te ruiken, te proeven, het onvergelijkbare aroma van haar huid met al zijn zinnen in zich op te nemen. Als de oorlog er niet was geweest met alle zorgen en problemen – dan had Roberto van vroeg tot laat aan niets anders meer kunnen denken dan aan Elsa. Hij wilde haar hebben, nu, meteen, alsof er geen morgen was. Aan de tijd daarna wilde hij niet denken, laat staan aan een gezamenlijke toekomst. Zo'n toekomst zou er voor hen nooit zijn. En toch was er een stemmetje in zijn binnenste dat wanhopig in opstand kwam tegen alle conventies, het verstand, de omstandigheden, de wet. Elk deel van hem wilde die grenzen overschrijden en voor de hele wereld zijn recht op deze vrouw laten gelden.

Maar er zat diep in hem ook een donkere kern van zelfhaat, omdat hij dit deed, slechts een paar maanden na de dood van zijn vrouw. Roberto dacht ook aan Salvatore Farnesi, die al vele jaren een trouwe werknemer en bijna een vriend was en die hij nu in zijn eigen huis bedroog.

Als hij eerlijk was, moest Roberto toegeven dat hij bijna alle idealen verraadde die hij altijd verdedigd had. Maar voor niets ter wereld had hij deze heerlijke momenten, waarin Elsa en hij elkaar helemaal toebehoorden, willen opgeven.

Intussen had hij ook geleerd de schaamte, die onvermijdelijk op de lichamelijke liefde volgde, te verdringen. In plaats van de kostbare tijd met zelfverwijten te verdoen, hield Roberto zich ermee bezig Elsa voor een tweede keer lief te hebben, deze keer langzamer. Ze beantwoordde vol overgave zijn liefkozingen, wat haar er niet van weerhield ondertussen tegen hem te praten. Hartstocht en praten – ze combineerde dat moeiteloos, een eigenschap van haar die Roberto net zo fascinerend als storend vond.

'Heb je haar het voorstel over de wasserij gedaan?'

Hij bromde iets toestemmends tegen de zachte huid van haar buik.

'Wat zei ze?' Elsa kreunde toen zijn tong in haar navel gleed. 'Vond ze het niet geweldig?'

Zijn hoofd zakte dieper.

Elsa haalde hortend en stotend adem. 'Ik weet zeker dat ze het geweldig vindt! Het is de perfecte oplossing! Iedereen is gelukkig, en je dochter vooral!' Het kostte haar even om haar gedachten te ordenen, al deed Roberto alle mogelijke moeite ze door elkaar te gooien.

'Ik maak me zorgen om Antonio. Als hij al eens een keer thuis is, heeft hij het er steeds over dat hij in het verzet wil. En in de stad heb ik laatst gehoord dat een meisje een kind van hem heeft gekregen. Ik zou wel eens willen weten of dat waar is. Stel je voor – ik als oma! Dat zou vreemd zijn!'

Roberto schoof haar onder zich en spreidde haar benen. Oma? Wat een geklets. Geen vrouw kon jonger, mooier, begerenswaardiger zijn dan Elsa!

'Stil.' Hij kuste haar hard, waar ze van leek te genieten. Daarna bleef het een poosje stil op de geluiden van de hartstocht na, die kwamen en gingen als de wind buiten achter de geopende ramen.

De villa van La Befana stamde uit de zeventiende eeuw. Het was niet wat veel stedelingen zich bij het huis van een Italiaanse edelman zouden voorstellen, want hij zag er niet zozeer pompeus als wel praktisch uit, een eenvoudig, langgerekt gebouw van twee verdiepingen met een aanbouw waar de voorraadkamers en de kamers voor het personeel waren ondergebracht.

Aan het begin van de vorige eeuw had de opa van de huidige Marchese het hoofdhuis laten renoveren. De ramen waren vergroot, er was waterleiding en elektriciteit aangelegd en er was een grote loggia aangebouwd aan de tuinkant.

De grote hal op de begane grond was met marmer betegeld, de wanden waren van walnoothout. De trappen die aan beide kanten van de hal in een klassieke halve cirkel omhoog liepen, waren van nieuwe, sierlijk gedraaide leuningen voorzien.

De enige echte pracht en praal in het huis stamde ook uit die tijd. De toenmalige Marchese had zijn vrouw voor hun dertigste huwelijksdag een ongewoon cadeau gegeven: een badkamer. De opdracht voor de bouw had hij aan een beroemde kunstenaar uit Florence gegeven. De badkamer werd in het voormalige boudoir van de Marchesa aangelegd en de wanden, het plafond en de vloer werden met lichtgevende mozaïeken uitgevoerd met als onderwerp de zee. Watergeesten, zeemonsters en zeepaardjes ontmoetten elkaar naast golvend zeewier, grillige koralen en glanzende mosselen. De Marchese was niet erg onder de indruk van het kunstwerk, maar omdat zijn vrouw bij de aanblik van het cadeau enthousiast was als nooit tevoren, was hij er wel tevreden over.

Midden in de ruimte stond een marmeren badkuip. De poten

waarop hij stond, waren niet, zoals toen gebruikelijk was, in de vorm van leeuwenkoppen, maar waren watergoden. De inrichting van de badkamer werd compleet gemaakt door een badkachel, een wastafel, een toilet, en een bidet, een moderne aanwinst waar de Marchesa tijdens een reis naar Parijs enthousiast over was geworden.

Roberto en Giovanni waren als kinderen dol geweest op het bad, net zoals Roberto's kinderen, Sophia en Francesco. Sophia had als klein meisje urenlang in het bad gespeeld en de prachtige figuren om haar heen bewonderd.

Afgezien van de badkamer waren er aan de villa geen tekenen van buitensporigheid of zelfs rijkdom te zien. De Marchese was welgesteld, maar zijn vermogen bestond vooral uit contanten of waardepapieren en uit het land dat hij bezat. Het grootste deel van de pachtinkomsten gebruikte hij voor moderniseringen op het landgoed en op de omliggende boerderijen.

In de buurt van de villa stonden verschillende bijgebouwen, behalve de *Fattoria* nog een zestal woonhuizen van de mensen die op het landgoed werkten, en stallen en schuren. In de schaduw van twee steeneiken stond ook het eenvoudige gebouw waar vroeger de wasserij in was gevestigd. Nu was daarin de nieuwe polikliniek van La Befana ondergebracht. Sophia's vader had woord gehouden. Het had niet veel tijd gekost het plan te verwezenlijken.

Bij de aanschaf van de benodigde inrichting waren er, zoals te verwachten, soms moeilijkheden gerezen, maar de Marchese had zijn broer ingeschakeld en wat die niet had kunnen leveren, had Roberto via duistere kanalen in Rome of Florence weten te bemachtigen. Ook in deze tijd kon bijna alles met genoeg geld gekocht worden.

Sophia was apetrots op haar nieuwe rijk. Van een grote praktijkruimte voor de behandeling van patiënten voerde een brede doorgang naar een volgende kamer, waar voor de verzorging van patiënten die moesten liggen twee bedden stonden. Verder was er nog een ruimte waar verbandmiddelen en medicijnen waren opgeslagen en een wasruimte met nog meer kasten en planken. De Marchese had zelfs een telefoonleiding laten aanleggen, zodat Sophia altijd zonder omwegen de hulp van een arts kon inroepen.

Dokter Rossi kwam in juli uit Montepulciano en bezichtigde samen met Sophia de nieuwe polikliniek. Bij de aanblik van de lichte ruimtes, de smetteloos witte muren, de blinkende instrumenten en de grote voorraad verbandmiddelen, middelen om te desinfecteren en medicamenten merkte hij op zijn gewone, geestige, licht sarcastische manier op dat elke arts, inclusief zijn eigen nederige persoontje, zich gelukkig zou prijzen over zo'n goedingerichte praktijk te beschikken. Die opmerking deed niets af aan Sophia's opgewektheid, omdat hij vervolgens welwillend constateerde dat hij nu hopelijk niet meer urenlang langs die vreselijk hobbelige weg naar de verafgelegen boerderijen hoefde te rijden.

'Vanaf nu kunnen de zieken net zo goed hierheen komen als ze me nodig hebben. Ze bellen me op en een halfuur later ben ik hier.'

'Dat is ook de bedoeling,' zei Sophia tevreden.

'Waar is de Marchese? Ik wil hem feliciteren met dit schitterende idee. En natuurlijk met zijn ijverige dochter.'

'Hij is vandaag in Florence.'

'Hebben jullie nog wat gehoord van je broer?'

'Zijn eenheid is van de Balkan naar Sicilië overgeplaatst.'

De dokter knikte zwijgend, omdat dit nieuws geen commentaar nodig had.

De geallieerden waren op Sicilië geland. Spoedig zou het eiland een hel zijn.

Sophia hief haar hoofd op. Hoog in de lucht klonk het gedreun van vliegtuigen die zich langzaam in zuidelijke richting verwijderden. Het waren Duitse toestellen die naar Sicilië onderweg waren.

'Je hoort ze nu de hele dag,' merkte de arts op, om de stilte te verbreken.

'Ja, ik weet het.'

'De vraag is alleen of ze nog wat kunnen uitrichten als daarbeneden de strijd echt losbarst.'

Buiten op het erf doorbrak het verontwaardigde gekakel van een kip de stilte, gevolgd door de plotselinge kreet van een kind.

Dokter Rossi keek geamuseerd in de richting van de deur. 'Het lijkt erop dat daar je eerste patiënt aankomt.'

Ze liepen naar buiten, waar het een behoorlijk tumult was. Fabio, de tienjarige zoon van de schoenlapper, kwam het erf op gerend. Hij stormde tussen de kippen door die daar rondscharrelden. Fladderend en kakelend stoven ze uit elkaar, terwijl hij verder rende, zijn benen in de korte broek stampten op de grond. Zijn ene knie was geschaafd en bloederig; in zijn haast moest hij gevallen zijn. In verband met de hitte droeg hij alleen een hemd dat aan de voorkant vol vlekken zat en onder zijn rechterarm gescheurd was.

Hijgend kwam Fabio in een wolk stof voor Sophia en de dokter tot stilstand. Hij riep iets wat niet te verstaan was, omdat het meeste door een ademloos gesnuif gesmoord werd.

'Rustig maar, Fabio.' Sophia keek de opgewonden jongen bezorgd aan. 'Ben je gewond? Heb je je pijn gedaan?' Ze bukte zich om naar zijn knie te kijken.

Maar hij weerde haar ongeduldig af. 'De Duitsers! De Duitsers!' riep hij met een schrille stem. 'Ze zijn daar!' Hij draaide zich om en wees de heuvel af. Er kwam een legervrachtwagen over de weg aangereden. Hij ging langzamer en bleef toen aan het begin van de cipressenlaan staan. Een man in een Duits uniform stapte uit. Sophia kon op deze afstand geen details zien, maar ze zag wel dat hij erg lang was en blond haar had. Hij schermde zijn ogen met zijn hand af tegen de zon en bekeek de omgeving. Zijn houding was ontspannen en zelfverzekerd. Na een lange blik over de heuvel keek hij omhoog naar de villa. Toen deed hij zijn arm omlaag en wendde zich naar de vrachtwagen om met de bestuurder te praten. Daarna draaide hij zich weer om en keek in hun richting.

Het leek Sophia of hij haar recht aankeek. Ze voelde een vaag gekriebel in haar maag, een lichamelijk gevoel van gevaar, het gevoel van een aanstaande, grote verandering. Maar dat was het niet alleen. De aanblik van de man riep iets in haar op wat ze niet kon verklaren. Het leek nog het meest op een verschijnsel waarvan ze de medische uitdrukking kende: *déjà vu*.

Ze dacht er niet over na of ze de man vroeger al eens ontmoet had, want ze wist zeker dat dat niet zo was. Ze had hem nooit eerder gezien. En toch leek het alsof ze hem al eerder had ontmoet, in een vorig leven misschien, of in haar dromen.

Onbewust ging haar hand naar haar keel, als kon ze zo de pijnlijke droogheid verzachten die ze daar opeens voelde.

De blonde soldaat maakte aanstalten om weer in de vrachtwagen te stappen. Maar plotseling werd hij opzij geslingerd alsof hij een harde stomp had gekregen, en bijna op hetzelfde ogenblik was er ver weg de knal van een schot te horen.

Richard Kroner was bij bewustzijn, maar zijn gezichtsveld was merkwaardig gekrompen, en het werd steeds even donker om hem heen. Vaag merkte hij dat iemand hem onder zijn armen pakte en wegsleepte. Er was iets met zijn hoofd. Het voelde aan alsof het geëxplodeerd was. Zijn ledematen waren gevoelloos, alsof ze niet bij hem hoorden. Zijn armen en benen hingen slap neer, terwijl hij door het stof naar de andere kant van de vrachtwagen werd gesleept. De adem van Joachim Weldau gleed heet en hijgend over zijn gezicht. Richard hoorde ook de stem van de sergeant-majoor. Hij verstond de woorden niet, maar begreep de betekenis. Wat niet zo moeilijk was, want de half snikkend, half schreeuwend gestamelde woorden drukten de machteloze haat van Weldau uit voor de sluipschutter, terwijl hij hem in dekking trok.

Richard wilde tegen hem zeggen dat hij zich geen zorgen moest maken, hij leefde immers nog, maar zijn lippen schenen geen woorden te kunnen vormen. Duisternis gleed van de randen van zijn blikveld naar binnen en omhulde hem.

Richard had zijn ogen dicht, maar toch kon hij de hemel zien, die uitgestrekte, stralende, Italiaanse hemel. Hij was weer in Florence, slenterde weer langs de kleine goudsmederijen die aan de Ponte Vecchio lagen. 's Avonds weerspiegelde het water van de rivier de volle, rode weerschijn van de ondergaande zon, en later, met de zachte glans van goud, het licht uit de wandelgangen en de winkels. Hij zag de boten onder de brug over de Arno voorbijglijden en hoorde het geratel van bestelwagens in de stegen, maar ook het gezang en gelach van vrouwen op de markt. Steeds weer liep hij rond de prachtig gegraveerde zuilen op de binnenplaats van Michelozzo, een stijlvol decor voor de dolfijnenputto van Andrea Verrocchio. Vanaf het Piazzale Michelangelo genoot hij van het adembenemende uitzicht over de stad, waar zich achter de rode daken de ronde koepel van de Dom en de toren van het Palazzo Vecchio verhieven. Hij stond in de schaduw van Santa Maria del Fiore en haar gotische campanile, een meesterwerk gebouwd volgens een ontwerp van Giotto, die grandioze schilder die met zijn kunst vol invoelingsvermogen een nieuw tijdperk had ingeluid – hele generaties van geniale beeldhouwers, architecten en schilders, die ieder voor zich aanspraak konden maken op de triomf deze stad een waas van onsterfelijkheid te hebben verleend. Michelangelo,

Leonardo, Botticelli, Donatello, Vasari, Brunelleschi, Fra Angelico...

Dan de *Galleria degli Uffizi*! Nooit eerder had Richard zoveel schoonheid gezien! Niets op aarde was vergelijkbaar met deze tempel van schoonheid, met deze stad, met dit land, het was alsof een goede God zijn hand had uitgestoken en Toscane had gezegend, haar had geheiligd met een grandioze cultuur in overvloed. De kunst was als een vuur, het vulde de stad met een onvergankelijke lichtheid, die over alles heen straalde en de toeschouwer verblindde.

'Richard,' klonk een stem in zijn oor, 'sterf nu alsjeblieft niet!'

Versuft deed Richard zijn ogen open. Hij was niet in Florence, maar nog steeds op het godverlaten platteland, waar partizanen en ontvluchte krijgsgevangenen de streek onveilig maakten.

'Ik sterf niet,' kraakte hij. Toen verloor hij weer het bewustzijn.

Joachim Weldau bekeek de wond eens goed en slaakte een zucht. 'Het ziet ernaar uit dat je gelijk hebt,' zei hij opgelucht.

Sophia had de vrachtwagen bijna bereikt. De zijde van haar dunne jurk wapperde om haar knieën. Dokter Rossi volgde haar zo snel hij kon, maar Sophia had hem al op de eerste honderd meter ver achter zich gelaten.

Fabio was veel sneller dan de gezette arts, maar het lukte ook hem niet Sophia bij te houden.

'Sophia!' riep de dokter hijgend. Hij wilde haar bewust maken van het gevaar dat misschien nog steeds in de heuvels aan de overkant van de weg op hen loerde, om nog maar te zwijgen over de Duitsers wier stemming na de hinderlaag allesbehalve vredelievend zou zijn. Maar Sophia hoorde hem niet. Haar blik was op de vrachtwagen gericht, waarachter de bestuurder met de gewonde Duitser dekking had gezocht. Naast het rechtervoorwiel was het stof met bloeddruppels bedekt.

Joachim Weldau zag vanuit zijn dekking het vreemde trio aankomen: een jonge vrouw in een felblauwe jurk, een jongen en een oudere man.

De vrouw was ongewapend, net als de jongen. Op enige afstand volgde de man. Hij was rond de vijftig en overduidelijk een stedeling, want hij droeg een donker pak. De zon weerspiegelde op zijn kalende schedel. Zover Joachim kon zien, droeg de man ook geen wapen. Maar na wat ze net meegemaakt hadden, was voorzichtigheid geboden. Hij richtte zich op, zijn pistool in de aanslag. 'Halt!' riep hij in het Duits tegen de vrouw, die, zoals hij nu zag, niet alleen erg lang was, maar ook vastbesloten zich niet te laten tegenhouden.

'Geen stap verder, of ik schiet!'

Wat Sophia betreft was die bedreiging overbodig, omdat ze de vrachtwagen al bereikt had. Ze bleef staan en veegde haar handpalmen aan haar jurk af, terwijl ze nerveus naar het wapen keek dat op haar gericht was. Fabio verstopte zich achter haar rug en gluurde gefascineerd langs haar heupen. Boven bij de huizen klonk de schreeuw van een vrouw. Sophia herkende de stem van Carla, Fabio's moeder. Ze moest doodsangsten uitstaan, maar durfde niet naar beneden te komen. Ze was negen maanden zwanger en stond vlak voor de bevalling.

'Mama roept me,' zei Fabio klagelijk. Blijkbaar werd het hem nu duidelijk dat de situatie verre van ongevaarlijk was. 'Ik wil naar huis.'

'Beweeg je niet,' zei Sophia rustig tegen Fabio. 'De soldaat zal je niks doen als je hier bij mij blijft staan.'

De soldaat droeg de rangtekens van een sergeant-majoor. Hij was gedrongen en rond de veertig en had een halvemaanvormige wijnvlek op zijn rechterwang. De bovenste knopen van zijn uniformjas stonden open en onder zijn armen was de stof donker van het zweet. De hand waarmee hij het wapen vasthield, was rustig.

Sophia tilde langzaam haar armen op. 'Ik ben ongewapend,' zei ze in het Engels, en toen in het Duits: 'Alstublieft.' Ze draaide zich om naar dokter Rossi, die hijgend aan kwam lopen. *'Dottore,'* zei ze.

'Sophia, wat een onbezonnenheid! De Marchese zal me vierendelen en ophangen! Wat ben je van plan?'

'Dottore, er is een man neergeschoten. Hij heeft hulp nodig.'

Dat was ongetwijfeld waar, maar het verklaarde niet precies waar die blinde impuls vandaan was gekomen, die haar ertoe had gebracht om langs de weg de heuvel af te rennen. Ze had niet nagedacht, alleen maar geweten dat ze naar die man toe moest, die daar bij de vrachtwagen in elkaar was gezakt.

Nog steeds met haar armen in de lucht kwam ze dichterbij, en liep voorzichtig de paar meter die haar van de gewonde scheidden. De sergeant-majoor keek strak naar haar zonder het pistool te laten zakken. 'Begrijpt u me?' vroeg Sophia eerst in het Engels, toen in het Italiaans en ten slotte in het Frans. Het bleek dat de soldaat een paar woorden Frans begreep, in elk geval genoeg om hem duidelijk te maken dat ze geen kwade bedoelingen had, maar een verpleegster was die eerste hulp wilde verlenen. Met een gebaar van zijn pistool beduidde hij haar dat ze naar de eerste luitenant toe mocht.

Joachim Weldau verloor haar niet uit het oog, toen ze zich over de gewonde heen boog. Hij maakte geen bezwaar toen ook dokter Rossi langzaam dichterbij kwam, bezweet van het harde lopen in de middaghitte.

Al snel scheen de sergeant-majoor ervan overtuigd te zijn dat de eerste luitenant van hen geen gevaar te duchten had, want hij wendde zich naar de heuvels. Opmerkzaam liet hij zijn blik rondgaan en probeerde verdachte bewegingen te ontdekken. Maar de sluipschutter, waar hij ook gezeten mocht hebben, was allang weg. Sophia boog zich over de man die in de schaduw van de vrachtwagen lag. Hij was buiten bewustzijn, maar kreunde zachtjes.

'*Dottore*? Komt u?'

Dokter Rossi wierp de sergeant-majoor een argwanende blik toe en liet zich toen naast de gewonde op één knie zakken. Zijn gewrichten kraakten protesterend en zijn adem ging nog steeds moeizaam door de ongewone inspanning.

'Lieve hemel, ik ben te oud voor zulke opwinding!'

Sophia nam zijn geklaag niet serieus. Ze had hem op paasmaandag in het ziekenhuis gezien. Hij was een van de artsen geweest die de slachtoffers van het bombardement in Grosseto hadden geholpen. In de Eerste Wereldoorlog had hij als jonge officier van gezondheid gediend. Zo snel was hij niet uit zijn evenwicht gebracht.

Bij het onderzoeken van de Duitser kreeg hij al snel zijn gewone zakelijkheid terug.

'Hij heeft enorm veel geluk gehad. Kijk eens.'

Sophia had het al gezien. Het was geen dodelijke verwonding. De kogel had het hoofd van de Duitser alleen maar geschampt, de wond was niet diep. De verwonding liep als een bloedende schram van zijn rechterslaap over de zijkant van zijn schedel naar zijn achterhoofd. De huid was over een afstand van ten minste tien centimeter gekarteld opengesneden, wat het vele bloed verklaarde dat nog steeds uit de wond stroomde en over de kraag van zijn uniform sijpelde.

'Maar een halve centimeter naar links en hij zou dood zijn geweest,' verklaarde dokter Rossi.

'Heeft hij een hersenschudding?' vroeg Sophia.

'Het zou een wonder zijn als hij er geen had.' Uit de borstzak van zijn jasje haalde de dokter een schone zakdoek tevoorschijn. Hij drukte die tegen de bloedende wond, wat een gekreun van de gewonde tot gevolg had. Die kwam even bij bewustzijn, keek naar Sophia op, mompelde iets en zakte toen weer weg.

'Het ziet ernaar uit dat dit je eerste patiënt is,' zei dokter Rossi.

4

Het gezicht van de sergeant-majoor werd, voorzover dat mogelijk was, nog grimmiger toen de dokter hem in gebroken Duits vertelde dat de eerste luitenant medische verzorging nodig had. De wond moest gedesinfecteerd, gehecht en verbonden worden, en nee het was volledig uitgesloten dat de gewonde naar Siena of zelfs naar Florence vervoerd kon worden, niet in deze toestand en met dit bloedverlies. Op het landgoed was een prima polikliniek, daar moest de patiënt voor behandeling naartoe worden gebracht, en wel meteen. Uiteindelijk gaf de sergeant-majoor toe. Hij hielp zelfs de 1^e luitenant op de achterbank van de vrachtwagen te tillen, wat Fabio meteen benutte om er dwars door het veld vandoor te gaan. Hijgend rende hij de met olijf- en moerbeibomen begroeide helling op, om de varkenshokken bij het huis van de weduwe Donata heen, struikelde over de daarachter slapende honden en bereikte ten slotte volledig buiten adem het erf tussen de stallen. Daar vertelde hij met een bleek gezicht aan de verzamelde mensen hoe hij ternauwernood aan de moordlustige SS-beulen ontkomen was. Een paar kinderen begonnen te huilen. Twee vrouwen begonnen te bidden. Carla twijfelde tussen de behoefte om haar zoon een pak slaag te geven en de immense opluchting die ze voelde omdat hij ongedeerd terug was gekomen. Uiteindelijk besloot ze dat het pak slaag maar moest wachten, in elk geval tot de mensen ophielden haar zoon als een soort held te behandelen. Ze nam Fabio mee naar binnen om zijn knie te verzorgen.

De achtergeblevenen begonnen opgewonden te praten. Men vroeg zich bezorgd af wat de SS in deze streek te maken had.

'Ze zoeken naar joden,' zei Donata, een steviggebouwde vrouw van begin dertig, die ondanks de hitte helemaal in het zwart was gekleed. Haar man was afgelopen winter bij een steenlawine omgekomen. 'Ze drijven ze bij elkaar en laden ze in wagons als vee. Mijn nicht in Rome heeft me daarover verteld.'

Dat vonden de anderen een onbegrijpelijk gerucht. Wie kwam er nou op het idee om mensen als vee te transporteren? Wat voor reden zou daarvoor zijn?

Fabio's vader, Ernesto, opperde dat de SS speciale eenheden stuurde om de partizanen te verjagen. Daar was iedereen het mee eens. Even later kwam er een groep dagloners voor het middageten; zij wilden ook iets bijdragen aan de discussie. Ze waren behoorlijk sceptisch over Ernesto's vermoeden, niet alleen omdat, zoals ze net gezien hadden, een van de zogenaamde SS-mannen naar de polikliniek gebracht werd, maar ook omdat ze, nadat het schot gelost was, iemand tussen de bomen hadden zien weglopen. 'Als de SS hier nog niet is, zullen ze vast snel komen,' zei Ernesto somber. 'Met partizanen hebben ze geen medelijden.'

'En als ze er geen vinden, pakken ze de eerste de beste die ze tegenkomen,' stemde iemand anders ermee in. 'De onschuldigen zullen voor de boosdoeners moeten boeten.'

De vrouwen begonnen onder elkaar te smoezen, en meer dan eens werden er blikken geworpen op Elsa, die een beetje afzijdig stond en de discussie gespannen volgde. Bruusk draaide ze zich om en liep naar de polikliniek, waar in de schaduw van de twee eiken de legerwagen van de Duitsers naast de oude Ford van de dokter stond. Elsa gluurde door een van de ramen naar binnen, maar het zonlicht weerkaatste in de ruit en verblindde haar, zodat ze niets kon zien. De gewonde Duitser was daar net naar binnen gedragen. De andere soldaat en de dokter hadden er moeite mee gehad, want de Duitser was groot en sterk. Het deel van zijn gezicht dat onder het bloed zichtbaar was, was vreselijk bleek geweest, wat Elsa deed vrezen dat hij misschien dood zou gaan. Even bedacht ze of ze gewoon naar binnen zou stappen en Sophia zou vragen of ze hulp nodig had. Op die manier kon ze zelf zien hoe het met de man was, zonder dat haar interesse erg opviel.

Maar welke hulp kon ze aanbieden als zich al een verpleegster en een arts met hem bezighielden? Nee, besloot Elsa. Als ze nu de polikliniek binnenging, zou dat niet alleen opdringerig lijken, maar misschien ook verdacht. Elsa stond erom bekend dat ze bedachtzaam was. Het paste niet bij haar zich met dingen te bemoeien die haar niets aangingen. Sophia zou misschien gelijk conclusies trekken.

Elsa beet van woede en verdriet op haar lippen, terwijl ze, zonder op haar smoezende buren te letten, de richting van de *Fattoria* insloeg. Laat ze toch kletsen. Ze dachten allemaal dat ze alles wisten, en toch was niemand in staat iets aan de bestaande situatie te veranderen. Zelfs de Marchese, die voor de meeste mensen op La Befana bijna zoiets als een God was, kon niets tegen het naderende onheil doen.

Ach, Roberto! Elsa zuchtte inwendig toen ze met snelle passen naar de ingang van de *Fattoria* liep. Haar huid brandde bij de herinnering aan zijn aanrakingen, zijn kussen, zijn hete adem op haar hals en haar lippen. Als ze hem langere tijd niet zag, verlangde ze soms zo naar hem dat het bijna lichamelijk pijn deed. Hulpeloosheid en schaamte vervulden haar elke keer als Salvatore naar haar toekwam en zijn recht op haar lichaam deed gelden, maar ze durfde hem niet af te wijzen. Hij zou argwaan kunnen krijgen, en ze zou het niet kunnen verdragen de pijn in zijn ogen te zien. Hij was zo teder en deed zo zijn best, en hij hield van haar, Elsa, met zoveel oprechtheid dat ze soms geloofde in haar schuldgevoel te zullen stikken.

Elsa was zeventien jaar toen ze Salvatores vrouw werd, en ze had hem snel achter elkaar drie kinderen gegeven. Haar zwijgzame, forse echtgenoot was naast haar kinderen steeds het middelpunt in haar kleine wereld geweest. Tot Salvatore, acht jaar geleden, de baan als rentmeester op La Befana had gekregen, woonden ze in een nietig dorpje aan het Lago Trasimeno. Salvatore stond alom bekend als ervaren landbouwer en vaardig ambachtsman, die ook goed met getallen kon omgaan. De wijn lag hem net zo na aan het hart als de olijventeelt, al was de laatste zijn ware hartstocht. Voor Salvatore was het elke keer weer een ritueel; het uitspreiden van de netten onder de bomen, het afritsen van de vruchten, de opeenvolgende persingen. Trots en vreugde waren op zijn gezicht te lezen als hij langs de rijen grote, aarden kruiken liep en de olie op zuiverheid en smaak testte.

Elsa vond het altijd plezierig naar Salvatore te kijken als hij aan het werk was. Hij was een man die bevrediging vond in het bebouwen van het land. Hij had weinig behoeften, maar in zijn wezen lag een diepe edelmoedigheid, die hem niet alleen in staat stelde een verantwoordelijk rentmeester te zijn, maar ook een zachte vader en echtgenoot.

Elsa hield niet minder van haar man dan vroeger, maar dat gevoel was in niets te vergelijken met de onbeheerste hartstocht die ze in Roberto's armen voelde. Ze had de Marchese vanaf het begin begeerd, al vanaf de eerste keer dat ze hem gezien had. Ze had zichzelf gehaat om het gevoel van zwakte dat haar steeds overviel als ze bij hem in de buurt kwam, of het nu in de *Fattoria*, in de kerk of in de villa was. De gelegenheden waarbij ze hem ontmoette, waren meestal banaal: een werkbespreking met Salvatore in de werkkamer in de *Fattoria*; een kerkbezoek; een uitnodiging voor het middageten in de villa; een inspectie van de wasruimtes, waar Elsa af en toe hielp; een kort gesprek tijdens het feest na de wijnoogst.

Soms dacht ze dat iedereen aan haar gezicht kon zien dat ze die man voor zichzelf wilde – een man die aan een andere vrouw toebehoorde, een betoverend mooie, begaafde vrouw met een prachtige operastem en een klassieke opleiding.

Na de dood van de Marchesa had Elsa zich niet langer kunnen bedwingen. Elke dag voelde ze zich sterker naar Roberto toe gezogen. Ze lette meer op haar uiterlijk, droeg strakke kleding en schoenen met hoge hakken. Heel bewust probeerde ze zijn aandacht te trekken. Ze merkte al snel dat hij anders naar haar keek dan vroeger en uiteindelijk greep ze haar kans. Niets had haar ervan kunnen weerhouden op die middag naar hem toe te gaan. Toen ze eindelijk met hem samen was, leek het alsof daarmee een lang voorbestemd lot was vervuld. Ze had gehuild van begeerte en geluk toen hij haar voor de eerste keer genomen had. Hij had het niet gemerkt omdat hij te zeer met zijn zelfverwijt en schaamtegevoelens bezig was, maar die had hij gelukkig snel overwonnen.

Roberto was het enig wezenlijke in haar leven geworden. Zijn macht over haar gevoelens was zo sterk dat het haar de adem benam als ze hem zag. Ze wilde liever sterven dan afzien van het samenzijn met hem.

Natuurlijk waren ze voorzichtig en gedroegen zich zo onopvallend mogelijk. Maar het werd een steeds grotere last om het geheim te houden en het betekende een steeds grotere beperking. Elsa vermoedde dat iemand het op een dag zou ontdekken, hoe voorzichtig ze ook zouden zijn. Een van de buren zou haar zien als ze naar de villa sloop, of het zou iemand opvallen dat Roberto altijd iets in de *Fattoria* te doen had als Salvatore weg was.

Vandaag was hij in elk geval onderweg. Hij was niet door Roberto weggestuurd, maar had een dringende boodschap in Montepulciano. Hij was samen met de Marchese al vroeg in de ochtend vertrokken, nadat er van de commandant een bericht was gekomen dat het gerucht bevestigde: op het landgoed zou een groep van twaalf Engelse krijgsgevangenen worden ondergebracht, omdat de kwartieren in de stad vol waren.

Elsa haastte zich naar binnen. Haar gevoel had haar niet bedrogen. Ze vond Antonio in de achterkamer, de kamer die hij met zijn broer gedeeld had. Sinds bijna drie jaar woonde hij in Montepulciano, in een kamer boven de garage waar hij werkte.

Antonio keek niet op toen Elsa binnenkwam. Hij zat met gebogen hoofd op het bed waarin hij altijd sliep als hij op bezoek kwam. Hij had zijn overhemd uitgetrokken. Zijn naakte, bruinverbrande bovenlijf was nat van het zweet, zijn donkere haar door elkaar gewoeld. Zijn handen omklemden zijn knieën. Elsa zag dat ze trilden.

Ze kon het niet helpen; bij de aanblik van haar zoon begon ze te huilen.

'In godsnaam, Antonio!'

Hij verloor zijn kalmte. 'Iemand moet toch iets doen, verdorie! Kijk toch wat ze met ons doen! Ze nemen ons land af, onze waardigheid! Ze maken ons tot hun knechten! Iemand moet tegen hen in opstand komen, tegen die slachters, die waanzinnige moordenaars!'

Ze ging naast hem op de rand van het bed zitten. 'Wees toch stil! Wil je dat iedereen je hoort?'

Hij duwde haar weg, toen ze haar arm om hem heen wilde slaan. 'Is dat beest in elk geval dood?'

'Ik weet het niet. Ze hebben hem naar de polikliniek gebracht. De dokter was toevallig vandaag hier. Hij en Sophia zorgen voor de man.'

'Ik heb zijn hoofd geraakt.' De trotse voldoening in zijn stem werd door iets anders verdreven, door een vage ontzetting. Een kind zou zo klinken, als het onverwachts merkte dat het in zijn ergste nachtmerrie gevangen was.

Elsa voelde zich verscheurd door tegenstrijdige gevoelens. Ze had medelijden met het slachtoffer, maar voelde ook ontzetting over het feit dat haar zoon een ander mens had willen doden. Haar eigen kind was tot zoiets in staat, haar jongste zoon, die ze had gedragen, gezoogd en opgevoed en waar ze vooral van gehouden had! Ze had met hem gebeden, gelachen, gezongen en gespeeld, vele jaren van zijn leven lang!

Elsa probeerde haar gevoelens de baas te worden en richtte zich op. Daarbij stootte haar voet tegen de loop van het geweer dat Antonio onder het bed had geschoven.

'Je kunt niet hier blijven. Als je vader je zo ziet...'

Zonder iets te zeggen stond hij op, maar ze hield hem bij zijn arm tegen.

'Wacht even. Nu kun je niet weg. De mensen staan buiten te praten.'

Hij liet zich op het bed terugvallen. 'Ik verstop me wel in het bos tot het donker wordt,' zei hij nors.

Elsa haalde diep adem. 'Misschien heeft iemand je al gezien toen je hier naartoe kwam.'

'Niemand zal me verraden.'

'Daar zou ik maar niet zo zeker van zijn,' zei Elsa scherp. 'Bovendien gaat het daar niet om, en dat weet je best. Je bent gek als je denkt dat je je hier kunt verstoppen! Wat als ze de huizen gaan doorzoeken? Als ze je oppakken?'

'Dat lukt ze niet, omdat ik sneller ben en de streek beter ken.'

Elsa voelde een bittere woede in zich opkomen. 'Je hebt net zoveel verstand als het achtereind van een varken! Het gaat niet alleen om jou, jongen! Je brengt iedereen op het landgoed in gevaar!'

Elsa praatte vaak genoeg met Roberto om te weten wat er na zo'n aanslag kon gebeuren. De Duitse Wehrmacht had voorschriften die harde acties na partizanenovervallen goedkeurden. Roberto had het zo uitgelegd: *Als ze iemand te pakken krijgen, hangen ze iedereen die hem kennen ook op.*

Antonio liet zijn schouders hangen en opeens zag hij er weer uit als vroeger, als hij iets had uitgevreten en bang was voor de straf van zijn moeder. Niet die van zijn vader, want Salvatore werd zelden kwaad. Anders dan Elsa had hij altijd gepleit voor begrip als de kinderen iets hadden misdaan. Het bestraffen had hij aan zijn vrouw overgelaten. Elsa kon zich maar één keer herinneren dat Salvatore zijn zelfbeheersing had verloren en iemand iets had aangedaan. Dat was tien jaar geleden geweest. Ze woonden toen nog op de wijnboerderij bij het Lago Trasimeno, waar Salvatore als rentmeester werkte. Op een dag was hij bij zijn inspectieronde in de druivenvelden een man tegengekomen, een vreemdeling op doorreis, die op het punt stond een jong meisje uit het dorp te verkrachten. Salvatore kende het meisje. Ze was de dochter van de hoefsmid en pas dertien jaar, net zo oud als zijn eigen dochter toen. De vreemdeling had haar gekneveld, zodat ze niet kon gillen, en haar handen op haar rug gebonden, zodat ze zich niet kon verzetten. De man lag met open overhemd en met zijn broek naar beneden op haar, toen Salvatore verscheen. Hij zag de gescheurde jurk van het meisje en haar ogen die vol ontzetting over de schouder van de man keken, terwijl hij wild op en neer bewoog. Salvatore maakte een eind aan die schandalige daad op de enige manier die hem op dat ogenblik passend leek. Het duurde weken voor de vreemdeling weer kon lopen. Salvatore had niet alleen al zijn ribben gebroken en een aantal tanden uit zijn mond geslagen, maar ook met een paar gerichte schoppen zijn testikels vermorzeld. Een amputatie was niet te vermijden geweest. Er volgde een proces waarbij alle details aan de orde kwamen. De vreemdeling kwam in de gevangenis terecht, waar hij kon genezen van zijn verwondingen. Voorzover dat mogelijk was. Hij zou nooit meer een vrouw kunnen verkrachten. Salvatore werd officieel voor zijn optreden geprezen. Elsa herinnerde zich hoe pijnlijk hij dat had gevonden, en nooit zou ze vergeten hoe hij eruit had gezien toen hij onmiddellijk na het voorval thuiskwam. Ze had de geschaafde knokkels van zijn handen verbonden en daarbij toevallig zijn blik opgevangen die in het niets staarde. Ze had de laaiende haat in zijn ogen gezien en was bang geweest voor haar eigen man – net zoals ze nu bang was voor haar eigen zoon. Mijn kind, dacht ze. Mijn eigen kind!

'Wees alsjeblieft voorzichtig,' zei ze langzaam. 'Ik zal voor je bidden.'

Antonio zei niets. Hij duwde het geweer verder onder het bed en liep toen naar het raam, met zijn handen in de zakken van zijn vuile broek. Zwijgend keek hij naar buiten, zijn voorhoofd tegen het glas, zijn schouders opgetrokken. Hij zag er hopeloos en ellendig uit. Elsa onderdrukte de opkomende wanhoop die haar bij die aanblik overviel.

'Er is nog iets wat ik je moet vragen,' begon ze.

Hij draaide zich niet om.

'De mensen zeggen dat je... dat er een meisje is. Ze zou vorig jaar een paar keer hier op het landgoed zijn geweest. Ik heb haar nooit gezien, maar Donata heeft me verteld dat ze met Pasen een baby heeft gekregen. Hij werd dood geboren.'

Er kwam geen reactie van Antonio.

Elsa haalde diep adem. 'Was hij van jou?'

'Dat gaat je niets aan.'

'Antonio, kijk me aan!' beval ze hem scherp.

'Laat me met rust.'

Elsa wist niet wat ze moest doen. Haar wereld stond op zijn kop, ze zat gevangen in een draaimolen van verraad en geweld.

Het is de oorlog, dacht ze. De oorlog is de schuld van dit alles. Hij is als de pest over ons heen gekomen en vergiftigt ons allemaal. Plotseling voelde ze zich oud en moedeloos. Moeizaam stond ze op en liep zwijgend naar de keuken. Salvatore zou zo wel thuiskomen. Het was tijd om aan het eten te beginnen. Misschien zou ook haar dochter vandaag nog komen. Rosa woonde sinds het begin van het jaar bij Elsa's neef en zijn gezin in Florence, waar ze een baan als naaister had gevonden. De laatste tijd kwam ze zelden naar La Befana, niet alleen omdat het onzekere tijden waren, maar omdat ze zich pas verloofd had en daarom wel wat anders te doen had dan haar familie te bezoeken.

Mechanisch begon Elsa tomaten en uien te pellen en fijn te hakken. Toen ze zich in haar vinger sneed, deed ze niets om het bloeden te stelpen. De pijn leek haar alleen maar logisch, zo passend bij haar situatie dat ze hem met grimmige tevredenheid verwelkomde. Na een poosje legde Elsa het mes neer en keek uit het keukenraam. Het heuvelland strekte zich daar buiten in het verblindende licht voor haar uit, schaduwloos in de hete zon, maar het leek haar alsof ze de duisternis voorbij de horizon al kon zien.

De Duitser was nog steeds buiten bewustzijn, wat het dokter Rossi makkelijker maakte de wond te verzorgen. Het schampschot had een vlakke snee in de slaap gemaakt. De arts maakte de wond met jodiumtinctuur schoon. De gewonde kreunde zachtjes, maar kwam niet bij.

Joachim Weldau, die aan het hoofdeinde van het bed was gaan zitten en alle handelingen argwanend bekeek, verstrakte. Het ontging Sophia niet dat hij gespannen was.

'Hij gaat niet dood,' verklaarde ze stellig in het Frans, en toen, in een mengsel van Italiaans en Duits: 'Eerste luitenant goed, *va bene?*'

'Wat niet wil zeggen dat hij niet altijd nog aan een infectie kan sterven,' bromde dokter Rossi.

'Niet in mijn ziekenzaal,' antwoordde Sophia.

De sergeant-majoor keek zwijgend toe hoe Sophia de wond van de eerste luitenant zorgvuldig met gaas afdekte en toen een kunstig verband aanlegde.

Dokter Rossi pakte zijn tas. 'Mijn werk zit erop. Ik kom morgen nog even naar hem kijken. Hij moet zich zo weinig mogelijk bewegen. Als hij erg veel gaat braken of gezichtsstoornissen heeft, dan moet je me roepen.'

Sophia knikte en bedankte hem voor zijn hulp.

Nadat de dokter weg was, liep Joachim Weldau naar de zijkant van het bed.

'Zoveel bloed,' zei hij, in een poging een gesprek aan te knopen. Hij was blijkbaar tot de slotsom gekomen dat de eerste luitenant van Sophia niets te vrezen had.

Sophia vertelde hem dat ook oppervlakkige hoofdwonden vaak erg bloedden, wat verder geen reden tot bezorgdheid was.

Hij knikte en begon in de behandelkamer te ijsberen en om zich heen te kijken. Daarmee werkte hij op Sophia's zenuwen, maar omdat ze niet wist hoe ze bezwaar kon maken zonder hem misschien te ergeren, liet ze hem maar begaan.

Hij ontdekte de telefoon, die op het bureau stond. Hij pakte de hoorn op en keek Sophia met vragend opgetrokken wenkbrauwen aan.

Sophia knikte vriendelijk lachend en vroeg zich tegelijkertijd bezorgd af welke gevolgen dat gesprek voor de mensen op La Befana zou hebben. De eerste luitenant was op het land van de Marchese neergeschoten, wat deed vermoeden dat de schutter iemand was die op het landgoed woonde. Natuurlijk kon het ook een ontvluchte krijgsgevangene of een deserteur geweest zijn, maar dat soort mensen vermeed meestal alles wat de aandacht op hen vestigde.

Partizanen waren tot nu toe ook nog niet op het landgoed opgedoken. Iemand van buiten zou niet lang onontdekt gebleven zijn, daarom was Sophia er bijna zeker van dat de sluipschutter uit de streek kwam, van een boerderij of van het landgoed zelf.

Opmerkzaam luisterde ze naar het gesprek dat de sergeant-majoor door de telefoon voerde, maar ze verstond te weinig Duits om het te kunnen volgen. Nadat hij het gesprek had beëindigd, liet hij Sophia hun nummer opschrijven. Ze deed het met een onbehaaglijk gevoel, terwijl Joachim Weldau zich er met een lange, onderzoekende blik van overtuigde dat de toestand van de eerste luitenant onveranderd was. Toen draaide hij zich vragend naar Sophia om. Hij wees eerst naar de eerste luitenant, toen naar de deur en deed toen alsof hij iemand wegdroeg.

Sophia begreep hem meteen. Krachtig schudde ze haar hoofd. 'In geen geval,' zei ze. 'Hij mag zich niet bewegen.' Ze raakte zijn hoofd aan. 'Te gevaarlijk. Er kan iets gebroken zijn. Hij heeft absolute rust nodig.' Ze stak een paar vingers op. 'Zeven dagen heeft de dokter gezegd. Op zijn minst.'

Ze maakte hem met nog meer gebaren duidelijk dat de bevelen van de dokter echt nageleefd moesten worden, tot hij eindelijk met tegenzin knikte. Hij wierp nogmaals een blik op Richard Kroner, voordat hij met een ondoorgrondelijk gezicht zei dat hij nu weg moest. Op weg naar de deur bleef hij even staan. Sophia hoorde de dreigende ondertoon in zijn stem toen hij in gebrekkig Frans aankondigde dat hij snel weer terug zou komen.

Sophia luisterde naar het geluid van de wegrijdende vrachtwagen en begon toen de Duitser zijn met bloed bevlekte uniform uit te trekken. Het was een lastig karwei, want de man was zwaar en ze moest zijn slappe lichaam van de ene zij op de andere draaien om zijn armen uit de mouwen te kunnen trekken. Het overhemd ging sneller, want Sophia greep resoluut naar de schaar om het open te knippen. Het was toch al bedorven, omdat het niet alleen vol bloedvlekken zat maar ook op meerdere plekken gescheurd was. Sophia legde het jasje op een stoel. De restanten van het overhemd gooide ze weg, en toen ging ze weer naar haar patiënt. Voor de eerste keer bekeek ze hem bewust. Bij de aanblik van zijn naakte bovenlichaam maakte haar hart een klein sprongetje, hoewel hij niet erg verschilde van de vele andere mannen die Sophia in de loop van de tijd als verpleegster gezien had. Hij was misschien langer dan gemiddeld, maar zeker niet zo lang als haar broer die één meter negentig was. Zijn armen en schouders waren gespierd als van een zwemmer of tienkamper; waarschijnlijk sportte hij veel in zijn vrije tijd. Zijn buik was plat en gespierd. Onder zijn sleutelbeenderen was zijn huid niet bleek zoals bij mensen met blond haar normaal is, maar gezond roze doorbloed. Het opvallendste aan zijn bovenlichaam was zijn dichte, blonde beharing, heel anders dan bij de vele mannelijke patiënten die Sophia tot nu toe had gehad. Het bedekte zijn hele borst en versmalde zich in de richting van zijn navel tot een smalle wig die onder de riem van zijn uniformbroek verdween.

Sophia kreeg opeens de behoefte zijn hele lichaam te zien, hem ongehinderd te bekijken, van boven tot onder. Ze staarde naar de plek waar de blonde haren onder de broekband verdwenen. Er was geen enkele reden waarom ze de man niet helemaal uit zou kleden, integendeel zelfs: bij elke andere gewonde zou ze dat allang gedaan hebben, vooral omdat de broek echt stijf stond van het vuil en het bloed. Bovendien was het erg heet, en alleen dat was al reden genoeg om niet toe te staan dat hij hem aanhield.

Maar Sophia voelde een vreemde aarzeling om zonder zijn toestemming zijn broek uit te trekken. Hij ontroerde haar op een manier die ze niet kon verklaren. Misschien kwam het door zijn gezicht. Om onbegrijpelijke redenen had Sophia het tot nu toe vermeden zijn gezicht beter te bekijken, maar nu deed ze het dan toch. Weer voelde ze iets van die verontrustende opwinding, net als toen ze hem voor de eerste keer gezien had, toen hij onder de cipressen uit de vrachtwagen was gestapt en omhoog had gekeken. Zijn gezicht was in elk opzicht imponerend. Het was niet knap, daarvoor waren zijn trekken te ruw, alsof met harde hand scherpe lijnen en hoekige vlakken waren uitgebeiteld. De neus was sterk gekromd, met een kleine bobbel bovenaan, vermoedelijk van een oude breuk die niet recht was vastgegroeid. De vooruitstekende kin completeerde de indruk van onbuigzaamheid, die door een betweterig kuiltje in het midden iets werd afgezwakt. Het voorhoofd was markant en duidelijk omlijnd. Kleine rimpeltjes om de ogen vertelden dat de man ouder was dan Sophia. Ze schatte hem op begin dertig.

Geërgerd over haar merkwaardige interesse in zijn uiterlijk begon Sophia hem nu toch verder uit te kleden. Zijn uniformbroek ging makkelijk uit. Sophia legde hem bij zijn jasje. Ze zou ze later wel naar Donata brengen.

Sophia kwam tot de conclusie dat ze ook zijn onderbroek uit zou moeten trekken. Er was, zoals Benedetta in zulke gevallen placht te zeggen, een klein ongelukje gebeurd. Iets wat niet ongewoon was bij gewonden die bewusteloos raakten.

Sophia vermeed het bewust het onderlichaam van haar patiënt beter te bekijken. In plaats daarvan haalde ze water en begon met zorgzame, professionele bewegingen het lichaam van de man te wassen. Ze sloeg geen plekje over, maar stond zich niet toe iets anders te voelen dan de kalmte van een verpleegster die met dit soort dingen vertrouwd was. Daarna haalde ze snel een schoon ziekenhuishemd uit de kast. Ze trok het de eerste luitenant aan en dekte hem net toe toen er geklopt werd.

'Binnen,' riep Sophia.

Het was Elsa, die toch had besloten naar de toestand van de Duitser te gaan informeren. De verwonding die ze bij het snijden van de groente had opgelopen, diende als voorwendsel. Ze liet Sophia de snee zien, die nog steeds bloedde.

Sophia desinfecteerde de plek en klakte met haar tong. 'Hij is behoorlijk diep. Als je het goedvindt, zal ik hem hechten. Twee of drie hechtingen moeten wel genoeg zijn. Het zal beter genezen en je ziet er later bijna niets meer van. Denk je dat je er tegen kunt?'

Elsa knikte en keek naar het bed. 'Hoe gaat het met die man?'

'Hij wordt wel weer beter.'

Er ontsnapte Elsa een zucht van opluchting. Sophia keek bezorgd op. 'Heb ik je pijn gedaan?'

'Nee, het gaat wel. Begin maar, dan is het ook zo voorbij.'

Sophia vroeg Elsa om op het bed bij het raam te gaan zitten. Ze haalde hecht- en verbandmateriaal en hechtte de snee snel en vakkundig. Elsa liet het stoïcijns over zich heen komen. Terwijl Sophia er een verband omheen deed, vroeg ze: 'Wat zeggen de mensen? Heeft iemand gezien wie het gedaan heeft?'

'Ik geloof het niet,' zei Elsa terughoudend.

Sophia vroeg zich af of ze zich de waakzame ondertoon in Elsa's stem maar verbeeld had. Ze stond op en keek op Elsa neer. Ze stak bijna een kop boven de vrouw uit. 'Is alles in orde?'

'Moet ik morgen terugkomen voor een nieuw verband?' antwoordde Elsa met een tegenvraag.

'Ja, natuurlijk.' Sophia lachte aarzelend. 'Ik wil je bedanken, Elsa.'

Verbaasd keek de vrouw van de rentmeester haar aan. 'Waarvoor?' Sophia maakte een gebaar waarmee ze de hele ruimte omvatte. 'Hiervoor, omdat je dit hier mogelijk hebt gemaakt.'

Elsa werd rood. 'Hoe...?'

'Hoe ik dat weet?' Sophia lachte ondeugend. 'Hier op het landgoed weten de mensen toch alles van elkaar. Donata heeft me verteld dat je bij mijn vader hebt gepleit voor een polikliniek op het landgoed.'

Elsa's wangen werden nog iets roder. 'Donata? Wat heeft ze je nog meer verteld?'

Sophia trok verbaasd haar wenkbrauwen op. 'Nou, niks. Waarom?'

'Ach, zomaar.' Elsa bedankte Sophia voor de behandeling en ging weg, maar niet voordat ze nog snel een blik had geworpen op de bewusteloze eerste luitenant. Zijn gezicht onder het dikke hoofdverband was bleek, maar zag er ontspannen uit. Morgen zou het vast al beter met hem gaan. Elsa haastte zich naar huis om het haar zoon te vertellen.

5

Richard Kroner had het idee dat hij muziek hoorde, een duet uit 'La Traviata'. Violetta vroeg met een smeltende sopraan aan Alfredo of hij al lang van haar hield, *da molto è che mi amata?*, waarop Alfredo antwoordde: ja, al een jaar, *ah, sì da un anno*. Alfredo prees in bloemrijke bewoordingen Violetta's lieftalligheid: *Un dì felice, eterea, mi balenaste innante, e da quel dì tremante vissi d'ignoto amor...*
Richard was weer acht jaar oud en met zijn moeder voor de eerste keer naar de opera. De prachtig geklede mensen, de geur van parfum en pommade, het gefluister in de loges, de geheimzinnige geluiden uit de orkestbak voor de ouverture, gaven hem het gevoel alsof hij zich in een totaal andere wereld bevond. Zijn moeder vroeg hem of hij het leuk vond, maar Richard zei niets, overweldigd door al het nieuwe. En toen de stemmen weerklonken en de laatste stoelen in de zaal zich vulden, wist hij dat hij voor altijd betoverd was. Violetta, de schoonheid met de zachte ogen en de heldere stem, haar heerlijke aria *Ah, fors' è lui* . . .
Richard haalde diep adem. Zijn hoofd deed pijn en zijn keel voelde rauw en droog aan.
'Wilt u iets drinken?' vroeg een zachte vrouwenstem ergens vandaan. Ze sprak Engels met een aantrekkelijk Italiaans accent. Richard wilde iets zeggen, maar er kwam een ongearticuleerd gekraak uit zijn mond.
'Wacht maar, ik zal u helpen.' De rand van een beker werd tegen

zijn lippen gedrukt en koel water stroomde over zijn tong. Richard verslikte zich en begon te hoesten.

'Langzaam,' maande de stem. 'We hebben geen haast.'

Zijn hoofd deed meer pijn. Richard kreunde onwillekeurig.

'Heeft u pijn?'

Nou, en hoe, dacht hij. Hij probeerde zich te herinneren wat er was gebeurd, maar het lukte niet. Het gehamer in zijn hoofd beheerste alles. Toen ontdekte hij dat hij de muziek niet gedroomd had. Hij hoorde hem echt. De licht krassende klank deed vermoeden dat hij uit een oude grammofoon kwam. Toen klonk er een zwakke pieptoon en Alfredo en Violetta verstomden.

'Kunt u uw ogen opendoen?' vroeg de vrouwenstem.

Richard probeerde het en na een paar pogingen lukte het. Hij zag vage beelden tegen een witte achtergrond, en nadat hij een paar keer flink geknipperd had, verscheen er een vrouw voor zijn ogen. Even dacht hij een schilderij van een oude meester te zien, met het strenge, koele en mooie gezicht van een prerafaëlitische engel. Nee, dacht Richard, geen engel. Hij wist opeens waar ze hem aan deed denken. Het donkere haar had ze uit haar gezicht gekamd en in de nek in een knot bij elkaar gebonden. Haar ogen waren net zo ondoorgrondelijk als op een afbeelding van Carlo Dolci die Richard een keer in het Palazzo Pitti in Florence had gezien; van een lieftallige madonna met kind. Deze vrouw leek frappant veel op de vrouwenfiguur van Dolci, tot aan de klassieke, Romeinse neus, de uitgesproken welving van haar wenkbrauwen en de zachte boog van haar bovenlip.

'Hoeveel vingers steek ik op?' vroeg de madonna en ze hield een hand omhoog.

'Drie,' kraakte Richard in het Italiaans.

Eigenlijk stak ze vier vingers op, en Richard zag ze alle vier, maar een klein duiveltje in hem wilde weten hoe ze zou reageren. Er verscheen een frons op het hoge, ronde voorhoofd van het meisje. Ze probeerde het opnieuw, deze keer in haar moedertaal, aangezien hij die blijkbaar beheerste.

'En nu?' Ze stak twee vingers op.

'Vier,' fluisterde Richard. Hij kreunde, omdat de pijn nauwelijks uit te houden was. Misschien paste dit soort humor toch niet in de situatie waarin hij zich bevond en hij werd verstandig. 'Sorry, het waren er maar twee,' mompelde hij. En toen, zonder waarschuwing gooide hij zijn maaginhoud eruit.

Ondanks zijn ellende merkte hij met hoeveel zorg ze hem omringde. Ze verwisselde zijn bevuilde hemd snel voor een ander, en met een paar handelingen had ze zijn bed verschoond. Ze gaf Richard een metalen schaal, voor het geval zijn maag weer in opstand zou komen.

Hij probeerde moeizaam overeind te gaan zitten, maar liet zich snel weer terugzakken toen hij vreselijk duizelig werd.

'Het is beter niet zoveel te bewegen,' zei Sophia. 'Waarschijnlijk hebt u een hersenschudding.'

Richard wist het opeens weer. Hij had een opmerking tegen Joachim Weldau gemaakt voor hij uit de vrachtwagen was gestapt. Wat was het ook weer geweest? O ja, nu schoot het hem weer te binnen. Hij had de sergeant-majoor gevraagd even te stoppen. Hij wilde uitstappen. De slingerende weg met de prachtige cipressen erlangs, het schilderachtige huis in de hoogte, de tuin met de bron met rozen eromheen, de bakstenen huizen die op een pittoreske manier om het hoofdgebouw heen stonden, en om hem heen de wijde horizon achter het heuvelland – dat alles had hij zo betoverend mooi gevonden, dat hij eenvoudigweg even moest blijven staan om te kijken.

Joachim Weldau was gestopt, Richard was uitgestapt en had van het prachtige uitzicht genoten, totdat de harde klap tegen zijn hoofd hem in duisternis had gedompeld.

'Wat is er gebeurd?' wilde hij weten. 'Ben ik gevallen?'

Sophia bekeek hem peinzend. Hij had weer Italiaans gesproken. Zijn uitspraak was duidelijk en correct, wel een beetje langzaam, maar praktisch zonder accent.

'U spreekt uitstekend Italiaans,' stelde ze vast.

Richard lachte moeizaam. 'Ik doe mijn best.'

Ze slikte, toen zette ze er vaart achter. Het had geen zin de waarheid voor hem verborgen te houden. Natuurlijk had ze kunnen beweren dat hij een zonnesteek had gekregen en gevallen was, maar met zulke onzin wilde ze hem niet bedriegen.

'U bent neergeschoten.'

Richard verborg zijn verrassing onder een nadrukkelijk zakelijke gezichtsuitdrukking. 'Weten ze wie het heeft gedaan?'

'Jammer genoeg niet. De schutter is ontkomen voordat iemand hem heeft gezien. Waarschijnlijk was het een ontsnapte Engelsman.'

In haar oren klonk dat veel onschuldiger dan het vermoeden dat een Italiaanse partizaan de boosdoener zou zijn.

Richard voelde voorzichtig aan zijn verband. 'Hoe ernstig is het?'

'Alleen maar een oppervlakkig schampschot. U heeft veel geluk gehad.'

'En hoe zit het met mijn sergeant-majoor?'

'Hij heeft een telefoongesprek gevoerd en is toen weggereden. Hij zei dat hij snel weer terug zou komen.'

'Waar ben ik eigenlijk?'

'In de polikliniek van La Befana.'

'La Befana?' De naam zei hem niets, hoewel hij elke vlek op de Toscaanse landkaart kende. 'Is dat een dorp?'

'Nee, zo heet ons landgoed.'

'Ons landgoed?'

Sophia kreeg een kleur. 'Mijn vader is de eigenaar. Hij is de Marchese Scarlatti. Ik heet Sophia. Ik ben verpleegster en leid de polikliniek.'

Richard stak zijn hand uit. 'Sorry dat ik zo onbeleefd ben. Richard Kroner.'

Ze beantwoordde zijn stevige handdruk. 'Wat heeft u naar onze streek gebracht?'

'Ach, mijn hoofd tolt,' zei hij ontwijkend. 'Laten we over iets anders praten dat niet zo ingewikkeld is.'

Hoe had hij ook kunnen zeggen wat hij hier kwam doen. Een bittere, metaalachtige smaak verspreidde zich over zijn tong. Hij vroeg Sophia om een slok water. Ze hielp hem bij het drinken en stelde geen vragen meer, hoewel de nieuwsgierigheid op haar gezicht stond te lezen.

'Kan ik nog iets voor u doen?' vroeg ze beleefd.

'Ik zou graag nog wat muziek horen.'

'Houdt u van Verdi?'

De geestdrift in haar stem ontlokte hem, ondanks de pijn, een lachje. 'Heel erg. Hij is mijn lievelingscomponist.'

Sophia lachte schuchter terug en zette de grammofoon aan. Ze had hem hier mee naartoe genomen om er in vrije uurtjes naar te luisteren en om af en toe de stem van haar moeder te horen. Thuis in de villa legde ze de platen er niet meer zo vaak op, omdat de muziek haar vader te veel leek aan te grijpen. Eén keer had ze de muziek erg hard staan en ze was helemaal in de volle, prachtige klanken opgegaan, toen ze een geluid bij de deur hoorde. Haar vader had er gestaan, met een bleek gezicht en een gekwelde uitdrukking op zijn gezicht.

'Een prachtige stem,' zei Richard Kroner. Hij luisterde aandachtig naar het heldere timbre. Het was de aria die hij al eerder gehoord had. 'Ik ken haar. Lucia Artese.'

Een golf van trots stroomde door Sophia heen. Een vreemdeling uit een ander land had haar moeder gekend!

'Ik ben een keer naar een optreden van haar geweest. Haar sopraan vind ik nog steeds onvergetelijk. Het is al lang gleden, in de Scala. Ik was nog een kind. Later hoorde ik dat het haar laatste optreden was geweest. Ze trouwde met een graaf en ging op het platteland wonen.'

'Ze was mijn moeder, de Marchesa. Afgelopen winter is ze gestorven.'

'O, dat spijt me.' Richard Kroner keek aandachtig naar het donkerharige meisje, dat zich met een zorgelijk gezicht met de grammofoon bezighield. Richard, die zich de stem van Artese nog goed kon herinneren, wist nu ook weer hoe ze eruit had gezien, haar grote, weelderige gestalte, haar sensuele uitstraling. Haar dochter leek inderdaad veel op haar, al zag Sophia er op het moment eerder terneergeslagen dan stralend uit.

Opeens vroeg hij zich af of ze echt niet wist wie de sluipschutter was geweest. Ze had er een beetje schuldbewust uitgezien toen hij haar ernaar had gevraagd.

Maar misschien vergiste hij zich wel, want de mogelijkheid dat het een Engelsman was geweest, zoals ze had geopperd, was niet uitgesloten. Het zou best mogelijk kunnen zijn dat Engelsen zich hier in de omgeving verstopten. Het kwam regelmatig voor dat het gevangen soldaten van de geallieerden lukte om te ontsnappen, vaak tijdens een transport. Ze probeerden dan in eenzame streken te overleven, om daar het oprukken van de geallieerde strijdkrachten af te wachten. Maar het was net zo goed denkbaar, en misschien wel waarschijnlijker, dat een Italiaan verantwoordelijk was voor zijn

verwonding. Het was tenslotte algemeen bekend dat zich hier in de streek de laatste tijd partizanengroepen formeerden.
Richard Kroner maakte zich over het verloop van de oorlog geen illusies. .
De val van Sicilië was niet meer tegen te houden, het ging er nu alleen nog maar om tijd te winnen. Het was al een poos te voorzien dat de strijd alleen kon eindigen in een terugtocht van de daar gelegerde Duitse strijdkrachten naar het vasteland.
Hitler had de ontwikkeling van de oorlog in Italië al maanden met argwaan bekeken. Om de situatie te verkennen had hij Konstantin Freiherr von Neurath naar Tunis en Italië gestuurd. Hij kon de vrees van de dictator alleen maar bevestigen. De stemming van het Italiaanse volk was tot een dieptepunt gedaald, de Duitse troepen op Sicilië waren allesbehalve geliefd, en de opperbevelhebber van de legergroep Zuid-Italië, kroonprins Umberto, stond bij de rijksleiding bekend als duidelijk onbetrouwbaar. Hermann Göring was in maart voor een officieel bezoek naar Rome gegaan, maar het autoritaire optreden van de rijksveldmaarschalk maakte de toch al koele verhouding tussen de asmogendheden Duitsland en Italië alleen maar slechter.
Hitler was erop voorbereid dat Italië uit het bondgenootschap zou stappen. Hij had niet alleen de troepen onder generaal Kleemann naar Rhodos overgebracht, een belangrijk steunpunt van de asmachten in de oostelijke Egeïsche Zee, maar ook veldmaarschalk Albert Kesselring als opperbevelhebber Zuid een leidinggevende afdeling van de generale staf toegewezen.
Kesselring had er bij Mussolini op aangedrongen dat er twee Duitse tankgrenadierdivisies naar Midden- en Zuid-Italië verplaatst zouden worden. Maar tegelijk werden er ook drie nieuwe Duitse divisies samengesteld die bestonden uit verlofgangers van het front, bestuursdiensten en de restanten van eenheden die in Afrika in de pan waren gehakt. Bovendien waren er de laatste twee maanden nog vier divisies naar Zuid-Italië verplaatst.
Terwijl generaal Hube op Sicilië de achterhoedegevechten tegen de geallieerden leidde, waren andere delen van de troepen al met de noodzakelijke evacuatiemaatregelen bezig. Er moesten opvangkampen ingericht worden voor de terugtrekkende troepen; kampementen, ziekenhuizen, werkplaatsen, en allerlei andere onontbeer-

lijke installaties moesten van Sicilië naar het vasteland worden verscheept, alarm- en verzorgingstroepen moesten aan de kust opgezet worden.

Artilleriebataljons werden in het binnenland verplaatst, zogenaamd om manoeuvres te houden, maar natuurlijk vooral om de aanstaande frontlinie te versterken. Richard was niet zomaar naar deze streek gekomen.

Hij negeerde de pijn en probeerde een gesprek aan te knopen. 'De naam La Befana – waar komt die vandaan?'

'Het is de naam van een figuur uit een sage, die in de nacht van Driekoningen de kinderen cadeaus brengt. Er wordt gezegd dat mijn overgrootmoeder die naam voor het landgoed heeft gekozen, omdat ze op de avond voor Driekoningen verliefd werd op mijn overgrootvader.'

'Aha, het komt dus van *Epifania*, het Driekoningenfeest, hè?'

Sophia knikte. 'Hoe komt het eigenlijk dat u zo goed Italiaans spreekt?'

Bereidwillig vertelde hij haar dat hij drie jaar lang, eerst in Bologna en later in Rome en Florence, kunstgeschiedenis had gestudeerd en voor de oorlog in Hamburg docent was geweest. Als kind al was hij vaak in Italië geweest, vertelde hij. Zijn vader was net als hij kunsthistoricus geweest.

'Mag ik een beetje gaan zitten?' vroeg hij. Hij had opeens de dringende behoefte haar aan te raken.

Voorzichtig hielp Sophia hem rechtop. Met één hand hield hij haar arm vast en aarzelend liet hij hem weer los. De huid onder de korte mouwen van de nogal vormeloze jurk voelde warm aan en was zijdeachtig glad. Richard vroeg zich af of zijn versuftheid veroorzaakt werd door haar nabijheid of door zijn verwonding. Hij kreunde en omklemde de schaal, maar in zijn maag zat niets meer wat er nog uit kon komen.

'U moet wat gaan slapen,' zei Sophia bezorgd.

'Slapen kan ik later nog genoeg. Vertelt u mij eens iets. Over uw leven, uw familie, het landgoed. Alstublieft.' Hij keek haar recht aan en hield haar blik vast.

Er verscheen een kleine frons tussen Sophia's wenkbrauwen, en even was Richard bang dat ze zijn redenen wantrouwde en hem voor een spion hield. Nou ja, eigenlijk was hij dat ook wel, maar op het ogenblik had hij echt niets kwaads in de zin. Hij wilde haar alleen maar beter leren kennen. Richard was, zoals zijn professor in de beeldende kunst in Rome zulke bevliegingen placht te omschrijven, betoverd. Alles aan dit meisje fascineerde hem. Hij wilde haar bekijken, haar stem horen, haar aanraken, haar geur inademen – het liefst allemaal tegelijk. Het was in zijn leven niet vaak voorgekomen dat hij zo door een vrouw gebiologeerd was. Hij had dit soort verruktheid wel gevoeld bij de aanblik van een schilderij, een beeld of een fresco, maar zelden bij een mens.

Sophia had intussen geen moment gedacht dat de Duitser haar op een oneerlijke manier wilde uithoren. Ze was alleen geïrriteerd door een golf van ongewone gevoelens, die ze wel wist thuis te brengen, maar die ze in deze hevigheid tot nu toe nooit gevoeld had.

De Duitser zag er bleek en afgemat uit. Ondanks de wasbeurt rook hij nog steeds naar zweet en bloed en urine, en hij zag er – vooral door het dikke hoofdverband – helemaal niet knap uit. Maar toch raakte hij een gevoelige snaar, waarvan ze tot vandaag nauwelijks gemerkt had dat ze hem had. Ze was zich op een verontrustende manier bewust van zijn mannelijkheid, veel meer dan bij de andere patiënten die ze tot nu toe had gehad. Iets in zijn ogen en in zijn gelaatstrekken was vreemd vertrouwd, het was bijna alsof ze hem al veel langer kende, ook al wist ze praktisch niets over hem.

Zonder er veel over na te denken, vertelde ze hem wat er in haar opkwam; over het landgoed en zijn bewoners, over de pachters van de boerderijen, over haar vader, de Marchese, en over zijn tweelingbroer die in het ziekenhuis van Montepulciano als chirurg werkte.

'Tijdens mijn opleiding heb ik bij hem gewoond. Zijn huis is prachtig ingericht, met veel antieke spullen. Tante Anna heeft een onfeilbaar gevoel voor stijl. U zou het vast mooi vinden.'

'Misschien zie ik het ooit nog eens,' mompelde Richard.

'Waarom niet?' Ze was zichtbaar ontdooid. Ten slotte verloor ze haar verlegenheid helemaal en vertelde ook over haar moeder.

'Ze was zo vrolijk. Altijd maakte ze grapjes. Zelfs mijn vader lachte vaak als hij bij haar was, terwijl hij normaal altijd ernstig is. Ze had een groot hart. We moeten voor de onzen zorgen, zei ze altijd. Ik ben vaak met haar mee geweest naar de boerderijen. We bezochten de zieken of brachten cadeautjes.' In gedachten verdiept staarde Sophia naar een hoek van het plafond waar het zonlicht, gefilterd door de boomtakken voor het raam, patronen op tekende. 'Vroeger, toen ik nog een kind was, deed ze vaak haar haren in vlechtjes en trok ze haar oudste kleren aan. Een oude broek, een versleten blouse, een gerafelde strohoed, afgetrapte schoenen. Zo ging ze dan naar het land om bij de oogst te helpen, samen met mij en Francesco.'

Richard voelde hoe de vermoeidheid hem geleidelijk overmande. Waarschijnlijk had het meisje gelijk. Het was beter voor hem als hij wat sliep. Maar hij wilde het gesprek nog niet beëindigen. Midden in de waanzin van de oorlog was het gezelschap van het meisje als een kostbaar geschenk.

Op dit moment in het gesprek onderbrak Richard haar, al wilde hij de zachte stem die hem goeddeed niet onderbreken.

'Wie is Francesco?'

'Mijn broer. Hij is luitenant en zit op Sicilië. We hopen allemaal dat hij snel naar huis komt.'

Dat zal hij, dacht Richard. Hij merkte dat hij bijna indommelde. Sophia's broer zou snel thuiskomen, en het was maar te hopen dat hij levend zou terugkeren. Sicilië was verloren, maar er zouden nog veel soldaten het leven verliezen, slachtoffers van de grootheidswaanzin van een onmenselijke dictator. Het idee dat dit meisje misschien om haar broer zou huilen, kwam hem opeens onverdraaglijk voor.

Richard wilde haar opvrolijken, maar hij was te moe om te praten. Zijn ogen waren al dichtgevallen, maar toch verzette hij zich nog tegen de slaap. In het schemerige gebied tussen waken en slapen, zag hij de boosaardige realiteit van de toekomst. Ergens hier in de buurt zou de nieuwe frontlinie gaan lopen. Niets en niemand was meer veilig. Wie vandaag nog leefde, kon morgen dood zijn. De strijd zou verdergaan, steeds maar door, en ontelbare moeders en zusters zouden moeten huilen.

'U moet nu gaan slapen, *Tenente*.'

Hij probeerde te glimlachen, maar zelfs daar was hij te moe voor.

'Geloof me maar, morgen zal het veel beter gaan.'

Hij had nog een laatste vluchtige gedachte voor hij insliep.

Als er een morgen is...

Sophia liet haar avondeten naar de polikliniek brengen. Ze wilde haar patiënt de eerste nacht niet alleen laten. Zodra het beter met hem ging, zou ze weer in de villa gaan slapen. Samen met de telefoon had de Marchese een oproepinstallatie laten installeren, zodat ze in noodgevallen in drie minuten ter plaatse kon zijn.

De kokkin kwam met het avondeten.

'Dank je, Josefa.' Sophia pakte het blad van de kokkin aan en zette het op de kleine tafel bij het raam. Ze tilde het deksel op en snoof genietend. Josefa's kookkunst was onovertroffen. Als kind deed Sophia niets liever dan de keuken insluipen en lekkere hapjes pikken als Josefa niet keek. Ze werkte al meer dan veertig jaar voor de familie Scarlatti. Ze kwam van Sardinië en was een kleine, stevige vrouw met asgrauw haar. Ondanks haar vijfenzestig jaar was ze nog altijd vol kracht en energie.

Vanavond was er rundvlees in rode wijn met verse polenta, daarbij een karafje barolo en als toetje karamelpudding.

'Eet smakelijk, kind.'

'Bedankt. Maar het is veel te veel!'

Josefa wierp een afkeurende blik op de nog steeds slapende eerste luitenant. 'Ik wist niet of hij ook iets wilde eten.'

'Ik breng wat er overblijft straks wel mee.'

'Kom je dan vandaag nog naar huis?'

'Ja, even, alleen om een bad te nemen en me om te kleden. Ik zal Elsa of Donata vragen of ze in die tijd bij de eerste luitenant willen blijven.'

'Zo, zo. Hij is dus een eerste luitenant, die Duitser.'

Josefa had haar armen voor haar omvangrijke borst over elkaar geslagen. Ze maakte geen aanstalten weer weg te gaan.

'Wat is er, Josefa?'

'Tja, dat zou ik zelf ook graag willen weten. Er is in elk geval iets wat ik weet. Er zijn mensen die vinden dat dat een slecht teken is.'

'Waar heb je het over? Wat zou een slecht teken zijn?'

'Dat er Duitsers in de streek zijn.' Na nog een blik naar het bed zei ze zachtjes: 'Er wordt gezegd dat die kerels slechte dingen van plan zijn.'

'Wat bedoel je daarmee?'

'Ze komen hierheen om te stelen. Ze willen ons eten inpikken. Ze hebben het nodig voor hun mensen. Die komen allemaal hierheen, om hier te vechten. En als ze hier vechten, moeten ze ook hier eten. En wie moet ze te eten geven? Wij. Het eind van het liedje is dat we allemaal zullen verhongeren.'

'Wat een onzin,' zei Sophia verrast.

Josefa trok een beledigd gezicht en stak haar handen in de zakken van haar schort. 'Ik weet wat ik weet. Hij is een van die mensen die voor voorraad moeten zorgen. Ze willen alles. Meel, pekelvlees, olie, fruit, wol, paarden, vrachtwagens, benzine.'

'Wie heeft dat gezegd?'

Josefa haalde haar schouders op en wierp een vragende blik op de slapende officier.

'Hij kan je niet horen.'

Maar Josefa wilde niet zeggen waar ze haar informatie vandaan had. In plaats daarvan begon ze haar nieuws nog mooier te maken. 'Er wordt gezegd dat ze zelfs wijn willen. Niet een paar flessen, o nee. Hele vaten vol! Waarvoor hebben die Duitse sukkels wijn nodig, vraag ik je?'

'Misschien omdat ze hem willen drinken,' zei Sophia droog. 'Er wordt gezegd dat onze wijn de beste van de hele wereld is.'

Josefa snoof alleen maar. 'En wat zul je zeggen als ze ook je huis willen, hè? Als een van die Duitse schoften hierheen komt en je beveelt je spullen te pakken, omdat hij in je bed wil slapen en aan je tafel wil eten?'

Sophia vond dat idee zo absurd dat ze moest lachen. 'Je fantaseert maar wat, Josefa.'

'We zullen wel zien. Ik ga nu, en jij gaat eten voordat alles koud wordt.'

Maar Sophia had geen eetlust meer. Lusteloos prikte ze in het eten en schoof met haar vork een deel van de polenta heen en weer. Ze at maar weinig, maar dronk wel de wijn op. Josefa had een levendige fantasie, maar Sophia kon zich niet aan de indruk onttrekken dat er toch wel iets van waar was. De Duitser had duidelijk terughoudend gereageerd, toen Sophia hem naar het doel van zijn aanwezigheid in de streek had gevraagd.

Zodra ze klaar was met eten, ging ze naar de *Fattoria* om Elsa te vragen een uurtje op de Duitse patiënt te passen.

Elsa reageerde zenuwachtig, toen ze de deur voor Sophia opendeed. Ze maakte geen aanstalten om haar binnen te vragen.

'Ik wilde je vragen of je een poosje in de polikliniek wilt blijven. Het is maar voor even. Ik wil snel een bad nemen en me omkleden, dan kom ik weer terug.' Sophia aarzelde, omdat Elsa een gejaagde indruk maakte. 'Als je geen tijd hebt, kan ik het ook aan Donata vragen.'

'Nee, nee, dat is niet nodig. We hebben al gegeten. De afwas kan ik ook later doen.'

Salvatore kwam uit de keuken en ging naast zijn vrouw staan. 'Goedenavond, Sophia. Hoe gaat het ermee?'

'Dank je, goed. En met jou? Hoe was je dag? Ben je nog iets nieuws te weten gekomen over de krijgsgevangenen?'

Salvatore haalde zijn schouders op. Hij was geen grote, maar wel een erg gespierde man van vierenveertig jaar, met de stralende ogen en het optimistische lachje van een jonge man. Maar vanavond leek hij gespannen en afwezig. 'Over een paar dagen zal er een groep gevangenen hier op La Befana worden geïnterneerd,' zei hij.

Sophia was ontzet. 'Engelsen?'

'Engelsen, maar ook anderen. Negentien man.'

Onverwachts werd Sophia overvallen door het ontstellende denkbeeld dat hun huis in een interneringskamp voor krijgsgevangenen zou worden veranderd. Een afgrijselijk idee dat door Josefa's sombere woorden nog versterkt werd. 'Waar moeten ze ondergebracht worden?'

'Vermoedelijk in het oude klooster. Daar zijn genoeg ruimtes die afgesloten kunnen worden.'

Sophia fronste haar voorhoofd. In de buurt was een leegstaand franciscanenklooster, een oud, nogal vervallen gebouw waarin al honderden jaren niemand meer had gewoond.

'Maar daar zijn toch geen sanitaire voorzieningen,' antwoordde Sophia.

'Op de binnenplaats zijn drinkbakken voor het vee en wc's,' zei Salvatore laconiek. 'We moeten alleen twee of drie bewapende mannen aanstellen om toezicht op de mensen te houden.'

Hij legde een arm om de schouders van zijn vrouw en trok haar naar zich toe. Elsa verstijfde een fractie van een seconde, maar vlijde zich toen tegen haar man aan. Ze zag er nietig uit naast zijn sterke lichaam, al was ze bijna net zo groot als hij. Salvatore had een schoon overhemd aan en had zich geschoren, een moeite die niet veel mannen op La Befana namen als ze 's avonds na het werk naar huis kwamen. Salvatore streek het haar uit Elsa's gezicht, draaide haar hoofd naar zich toe en kuste haar op de mond – de innige kus van een man die van zijn vrouw houdt en zich voor niemand schaamt voor zijn gevoelens.

Elsa's gezicht stond vreemd strak toen ze Sophia aankeek. 'Zal ik meteen meegaan?'

'Nou ja, het kan nog wel even wachten,' zei Sophia een beetje onbehaaglijk.

'Ga nou maar meteen mee,' zei Salvatore. 'Ik red het hier heus wel alleen.' Elsa's oogleden trilden even en ze perste haar lippen op elkaar. Toen lachte ze, een beetje gekweld, vond Sophia.

'Goed. Tot straks dan.' Ze maakte zich los uit Salvatores omarming, stapte naar buiten en trok de deur achter zich dicht.

'Alles goed?' wilde Sophia weten.

'Natuurlijk. Waarom vraag je dat?'

'Ach niks, gewoon.'

Toen de beide vrouwen de polikliniek binnenkwamen, lag de patiënt nog steeds te slapen. Elsa bekeek de Duitser onbehaaglijk. 'Is hij nog niet bij bewustzijn geweest?'

'Jawel, hij is even wakker geweest. Maar niet zo lang.'

'Heeft hij iets gezegd?'

Sophia haalde haar schouders op. 'Ja. Maar niet veel. Hij heeft kunstgeschiedenis gestudeerd, in Florence, Bologna en Rome. O ja, en nog iets. Hij houdt van Verdi.' Sophia wees naar de grammofoon. 'Weet je, hij heeft mama gekend. Niet persoonlijk natuurlijk, maar hij is naar een van haar optredens geweest. Hij was toen nog een kind. Maar hij is haar stem nooit vergeten, ook al is het al zo lang geleden. Toen hij de plaat hoorde, wist hij meteen weer wie ze was.'

Elsa negeerde de steek die Sophia's woorden haar gaf. Er waren ogenblikken als deze, waarin ze ervan schrok hoeveel ze de Marchesa haatte, al lag ze al maanden onder de grond. Elsa vond zulke gevoelens ten opzichte van een overledene haast nog verwerpelijker dan het overspel dat ze al sinds jaren beging – eerst in haar fantasie, en de laatste maanden ook in werkelijkheid.

'Heeft hij gezien wie er op hem heeft geschoten?' wilde Elsa weten.

Sophia liet zich niet om de tuin leiden door de terloopse manier waarop de vraag werd gesteld. 'Wie heeft het gedaan? Je weet het, hè? Praten de mensen erover? Hebben ze iemand gezien? Was het iemand van het landgoed of de boerderijen?'

Elsa's gezichtsuitdrukking bleef onverschillig. 'Ik heb niets gehoord. De mensen praten veel, maar niemand weet iets.'

Sophia zocht de vuile kleren van de Duitser bij elkaar en legde ze over haar arm. Toen pakte ze het blad met etensresten en liep naar de deur.

'Het zal niet lang duren. Eén, hooguit twee uur.'

'Doe maar op je gemak,' zei Elsa, en dat meende ze ook.

'Dank je, Elsa.'

'Je hoeft me niet steeds te bedanken.' Het klonk bijna bot.

Sophia ging weg zonder nog iets te zeggen. Elsa trok een stoel bij het bed en bekeek de slapende Duitser. Het was een grote, sterke man. Zijn gezicht was ontspannen in de slaap. Het was een goed, eerlijk gezicht, waarop het leven en zonder twijfel ook de oorlog hun sporen hadden achtergelaten. Dat kon je zien aan de lijntjes om zijn ogen en de fijne rimpels langs zijn mond.

Zou hij een vrouw en kinderen hebben?

Elsa keek om zich heen, maar toen viel haar in dat Sophia het uniform van de man had meegenomen. Ze wendde zich weer naar de officier en zag hoe zijn borstkas op het ritme van zijn ademhaling op en neer ging. De spanning die ze de hele dag gevoeld had, werd minder. De man zou blijven leven, en binnenkort zou hij weer kunnen opstaan. Antonio was ongemerkt weggeslopen voordat Salvatore thuis was gekomen. Tegen Elsa had hij gezegd dat hij zich in de stal zou verstoppen tot het donker werd, en daarna zou proberen te voet naar de Monte Amiata te gaan. Elsa wist dat daar in de bossen verschillende van zijn geestverwanten kampeerden. Allemaal jonge heethoofden als Antonio, die geloofden met een geweer en een grote mond de wereld te kunnen hervormen. Dwazen waren het, allemaal!

In gedachten sprak Elsa een kort dankgebed uit dat Antonio's schot niet tot de dood van een mens had geleid.

En ze bedankte God er ook voor dat Sophia haar bij Salvatore had weggehaald. Hij was van plan geweest met haar naar bed te gaan. Overal had hij haar aangeraakt, gekust en gestreeld. Ze had vol wanhoop de onmiskenbare signalen van zijn groeiende begeerte opgevangen. Terwijl hij liefkozende woordjes in haar oor fluisterde, had alles in haar hem de waarheid wel in het gezicht willen slingeren.

Natuurlijk had ze dat niet gedaan. Ze wist dat ze dat nooit zou kunnen. Zeker, er zou een dag komen dat Salvatore de waarheid zou ontdekken. Maar hij zou hem zeker niet van haar horen.

6

Toen Sophia met het uniform bij Donata kwam, was die net bezig met het zenuwslopende karwei om haar kinderen naar bed te brengen.

'Marco, Maria, Claudio, vooruit!' schreeuwde ze door het lawaai van haar drie spruiten heen, die in de keuken in een gevecht waren verwikkeld.

Sophia streelde door het haar van Donata's dochter, zodat de toch al slordige vlechten van het kleintje helemaal los raakten. Donata deed haar best, maar sinds de dood van haar man, vorig jaar, was ze niet tegen de opvoeding van de kinderen opgewassen. Marco was vijf, Maria vier en Claudio drie. De snel op elkaar volgende zwangerschappen hadden hun tol geëist. In plaats van op het land en in de stallen werkte Donata sinds een tijdje alleen nog maar in de wasserij. Van daaruit was ze in een paar stappen thuis en kon ze ook de kinderen beter in het oog houden, die in de zomer meestal onder toezicht van de halfblinde oma van Ernesto, de schoenmaker, op de binnenplaats speelden. Familie in de buurt had ze niet, zodat Donata in de winter bij de kinderen thuisbleef en naaiwerk deed voor het hele landgoed.

Ze bekeek de bloedvlekken op het uniform. 'Moeilijk te zeggen of dat er nog uit gaat,' zei ze kritisch. 'Wanneer moet het klaar zijn?'

'Dat weet ik niet. Lukt het je misschien rond morgenmiddag?'

'Waarschijnlijk niet. Ik begin vanavond nog, maar het moet minstens een halve dag in de week staan.'

74

'Zoveel haast heeft het niet. Kijk maar wanneer je tijd hebt.'
Donata pakte een kam en ging daarmee door het haar van haar
luidkeels protesterende dochter. 'Hou op met gillen!'
De twee jongens vielen ondertussen onder oorverdovend gekrijs
over elkaar heen en vochten om een stuk speelgoed.
Sophia greep in en hielp hen zich uit te kleden en zich bij de goot-
steen in de keuken te wassen, wat met nog meer kabaal en geruzie
gepaard ging.
'Ik snap niet hoe je dat uithoudt!' riep Sophia boven het lawaai uit.
'Dat ontdek je wel,' bromde Donata, 'zodra je zelf kinderen hebt.'
'Ik weet niet of ik wel kinderen wil,' zei Sophia twijfelend, terwijl
ze zich met een kam over Marco's weerspannige haardos ont-
fermde. Opeens moest ze aan Luciana denken, het meisje dat in
het ziekenhuis van Montepulciano onder veel pijn een dood kind
ter wereld had gebracht.
Samen met Donata bracht ze snel de kinderen naar bed en verliet
ze het huis van de weduwe. Ze nam het blad met de restanten van
haar avondeten, dat ze voor de deur had gezet, weer op en liep in de
opkomende duisternis naar de villa. Ze ging door de achterdeur
naar binnen en bracht het blad naar de keuken, waar het al donker
en stil was. Josefa had zich al voor de nacht in haar kamer in het
achterste deel van het huis teruggetrokken.
Sophia bleef in de hal staan om te luisteren, maar er drong geen geluid uit de bibliotheek door. Onder de deur zag ze toch een streep
licht, dus de Marchese was thuis. Sophia klopte en wachtte op de
welluidende stem van haar vader, maar het bleef stil. Sophia
opende de deur en zag tot haar verbazing dat de kamer leeg was.
In de gele lichtkring van de staande lamp naast het bureau fladderde een vlinder.
Er kwam een windvlaag door de geopende terrasdeuren, die een
bladzijde van het boek liet ritselen dat opengeslagen op het bureau
lag. Sophia liep naar de deuren en keek de nachtelijke tuin in, maar
op het gemurmel van de fontein en het zachte geruis van de wind
in de bomen na was alles stil.
'Papa?' riep Sophia, maar ze kreeg geen antwoord.
Ze ging naar boven naar haar kamer, waar ze de papieren van de
Duitser op haar kleine rococommode uitspreidde. Uit de zakken
van zijn uniform had ze behalve zijn portemonnee, zijn militaire

pas en zijn persoonsbewijs ook nog drie brieven gehaald. Er steeg een fijne parfumgeur op uit de enveloppen, die van geschept papier waren en waar geen afzender op stond. Het handschrift op de voorkant van de enveloppen was zonder twijfel van een vrouw. Het veldpostadres was met sierlijke, elegant krullende letters geschreven.

Zijn vrouw? Zijn geliefde?

In de militaire pas stond zijn geboortedatum. Hij was vijfendertig, iets ouder dan ze had gedacht. Een man van die leeftijd was vast en zeker getrouwd. Hij droeg geen trouwring, maar dat zei niet veel, niet in een tijd als deze.

Sophia's vingers jeukten om een van de brieven uit de envelop te halen en er een blik op te werpen. Wat kon het voor kwaad? Ten eerste begreep ze nauwelijks een woord Duits, en ten tweede waren de brieven toch al open, zorgvuldig langs de bovenkant opengesneden. Bovendien bestond er altijd nog de mogelijkheid – al was het een kleine – dat het slechter zou gaan met de Duitser, en in dat geval zou hij zeker gewild hebben dat zijn familie werd gewaarschuwd.

Sophia staarde naar de enveloppen en worstelde met zichzelf, maar toen besloot ze dat het een onvergeeflijke schending van zijn privacy zou zijn als ze de brieven zou lezen. Zichzelf ervan overtuigen dat er goede redenen zouden zijn, veranderde daar niets aan.

Sophia legde de brieven bij de andere spullen van de Duitser en liep naar de badkamer. Ze liet water in het bad lopen en kleedde zich uit. Naakt voor de spiegel staand, hield ze haar borsten vast tot ze huiverde. Een prikkeling liep van haar tepels via haar buik tussen haar dijen en veranderde daar in een ondefinieerbaar trekkerig gevoel. Ze dacht aan de Duitser. Zijn haar had er in het zonlicht uitgezien of er gouden draden doorheen liepen, en toen hij haar had aangeraakt, was zijn hand warm geweest. Ze kreeg het heet toen ze eraan dacht hoe ze zich had gevoeld. Haar hart had zo gebonkt dat ze dacht dat hij het wel had moeten horen, en haar gezicht had in vuur en vlam gestaan, van schaamte en door een ander gevoel dat ze niet durfde te benoemen. Het was zeker geen gevoel geweest dat een eerbare, op haar taak gerichte verpleegster tegenover haar mannelijke patiënten behoorde te hebben.

Sophia dacht erover na of hij haar op die bijzondere manier had bekeken, zoals zoveel mannen al hadden gedaan. Meestal zag ze die blikken wel, ze merkte hoe ze over haar lichaam gleden, soms open en onbeschaamd, maar meestal heimelijk en vol bewondering. Toen ze hem had geholpen rechtop te gaan zitten, was ze er bijna zeker van geweest dat ze even die blik in zijn ogen had gezien. Maar nu was ze er niet meer zo van overtuigd. Hoe langer ze erover nadacht, hoe meer ze tot de conclusie kwam dat ze het zich maar verbeeld had – en wel omdat ze iets had willen zien waarvan ze onbewust hoopte dat het bestond: verlangen.

Was het hetzelfde dat zij ook gevoeld had en nu in de nagalm van de gebeurtenissen nog steeds dacht te voelen?

Sophia vroeg zich niet zonder verwarring af of het mogelijk was een wildvreemde man op deze puur lichamelijke manier aantrekkelijk te vinden. Misschien was ze alleen maar erg overstuur geweest. Tenslotte had er kort daarvoor in de landelijke, idyllische sfeer van La Befana een gemene moordaanslag plaatsgevonden, die bijna een mensenleven had geëist.

Sophia merkte dat haar gedachten in een kringetje ronddraaiden. Terwijl ze in bad lag, bekeek ze in gedachten de sprookjesachtige figuren op de muren, tot de mozaïeken voor haar ogen in elkaar overliepen en ze alleen de lichtgevende beelden nog zag van een onderwaterwereld met zwaaiende wieren en betoverende wezens, die in een aquamarijnblauwe schemering hun nooit eindigende rondedans deden.

De Duitser sliep onrustig. Af en toe kreunde hij zacht en zijn hand ging vaak naar zijn hoofd. Zijn vingers gleden dan ongecontroleerd over het dikke verband en zakten uiteindelijk weer naar beneden, alsof ze niet hadden gevonden wat ze zochten.

Elsa bleef op de stoel naast zijn bed zitten en na een poosje dommelde ze in. Als altijd was haar dag vroeg begonnen. Het vee moest gevoerd worden, en in de tuin en het huis was genoeg te doen. Ze schrok op van het geluid van de deur die openging, maar het was niet Sophia die binnenkwam maar de Marchese. Hij keek om zich heen.

'Waar is Sophia?'

'Heb je haar niet gezien? Ze is naar huis gegaan om een bad te nemen en zich om te kleden. En ze wilde eerst het uniform bij

Donata brengen. Misschien is ze nog daar.' Elsa keek naar de klok aan de muur. 'Ze is een halfuur geleden weggegaan. Ik heb zeker even geslapen.'

Ze bekeek hem. Zoals gewoonlijk droeg hij een witlinnen overhemd, waarbij de mouwen tot de ellebogen waren opgerold. Zijn gezicht was donker van de opkomende baard op zijn wangen. Elsa voelde hoe haar hart naar hem uitging.

Hij kwam dichterbij en bekeek de patiënt. 'De Duitse officier?' Elsa knikte.

'Hoe gaat het met hem?'

'Sophia denkt dat hij het wel overleeft.'

Hij keek haar met een ondoorgrondelijke blik aan. 'Wie heeft het gedaan?'

Ze voelde dat ze rood werd. 'Ik weet het niet.'

'Echt niet?'

Elsa slikte. Ze legde haar armen voor haar borst om het plotselinge trillen van haar lichaam tegen te gaan. Toen wierp ze uit haar ooghoeken een veelbetekenende blik op de patiënt en schudde waarschuwend haar hoofd.

De Marchese accepteerde het fronsend. De uitdrukking in zijn ogen zei haar dat het onderwerp voor hem nog niet afgehandeld was. Hoewel ze pas sinds een paar maanden een liefdespaar waren, scheen hij haar soms beter te kennen dan haar echtgenoot. Hem ontging geen emotie op haar gezicht, en zelfs het kleinste gebaar van haar wist hij goed te interpreteren. Hij had instinctief aangevoeld dat ze meer over het voorval wist dan ze wilde toegeven.

Hij bekeek de slapende man met een piekerende blik. Josefa had hem bij thuiskomst met een opgewonden verslag over het voorval ontvangen, en ze had zich vol zorgen afgevraagd waarom de Duitsers uitgerekend naar hier, naar La Befana waren gekomen.

Roberto was doodmoe. Hij had een inspannende dag achter de rug. Het werd steeds moeilijker om zich tegenover Salvatore normaal te gedragen. Steeds weer moest hij de impuls onderdrukken om op het gezicht van zijn vriend naar aanwijzingen te zoeken of hij hem al wantrouwde, of zelfs al iets wist. De aandrang om hem alles op te biechten, werd steeds sterker. Roberto zou de gedachte nauwelijks kunnen verdragen dat een andere man Elsa bezat, haar lichaam streelde, haar kuste en vol hartstocht een met haar werd.

Hij zou het idee haten dat Salvatore met zijn vrouw sliep. Maar hoezeer deze toestand hem ook tegenstond, hij kon er weinig aan doen. Hij kon het gewoon niet zeggen, al voelde hij dat het hem steeds meer moeite kostte.

Daarbij kwam ook nog zijn bezorgdheid om Francesco. Ze hadden al weken niets van hem gehoord, maar de berichten van het front spraken voor zich. De nederlaag van de Duits-Italiaanse troepen op Sicilië had niet vernietigender kunnen zijn. Elke dag zonder levensteken van zijn zoon, vreesde Roberto meer voor hem.

En alsof hij daarmee niet genoeg zorgen had, hield nu het bureau van de plaatselijke commandant er ook nog hardnekkig aan vast om krijgsgevangenen op La Befana onder te brengen.

De *Capitano dei Carabinieri*, een man met wallen onder zijn ogen die er uitgeput uitzag, die de oorlog en alles wat daarmee te maken had net zo zat was als iedereen, had de Marchese kort en bondig te kennen gegeven dat er geen andere mogelijkheid was. Er waren al lang niet genoeg cellen meer en de Tommy's moesten tenslotte ergens worden opgesloten. Dus bleef hem niets anders over dan naar de omliggende landgoederen uit te wijken. Als er ergens plaats was om de gevangen soldaten onder te brengen, dan was het daar wel. In deze moeilijke tijden moest elke Italiaan laten zien dat hij een patriot was. Bovendien ging het niet om honderden mensen, maar om negentien mannen waarvoor toch nog wel een plekje te vinden was.

Roberto had de *Capitano* in elk geval kunnen overreden een man als bewaker aan te stellen. Hij had om minstens vier bewakers gevraagd, maar de beambte had vermoeid zijn hoofd geschud.

Hij dacht aan al de inspanningen die nodig waren om zoveel mannen te bewaken, om maar te zwijgen over de kosten. Van zijn eigen mensen kon hij nauwelijks iemand missen. Wie niet op het land bezig was, had zijn werk in de stallen, in het bos of in de werkplaats. Er was altijd werk in overvloed op La Befana.

Roberto wreef in gedachten over zijn borst, alsof hij op die manier de stekende pijn kon wegvegen die hij vandaag weer erger voelde dan in de afgelopen weken.

'Lieveling, je hebt zorgen,' zei Elsa meelevend. Haar gezicht werd zacht en ze ging naar hem toe. Zonder op de slapende officier te letten, sloeg ze haar armen om Roberto heen en drukte hem tegen zich aan. Zuchtend beantwoordde hij haar omhelzing. Hij boog zijn hoofd en drukte zijn lippen op haar warme hals, tot hij haar hartslag kon voelen.

'Elsa,' mompelde hij.

Ze begroef haar gezicht tegen zijn borst en snoof diep zijn karakteristieke geur van leer, hooi, zon en man op. Ze onderdrukte de tranen die ze opeens voelde opkomen.

'Het was Antonio,' fluisterde ze nauwelijks hoorbaar.

Hij zei niets, en even dacht ze dat hij het niet gehoord had, maar toen trok hij haar dichter tegen zich aan. 'Maak je daarover maar geen zorgen. Alles gebeurt zoals het is voorbestemd. Er gebeuren steeds weer dingen waar we machteloos tegenover staan. We kunnen niet altijd de verantwoording delen voor de daden van anderen.'

Dit soort fatalisme paste niet bij hem. Het was Elsa duidelijk dat hij haar alleen maar wilde kalmeren en troosten. Met zijn woorden logenstrafte hij zijn eigen gedrag. Als hij haar om haar zorgen suste, nam hij ze zelf op zijn schouders, net zoals hij het al met zoveel andere problemen had gedaan. Hij droeg de lasten van zovelen al en nam er bereidwillig nog meer op zijn schouders.

Op dat moment begreep Elsa hoeveel hij van haar moest houden, al had hij het nooit tegen haar gezegd.

Ze trok hem achter het kamerscherm en duwde zich tegen hem aan, vol verlangen naar zijn warmte en zijn nabijheid en kwam daarmee aan zijn verlangens tegemoet. Zijn mond, zijn lichaam waren voor haar een vreemd soort drug, maar de bedwelming die ze veroorzaakten, was echt en heftig.

Roberto zocht haar lippen en kuste haar, eerst teder, daarna met grotere hartstocht. Elsa kreunde toen ze haar verlangen voelde groeien. Zijn handen op haar lichaam waren groot, warm en doelbewust. Ze gleden over haar heupen en omvatten haar billen. Die aanraking was al genoeg om Elsa's verlangen zo sterk aan te wakkeren dat ze nauwelijks nog rechtop kon staan.

Richard Kroner zat gevangen in een wereld tussen duisternis en schemering. Ergens hoorde hij stemmen fluisteren, een man en een vrouw praatten zachtjes, maar hij kon zich niet concentreren op wat ze zeiden. Zijn hoofd leek wel uit elkaar te barsten van de pijn, terwijl hij dichter naar het licht dreef. Toen hij het gevoel had dat hij het niet meer kon verdragen, liet hij zich weer in de duisternis wegzakken en droomde.

Johanna en Peter waren bij hem. Zijn vrouw zag er betoverend uit, net als op de dag dat hij haar voor het eerst had ontmoet. Ze droeg de jurk met de felgele strepen en de daarbij passende, gele schoenen waar ze zo trots op was, omdat ze ze haar vader, die niet erg van modieuze spullen hield, had afgetroggeld. Richard voelde zijn hart kloppen van verliefdheid. Hij nam Johanna's hand en bracht hem naar zijn lippen. Toen keek hij vol blijdschap naar zijn zoon, die voor hen uit liep en uitgelaten tussen de verschillende stalletjes rondhuppelde. Bij het kraampje van een waarzegster bleef hij staan. 'Ik wil weten wat er gaat gebeuren als ik groot ben,' riep hij. 'Ze moet mijn hand lezen!'

Johanna lachte. 'Je bent pas zes! Hoe zou ze dat nu al moeten weten?'

Richard zag ongerust dat zijn zoon naar de oude zigeunerin toeliep. Ze zat met vreemd fonkelende ogen voor haar woonwagen op een krukje, gekleed in verschillende, bonte kledingstukken. Om haar nek had ze meerdere, dikke, gouden kettingen, die het zonlicht weerkaatsten.

Ga daar niet naartoe, wilde Richard de jongen toeroepen. Nu zag hij ook dat zijn zoon dezelfde kleren droeg als op de dag van het ongeluk. Een korte, hertenleren broek met bretels, een geruit overhemd met korte mouwen, sandalen. Geen sokken, want het was hoogzomer.

De zigeunerin stak haar hand uit. 'Laat maar eens kijken.'

Johanna lachte haar parelende lach.

'Nee!' riep Richard gealarmeerd uit, maar het was al te laat.

De zigeunerin keek in de geopende hand van het kind. 'Je bent dood,' zei ze met een eigenaardig holle stem.

En zo was het ook. Richard sloot zijn ogen, omdat hij wist dat de oude vrouw gelijk had. Toen hij weer keek, lag zijn zoon dood in het stof midden in een snel groter wordende bloedvlek.

De intensiteit van het beeld werd onverdraaglijk, toen begonnen de contouren te vervagen tot ze door een ander beeld in een andere tijd werden vervangen. Johanna, nu niet meer in de gestreepte jurk, maar in haar ondergoed met daarover een zijden onderjurk bevlekt met braaksel. De arts, die naast Johanna's bed stond en met een medelijdend hoofdschudden haar pols losliet.

Een snerpende pijn schoot door Richard heen en met een schok werd hij wakker. Hij merkte dat hij zijn adem inhield en pas toen de ontzetting afnam en hij het wilde gehamer van zijn hartslag in zijn keel voelde, begreep hij dat hij gedroomd had.

Een diepe, trillende zucht bracht hem weer helemaal in de realiteit terug. Dat alles was al vier jaar geleden, maar in zijn nachtmerries waren de gebeurtenissen nog net zo glashelder als toen. Zijn zoon was op de dag van zijn zesde verjaardag door een tragisch ongeluk om het leven gekomen. Niemand had daar schuld aan – dat werd in elk geval gezegd. Maar Richard wist wel beter. Was het niet zijn idee geweest om op die dag naar een jaarmarkt te gaan? Had hij niet zelf het kind op een van de pony's gezet, die door een kleine manege draafden met elk een overmoedig kind op zijn rug?

Natuurlijk had niemand kunnen voorzien dat de voorste pony door een horzel zou worden gestoken en op hol zou slaan. Niemand had verder kunnen voorzien dat het volgende dier door de plotselinge beweging zou vallen. Of dat de kleine, blonde jongen uit het zadel geslingerd zou worden en zo ongelukkig met zijn hoofd tegen de manegerand zou vallen dat hij ter plekke overleed. En toen, op de dag na de begrafenis, zijn vrouw. Hij zag haar nog steeds voor zich: haar slappe lichaam op het bed, het lege medicijn-flesje naast haar op het kussen, de eveneens lege fles brandewijn kapot op de grond. Er was geen afscheidsbrief, maar de boodschap was zo ook wel duidelijk.

In het ziekenhuis vertelden ze hem dat ze wel bleef leven, maar ze gaven hem de naam van een tehuis waar ze opgenomen kon worden, omdat haar hersenbeschadiging onherstelbaar was. Haar blik zou voor altijd leeg blijven, haar lichaam verlamd. Zelfs de kleinste handelingen zou ze nooit meer zelf kunnen verrichten. Ze zou een leeg omhulsel blijven, een onbezield lichaam, met speeksel dat uit haar mond droop en handen die zouden vergroeien tot klauwen, die star en onbeweeglijk op het dekbed lagen of op de gebloemde zijde van haar kamerjas, als Richard haar in een rolstoel zette en met haar door de tuin van het tehuis wandelde. In de loop van de tijd merkte hij dat hij steeds dichter bij een zwarte afgrond kwam, waaraan hij niet kon ontsnappen. Elke keer als hij Johanna bezocht, leek het of hij in een bodemloze put keek waarin de onontkoombare dood op de loer lag.

Richard kreeg het niet voor elkaar de hand aan zichzelf te slaan. Deze zo aanlokkelijke, makkelijke uitweg was niet voor hem weggelegd. En dus koos hij een andere, volgens hem vergelijkbare weg om de dood tegemoet te gaan. De oorlog kwam precies op het goede moment, voorzover het zijn uitzichtloze situatie betrof. Hij meldde zich vrijwillig aan.

Hij was door een zee van bloed gewaad en had honderden mannen zien sterven, maar hemzelf was tot nu toe nauwelijks iets overkomen. Richard was opgehouden zich af te vragen waarom dat zo was. Of een hogere macht hem nog een keer op de proef wilde stellen, of dat het gewoon toeval was – uit elke schermutseling kwam hij onbeschadigd tevoorschijn, en dat terwijl hij al meerdere keren vooraan aan het front had gestreden. Het meest ernstige voorval was een voorbijgaande doofheid van enkele weken geweest, omdat er een granaat vlakbij hem was ontploft die drie mannen had gedood.

Hij had het gezien, had gezien hoe hun lichamen geplet werden als overrijpe groenten. Een beeld dat nog spookachtiger was, omdat hij door zijn beschadigde trommelvliezen niets anders hoorde dan een gestaag gefluit. Tegenwoordig herinnerde hij zich alle details nog goed. Maar toen was zijn omgeving een vaag geheel geweest, met vele losse beelden die elkaar overlapten. Hij zag zichzelf, hoe hij in het wilde weg de door de regen zacht geworden berghelling afstrompelde, terwijl de mannen om hem heen werden neergemaaid. De een na de ander zonk door granaatsplinters getroffen op de grond, en de hele tijd was er behalve de schrille fluittoon geen enkel geluid te horen. Richard vond het volledig absurd; de dood werd iets pantomimisch. Hij vond het opeens zo komisch dat hij op zijn knieën viel, zijn hoofd in zijn nek gooide en in een brullend gelach uitbarstte. Hij kon zijn eigen gelach niet horen, maar de verplegers die aan kwamen hollen wel. Ze bonden hem op een brancard en brachten hem naar het veldhospitaal. Zachtjes zeiden ze tegen elkaar dat hij doorgedraaid was, een lot dat hij met vele andere soldaten deelde.

Maar hij genas snel. En net zo snel stelde hij vast dat er in de laatste slag iets belangrijks was gebeurd: zijn verlangen naar de dood behoorde plotseling tot het verleden, en verrast stelde hij vast dat hij wilde leven. Na al die tijd verlangde hij er eenvoudig weer naar er te zíjn, te ademen, de lucht te zien, het lachen van andere mensen te horen.

Zijn gehoorstoornis had hem niet alleen dit verbazingwekkende, nieuwe besef opgeleverd, maar ook een verblijf van drie weken in het veldhospitaal en aansluitend daaraan de overplaatsing waar hij om had verzocht. Men had besloten dat hij voortaan ver van het front nuttiger dingen kon doen. Richard vond het prima. Hij had te veel van de zinloze ellende van de oorlog gezien, te veel gevechten meegemaakt, het sterven in vieze, overstroomde loopgraven, in gebombardeerde stellingen en op mijnenvelden.

Na zijn aankomst hier in Toscane, had hij voor de eerste keer sinds lange tijd weer hoop gekregen dat hij misschien weer gelukkig zou kunnen zijn. De lucht boven de *Crete* was net zo blauw als tien jaar geleden, en de kleuren van het landschap hadden diezelfde verzadigde kleur van aarde die hij zich zo goed herinnerde. Een lang vergeten gevoel van welbehagen had hem doorstroomd, gevolgd door het besef dat hij hier vrede zou kunnen vinden.

Richard was intussen weer helemaal bij bewustzijn en keek gedesoriënteerd om zich heen. Het was donker in de kamer, maar niet zo donker dat hij niets meer kon zien. Er viel maanlicht door het raam naar binnen dat de kamer met een mat schijnsel vulde. De omtrekken van de dingen om hem heen waren vaag, maar goed herkenbaar.

Hij had nog steeds veel hoofdpijn, maar het werd draaglijker. Hij voelde aan zijn voorhoofd. Het verband zat stevig vast. De plek waar de kogel hem geraakt had, deed pijn als hij eraan kwam, maar het was uit te houden. De verwonding was niets bijzonders. Twee, drie dagen en hij zou weer op de been zijn.

Toen dacht hij niet meer aan zijn hoofd, want de stemmen die hij eerder gehoord had, klonken weer. Het gefluister van een man en een vrouw, afgewisseld met gekreun en gezucht. Het kostte Richard niet veel tijd om te ontdekken waar ze waren. Ze waren achter het kamerscherm dat op ongeveer vijf meter afstand een hoek van de kamer afbakende. Door het maanlicht kreeg de geplooide, witte stof een fluorescerende, blauwe glans, waardoor duidelijk de silhouetten van twee mensen te zien waren, wiens lichamen in een hartstochtelijke omhelzing versmolten waren. Richard knipperde met zijn ogen, maar het erotische schaduwspel verdween niet.

Toen het geluid van scheurende stof en ten slotte haar gehijg, dat bijna als een snik klonk.

'Ja,' fluisterde de man. 'O ja! O, ik heb je zo nodig, Elsa! Je behoort aan mij toe, alleen aan mij! Zeg het!'

'Ik behoor jou toe. Ik hou zoveel van je, Roberto.'

Toen zeiden ze een tijdje niets meer. Hun schaduw op het kamerscherm bewoog in een ritme dat zo oeroud was als het leven zelf.

Richard staarde met brandende ogen naar het scherm. Zijn handen trilden toen hij zijn eigen groeiende opwinding door het dunne laken betastte. Zijn bloed raasde heet door zijn aderen en hij haatte de hulpeloosheid waartoe de situatie hem veroordeelde.

Het intermezzo achter het scherm duurde niet lang. Het geruis van kledingstukken vertelde hem dat ze hun uiterlijk weer in orde brachten.

'We moeten binnenkort iets ondernemen,' zei de man zacht.

'Bedoel je dat we het aan Salvatore moeten vertellen?' Het gefluister van de vrouw klonk vreemd toonloos. 'Ik weet niet of dat goed zou zijn.'

'Ik kan het niet verdragen dat je zijn bed deelt. Ik verlang de hele tijd naar je, en hij ligt nacht na nacht naast je. Vertel eens, pakt hij je ook hier vast? Of daar? Kust hij je zoals ik dat doe? Wat voel je als hij in je is, zoals ik daarstraks?'

'Sst, niet zo hard! De Duitser kan wakker worden en je horen!'

'Ik wil niet dat je met Salvatore slaapt. Hij moet van je afblijven.'

'Hij is mijn man.' Het klonk vastberaden, maar de wanhoop in haar stem was goed te horen.

'Beloof me dat je een smoesje verzint als hij je weer wil. En de keren daarna ook. Laat hem niet meer aan je komen. Beloof me dat je alleen nog maar aan mij toebehoort. Alleen aan mij.'

'Ik beloof het,' zei Elsa volgzaam.

Iets in haar stem zei Richard dat ze eraan twijfelde of ze die belofte wel zou kunnen houden. Hij vroeg zich even af of de vrouw achter het kamerscherm de jonge verpleegster was, die hem vandaag verzorgd had. Sophia. De gedachte gaf hem een steek.

Maar nee, de man had de vrouw bij haar naam genoemd. Ze heette Elsa. Ze kon dus Sophia niet zijn.

Richard voelde een haast dwaze opluchting. Als het allemaal niet zo belachelijk was geweest, zou het hem kunnen amuseren. Hij was vast veel ouder dan het meisje, maar dat had hem er niet van weerhouden zich als een jonge vent voor te doen. Hij had de aanblik van haar gezicht en haar figuur, samen met de bekoorlijkheid van haar jeugd bijna als een lichamelijke weldaad ervaren. Er was geen twijfel aan, hij had haar begeerd op dezelfde verboden manier zoals de man daarginds de vrouw begeerde. Roberto en Elsa, twee mensen die een geheim deelden waar anderen niets vanaf mochten weten. Vooral Salvatore niet, de bedrogen echtgenoot. De twee kwamen achter het kamerscherm vandaan en Richard deed of hij sliep, ook toen de man naast zijn bed kwam staan en op hem neerkeek.

'Als mijn dochter straks terugkomt, zeg haar dan dat ik morgen een hartig woordje met haar wil spreken. Vandaag is het toch al te laat, ik ben moe. Ik ga meteen naar bed.'

'Ik zal het doorgeven.'

Kort daarna klonk er een geluid bij de deur. Richard vermoedde dat de man weg was gegaan. Hij keek voorzichtig en zag dat de vrouw in een andere ruimte verdween, zonder daar licht te maken. Richard hoorde het geluid van stromend water. Elsa waste zich in het donker en kwam weer in het donker terug. Ze ging zachtjes op de stoel naast Richards bed zitten. De geur van huishoudzeep had de geur van hete, vervulde seksualiteit niet helemaal verdreven, en Richard merkte dat het hem zwaar viel te doen alsof hij sliep, zeker nu hij wist dat Roberto Sophia's vader was. Zou zijn dochter vermoeden dat hij met de vrouw van een andere man naar bed ging? Hij kreunde en deed net of hij langzaam bijkwam. Blijkbaar vond de vrouw zijn voorstelling overtuigend, want ze boog zich bezorgd over hem heen, terwijl hij deed alsof hij uit een diepe bewusteloosheid bijkwam.

'Waar ben ik?' stamelde hij in het Duits, en toen: 'Mijn hoofd!'

Hij zag een knappe vrouw die een paar jaar ouder was dan hij. Haar haren zaten in de war en haar wangen waren dieprood, alsof ze urenlang in de frisse buitenlucht was geweest.

'Heeft u pijn?'

Nadat hij alle details van hun gesprek gehoord had, was het misschien beter haar niet te laten weten dat hij haar verstond. In plaats van een antwoord haalde hij hulpeloos zijn schouders op.

Elsa fronste haar voorhoofd, stond toen op, liep naar de andere kamer en kwam met een vochtige doek terug, het wondermiddel van haar familie tegen hoofdpijn. Ze wilde de natte doek op zijn voorhoofd leggen, maar merkte toen dat ze daarmee het verband nat zou maken.

'Ach jee,' mompelde ze zenuwachtig.

Gelukkig werd ze enkele ogenblikken later uit haar hachelijke positie bevrijd. De deur ging open en Sophia verscheen, frisgewassen, het nog vochtige haar in een dikke vlecht in haar nek. Ze deed het licht aan en kwam binnen.

'Alles in orde?'

'Hij is net wakker geworden. Heb je je vader nog gezien?'

'Nee,' zei Sophia. 'Was hij hier?'

'Ja, even. Je hebt hem net gemist. Ik moest je zeggen dat hij je morgenochtend wil spreken.'

Sophia wam dichterbij. Ze droeg een jurk die Elsa niet zo passend vond, tenminste niet voor een verpleegster met nachtdienst. Hij was van zijde, zoals bijna alle kleren van Sophia, maar hij was strakker dan de meeste jurken die ze droeg. De snit benadrukte elke lijn van haar prachtige figuur en het vierkante decolleté liet haar volle borsten goed uitkomen. Het enig onopvallende aan de jurk was de kleur: mat antraciet.

Daarbij was het helemaal niet zo dat de jurk ook maar in de verste verte onfatsoenlijk was, integendeel. Elsa zou zo'n jurk rustig overal hebben gedragen, zelfs in de kerk. Het lag gewoon aan Sophia's opwindende figuur. Het meisje had echt het figuur van een filmster uit Amerika, en daarvoor had ze zelfs geen korset nodig.

Toen Sophia naast haar ging staan, rook Elsa een vleugje parfum. Niet opdringerig, maar net genoeg. Elsa trok haar conclusies, maar zei niets. Het ging haar niets aan. Bovendien was het onschuldige geflirt van een jonge vrouw niets vergeleken met wat zijzelf daar achter dat kamerscherm had gedaan.

Ze wees met haar kin naar de Duitser. 'Ik denk dat hij pijn heeft. Hij heeft iets tegen me gezegd, maar ik kon hem niet verstaan.'

Sophia wierp de patiënt een geïrriteerde blik toe, maar Richard lag er bewegingloos bij. Hij hield zijn hand over zijn ogen, niet alleen omdat hij weinig zin had een verklaring te geven, maar ook omdat het felle licht hem verblindde.

'Ik zorg verder wel voor hem. Bedankt, Elsa.'

Voordat Elsa wegging, keek ze snel even achter het kamerscherm, maar daar waren geen verraderlijke sporen te ontdekken. Het bed dat daar stond, hadden ze niet gebruikt. Roberto had haar staande bemind, zijn lichaam als een reddingsboei in de branding met het hare versmolten.

'Als je me morgen nog nodig hebt – ik help je graag.'

'Wacht even, ik loop met je mee naar buiten.'

Sophia stond op en liep met Elsa mee. 'Gaat het wel? Je ziet er uit-geput uit.'

'Nee, nee, het gaat prima.' Elsa trok liefdevol aan een van Sophia's losgeraakte lokken. 'Heeft iemand je wel eens gezegd hoe betove-rend je eruitziet, kind? Je bent zo mooi dat zelfs de bomen zich naar je omdraaien!'

Sophia kreeg een kleur. 'Vind je?'

Elsa knikte en in een plotselinge impuls omhelsde ze Sophia even. 'Je bent een goed kind.'

'Dank je.' Sophia beantwoordde verlegen het lachje van de oudere vrouw, voordat ze naar binnen ging en de deur behoedzaam achter zich in het slot trok.

7

Elsa ging op weg naar huis. De maan en het licht van de omliggende huizen wezen haar de weg, maar ze treuzelde met de terugkeer naar Salvatore. De herinnering aan Roberto's omhelzing was nog te vers. Voor de eerste keer sinds langere tijd waren ze weer echt bij elkaar geweest. Daarvoor hadden ze geen gelegenheid gehad elkaar te zien. De weinige keren dat ze elkaar toevallig waren tegengekomen, waren onbevredigend geweest: een snelle kus achter de deur van de *Fattoria*, terwijl Salvatore een zak veevoer van de vrachtwagen naar de stal droeg. Of een vluchtige aanraking in de keuken van de villa, terwijl Josefa iets uit de eetkamer haalde en Elsa de mand met eieren die ze gebracht had nog aan haar arm had. Eén keer was ze Roberto in de wijnkelder tegengekomen en toen waren ze bijna betrapt door de keldermeester.

De liefdesdaad van vandaag was na weken van onthouding een eruptief mengsel van wellust en liefde geweest, maar Elsa's verlangen was daardoor niet gestild. Ze verlangde alweer naar Roberto, maar het was een gevoel dat veel verder ging dan het lichamelijke. Ze had zich op een manier aan hem gegeven, zoals ze het bij Salvatore nooit had gekund. En niemand behalve Roberto zou ooit weer zo'n gevoel in haar kunnen losmaken.

Bij een kromgegroeide pijnboom, die halverwege de weg naar de *Fattoria* stond, bleef ze staan. Zuchtend drukte ze haar voorhoofd tegen de gebarsten schors van de stam en ademde diep de koele lucht in. Na de ondraaglijke hitte van de dag was de nacht bijna bedwelmend zacht. De zilveren schijf van de maan stond hoog aan de hemel en overgoot de helling met een vol, zacht licht. De bergkammen in de verte leken door een optisch bedrog onwerkelijk dichtbij.

Plotseling klonk er een geritsel, gevolgd door een zacht schrapend geluid, als van een lichaam dat zich door het struikgewas beweegt. Elsa verstarde en luisterde, maar er was niets meer te horen.

Ze zag de man niet, die zich niet ver van de polikliniek in de struiken had verborgen en afwachtte tot ze naar huis ging. Zijn gezicht, nog steeds vertrokken van pijn en sprakeloze woede, was diep in de schaduw verborgen.

'Wie was dat?' vroeg Richard.

'Elsa Farnesi, de vrouw van onze rentmeester. Ze is bij u gebleven toen ik even weg was.' Sophia was druk bezig. Ze hielp Richard rechtop te gaan zitten, schudde zijn kussen op en gaf hem water aan. Richard snoof haar geur op en wilde dat hij haar aan durfde te raken. Er lag een blosje op haar wangen en haar huid zag er in het kunstlicht uit als romige karamel.

'U hebt haar niet gezegd dat u Italiaans spreekt.'

De opmerking was niet als vraag geformuleerd, maar Richard kreeg de indruk dat ze een antwoord verwachtte.

'Daar ben ik niet aan toe gekomen,' zei hij. 'Ik was net wakker geworden en nog in de war.'

Sophia knikte. 'Hoe voelt u zich nu?'

'Iets beter dan vanmiddag.'

'Heeft u honger?'

Richard dacht even na. 'Misschien een beetje.'

Sophia lachte. 'Daar kan iets aan gedaan worden.'

Ze pakte de tas die ze had meegebracht, en haalde er de zak met proviand uit die ze in de keuken nog snel had klaargemaakt. Brood, kaas, een plak koud vlees, een appel. Ze sneed alles in kleine stukken en legde het op een houten plank, die ze op Richards knieën zette.

'Moet ik u helpen?'

'Nee, dank u, het gaat wel.' Hij nam een paar happen brood. 'Waar blijft de wijn?'

'In uw toestand mag u niet...' Ze stopte en lachte, omdat ze begreep dat het een grapje was.

'Eet langzaam en stop als u misselijk wordt.'

'Een wijze raad.' Richard nam een stuk kaas en proefde het. De kaas was zacht en pittig tegelijk. Het brood was heerlijk, boven een houtvuur geroosterd, in olijfolie geweekt en met zout en knoflook ingewreven.

Het vlees was van een lamsbout gesneden en was roze en sappig, met een knapperige rand die naar rozemarijn en tijm smaakte.

'Het is niets bijzonders,' zei Sophia verontschuldigend. Ze vulde zijn beker met vers water.

'Dat is niet zo,' antwoordde Richard rustig. 'Het is het beste wat ik in jaren heb gegeten.'

Het was de waarheid. Ontelbare, haastige maaltijden uit de veldkeuken hadden zijn smaakpapillen afgestompt. Hij had er nauwelijks meer op gelet wat hij at. In Rusland had hij zich meestal met gerantsoeneerde porties tevreden moeten stellen, en er waren keren geweest dat hij gevast had als hem dat werd voorgesteld. Voorraadtekorten werden meestal het eerst gevoeld in de verpleging en zodra de aanvoerwegen waren afgesloten, heerste er honger aan het front.

'U heeft zeker niet erg goed gegeten?' vroeg Sophia. Ze schilde de appel en gaf hem een stuk.

Richard pakte het nadenkend aan en nam er een hap van. 'Zelden,' zei hij met volle mond.

'Krijgen de officieren dan niet beter te eten dan de gewone soldaten?'

Richard lachte en schudde zijn hoofd. 'Ik geloof het niet.'

'Nee?' vroeg Sophia weifelend.

Richard knipoogde. 'Daarvoor is het eten van de officieren te slecht. Ik spreek uit ervaring. Een verhoging naar beneden is onmogelijk.'

Sophia lachte, voor de tweede keer in een paar minuten. Ze voelde zich wonderlijk vrolijk en vrij, en tegelijkertijd voelde ze een eigenaardige, maar toch niet beklemmende spanning, alsof ze in plaats van een nachtdienst een opwindend avontuur voor zich had.

'U heeft nog niet eens kennisgemaakt met Josefa's echte kookkunst.'

'Wie is Josefa?'

'Onze kokkin. Ze is een genie.'

'Heeft zij de lamsbout gemaakt?'
Sophia knikte. 'U moet haar soufflé eens proberen.' Toen giechelde ze. 'O nee, dat wordt niks. Voordat ik hem hier heb gebracht, zou hij al in elkaar zijn gezakt.'
'Nou, dat is ook mooi! Eerst doet u me watertanden en dan zegt u dat het niet kan!'
'Ik weet al wat we doen,' zei Sophia luchtig. 'U komt gewoon in de villa eten.'
'Is het ver?'
'Nee, een klein stukje maar. Hoezo?'
'Nou ja, ik kan nog niet al te ver lopen, denk ik. En voor het geval u me moet dragen, moet ik u waarschuwen: ik ben nogal zwaar. Vijfentachtig kilo.'
Sophia lachte vrolijk. 'Ik zou het kunnen doen zoals de indianen.'
'Hoe doen de indianen het dan?'
'Ze leggen hun gewonden op brancards die door paarden worden gesleept.'
'Wel praktisch voor de indianen. Maar voor de gewonden iets minder.'
Sophia grijnsde. 'Een brancard heb ik hier wel ergens. En ik heb een paard. Hij heet Sancho Pansa.'
'Dan kan ik alleen maar dankbaar zijn dat hij geen Rosinante heet.'
Sophia veegde een lachtraan uit haar ooghoek. Ze kon zich niet herinneren wanneer ze voor het laatst zoveel plezier had gehad.
'Maar ik heb echt een paard dat Sancho Pansa heet!' verzekerde ze hem.
'Echt? Bovendien hebt u voor een verpleegster een groot gevoel voor humor.'
'En u bent erg geestig voor een patiënt.'
'Mooi dat ik u aan het lachen kan maken.' Richard fronste in komische wanhoop zijn voorhoofd. 'En ik doe nog wel alles om ervoor te zorgen dat de vrouwen me serieus nemen. Ik moet ergens iets fout doen.'
Dat bracht bij Sophia weer een uitbarsting van vrolijkheid teweeg. Ze gooide haar hoofd achterover en liet een prachtige, melodieuze schaterlach horen. Richard keek verrukt naar haar mooi gevormde hals. De geringste kleinigheid viel hem op, haar zachte huid, de kleine, kloppende ader naast het kuiltje boven haar sleutelbeen.

Toen werd ze weer ernstig. 'Nou, er is toch zeker wel iemand die u serieus neemt. Uw vrouw bijvoorbeeld.' Hij keek haar aan, zijn ogen vol pijn. 'Dat heeft ze gedaan. Vroeger, toen ze nog bij me was.' Sophia sloeg een hand voor haar mond. 'O nee, u heeft haar verloren, niet? Het spijt me, ik...' Ze stopte. 'Hoe lang is het geleden?' 'Vier jaar.' Hij zag geen reden haar vergissing te verbeteren. De vrouw die hij gekend had en waarvan hij gehouden had, bestond alleen nog in zijn herinnering. Voor hem was de tijd van zijn huwelijk allang voorbij. Hij droeg geen ring meer en voelde zich geen getrouwde man. Daarbij wilde hij het laten. Het zou te ver gaan dit meisje het drama in zijn leven te vertellen. En hij wilde het ook niet, wilde niet dat de uitdrukking van schuwe bewondering van haar gezicht verdween.

Richard schraapte zijn keel. 'Mag ik nog een slokje water?' Sophia lachte opgelucht naar haar patiënt, terwijl ze hem de beker gaf. Ze had er geen idee van hoe aantrekkelijk ze eruitzag, met haar frisse teint, de weerspannige lokken die zich uit de vlecht hadden losgemaakt en als een donzige stralenkrans haar voorhoofd omlijstten, met de stralende ogen, de kuiltjes in haar wangen. Haar gezicht was bijna pijnlijk jong, en Richard kon er niet genoeg van krijgen naar haar te kijken. Hij slikte moeizaam de laatste stukjes appel weg. De aandrang haar een compliment over haar uiterlijk te maken, werd haast te groot, maar Richard had het idee dat ze dat niet zo graag wilde horen.

'Nog een stukje vlees?' vroeg ze gedienstig.

Richard schudde zijn hoofd, en die beweging deed hem opeens weer aan zijn verwonding denken. Zijn hand ging naar zijn slaap en onwillekeurig vertrok hij zijn gezicht.

'Ik heb u te druk gemaakt,' zei Sophia berouwvol. Snel haalde ze de overblijfselen van het eten weg en zette de beker opzij.

'Nee hoor. Ik vind het heerlijk met u te praten.' Richard keek haar smekend aan. 'Ga alstublieft niet weg! Blijf nog een poosje bij me!'

'Ik ga niet weg.' Er trok een rode kleur over Sophia's wangen. 'Vannacht blijf ik bij u waken.' Ze wees naar het kamerscherm. 'Dat wil zeggen, ik slaap daar. Ik ben er dus als u me nodig heeft, daarachter in het bed...'

Richard staarde naar de witte stof.

Ik ben er als u me nodig heeft. Daarachter in het bed...

Sophia's woorden, in alle onschuld uitgesproken, hingen in de kamer, zwaar en heet als vloeibaar metaal, dat zijn lichaam omhulde en verschroeide.

Richard draaide zich langzaam op zijn buik. Hij schaamde zich voor het meisje. Ze was wel jong, maar niet dom. Het laken was dun en ze had ogen in haar hoofd.

Sophia liep naar achteren en kwam terug met een fles om in te plassen.

'Kom, ik zal u helpen.'

Sophia had wel gezien wat er met Richard aan de hand was, maar ze hield het voor een normale, mannelijke reactie – wat natuurlijk ook het geval was, maar op een andere manier dan ze dacht.

Sophia was op het platteland opgegroeid en wist natuurlijk van kleins af aan, net als elk ander kind op La Befana, dat bepaalde organen voor de voortplanting waren. Als verpleegster wist ze natuurlijk tot in detail hoe alles toeging. Toch had ze tijdens haar opleiding, tijdens het werk bij haar oom of in haar leerboeken geen informatie gekregen over de samenhang tussen mannelijke opwinding en deze specifieke manifestatie.

Natuurlijk was een erectie niets nieuws voor haar, maar ze had er nooit veel aandacht aan besteed. Bij de lichamelijke verzorging van mannelijke patiënten had ze het vaak gezien, vooral 's morgens vroeg bij het wassen of temperaturen, maar ze was nooit op de gedachte gekomen dat het met haar – in haar hoedanigheid als vrouw – te maken had. Ze dacht eerder dat het gewoon een lichamelijke reactie was, zoals koude rillingen of kippenvel, een soort reflex die opgeroepen werd door bijvoorbeeld een koud laken, een onaangename tocht op de naakte huid, een koude washand, een koortsthermometer of, nou ja, een overvolle blaas.

Maar Richard maakte geen aanstalten de fles te gebruiken. Hij bleef op zijn buik liggen, met zijn gezicht in het kussen.

'Ik kan u wel een poosje alleen laten,' zei Sophia tactvol. 'Roep me maar als u klaar bent.'

Ze duwde de fles in Richards hand. 'Lukt het wel?'

Hij kreunde in het kussen.

'Heeft u pijn?'

Hij knikte.

'Als u het niet kunt uithouden, geef ik u wel een poeder.'

Tegen dit soort pijn helpt geen poeder, dacht Richard. Berouwvol begroef hij zijn neus in het kussen. Hij wachtte tot hij haar hakken op de vloer naar de aangrenzende badkamer hoorde verdwijnen, en wachtte toen nog even tot hij in staat was in de fles te urineren. Sophia kwam kort daarna de fles halen met de koele houding van een verpleegster, en toen maakte ze een hoofdpijnpoeder voor hem klaar. Richard slikte het bittere brouwsel met moeite door.

'U zult er weer moe van worden. Maar slaap is toch het beste voor u.'

Ze dekte hem toe en toen viel haar iets in wat ze niet zo leuk scheen te vinden. Met een onbewogen gezicht haalde ze Richards papieren uit de tas waarin ook de proviand had gezeten. Ze legde alles netjes op het kastje naast het bed.

'Dat zat in uw uniformjasje,' verklaarde ze.

'Dat weet ik.'

Sophia kon niet verhinderen dat ze rood werd. Hij geloofde vast dat ze zijn spullen doorzocht had! Waarom zou hij dat ook niet denken? Om haar verlegenheid te verbergen, liep ze naar het raam en sloot de luiken. 'Ik moest de spullen eruit halen, omdat het jasje vol bloed zat. Het moest gewassen worden. Morgen is het klaar.'

'Dat is erg aardig van u. Bedankt.'

'Die brieven... van wie zijn ze?' flapte ze eruit. Ze friemelde zenuwachtig aan haar jurk. 'Ik bedoel, er stond geen afzender op de enveloppen...' Ze raakte verstrikt en zocht naar woorden. 'Niet dat u denkt... Ik wilde niet nieuwsgierig zijn. Ik heb niet... Ik heb alleen...'

'Het is al goed,' zei Richard met een glimlach. Ze was zo betoverend, zo jong, zo helemaal niet in staat te doen alsof. Juist dat maakte haar begerenswaardiger dan alle vrouwen die hij tot nu toe had gekend. 'De brieven zijn van mijn moeder.'

'O!' Sophia's gezicht lichtte op. Haar gezicht was een open boek voor hem. 'Uw moeder moet zich wel grote zorgen om u maken, als u al jaren in de oorlog vecht! Als mijn moeder nog leefde, zou ze...' Haar ogen werden somber en vlogen naar de grammofoon in de hoek van de kamer. 'Ze zou zich ook zorgen maken om haar

zoon. Misschien zou Francesco zich helemaal niet hebben aangemeld als ze nog geleefd had.'

'Wilt u de plaat nog een keer voor me opzetten?' vroeg Richard
zacht.

Sophia knikte. De pijn over de dood van haar moeder had haar
weer onverwachts overvallen, en als altijd bestond er geen mogelijkheid om hem te ontvluchten. Met afgemeten passen liep ze
naar de grammofoon. De tragische sopraan van de Marchesa vulde
de ruimte. Richard en Sophia lieten zich allebei gevangen nemen
en luisterden naar de geconserveerde stem, naar de klank van hun
verloren jeugd, zoet en bitter tegelijk.

De volgende morgen werd Sophia wakker door de telefoon. Slaap-
dronken trok ze een ochtendjas aan over haar nachthemd, wankelde op blote voeten naar het bureau en pakte de hoorn. Het
was de Duitse sergeant-majoor, Joachim Weldau. Hij zei iets wat
ze niet verstond en ze probeerde weer in het Frans met hem te praten.

Ze vertelde hem dat de eerste luitenant goed vooruitging en gisteren al iets had gegeten. Over haar schouder wierp ze een blik op het
bed. Richard Kroner werd net wakker. Zonnestralen baanden zich
een weg door de kieren in de luiken en wierpen flikkerende strepen
op de muren.

Sophia keek op de klok die naast de kalender boven het bureau
hing. Het was net over halfzeven.

De stem van de sergeant-majoor werd vervangen door die van een
tolk. Het was een Duitser die met een sterk accent sprak, lang niet
zo goed als Richard Kroner. Hij wilde details over de toestand van
de eerste luitenant weten en Sophia vertelde hem hetzelfde wat ze
tegen de sergeant-majoor had gezegd, alleen iets uitvoeriger en
zachter. De tolk kondigde aan dat er in de loop van de middag
een militaire patrouille zou arriveren, samen met de plaatselijke
politie, om de zaak te onderzoeken. Sophia hoorde het met ge-
mengde gevoelens aan.

Ze draaide zich om naar haar patiënt, die nog een erg slaperige indruk maakte maar haar toch hoffelijk goedemorgen wenste.

'Er komt vandaag een onderzoekscommissie hierheen,' verklaarde
ze met een neutrale stem.

'Dat was te verwachten,' antwoordde hij net zo zakelijk.

Sophia knikte en ging naar de badkamer om zich snel te wassen en aan te kleden. Daarna deed ze de luiken open en in het licht van de binnenstromende ochtendzon liep ze naar het bureau. Ze belde naar de villa en vroeg Josefa om Fernanda met een ontbijt voor de patiënt te sturen.

'Zal ik voor jou ook wat meegeven?'

Sophia aarzelde. Als ze alleen voor de patiënt eten bestelde, kon het gebeuren dat Josefa een ontbijt stuurde dat veel kariger was dan wat ze normaal zou geven.

'Ja, graag. Is papa al op?'

'Ik heb hem nog niet gezien.'

'Goed. Dan kom ik straks nog even langs. Als je hem ziet voor ik er ben, zeg hem dan dat ik er op z'n laatst om acht uur ben.'

Daarna belde ze de *Fattoria* en vroeg Elsa of ze nog een keer wilde inspringen. Richard voelde zich volkomen gezond en dus richtte hij zich op en zette zijn voeten naast het bed – een lichtzinnige daad, die meteen door een stekende pijn in zijn slaap bestraft werd.

'Wat doet u nou?' Sophia haastte zich naar hem toe en hielp hem met zachte dwang weer in een horizontale positie.

'Het gaat goed met me,' steunde Richard.

'Zo goed dat u bijna was omgevallen. U moet nog rustig aan doen, vergeet dat niet.'

'Ik zal eraan denken. Zodra het gehamer in mijn hoofd ophoudt.'

Sophia onderdrukte een lachje. Zelfs in een situatie als deze maakte hij nog grapjes!

Ze zou verbaasd geweest zijn als ze had geweten dat er al jaren geen grap over zijn lippen was gekomen. Hij kon het zelf nauwelijks geloven. Dit meisje zorgde ervoor dat hij zich, ondanks zijn verwonding, voelde als in zijn onbezorgde studentendagen.

Sophia hield een koortsthermometer op en vroeg hem zijn mond open te doen.

'Ik heb geen koorts,' zei hij, maar ze negeerde hem.

'Stop hem onder uw tong.'

Natuurlijk had hij geen koorts, maar Sophia schreef de gemeten temperatuur nauwgezet in de ziektestatus die ze de vorige dag had aangelegd.

Vervolgens bracht ze een wasbekken naar zijn bed. Richard bekeek het met twijfelende blik, en vroeg zich af of hij genoeg zelfbeheersing had om de procedure te doorstaan zonder Sophia en zichzelf in verlegenheid te brengen. Hij zou wel zien, want hij verlangde er erg naar dat ze dicht bij hem kwam, hem aanraakte.

Hij liet toe dat ze zijn gezicht en handen waste als van een klein kind, zorgvuldig en met een grotere zachtzinnigheid dan hij had verwacht. Maar toen merkte hij dat hij de controle over de situatie verloor, en toen ze zijn hemd omhoog wilde doen om zijn borst te wassen, pakte hij haar pols vast.

'Dat doe ik liever zelf. Later, als u weggaat.'

Hij keek haar aan. Sophia negeerde het nerveuze gekriebel dat ze plotseling in haar maag voelde. Ze trok het laken recht en stopte het in, om haar handen iets te doen te geven.

'Ik heb hier geen scheerspullen,' zei ze met een verlegen blik op zijn blonde stoppelbaard. 'Ik zal straks iets meebrengen.'

'Doet u maar niet te veel moeite.'

Toen Sophia het wasbekken leeggooide, kwam het dienstmeisje met het ontbijt. Het was een mager, klein ding met dikke vlechten. Het blad zette ze vlak achter de deur op de grond en ze verdween meteen weer, terwijl ze angstige blikken op de patiënt wierp.

Richard kon zich wel indenken wat er met haar aan de hand was. In deze tijd verspreidden slechte berichten zich snel. Het opduiken van troepen gold meestal als een slecht voorteken. De Duitsers hadden niet zo'n goede naam en Richard bedacht dat zijn opdracht het er niet beter op zou maken.

'Dat was Fernanda,' zei Sophia. 'Ze is nogal angstig tegenover vreemden.' Om onverklaarbare redenen had ze de behoefte Fernanda's weinig attente gedrag uit te leggen.

Vermoedelijk had Josefa hier iets mee te maken. Als ze een bepaalde theorie had, zorgde ze er onvermoeibaar voor dat iedereen die ze tegenkwam het met haar eens was. Waarschijnlijk zagen de meeste mensen op het landgoed de Duitser inmiddels als de voorhoede van een speciaal commando, waar geen zak meel en geen slachtrijp stuk vee veilig voor waren.

Sophia was heus niet zo naïef dat ze dacht dat Richard Kroner voor een wandelingetje op het landgoed was verschenen, maar ze kon zich gewoon niet voorstellen dat een man die zo beschaafd en vriendelijk was als hij have en goed van fatsoenlijke mensen in beslag zou nemen.

In elk geval had Josefa er, ondanks haar vermoedens, voor gezorgd dat er aan het ontbijt niets ontbrak. Er waren warme brioches, geroosterd witbrood, boter, honing, roereieren, ham, ingemaakte olijven en eigengemaakte kruidenkwark. Sophia pakte het deksel van de kan en overtuigde zich ervan dat de koffie heet was. 'Wilt u room in uw koffie?'

'Verse room?'

Sophia moest lachen om zijn deels hoopvolle, deels ongelovige gezichtsuitdrukking, maar werd meteen weer ernstig. 'Sorry. Ik vergat... Natuurlijk is hij vers. Het kan u misschien vreemd voorkomen, maar we hebben hier nog weinig last gehad van de rechtstreekse gevolgen van de oorlog.'

Bekommerd dacht Richard eraan dat dat binnenkort zou veranderen. Hij pakte zijn koffie met room aan en dronk er genietend van, terwijl hij toekeek hoe Sophia ontbeet. Weemoedig bedacht hij dat een zeer hoofd echt niet zo'n hoge prijs was voor het voorrecht om een dag met dit verrukkelijke schepsel door te brengen, daarbij een beetje uit te rusten, naar Verdi te luisteren en zich flink met allerlei lekkers te laten verwennen. De tijd hier was voor hem nog waardevoller, omdat hij maar zo kort hier zou zijn. Vermoedelijk zou hij in de loop van de dag weer weggaan, hoofdpijn of niet. Maar tot dan wilde hij zijn verblijf zo onbezorgd mogelijk houden; hij wilde de vreedzame stemming niet bederven door eigenmachtig zijn ontslag aan te kondigen, want daarmee zou hij onvermijdelijk bij Sophia een storm van protest hebben ontketend.

'Nog wat koffie?'

'Graag.'

Sophia schonk koffie in, deed er room bij en gaf Richard het kopje aan.

'Zeg alstublieft tegen de kokkin dat het heerlijk is.' Richard nam een hap van een geboterde brioche. 'Het ontbijt is voortreffelijk en de koffie een gedicht.'

Het viel Sophia op met hoeveel eetlust de patiënt zich te goed deed aan het ontbijt. Er was geen twijfel aan dat hij gauw weer op de been zou zijn.

Bij die gedachte overviel haar een licht gevoel van verlies, dat ze

snel als dwaas afdeed. Tenslotte was dit een polikliniek, geen hotel.
'Ik moet even weg,' zei ze. 'Ik moet mijn paard wat beweging
geven, en daarna heb ik een afspraak met mijn vader.'
'Zie ik u later weer?'
'Zeker. Tot dan zal Elsa voor u zorgen. Zeg het haar maar als u iets
wenst. Misschien kunt u proberen nog wat te slapen.'
Ze nam het ontbijtblad mee. Bij de deur bleef ze staan en lachte
naar Richard. 'Tot straks.'
'Tot straks.' Hij lachte ook.
Sophia liep de stralende morgen in en de gelukkige uitdrukking
verdween niet van haar gezicht – tot ze in de keuken van de villa
kwam en daar Josefa's tirades over zich heen moest laten komen.
De kokkin bewoog haar ronde lichaam tussen het grote fornuis
en het houten aanrecht heen en weer. Het leek alsof ze wel tien
handelingen tegelijk uitvoerde.
Ze maakte groenten schoon voor het middageten, kneedde deeg
voor brood, maakte van tarwemeel, water en zout een pastadeeg
voor het avondeten en klopte met een enorme garde eiwit voor
een soufflé, die ze de Marchese voor het ontbijt wilde opdienen.
Terwijl ze met haar pannen en schalen rammelde, hield ze geen
seconde haar mond. Er gingen intussen wilde geruchten rond
over wie er verantwoordelijk was voor de aanslag op de Duitser,
en Josefa stelde Sophia van het een en ander op de hoogte.
'Donata heeft gezegd dat het de oude Massimo geweest kan zijn,
omdat hij de Duitsers haat en in de vorige oorlog zijn zoon heeft
verloren, maar als je het mij vraagt is dat onzin. Hij is al bijna tachtig en ziet haast niets meer. Bovendien zou hij nooit snel genoeg
weg kunnen lopen.'
'Daar heb je gelijk in.' Sophia keek verlangend naar de deur, maar
Josefa was blijkbaar niet van plan haar zomaar te laten gaan. Ze
ging zonder pauze door met haar verhaal. 'Velen denken dat Paolo
het heeft gedaan, omdat de Duitsers zijn varken hebben overreden.'
'Daar weet ik niks van,' zei Sophia.
'Nee? Hij wilde in de stad een nest biggen verkopen. Er ontsnapte
er één. Een legervrachtwagen reed eroverheen. Hij heeft er geen
lire voor gekregen.'
Josefa legde de garde weg en veegde haar handen aan haar enorme

schort af, voordat ze met een scherp mes een gebraden kip in stukken sneed. Ze pakte een vleugel en stak hem Sophia toe. 'Hier. Zover ik weet heb je vandaag nog niets gegeten.'

'Ik wilde eigenlijk naar de stal.'

'Smaakt mijn eten je niet meer?'

Dat was de grootste belediging die je Josefa kon aandoen. Iemand die haar eten niet lekker vond, was het niet waard dezelfde lucht in te ademen als zij.

Sophia gaf het op en knaagde aan de kippenvleugel. 'Smaakt heerlijk. Heel bijzonder en ongewoon. Een nieuw recept?'

Josefa knikte trots. 'Chinees. Met soja en gember.'

Haar creativiteit was een van de redenen waarom ze zich in huis ongestraft als een onbeperkte heerseres kon gedragen. Ze kookte geraffineerd, met stijl en fantasie en hield zich daarbij niet alleen aan plaatselijke kost of pasta. Ze wist net zoveel van de internationale keuken als van de fijne Franse keuken. Ze vond afwisseling belangrijk en gebruikte alleen verse ingrediënten, uitgelezen wijnen en zelfgeteelde kruiden. Het was een persoonlijke belediging als iemand kritiek had op haar eten.

Zij en de overleden Marchesa hadden elkaar bewonderd, Josefa de Marchesa om haar stem, de Marchesa de Sardinische om haar kookkunst.

Josefa pakte een koperen pan van een haak aan de muur en zette hem op het fornuis. Toen ze naar de ijskast liep om boter te pakken, benutte Sophia de gelegenheid om naar de deur te sluipen, maar Josefa's scherpe stem hield haar tegen. 'Ik heb je nog niet verteld wie ík denk dat de dader is.'

Sophia bleef stokstijf staan. 'Nee, dat is zo. Wie denk je dan dat het heeft gedaan?'

Josefa schudde haar hoofd. 'Daar kan ik maar één ding over zeggen: zelfs als ik het wist, dan zou ik het nog niet zeggen.'

'Wat bedoel je daarmee?'

'Precies wat ik zeg.' Josefa gooide een stuk boter in de pan. Ze opende de klep van het fornuis en stookte het vuur op.

'Dat begrijp ik niet.'

'Nou, mijn kind, je moet nog veel leren. Er zijn veel belangrijke dingen in het leven waar je nog niets vanaf weet.'

'Kun je misschien iets duidelijker zijn?' vroeg Sophia een beetje geprikkeld. De kokkin doelde ergens op, maar wilde het niet in duidelijke woorden zeggen. Maar daarin vergiste Sophia zich. Josefa vond woorden die aan duidelijkheid niets te wensen over lieten. 'Je moet het nest waarin je zit niet bevuilen.'

De grove woorden deden Sophia in elkaar krimpen. Ze voelde hoe de woede in haar oplaaide. 'Als je daarmee wilt zeggen...'

Josefa snoerde haar de mond. 'Je bent als mijn eigen kind. Ik heb je achterste afgeveegd toen je een baby was. Je in bad gedaan, eten gegeven, je de namen geleerd van alle mensen op het landgoed. Ik dacht dat je net zo was als zij. Als de Marchesa, God hebbe haar ziel. Ze had niet alleen een mooie stem, ze had ook verstand, en niet zo weinig. Dat schijn je volledig te missen. Je ziet eruit als je moeder, maar je hoofd zit blijkbaar vol stro. Want je hebt zeker niets beters te doen dan je met parfum te besproeien en je borsten te tonen, en dat alles voor een man die ons in het verderf zal storten.

Woede vlamde in Sophia op. 'Wat denk je wel!'

'Ik zeg alleen wat ik zie.'

Sophia voelde hoe ze gloeiend rood werd. 'Je bent onbeschoft!'

Josefa staarde haar alleen onderzoekend aan. 'Ik heb gelijk. Dat kun je aan iedereen vragen.'

Sophia had geen zin om nog meer te horen. Bij Josefa zou ze altijd aan het kortste eind trekken. Ze draaide zich om en liep de keuken uit.

'Weglopen is ook geen oplossing,' riep Josefa haar woedend na.

Maar Sophia draaide zich niet één keer om.

8

Met grote stappen liep ze naar haar kamer, waar ze haar rijkleding uit de kast trok en zich omkleedde. Daarna ging ze met een grimmig gezicht naar de stal. Gianni, de stalknecht, begroette haar eerbiedig en Sophia dwong zich tot een vriendelijk knikje. Ze haalde een appel uit de voederkist en liep naar de box van haar paard. De ruin tilde zijn hoofd op en stootte haar aan.

'Je bent braaf,' mompelde Sophia. Ze wreef over de zachte neus van het paard en hield hem de appel voor.

Ze zadelde Sancho Pansa zelf en leidde hem toen de stal uit. Ze ging bijna elke morgen rijden. Toen de Marchesa nog leefde, gingen ze vaak samen. De verre boerderijen waren het best te paard te bereiken, en omdat de Marchesa als landeigenares de verschillende families regelmatig wilde bezoeken, konden moeder en dochter op deze manier plicht en plezier met elkaar verenigen. De Marchesa was een enthousiast paardrijdster geweest, een passie die Sophia van haar geërfd had. Voor haar bestond er niets mooiers dan te paard alle hoeken van La Befana te verkennen, het liefst 's morgens als de zon de huid nog lekker verwarmde in plaats van hem te verbranden.

Sophia ging rechtop zitten en gaf Sancho Pansa de sporen. Ze liet hem bergaf draven en nam toen een pad langs de velden dat omzoomd was met brem en azalea's. Na een tijdje liet ze het paard in een lichte galop overgaan, waarna ze het tempo langzaam opvoerde. Ze was nog steeds woedend. Wat dacht Josefa wel! Hoe kon ze in ernst beweren dat zij, Sophia, opzettelijk probeerde de aandacht van de Duitser te trekken!

Maar terwijl ze verder reed, zakte haar boosheid over Josefa's arrogantie weg. Ze trok zacht aan de teugel tot het paard in een rustige stap overging. Berouwvol gaf ze toe dat er wel iets van waarheid school in wat Josefa haar had verweten. Ze had wél geprobeerd de aandacht van Richard Kroner te trekken. Ze had gewild dat hij haar aankeek, dat hij haar borsten en de zachtheid van haar huid opmerkte, dat hem opviel hoe haar haren glansden. En ze had gebeefd toen hij haar had aangeraakt. Het gewone feit dat hij een man was, had plotseling een andere betekenis gekregen, die ze niet helemaal kon verklaren, maar die anders was dan wat ze tot nu toe bij andere mannen had gevoeld. Sophia gaf zichzelf toe dat ze zich erop verheugde hem weer te zien, en het kon haar niets schelen wat anderen daarvan dachten. Ze had niks verkeerds gedaan, en niemand kon haar verwijten dat ze voor een gewonde zorgde.

Sophia genoot van de wind die haar haren deed wapperen en de mouwen van haar blouse opbliezen. Af en toe moest ze bukken om de takken van struiken te ontwijken, maar meestal was de weg goed begaanbaar. Links onder aan de weg en verder vooruit strekten zich de inmiddels geoogste korenvelden uit en ook velden waar klaver op werd verbouwd. Hier en daar waren boerderijen te zien, eenvoudige, grofgebouwde boerenhuizen die zich tegen de helling drukten. Olijfboomgaarden strekten zich aan de rechterkant uit, met decenniaoude, knoestige bomen, waarvan de bladeren in de ochtendzon zilverig oplichtten. Veel van de boeren op La Befana verbouwden ook wijn, in symmetrisch aangelegde druivenboomgaarden waarvandaan paden naar de verspreid liggende boerderijen liepen. Er werd gezegd dat de rode wijn die hier vandaan kwam niet met de chianti kon concurreren, maar dat kon de boeren van La Befana weinig schelen. Ze dronken hun wijn bij alle gelegenheden en verkochten wat overbleef op de markten van Chiusi en Montepulciano.

Sophia passeerde onderweg drie boerderijen. Ze zwaaide naar de mannen die in de boomgaarden of op de velden aan het werk waren, en één keer bleef ze even met een vrouw staan praten die vorige maand haar vierde kind had gekregen. Sophia had bij de geboorte geholpen, die snel en probleemloos was verlopen.

'Hoe gaat het met de kleine?' riep ze, terwijl ze afsteeg.
De vrouw joeg een paar kippen opzij en kwam naar haar toe. Ze klopte op Sancho Pansa's bezwete hals en hield hem een bosje haver voor.
'Hij slaapt de hele dag en huilt de hele nacht.'
Ze lachten allebei. De vrouw haalde een kruik water uit de put, die ze aan Sophia gaf. Sophia dronk dorstig, en haalde toen een pakje uit haar zadeltas dat ze voor de kinderen had meegebracht: tinnen soldaatjes voor de twee oudste jongens, gekleurd borduurgaren voor de zesjarige dochter en een houten rammelaar voor de baby. De vrouw bedankte haar en ging weer aan het werk. Met tegenstrijdige gevoelens reed Sophia weer weg. Haar trots over de vanzelfsprekendheid waarmee ze het werk van de Marchesa had overgenomen, vermengde zich met de droefheid over het verlies. Op momenten als deze ervoer ze de lege plek aan haar zijde haast als een lichamelijke wond.
Op de terugweg reed ze door het bos, dat zich oostelijk van de boerderijen over een lengte van twee kilometer uitstrekte. Op een plek waar de onderbegroeiing erg dicht was, schrok Sancho Pansa opeens. Er klonk gekraak in het struikgewas. Waarschijnlijk was het een van de wilde zwijnen die in groepen in de bossen leefden, en voor de boeren uit de omgeving een welkome afwisseling op het menu vertegenwoordigden.
Sophia klakte met haar tong en trok aan de teugel.
'Rustig maar, jongen!'
Sophia dreef het paard van de plek weg, maar hield hem weer in toen ze merkte dat er iemand in het struikgewas verborgen zat. Tussen de dichte takken van een struik zag ze iets blauws.
'Wie is daar?' riep Sophia. 'Ik heb je gezien! Kom tevoorschijn, wie je ook bent!'
Af en toe gebeurde het dat iemand in de bossen van La Befana vallen zette om eens iets anders te eten te hebben. Meestal ging het om mannen uit de omliggende dorpen. Ze werden niet zo vaak gepakt, en daarom richtten Salvatore en zijn landarbeiders zich er vooral op om de vallen onklaar te maken. Als ze toch zo iemand te pakken kregen, dan was het meestal genoeg om een hartig woordje met hem te spreken, waarna hij zich niet meer liet zien.

Even later werd het geritsel luider en kwam er iemand tevoorschijn.

Sophia staarde de man die zijn geweer op haar gericht hield, ongelovig aan. 'Wat doe jíj hier?' Haar blik viel op het geweer. 'En wat heeft dat te betekenen? Weet je vader dat je zijn geweer hebt meegenomen?'

Antonio's gezicht vertrok woedend. 'Ach, we spelen weer de fijne dame, hè?' Zijn gezicht zat vol schrammen van de struiken. Op zijn rechterwang had hij een bloederige snee. Zijn broek was vuil en zijn hemd was helemaal bezweet. Zijn zwarte haar stond in alle richtingen overeind.

Sophia trok aan de teugels. 'Doe dat geweer weg.'

'Het bevalt me niet als vrouwen zo hoog te paard zitten.'

'Je bent gek.'

'Zo? Ben ik dat?' Hij lachte breed – een afschrikwekkende tegenstelling met de ijzige uitdrukking in zijn ogen.

Sancho Pansa begon onrustig te draaien en Sophia probeerde hem met een kalmerend geklak weer tot rust te brengen. 'Rustig maar,' zei ze. 'Rustig!'

Ze was even afgeleid en daardoor merkte ze niet dat Antonio snel een stap dichterbij deed. Toen hij haar arm pakte en haar van het paard trok, viel ze voor hem op de bosgrond en stootte daarbij haar schouder hard tegen een boomwortel.

'En, hoe zit het nu met je hooghartigheid, hè?' hoonde hij.

Eerst had ze gedacht dat hij misschien gestroopt had, maar het was veel erger. Waarom had ze het niet meteen doorgehad? Antonio had het gedaan. Híj had op de Duitser geschoten! En zoals nu wel bleek, schrok hij ook niet voor verdere gewelddadigheden terug.

Sophia wreef haar schouder en wilde op haar knieën gaan zitten, maar Antonio gaf haar een duw tegen haar borst en ze viel weer terug. Ze gaf geschrokken een gil. Haar vlecht ging los en haar haren vielen over haar rug. De bovenste twee knoopjes van haar blouse waren opengesprongen en onthulden het bovenste deel van haar bleke, weelderige boezem.

Antonio werd bleek om zijn neus. 'Ik heb je geen toestemming gegeven om op te staan.'

Ze kruiste haar armen voor haar borst. 'Wat ben je van plan?'

Hij duwde haar handen opzij met de loop van zijn geweer. 'Waarom bedek je je? Schaam je je soms? Hoe komt dat? Je bent toch zijn dochter? Wat is ertegen dat je voor mij je benen spreidt? Het blijft toch in de familie.'

Sophia keek nijdig omhoog. 'Ik weet niet waar je het over hebt!' 'Tja, ik ben toch gek? Dat heb je zelf gezegd!' Zijn borst ging snel op en neer. 'Kleed je uit, hoer!'

'Luister eens...'

'Doe wat ik zeg,' viel hij haar bruusk in de rede. Toen brulde hij opeens: 'Doe het of ik schiet je door je hoofd!'

'Net zoals je het bij de Duitser hebt gedaan? Je bent een moordenaar, Antonio! Als ze je te pakken krijgen, hang je! En dat heb je verdiend!'

Antonio stootte een onduidelijk geschreeuw uit en stortte zich op haar. Sophia viel achterover op de grond, neergedrukt door Antonio's zware gewicht. Ze probeerde zich te verweren, maar hij gaf haar een harde klap tegen de zijkant van haar hoofd, waardoor ze even het bewustzijn verloor. Hij greep de voorkant van haar blouse en scheurde hem helemaal open, zodat haar linnen hemdje zichtbaar werd. Kreunend boog Antonio zich over haar heen en begroef zijn gezicht tussen haar borsten. Sophia verweerde zich geschokt. 'Hou op!' gilde ze en ze stompte met beide vuisten op zijn rug.

'Hou je mond!' bracht Antonio uit. Zijn handen zochten naar de rits van haar rijbroek.

Sophia probeerde in zijn schouder te bijten, maar hij draaide zich opzij en pakte haar haren vast, waarna hij haar hoofd achterover trok. Zijn harde, bezwete lichaam drukte zich tegen haar aan en pinde haar op de grond vast. De uitdrukking op zijn gezicht was star, op het vreselijke fonkelen van zijn ogen na.

'Je wilt het toch! Geef het maar toe! Je bent net als zij! Zij wilde hem ook! Ze pakte hem vast en maakte zijn broek open, omdat ze niet kon wachten tot hij haar zou nemen!' Antonio tastte naar Sophia's hand, pakte hem en trok hem naar zijn onderlichaam. 'Daar, pak me vast! Net zoals zij het deed! Ik ben er klaar voor, voel je wel? Klaar om je te nemen, net zoals je vader haar heeft genomen!'

Sophia voelde zijn hardheid tegen haar vingers. Ze probeerde tevergeefs haar hand weg te trekken.

'Wat...' bracht ze uit.

'Ja,' kreunde hij en hij drukte zich harder tegen haar aan zonder haar haren, die hij nog steeds in een stevige greep had, los te laten. Ze gilde.

'Hou stil!' Met bevende vingers hield hij een hand voor haar mond. De scherpe geur van zijn zweet drong haar neus binnen en ze kokhalsde. Sophia dacht dat ze zou stikken.

Hij zal me doden, dacht ze onsamenhangend.

In paniek beet ze in zijn vingers, en met een gepijnigde kreet trok hij zijn hand terug.

Sophia hijgde: 'Heb je dat met Luciana ook gedaan? Heb je haar ook tegen haar wil genomen, toen je het kind gemaakt hebt? Je zoon, die ik met mijn eigen handen dood op de wereld moest helpen?'

Hij staarde haar aan en het volgende moment liet hij haar los en rolde opzij, waar hij kreunend in elkaar gerold bleef liggen.

Sophia krabbelde zwaar ademend overeind en ging een paar stappen bij hem vandaan. Ze struikelde over het geweer dat Antonio had laten vallen. Ze pakte het snel op, niet wetend wat ze ermee moest doen. Voor de zekerheid hield ze het stevig vast, de loop naar de grond gericht.

Maar Antonio lette niet meer op haar. Hij zat op zijn knieën en staarde wezenloos naar het gebladerte boven zijn hoofd. Het was alsof hij daar een verschijning had gezien. De tegenstelling met het gedrag dat hij seconden eerder had laten zien, was spookachtig.

Sophia greep het geweer steviger vast. Ontzet zag ze dat zijn schouders schokten. Hij liet zijn hoofd hangen en sloeg zijn armen om zichzelf heen.

'God,' zei hij hees. 'Vergeef me. Vergeef me als U, dat kunt.'

Sophia vroeg zich af of hij God of haar om vergeving vroeg, maar het volgende moment maakte dat niets meer uit. Hij begon te huilen. De tranen rolden over zijn gezicht en zijn hele lichaam trilde. Hij snikte hard en met schokken en na een poosje verborg hij zijn gezicht in zijn handen, alsof hij zich voor haar schaamde.

Sophia staarde naar hem en vocht tegen de neiging zelf ook in huilen uit te barsten. Ze haalde diep adem om haar zelfbeheersing terug te vinden, en even later merkte ze dat ze weer rustiger werd. De plek op haar hoofd waar Antonio's vuist haar had getroffen deed pijn en ook haar schouder klopte. Maar haar angst was helemaal weg. Antonio kon wel af en toe agressief en onbezonnen zijn, maar op dit moment was hij niets anders dan een jongen die overstuur was. Hij zou haar niets meer doen.

Ze keek rond waar haar paard was gebleven. Sancho Pansa stond ongeveer twintig meter verderop onder een pijnboom. De teugels sleepten over de grond, maar het paard maakte geen aanstalten er vandoor te gaan.

'Brave kerel,' mompelde Sophia. Zonder verder na te denken, liep ze naar haar paard en steeg op. Het geweer schoof ze door de lussen van de zadeltas. Ze weerstond de impuls om meteen weg te rijden. Afwachtend keek ze naar de gestalte die nog steeds op zijn knieën zat te snikken. Antonio's overhemd was bij de kraag ingescheurd en onder zijn oksels was het donker van het zweet. Zijn broek zat vol vlekken. Hij had een van zijn sandalen verloren. Zijn naakte rechtervoet was met bloederige blaren bedekt.

Opeens herinnerde Sophia zich hoe ze samen hadden leren fietsen, een vrolijke maar niet ongevaarlijke aangelegenheid, die hem toen ettelijke schrammen had opgeleverd.

Sophia had de fiets voor haar dertiende verjaardag gekregen. Antonio was nauwelijks ouder dan zij, hij moet toen veertien of vijftien zijn geweest, en had beweerd dat hij al kon fietsen. Maar toen hij het wilde bewijzen, was hij met een klap gevallen. Hij had geschaafde ellebogen en knieën, maar hij had erom gelachen en was weer opgestapt. Zijn ogen hadden overmoedig gestraald en hij had haar gevraagd of ze achterop kwam zitten. Ze had het gewaagd en samen waren ze de oprit afgeraasd naar de weg.

Het was nog geen acht jaar geleden, maar het kwam Sophia voor alsof het in een ander leven was gebeurd.

Antonio tilde zijn hoofd op. Zijn wangen waren nat, maar zijn gezichtsuitdrukking was rustig. 'Wat ben je nu van plan?'

'Naar huis rijden, wat anders?'

Sophia worstelde met de knopen van haar gescheurde blouse. Ten slotte gaf ze het op en draaide in plaats daarvan haar haren in een knot in haar nek.

Antonio toonde een spoortje angst. 'Zul je...?' Hij kon de vraag niet afmaken.

Sophia was niet van plan antwoord te geven. In plaats daarvan stelde ze hem een tegenvraag. 'En wat ben jíj van plan?'

'Weggaan. Wat anders. Ga je de *carabinieri* op me afsturen?'
'Misschien.'
Ze zou het niet doen, maar dat ging hem niets aan. Zo makkelijk zou ze het hem nou ook weer niet maken. Ze liet haar paard draaien en keek boos over haar schouder. Hij had haar pijn gedaan, en als ze de juiste woorden niet had gevonden – wie weet, misschien had hij dan zijn schandalige voornemen wel uitgevoerd! Maar dat was nog niet alles. Er was nog iets. Met moeite bedwong ze haar innerlijke verwarring en probeerde helderheid in haar gedachten te brengen. Waarom had hij haar eigenlijk overvallen? Daar moest een speciale reden voor zijn!

Sophia was ervan overtuigd dat Antonio van nature niet tot het soort mannen behoorde dat vrouwen verkrachtte. Ze kende Elsa en Salvatore al jaren; ze hadden hun jongste vol liefde opgevoed, en daartoe behoorde ook de achting voor het andere geslacht. Als Luciana zich aan Antonio had gegeven, dan was het alleen omdat ze voor zijn charme was gevallen, niet omdat hij haar ertoe gedwongen had. Dat had hij niet nodig.

Sophia begreep intuïtief dat zijn aanval op de een of andere manier met de Marchese te maken had. Met zijn opmerkingen over haar vader had Antonio haar voor een raadsel gesteld, en Sophia was vastbesloten het op te lossen.

'Wat was dat gepraat over mijn vader?' wilde ze van hem weten.

Antonio stond op en klopte het zand en de pijnboomnaalden van zijn broek.

Zonder op haar vraag te antwoorden, zei hij: 'Je wilt mijn geweer zeker niet teruggeven, hè?'

'Dat heb je goed gezien,' antwoordde Sophia grimmig. 'Het is trouwens niet eens van jou, maar van je vader.'

'Nou ja, waar ik naartoe ga, zijn er wel meer,' merkte Antonio luchtigjes op. 'Het ga je goed.' Hij stopte zijn handen in zijn zakken en liep door het struikgewas weg.

'Wacht even!' riep Sophia. Maar Antonio maakte geen aanstalten te blijven staan. Een ogenblik later was hij in het dichte bos verdwenen. Het had geen zin hem te volgen. Hij kende elke boom en elke steen op La Befana, en hij zou vast een weg kiezen waar ze met haar paard niet langs kon. Hij was weg, maar het raadsel had hij achtergelaten.

Sophia vloekte ondamesachtig en begon noodgedwongen aan de terugweg. Aan de bosrand hield ze in en steeg af. Ze trok het geweer uit de lussen en begroef het vlak bij een tulpenboom. Verhit en vies kwam ze even later bij de stallen aan. Bij de drinkbakken voor de paarden steeg ze af en ze liet het aan Gianni over om haar paard af te zadelen.

Ze had niet veel tijd meer, want haar vader wachtte al op haar in de bibliotheek. Iets wat Fernanda haar meteen vertelde toen ze door de achterdeur het huis binnenkwam. Sophia rende naar haar kamer, kamde snel haar haren en trok een schone blouse aan. Ze waste haar handen en veegde een paar vuile plekken op haar onderarmen schoon. Daarna bekeek ze zich zenuwachtig in de spiegel. Uiterlijk was er niets meer van het voorval in het bos aan haar te zien. Haar wangen waren rood, maar dat kon ook van de rit komen. Op haar rechterslaap ontwikkelde zich een bloeduitstorting, maar als ze er een losse haarstreng over liet hangen, zag je er niets van. Sophia liep naar de bibliotheek. De Marchese zat met een opengeslagen krant in een van de leren fauteuils, zijn benen voor zich uitgestrekt. De deuren naar de tuin stonden wijdopen. Het gespetter van de fontein werd door het gelijkmatige geluid van de krekels overstemd. In de verte was het gebrom van een vliegtuig te horen dat over het dal naar het zuiden vloog. Een hoorbaar bewijs dat de oorlog verderging. De Marchese keek op en legde de krant opzij. 'Goedemorgen, kind.'

'Goedemorgen, papa,' antwoordde Sophia. Haar hartslag versnelde zich. Kon hij aan haar zien dat er iets bijzonders was gebeurd? Eigenlijk wilde ze alles zo gauw mogelijk vertellen, maar een onverklaarbare schroom hield haar tegen. Het had te maken met Antonio's opmerkingen over haar vader. Iets wat haar vader had gedaan, scheen volgens Antonio zijn gedrag tegenover haar te rechtvaardigen.

De Marchese bekeek het vuil onder haar nagels. 'Je ziet er behoorlijk verfomfaaid uit.'

'Ik ben van mijn paard gevallen.'

'Echt waar?' De Marchese keek verrast. Zijn dochter was een prima paardrijdster, net als haar moeder was geweest.

Sophia haalde haar schouders op. 'Sancho Pansa schrok van een wild zwijn. Ik lette even niet goed op en toen is het gebeurd.'

'Heb je je bezeerd?'

Haar hand ging naar haar slaap. 'Niet erg. Alleen een paar blauwe plekken.' Ze schraapte haar keel. 'Je wilde me spreken?'

Zijn gezicht werd ernstig. 'Je kunt wel raden waarom.'

Ze knikte. 'Om de Duitse officier.' Het had geen zin het belangrijkste voor hem te verzwijgen. 'Vanmiddag komt er een onderzoekscommissie hierheen. Vanochtend heeft er iemand naar de polikliniek gebeld en het me verteld.'

'Dat was te verwachten.'

De Marchese stond op en begon onrustig door de kamer heen en weer te lopen. Bij de open tuindeuren bleef hij staan en keek de tuin in. 'Dit is een ontwikkeling die alles nog ingewikkelder maakt. Ik had gehoopt dat La Befana alle ellende bespaard zou blijven, maar nu blijkt dat het toch anders gaat. Die stomme oorlog... Het lijkt erop dat we hem al hier hebben. Eerst de krijgsgevangenen en nu dit.'

'Zijn ze er al?'

'Ze worden in de loop van de dag gebracht. Salvatore heeft zijn handen vol met de voorbereidingen.' Hij draaide zich om. 'Jij hebt met de Duitse officier gepraat, hè?'

Sophia knikte met tegenzin, omdat ze wel vermoedde wat de volgende vraag zou zijn.

'Heeft hij gezegd wat hij hier in de streek eigenlijk kwam doen?'

'Nee.'

'Heb je hem ernaar gevraagd?'

Sophia aarzelde, maar toen zei ze bedrukt: 'Ja, natuurlijk. Maar hij wilde het niet zeggen.' Toen kreeg ze een idee. 'Misschien is hij er om de krijgsgevangenen.'

'Zou kunnen, maar het is niet waarschijnlijk.' De Marchese legde nadenkend zijn vingertoppen tegen elkaar. 'Misschien moet ik zelf met hem gaan praten. Er is me verteld dat hij onze taal spreekt.'

Sophia vroeg zich af hoe hij dat zo snel wist, maar toen bedacht ze dat haar vader nauwelijks iets ontging van wat er zich op La Befana afspeelde. Hij vond dat het bij zijn taak als landeigenaar hoorde om op de hoogte te zijn van alles wat zich op het landgoed afspeelde. Waarschijnlijk had hij Elsa intussen gesproken.

'Wat ga je doen als de Duitsers komen?'

'We zullen hen gepast ontvangen,' zei de Marchese gelaten. 'We zullen ons beleefd gedragen en voldoende meewerken. Maar we zullen hun duidelijk maken dat niemand op La Befana iets met dit betreurenswaardige voorval te maken heeft. Meer valt er niet over te zeggen.'

Daarmee was blijkbaar voor hem het gesprek beëindigd. Sophia keek gespannen naar haar handen. Als ze het voorval in het bos wilde vertellen, moest ze het nu doen.

De Marchese liep naar een kast en opende de deur van eiken houtsnijwerk om er een van de zware, in leer gebonden boeken uit te pakken waar rekeningen in zaten. Hij merkte dat Sophia geen aanstalten maakte om weg te gaan.

'Is er nog iets?'

'Papa, ik...'

Roberto keek zijn dochter met een frons aan. Het was overduidelijk dat ze iets op haar lever had, en het was net zo duidelijk dat ze er eigenlijk niet over durfde praten. Dat besef gaf hem een steek. Hij was haar vader. Ze zou niet moeten aarzelen met haar zorgen bij hem te komen. Hij legde het boek weg en liep naar haar toe. Zachtjes hief hij haar kin op. 'Sophia, kijk me eens aan. Vertrouw je me dan niet? Zeg me wat er is! Je weet toch dat ik alles zal doen om je te helpen? Kom, zeg het maar!'

Ze gehoorzaamde. Haar wangen waren rood geworden. 'Ik ben Antonio in het bos tegengekomen,' flapte ze eruit.

Roberto's ogen vernauwden zich. 'Wat is er gebeurd?'

'Niks,' zei Sophia snel. 'Alleen...' Ze stokte, omdat ze merkte dat ze er toch niet over kon praten. Het was te schandelijk. De Marchese merkte meteen dat ze loog, maar het lukte hem zijn wrevel te bedwingen. 'Wat Antonio betreft, kun je me beter de waarheid vertellen. Hij heeft zich daar verstopt, hè? Had hij het geweer, waarmee hij op de Duitser heeft geschoten, nog bij zich?'

Sophia's hoofd ging met een ruk omhoog. 'Wist je daarvan?'

De Marchese bleef haar het antwoord op die vraag schuldig. Afwachtend sloeg hij zijn armen over elkaar en keek zijn dochter aan. 'Je wilt me nog meer vertellen.'

Sophia slikte zenuwachtig. Ze moest iets zeggen. Ze probeerde het met de halve waarheid. 'Hij heeft... Hij heeft zich onbeschaamd gedragen.'

Roberto verstijfde. 'Wat bedoel je daarmee?'

Sophia ontweek zijn blik. 'Ach, niks. Hij heeft gepocht en opgeschept. Daarna is hij weggelopen.'

Iets in haar blik deed hem de waarheid vermoeden.

'Heeft hij zich aan je opgedrongen?' Hij greep haar schouder hard vast. 'Kijk me aan als ik tegen je praat!' Hij schoof haar haren uit haar gezicht, zodat de bloeduitstorting op haar slaap zichtbaar werd. 'Dat heeft hij gedaan, hè? Kom op, vertel wat er is gebeurd! En lieg niet meer tegen me!'

Sophia maakte zich los. 'Het was niet zo erg. Ik kon me verzetten en toen hield hij meteen op!'

Roberto was buiten zichzelf. 'Ik wil alles weten! Wat heeft die vervloekte jongen gedaan?'

Onder zijn indringende blik voelde Sophia zich gedwongen duidelijker te zijn. 'Ik sta ongeschonden voor je, papa. Er is verder niets gebeurd, geloof me. Antonio is toch alleen maar een domme jongen. Hij verloor alleen maar... zijn zelfbeheersing, heeft me laten schrikken.' Sophia slikte. 'Maar het gaat me niet om wat hij heeft gedaan, maar om wat hij heeft gezégd. Hij maakte toespelingen dat jij...' Ze haalde diep adem en zocht naar een andere formulering. 'Hij scheen te geloven, dat het zijn goed recht was, nadat jij...' Haar stem stierf weg toen ze de blik van haar vader zag. In de ogen van de Marchese blonk pure moordlust.

'Papa?' vroeg ze onzeker.

Roberto liet haar los en deed een stap achteruit, terwijl hij vocht om zijn zelfbeheersing te bewaren en vroeg: 'Nadat ik wát?'

In een mengsel van radeloosheid en wanhoop haalde Sophia haar schouders op. 'Hij heeft het niet uitgesproken, maar je kon zien dat hij daarover buiten zichzelf was. Ik weet niet wat hij bedoelde. Ik dacht dat jij het me kon vertellen!'

Het gezicht van de Marchese werd volkomen uitdrukkingsloos. 'Helaas heb ik geen flauw idee wat er in het hoofd van die jonge driftkop omgaat,' verklaarde hij met een koele, bijna onverschillige stem.

Sophia keek zwijgend naar de grond. Ze wilde hem nu niet aankijken. Hij had een geheim waar hij niet over wilde praten. Ze voelde dat het iets onmogelijks was, anders had hij er wel met haar over gepraat.

Sophia zag dat de handen van haar vader trilden, toen hij weer naar het rekeningenboek greep.

Ze liep naar de deur. 'Ik zal je niet langer storen.'

Haar vader knikte alleen.

Sophia ging haastig weg. Ze liep naar haar kamer, waar ze zich snel waste en omkleedde. Haar gedachten tolden door haar hoofd. Wat had haar vader gedaan om Antonio zo tegen zich in het harnas te jagen? Was er na haar moeder een andere vrouw in het leven van haar vader gekomen, een waar Antonio van wist? Misschien Luciana? Was Antonio daarom zo woedend geweest, zo vol haat?

Nee, onmogelijk. Haar vader had meer van haar moeder gehouden dan van zijn leven. Haar dood had hem bijna kapot gemaakt. Nooit zou hij na zo korte tijd een ander in zijn bed kunnen nemen! Sophia pakte de foto in de zilveren lijst van haar nachtkastje. Het was een mooie portretfoto van haar moeder. Sophia hield meer van die foto dan van iets anders. Hij toonde de Marchesa zoals ze altijd geweest was: knap, lachend, vol energie en barstensvol levensvreugde. Het donkere haar krulde wild om haar smalle, gelijkmatige gezicht, en haar vrolijke lach scheen de toeschouwer te vangen. Sophia streelde met haar duimen over het koele glas van de foto en verloor zich in herinneringen. Een keer had ze haar ouders gezien toen ze elkaar hartstochtelijk omhelsden. Toen – ze moest acht of negen zijn geweest – had ze gezien hoe haar vader haar moeder in de stal omhelsde, en nadat hij om zich heen had gekeken of er niemand was, had hij zijn vrouw met hete kussen bijna gesmoord. Ze hadden elkaar met open mond gekust en daarbij hijgende, zuigende geluiden gemaakt. De handen van de Marchese hadden zich om de borsten van zijn vrouw gesloten en ze gestreeld tot er een jammerend geluid diep uit de keel van haar moeder was opgestegen. Sophia had zich geschrokken verder teruggetrokken in haar schuilplaats achter de hooibalen.

Pas veel later had ze begrepen dat wat haar ouders in de stal hadden gedaan, niets anders was geweest dan een uiting van hun liefde. Een liefde die hen hun leven lang en over de dood heen verbond. Sophia drukte de foto even tegen haar lippen en zette hem toen weer terug.

Antonio was gek. Hij kon niet meer helder denken. Wat hij had beweerd, was verzonnen. Haar vader had niets misdaan. Hij had zielsveel van haar moeder gehouden en deed dat nog. Voor hem kon er geen andere vrouw bestaan.

Sophia weigerde er nog langer over na te denken. Hoe eerder ze Antonio met zijn domme leugens vergat, hoe beter het voor haar zielsrust was. Hardnekkig verdrong ze alle verdere overwegingen over dat onderwerp uit haar gedachten. Ze wendde zich af, deed haar haar goed en keek daarna keurend in de spiegel. Ze zag er fris en gezond uit; haar ogen glansden, haar gezicht had een roze blos en ze kon zelfs zonder al te grote moeite een lachje produceren. Van de vervelende gebeurtenis in het bos was er, behalve de kleine bloeduitstorting op haar wang, niets meer aan haar te zien. En dat was goed. Het liefst had ze het voorgoed uit haar gedachten gewist.

Voordat ze het huis verliet, ging Sophia naar de keuken om wat eten in te pakken dat ze Richard Kroner als lunch kon geven. Josefa was er niet; waarschijnlijk haalde ze levensmiddelen uit de kelder of kruiden uit de tuin.

Sophia vond het best. Ze had geen zin nog meer opmerkingen te krijgen van de kokkin met haar scherpe tong. Terwijl ze brood, kaas en wat fruit in een linnen tas stopte, bedacht ze dat ze in de polikliniek een keukenhoek moest laten maken. Zodra een patiënt langer dan een dag in de polikliniek moest blijven, was het handiger daar eten klaar te maken dan elke keer de maaltijden uit de villa te moeten halen. En dat was helemaal het geval als er meerdere patiënten waren.

Toen bedacht ze dat ze de Duitser zo weer zou zien, en meteen kreeg ze weer dat gevoel van opwinding dat haar steeds overviel als ze bij hem was.

Sophia ging op weg. De ontmoeting met Antonio was vergeten.

9

Elsa schrok op toen de Duitser haar in perfect Italiaans vroeg of ze hem uit bed wilde helpen. Ze zei niets, maar toen hij daarna in bad ging, belde ze naar de villa en vertelde Roberto opgewonden over haar ontdekking.

'Als hij ons maar niet heeft gehoord!'

Roberto stelde haar gerust. 'Maak je maar geen zorgen! Hij sliep heel vast.'

Elsa bedacht dat hij wel gelijk moest hebben, want de Duitser benaderde haar heel beleefd en liet niet blijken dat hij iets gemerkt had van haar rendez-vous met de Marchese, hier in de polikliniek. Ze vroeg hem of hij nog iets nodig had en hij vroeg haar om schone kleren. Opgelucht greep ze de gelegenheid aan hem even alleen te laten, en ze liep naar Donata. Die had zijn spullen al gewassen. Zijn broek was ook al gestreken, maar het uniformjasje hing nog te drogen. Elsa bracht de Duitser zijn broek en een schoon overhemd van Salvatore, en met haar hulp kleedde hij zich aan.

'Past het overhemd?'

'Ja, bedankt. Is het van u?'

Ze knikte. 'Van Salvatore, mijn man.'

'Het spijt me dat ik u last bezorg. Wilt u hem van mij bedanken?'

Zijn beleefdheid vergrootte haar onbehagen. Het gezicht van de Duitser was bleek en geconcentreerd van de inspanning om zich aan te kleden, maar in zijn trekken was geen onbetrouwbaarheid te bespeuren. En haar zoon had deze man bijna gedood.

'Kan ik verder nog iets voor u doen?' vroeg Elsa, nadat hij haar had verzekerd dat het goed met hem ging en hij niet meer hoefde te gaan liggen. Richard bedankte haar vriendelijk. Het kostte hem moeite niets te laten merken. Steeds weer moest hij eraan denken wat er de avond ervoor achter dat kamerscherm was gebeurd, maar een paar meter van hem vandaan. De vrouw was knap; haar tere, hartvormige gezicht werd door blonde lokken omkranst, en haar ogen hadden de kleur van fris mos. Zoals de meeste mensen in deze streek, zag ze er niet uit als een zuiderlinge. Haar haren en ogen waren licht, net als haar huid. Op haar neus had ze een paar eigenwijze zomersproeten.

De eenvoudige, grijze jurk en de simpele sandalen deden geen afbreuk aan haar elegante verschijning, integendeel. Deze benadrukten de vrouwelijke vormen van haar lichaam en de teerheid van haar gewrichten.

Richard bekeek de vrouw peinzend. De Marchese was duidelijk een man met smaak.

Toen Elsa hem aankeek, wendde hij snel zijn blik af en keek naar buiten. Ze werd rood en was opeens druk bezig het bed op te maken.

Richard deed de deur open en stapte de geplaveide binnenplaats voor de polikliniek op. Elsa onderbrak haar bezigheden. Ze liet het laken zakken waarmee ze net het bed wilde verschonen. '*Tenente*, misschien kunt u beter niet...'

'Een beetje zon zal me geen kwaad doen.' Hij hief zijn gezicht op naar de stralen van de ochtendzon. De warmte deed hem goed. Hij voelde zich nog steeds niet lekker, maar het was hem duidelijk dat hij geen geval voor het ziekenhuis was. In elk geval zou hij morgen weer zo goed als nieuw zijn.

Schlehdorff zou dat ook zo zien. Hij zou niet toestaan dat een Duitse officier langer dan per se noodzakelijk was in een ziekenboeg zou blijven. Richard trok een afkeurend gezicht toen hij aan de SS-man dacht, die later zou komen om de aanslag te onderzoeken. Obersturmbannführer Volker Schlehdorff was iemand die niet met zich liet spotten. Richard kende hem niet zo goed, maar de enkele keren dat hij hem had ontmoet, waren genoeg. De man gedroeg zich beleefd, maar was zo glad als een aal. Hij behandelde hem, Richard, erg vriendelijk, maar er was niets sympathieks aan hem. Bovendien had Richard het een en ander over hem gehoord. Schlehdorff was een gewetenloze aanhanger van Heinrich Himmler. De generale staf vond het belangrijk dat er Duitse politie in Italië aanwezig was, om de toenemende insubordinatie van de inheemse bevolking te bestrijden. De Gestapo stak als een inktvis zijn voelarmen naar alle richtingen uit en nestelde zich in het gevolg van het zegevierende Duitse leger als een abces in de bezette dorpen. En overal waar ze hun vieze adem verspreidden, werd er op grote schaal gedeporteerd en gemoord. Ze deden geen moeite het geheim te houden, en toch wilde niemand er officieel iets van weten. Maar Richard had in het oosten te veel gezien om nog in de bekendmakingen van de Duitse politici te geloven. Hij geloofde helemaal niets meer. Hij hoopte alleen maar dat de mensen in meerderheid sterker zouden blijken te zijn dan hun leiders, waardoor uiteindelijk het verstand zou zegevieren over het bloedvergieten van de oorlog.

In de schaduw van de steeneiken en pijnbomen, die om de binnenplaats voor de polikliniek stonden, ontrolde zich voor Richard een vrolijke, landelijke idylle. Hij leunde tegen de door de zon verwarmde, bakstenen muur en bekeek de bonte bedrijvigheid. Een groep ganzen liep snaterend over een grasveld naar beneden, naar een kleine vijver waar buksbomen omheen stonden. Een paar kleine kinderen speelden in de buurt van de stal met een bal. Er sprong een hond tussen hen rond, zijn geblaf vermengde zich met het vrolijke gelach van de kinderen. Richard sloot zijn ogen bij de klank van hun stemmen. Hoe vaak had hij met zijn zoon met een bal gespeeld? Hij wist het niet meer, maar nooit zou hij zijn heldere lach vergeten. Zijn kind leefde niet meer, maar de herinneringen zouden bij hem blijven. Niemand kon hem die afnemen. De pijn was aanwezig als altijd, maar hij was niet meer zo scherp en vers, eerder een dof gevoel als van een oude wond die nog niet helemaal genezen was.

Richard keek in zijn binnenste. De vroegere zelfhaat was verdwenen, en daar was hij dankbaar voor. Het vreselijke verdriet van de eerste tijd was veranderd in een soort fatalisme waar hij beter mee om kon gaan, omdat het hem meer speelruimte gaf. Hij had begrepen dat de dood weliswaar een aspect van zijn leven was, maar het niet helemaal kon bepalen. Er was zoveel anders – de lucht boven een prachtig land, de vrede van een zomerochtend. Het gelach van kleine kinderen, die niets anders kenden dan dit moment en het naïeve plezier van hun spel.

Richard had een vergevingsgezinde stemming. Het idee dat een mens als Schlehdorff met zijn gesnuffel dit paradijs zou verstoren, beviel hem helemaal niet. Maar toen bedacht hij met een bezwaard hart dat hijzelf ook met een bepaald doel hierheen was gekomen, een doel dat de mensen die hier woonden nog veel minder zou bevallen.

Het geschreeuw van de kinderen kwam dichterbij en de bal waar ze mee speelden, rolde voor Richards voeten. Richard pakte hem op en woog hem in zijn hand. Het was een goede, leren voetbal, zeker een cadeau van de landheer voor de boerenkinderen. De Marchese scheen niet alleen voor zijn bezit te zorgen, maar ook voor de mensen die voor hem werkten. De gebouwen en velden van het landgoed zagen er goed onderhouden uit, de mensen waren goeddoorvoed en netjes gekleed en de kinderen vrolijk, ze mochten doen wat hun natuur hun ingaf: spelen. Dat was niet overal vanzelfsprekend. Richard was door streken gekomen waar ook de kinderen hard moesten werken. In Signa bijvoorbeeld had hij een meisje gezien dat op de binnenplaats van hun boerderij stro vlocht voor de plaatselijke winkel. Haar vingers bloedden, maar daar had niemand aandacht aan geschonken. Alle meisjes daar deden vlechtwerk. Als ze twintig waren, zouden ze, net als de meeste vrouwen uit de streek, misvormde handen hebben.

De Marchese zou zoiets op zijn land niet laten gebeuren, dat kon Richard wel zien aan de mensen hier. Richard was nieuwsgierig de man te leren kennen, wiens onvrijwillige gast hij sinds gisteren was. Het zou er vast in de loop van de dag nog wel van komen, want hij had gehoord hoe Elsa met de Marchese telefoneerde en daarover had gesproken. Ze had haar best gedaan zachtjes te praten, maar Richard had goede oren. Geamuseerd had hij gehoord hoe ze erover in zat dat hij hun tête-à-tête achter het kamerscherm opgemerkt kon hebben.

Hij keek op toen er iets wapperends en blauws in zijn blikveld verscheen. Sophia liep naar hem toe. Richard probeerde niet eens de gevoelens te negeren die hem bij die aanblik overvielen.

Hij begeerde haar.

Haar lange, slanke gestalte was in een flatterende, blauwe jurk gehuld, die haar lichtgebruinde armen vrijliet en haar smalle taille accentueerde. Haar borsten waren net zo vol en rond als hij zich herinnerde. Op haar aantrekkelijke gezicht lag een charmante blos en haar haren hingen in een losse vlecht. Over haar rechterschouder droeg ze een tas waar waarschijnlijk zijn middageten in zat.

Ze keek bezorgd toen ze hem zag. Snel kwam ze op hem toe.

'Wat onverstandig van u! U mag toch nog niet opstaan!'

Een jongen maakte zich los uit de groep kinderen en kwam aangerend. Richard lachte naar hem en schopte de bal naar hem toe. 'Hier, jongen! Dat was een prachtig schot daarnet!' Tegen Sophia zei hij: 'De zon heeft me uit mijn bed verdreven. Ik had gewoon behoefte aan wat frisse lucht. Wees niet boos. Het gaat al veel beter.'

Sophia bleef ademloos voor hem staan. 'Hoe gaat het met uw hoofd?'

'Het klopt nog een beetje, maar het is uit te houden. Hoe was uw paardrijdtochtje?'

Even kwam er een schaduw over haar gezicht, die meteen daarna weer verdween. 'Net zoals altijd.' Ze wees naar binnen. 'Ik zal Elsa aflossen.' Ze liep naar binnen en legde de meegebrachte tas op tafel. Elsa, die klaar was met het bed, kwam haar tegemoet. 'Heb je me nog nodig?'

'Nee, dank je, Elsa. Ik heb je al veel te lang van je andere werk afgehouden. Als ik later nog hulp nodig heb, zal ik het aan Donata vragen.'

Elsa knikte beleefd naar de Duitser, terwijl ze langs hem heen liep naar de *Fattoria*. Haar houding was verkrampt. Richard zag haar onbehagen wel, maar hield zich er verder niet meer mee bezig.

Op het moment had hij alleen maar belangstelling voor Sophia. Hij volgde haar en leunde tegen de deurpost. Sophia haalde de levensmiddelen uit de tas en legde ze op de tafel. Verlegen zei ze: 'Als ik had geweten dat het al zo goed met u ging, had ik niks meegebracht. Dan had u bij ons kunnen eten.'

'Hoe weet u zo zeker dat ik welkom zou zijn?' vroeg Richard op de man af.

Sophia kreeg een kleur. 'Nou, ik ben er zeker van dat mijn vader er niets tegen zou hebben een officier van onze bondgenoten aan zijn tafel te hebben.'

Dat moeten we nog maar zien, dacht Richard.

Sophia wist zich geen raad en rommelde wat met een groot brood. Ze vroeg zich af wat ze nu moest doen, nu het duidelijk weer zo goed met hem ging.

Richard bekeek de zachte welving van haar hals. De vlecht was naar voren gevallen en liet de lichte huid zien tussen haar haarinzet en haar kraag.

'Zoals het ernaar uitziet hebben we nog wel wat tijd,' mompelde hij.

Sophia legde het brood opzij en wendde zich naar hem toe. 'Tot wanneer? Tot het onderzoekscommando hier aankomt?'

'Nee, tot wanneer dan ook,' antwoordde Richard luchtig. 'Tot aan het middageten wat mij betreft.' Hij schraapte zijn keel. 'Wat denk je van een wandelingetje?'

Sophia schudde haar hoofd. 'Geen goed idee. Dokter Rossi heeft strikte instructies gegeven...'

'Dokter Rossi is vast een uitstekend arts,' viel Richard haar lachend in de rede. 'Maar hij kon natuurlijk niet weten dat ik over bijzondere krachten beschik.'

'Bijzondere krachten?'

Hij knikte ernstig. 'Toverkracht.'

'Wat?'

'Nou ja. Om het beter te zeggen: snelgenezende krachten. Maar dat is in principe hetzelfde.'

Sophia lachte. 'U doet het alweer.'

'Wat?'

'Grapjes maken.'

'Ik kan niets bedenken wat beter is voor je gezondheid dan dat.'

'Daar heeft u vast gelijk in.'

'Nou, hoe zit het ermee?'

'Waarmee?'

'Met onze wandeling.'

Sophia fronste. 'Weet u zeker...'

Richard duldde geen tegenwerpingen. 'Absoluut zeker. Natuurlijk onder één voorwaarde.'

'En die is?'

'Dat u met me meegaat.' Hij voelde met een overdreven lijdende gezichtsuitdrukking aan zijn hoofdverband. 'Tenslotte ben ik nog herstellende en heb dus vakkundige hulp nodig.'

Sophia aarzelde. 'We kunnen even door het bos lopen. Dat is niet zo ver.'

'Dat zou mijn volgende voorstel zijn geweest.'

'Maar ik weet toch niet zeker...'

'Ik wel.'

'Nou ja, dokter Rossi...'

'Alsjeblieft.' Richard grijnsde ontwapenend. 'Het bos is zo verlokkend. Het viel me al op toen ik hier gisteren aankwam. Bossen zijn in deze streek iets bijzonders, toch? Laat me een klein stukje van La Befana zien, Sophia.'

Haar naam uit zijn mond bracht haar in verwarring. Het veroorzaakte een prikkelend gevoel dat in haar vingertoppen begon en zich langzaam uitbreidde naar haar handen, haar armen tot midden in haar lichaam. Bezorgd vroeg ze zich af of ze steeds bloosde als ze dat vreemde gevoel kreeg, dat gevoel dat steeds over haar kwam als ze in zijn buurt was.

Ze liepen van de polikliniek over een kronkelweg tussen moerbeibomen, oleanderstruiken en wilde rozenstruiken een stuk de heuvel op, tot ze bij het bos kwamen dat in het westen het landgoed begrensde. Voor de weg naar de bosrand hadden ze ongeveer tien minuten nodig. Sophia lette erop dat ze langzaam liepen; toch vroeg ze hem om de honderd meter of het niet te inspannend voor hem was. Richard ontkende dat elke keer energiek en ten slotte gaf Sophia het op hem te betuttelen. Hij leek niet ziek meer te zijn.

In werkelijkheid had hij nog behoorlijk veel hoofdpijn, maar dat wilde hij niet toegeven. Hij had niet gelogen, hij had echt frisse lucht nodig. En hij wilde met het meisje alleen zijn, met haar praten, haar gezicht zien, en haar in alle rust bekijken, zonder het gevaar dat er opeens iemand binnenkwam en hen stoorde, de Marchese bijvoorbeeld of Schlehdorff.

De koelte in de schaduw van de bomen was heerlijk, na de steeds warmer wordende zonneschijn. Het was nog geen tien uur, maar de hitte van de dag zou spoedig zijn hoogtepunt bereiken en een onbeschermd verblijf in de zon een kwelling maken. Tenminste, voor mensen die niet aan de zon gewend waren.

Ze volgden een smal pad vol boomwortels en kwamen na een poosje op een zonovergoten open plek waar een omgevallen boom het pad blokkeerde.

Richard ging zitten en keek op naar Sophia die voor hem bleef staan, haar gestalte een silhouet in het zonlicht. Hij zag het dons van de haartjes op haar blote armen.

'Bent u moe?'

Richard schudde zijn hoofd. 'Deze plek is gewoon te mooi om verder te gaan.'

Hij dacht aan zijn vrouw. Ze hadden regelmatig wandelingen in het bos gemaakt. Vaak waren ze onder de beschutting van de bomen blijven staan om elkaar te kussen, een onschuldig genoegen in de tijd dat het voor jonge mensen moeilijk was om elkaar ongezien te omhelzen. Op zo'n middag in het bos had hij haar gevraagd of ze zijn vrouw wilde worden. Was dat echt pas twaalf jaar geleden? Het leek wel of het in een ander leven was gebeurd.

Nu stond er een andere vrouw voor hem, net zo jong als Johanna toen. Hijzelf was veel ouder geworden, een heel mensenleven leek het wel, maar zijn verlangen was hetzelfde als toen, net zo onverstandig en allesoverheersend. Hij kende haar nauwelijks, maar het gevoel dat hij op een bijzondere manier met haar verbonden was, werd bij elke ontmoeting sterker.

Hij klopte naast zich op de ruwe bast van de boom. 'Kom bij me zitten, Sophia.'

Hij zag een kleine aarzeling toen ze een stap dichterbij deed, maar toen ging ze met een elegante beweging naast hem zitten. De stof van haar jurk raakte zijn been. Een fijne geur, die hij al eerder had geroken, bereikte zijn neus.

Doe het niet, zei hij tegen zichzelf. Laat haar met rust!

Het was waanzin. Ze was te jong, en wat hij met haar zou kunnen hebben, kon niet van lange duur zijn. Meer dan een vluchtige romance kon hij haar niet bieden. Hij kon haar niets beloven. Helemaal niets.

Hij bekeek haar profiel, dat veel leek op een van de elfen op Botticelli's *Zinnebeeld van het Voorjaar.*

'Mag ik je hand vasthouden?' hoorde hij zichzelf vragen. Het was stom, en hij wist het. Maar hij moest haar aanraken. Hij kon er niets aan doen.

Ze zei niets, maar liet toe dat hij teder haar hand pakte. Verder deed hij niets, hij hield alleen haar hand in de zijne en registreerde de warmte van haar huid, de gratie van haar vingers en wist dat hij haar een heel stuk nader was gekomen.

'Het is oorlog,' zei hij met een lage stem. 'In een andere tijd had ik je gevraagd of je met me naar de opera zou willen. Of gaan dansen. Vergeef me mijn lompheid.'

Ze wendde zich naar hem toe. Haar ogen fonkelden. 'Je bent niet lomp!'

Er krulde zich een lachje om zijn mond bij die besliste ontkenning. Blij stelde hij vast dat ze ook over was gegaan op het intiemere jij. Ze zaten zwijgend naast elkaar, terwijl hij haar hand vasthield. De stilte vergrootte Sophia's opwinding. Ze voelde dat het zweet in haar knieholtes stond, en toen Richard haar geopende hand op zijn dijbeen legde en hem zacht tussen haar duim en wijsvinger begon te strelen, durfde ze haast geen adem te halen.

Hij leek in gedachten verzonken. Geconcentreerd keek hij naar haar hand, terwijl hij heel zacht over haar vingertoppen en de binnenkant van haar hand streek.

Sophia voelde hete golven door zich heen stromen. Die subtiele liefkozing was zo erotisch, dat ze met moeite een gekreun kon onderdrukken. Ze had gelijk gehad. Hij was helemaal niet lomp. Hier was niets te merken van de rauwe begeerte waarmee Antonio zich op haar had gestort.

Sophia wenste vurig dat Richard haar zou kussen. Hij moest haar in zijn armen nemen, haar borsten strelen, die naamloze behoefte stillen die haar zo kwelde. Ze verlangde er zo naar, dat haar lippen trilden. Ze kreeg speeksel in haar mond en verkrampte hulpeloos. Toen, alsof hij haar gedachten had gelezen, boog hij zich naar haar toe, en ze hief haar gezicht naar hem op, haar ogen half gesloten en haar mond een beetje open, in koortsachtige afwachting van zijn kus.

Maar hij duwde alleen haar hand tegen zijn lippen. Na een vluchtige aanraking liet hij haar hand weer zakken en legde hem in haar schoot.

Sophia voelde zich alsof ze van zijn warmte werd beroofd. Ze haalde diep adem, maar haar gevoelens duikelden nog over elkaar heen. Ze kon niet goed ademhalen en ze had het heet, gloeiend heet.

'Op een dag wil ik met je door Florence wandelen,' zei hij met een hese stem. 'Over de Ponte Vecchio, als de zon ondergaat. Ik wil met je naar het Uffizi. En naar Il Bargello. En de Galleria dell'Accademia.'

Sophia zuchtte beverig en ademloos. 'Daar ben ik allemaal al geweest.'

Richard knikte ernstig. 'Ik ook. Maar één keer is niet genoeg. Het is nooit genoeg.'

'Dat zegt mijn tante ook.'

'De vrouw van de dokter?'

Sophia knikte mechanisch. 'Tante Anna gaat vaak naar Florence. De musea zijn haar tweede thuis. Vroeger nam ze me vaak mee. Ik kon er helaas niet veel mee.'

Richards stem werd laag. 'Dat zul je wel als ik het je laat zien.'

Sophia voelde hoe een warme loomheid over haar kwam, hoewel hij haar niet meer aanraakte. Alleen de harde stof van zijn uniformbroek schuurde tegen de blauwe zijde van haar jurk. Het zwakke geritsel was genoeg om haar verlangen bijna tot het onmogelijke op te hitsen.

'Men zegt dat de kunst altijd in het oog van de waarnemer ligt,' stootte ze onsamenhangend uit, terwijl ze krampachtig slikte om haar droge keel vochtig te maken.

'Dat is wel waar.' Richard lachte berouwvol en stond op. Hij stak haar ridderlijk een hand toe en trok haar omhoog, waarbij hij in stilte de edelmoedigheid vervloekte die hem in staat had gesteld de verleiding te weerstaan. Het was een van de zwaarste beslissingen in zijn leven, maar al het andere zou onverstandig zijn geweest en bovendien schandelijk Ze was niet alleen jong, maar ook vreselijk onervaren. Zo'n betoverend schepsel als zij verdiende het niet door een cynische soldaat als hij verleid te worden. Niet als het zo moest eindigen als het onvermijdelijk zou eindigen: met tranen, verdriet en wanhoop. Hij kon niet toestaan dat het zover kwam. Hij wilde niet het laatste restje goede manieren en respect voor zichzelf verliezen, door grenzen te overschrijden die elke fatsoenlijke man zou respecteren.

'We moesten maar eens teruggaan,' zei hij vriendelijk.

Sophia knikte. Teleurstelling schoot door haar heen, scherp als een mes.

'Ja. U moet weer gaan liggen. Dokter Rossi zal vreselijk boos zijn als hij hoort dat u al bent opgestaan,' zei ze afstandelijk.

'Nou, dan zullen we de goede dokter niet verder van streek maken.'

Richard bood haar zijn arm aan, maar ze sloeg hem af en liep zonder een woord voor hem uit. Zwijgend liepen ze terug.

Vlak na het middageten kwam de Marchese naar de polikliniek om kennis te maken met Richard Kroner. Beleefd vroeg hij de Duitse officier hoe het met hem ging en zei daarbij dat het hem speet dat er op zijn landgoed zoiets verschrikkelijks was gebeurd. Hij liet doorschemeren dat het misschien om het verdwaalde schot van een jager of stroper zou kunnen gaan.

'In deze streek zijn er af en toe stropers actief,' legde hij uit.

Richard hoorde het zonder emotie aan. Hij was weer op bed gaan liggen, maar had geweigerd zijn kleding voor zo'n onzalig ziekenhuishemd te verwisselen. Sophia had het zwijgend geaccepteerd en hem een smaakvol middageten geserveerd, bestaande uit koude lamsbout, zachte kaas, ingemaakte groenten en vers, wit brood. Daarna had ze zich met een gemompelde verontschuldiging teruggetrokken en was naar de villa teruggegaan.

Kort daarna was de Marchese gekomen. Richard bekeek de lange man eens goed en merkte dat de indruk die hij al van Sophia's vader had gekregen, klopte.

Hij stelde met een zekere frustratie vast dat hij Roberto Scarlatti sympathiek vond, iets wat zijn eigen rol in dit spel ingewikkelder maakte.

'Wilt u uw kokkin mijn complimenten maken? Het eten was voortreffelijk.'

'Dank u. O ja, nog iets: ik sta erop dat u vanavond bij ons komt dineren. Ik heb gehoord dat u al op bent geweest.'

De Marchese had een stoel aan het voeteneinde van het bed gezet en bekeek zijn overbuur onopvallend. De Duitser was lang, zoals hij al van Elsa had gehoord, en zijn Italiaans was bijna perfect. Sophia had hem verteld dat Kroner in Italië had gestudeerd. Daarbij zag de officier er sympathiek uit, waar het hoofdverband nauwelijks afbreuk aan deed.

'Ik hoop dat we op u als gast kunnen rekenen.'

'Dank u voor de uitnodiging. Het zal me een eer zijn met u en uw dochter te dineren.'

'Mijn broer Giovanni en zijn vrouw Anna komen ook. Giovanni is arts in Montepulciano.'

'Uw dochter heeft me over hem verteld.'

Die opmerking werd door de Marchese zwijgend aangehoord, en Richard vroeg zich af wat de man dacht. Uit zijn gezichtsuitdrukking was in elk geval niets op te maken. Roberto Scarlatti had zijn mimiek goed in de hand.

'U heeft met mijn dochter gepraat?'

'Ze is een prima verpleegster,' verklaarde Richard. 'Op de een of andere manier kwam het gesprek op haar oom die ook een uitstekend arts zou zijn.'

Roberto trok zijn wenkbrauwen op en knikte. 'Dat is hij inderdaad. Als u wilt, kan hij vanavond nog een keer naar uw verwonding kijken.'

'Ik wil niet overdreven van uw gastvrijheid gebruikmaken.'

'Alstublieft,' antwoordde Roberto gladjes. 'Dat is het minste wat we voor u kunnen doen. En wees ervan verzekerd dat we in alle opzichten met de Duitse autoriteiten zullen meewerken. Komt er niet vanmiddag al een onderzoekscommissie?'

Richard haalde zijn schouders op. 'Vanochtend is erover gebeld, dat klopt. Een formaliteit, denk ik. Stropers zijn er overal, en het is uiterst moeilijk ze te pakken te krijgen.'

Ze loerden naar elkaar. Roberto's gevoel zei hem dat de Duitser meer wist dan hij wilde toegeven. Veel meer. Die blauwe ogen drukten een vastberadenheid uit die hem, Roberto, helemaal niet vreemd was. Hij kwam hem vaak tegen, altijd als hij in de spiegel keek.

'Hebt u voor de duur van uw oponthoud op La Befana nog verdere plannen?' vroeg Roberto op een conversatietoon.

'Nee, eerst zal ik me bezighouden met een diner in uw huis,' antwoordde Richard slagvaardig en nietszeggend. 'Al het andere komt vanzelf. Ik denk dat mijn verdere plannen afhangen van de precieze omstandigheden.'

'Welke omstandigheden, *Tenente?* Misschien van het verloop van de oorlog?'

Richard wees met een scheve grijns naar zijn hoofd. 'Op het moment eerder daarvan, Marchese.'

En van nog wat andere dingen die ik helaas voor me moet houden.

10

Schlehdorff kwam kort na één uur. Samen met Joachim Weldau, twee SS'ers, twee zwarthemden van de fascistische militie, een tolk, en de bevoegde *Maresciallo dei Carabinieri*, die bereid was gevonden het onderzoek bij te wonen, kwam de Obersturmbannführer in een legervrachtwagen bij de villa voorrijden en werd kort daarna door de Marchese ontvangen.

Roberto begroette Schlehdorff met buitengewone beleefdheid, die op bijna joviale manier werd beantwoord. Obersturmbannführer Volker Schlehdorff was een slanke, kleine man met een keurig zittend uniform en glanzend gepoetste laarzen. Zijn dunne, blonde haar zat onberispelijk en hij was gladgeschoren. Zijn huid was melkwit, haast als van een vrouw, en als zijn lippen zich in een van zijn vele lachjes plooiden, toonden ze keurige, kleine tanden.

Roberto voelde afkeer voor de man. Schlehdorff had ondanks zijn kinderlijk frisse uiterlijk iets over zich waardoor zijn nekharen overeind gingen staan. Zijn lachjes konden dan meestal echt zijn, maar daarachter zat iets kouds, een onuitgesproken dreiging. Hij was een man die de personificatie was van macht, maar op een verkeerde manier. Roberto had al veel verhalen gehoord die zich in Rome en elders hadden afgespeeld, meestal in samenhang met de daar wonende joodse bevolking, en hij zag geen enkele reden te twijfelen aan wat men over de represaillemaatregelen vertelde. Elk gerucht dat in deze tijd de ronde deed, had een kern van waarheid in zich.

Na het uitwisselen van wat beleefdheden, bracht Roberto het voorval zonder verdere omwegen ter sprake. Met een ernstig gezicht zei hij tegen de tolk hoezeer hij de onzalige geschiedenis betreurde. Vermoedelijk waren er gevluchte Engelsen in de buurt onderweg geweest, die hun wraakzucht de vrije loop hadden gelaten. Hij nodigde Schlehdorff uit voor een verfrissend drankje in het huis, maar de Obersturmbannführer wees het van de hand. 'Later,' zei hij lachend, direct tegen Roberto en niet via de tolk, een jonge, mollige man met de rang van tweede luitenant die snel en ijverig vertaalde. Zijn Italiaans was erg goed; vermoedelijk kwam een van zijn ouders uit Italië.

'Misschien als we ons onderzoek hebben afgesloten. Maar natuurlijk moet ik eerst het beklagenswaardige slachtoffer van die achterbakse aanval zien.'

'Natuurlijk.' Roberto begeleidde de Obersturmbannführer persoonlijk naar de polikliniek, waar Donata intussen de verzorging van de Duitser op zich had genomen. De Marchese had Sophia verboden het huis te verlaten zolang het onderzoek aan de gang was.

Donata's kinderen speelden op de binnenplaats. De jongste gooide met steentjes naar de hond die in het stof lag te soezen. Roberto vroeg zich af waar het gevoel van bedruktheid en schuld vandaan kwam, dat dit beeld bij hem opriep. Hij weigerde om een verband met de aanslag te leggen, want dan zou het zo zijn dat hij die geniepige daad met het onschuldige spel van een kind vergeleek.

'U heeft het hier goed voor elkaar,' vond Schlehdorff, terwijl hij goedkeurend het pas gerenoveerde, bakstenen gebouw bekeek. 'Een echt ziekenhuisje. Hebt u ook een eigen dokter?'

De tolk vertaalde het letterlijk, en het scheen Roberto dat hij daarbij ook de bedrieglijke vriendelijkheid van de ene naar de andere taal overbracht.

'Als het nodig is, komt er een dokter vanuit het dorp hier naartoe. We hebben wel een verpleegster.'

Schlehdorff was al door de openstaande deur naar binnen gelopen. Hij liep met uitgestrekte hand naar Richard toe, die half zittend, half liggend vanuit het bed naar hem keek.

'Blijft u toch zitten, eerste luitenant. Heil Hitler.'

Richard, die geen aanstalten had gemaakt om op te staan, knikte met een uitgestreken gezicht. 'Heil Hitler, Obersturmbannführer.' Hij beantwoordde Schlehdorffs handdruk en begroette toen Joachim Weldau, die zichtbaar opgelucht was Richard gezond aan te treffen.

'Nog bedankt, ouwe jongen,' zei Richard. 'Naar wat ik heb gehoord, heb je er hard aan gewerkt om me hier te krijgen.'

'Graag gedaan.' Weldau straalde. 'Ik ben blij dat het beter met je gaat.'

'Dat komt door de goede verzorging.'

'Aha.' Weldau keek om zich heen. 'Waar is...'

'De dokter?' viel Richard hem in de rede. 'Weer naar het dorp, geloof ik.' Gelijktijdig, en alleen voor Weldau bestemd, schudde hij onmerkbaar zijn hoofd.

Schlehdorff bekeek Weldau onderzoekend, toen wendde hij zich tot Richard. 'Jullie staan wel op erg vertrouwelijke voet, niet?'

'U bedoelt ondanks het rangverschil?' Richard haalde bedaard zijn schouders op. 'Wat maakt dat nog uit als de kogels je om de oren vliegen.'

Schlehdorff fronste, maar ging er verder niet op door. In plaats daarvan keek hij om zich heen en nam elk detail van de schone, goed uitgeruste ziekenzaal in zich op. 'Een mooi veldhospitaaltje waar je in ligt.' Zijn geamuseerde blik zwierf naar Donata, die in de deuropening stond en naar haar kinderen keek. Met haar plompe, van hoofd tot voeten in het zwart geklede gestalte, zag ze eruit als een kolossale kraai. Ze zwaaide opgewonden met haar armen en uitte schrille scheldwoorden. Een van de SS'ers was met het spel mee gaan doen en gooide ook steentjes naar de hond, maar met veel grotere trefzekerheid. Het dier jankte en liep met zijn staart tussen zijn poten weg. Donata tierde ononderbroken door en riep haar kinderen tot de orde, hoewel die allang niets meer deden en met open mond stonden toe te kijken.

Schlehdorff fronste zijn wenkbrauwen. 'Maar de verpleegster laat nog wel wat te wensen over, geloof ik.'

Roberto, die samen met de tolk binnen was gekomen, knikte naar Richard. 'Hoe gaat het met u?'

'Prima, dank u.'

Schlehdorff glimlachte welwillend. 'Ik was vergeten hoe goed uw Italiaans is, Kroner. Het komt me voor dat u mijn hulp helemaal niet nodig hebt.'

'Morgen ben ik vast weer helemaal in orde.'

'Doet u maar rustig aan.' Hij knikte Richard toe en liep naar de deur waar hij met een boog om Donata heen ging. Hij gaf de tolk een wenk. 'Ze moet haar gebroed meenemen en verdwijnen. Kletskousen en klaagvrouwen zoals deze hier heb ik altijd al afschuwelijk gevonden.'

De tolk paste de vertaling van het bevel een beetje aan en vroeg Donata beleefd met haar kinderen naar huis te gaan. Roberto haakte zijn duimen in de lussen van zijn riem, wat hij altijd deed als hij zich geprovoceerd voelde. Zijn uitnodiging van eerder herhaalde hij niet. Schlehdorff zag er ook niet naar uit dat hij daar waarde aan hechtte. Alsof Roberto er helemaal niet was, zei hij over zijn schouder tegen Richard: 'De hele zaak is daarmee natuurlijk nog lang niet van de baan. Dat verhaal over Engelsen in de streek is wel mooi en aardig, maar ook uitgesproken bedenkelijk.' Hij tikte tegen zijn neus. 'Dat zegt mijn neus, en die heeft me nog nooit in de steek gelaten. We krijgen die schoft wel te pakken, geloof me maar.'

Richard bespaarde zich een antwoord. Schlehdorff was als een bloedhond die een spoor had geroken. Hij had een ongelofelijk goed ontwikkelde intuïtie, waarvoor Richard hem bewonderde, zelfs al keurde hij hem af om zijn gladde, ondoorzichtige aard. In het bijzijn van deze man had hij zich nog nooit op zijn gemak gevoeld. Behalve geruchten wist hij niets over zijn intriges in Italië, maar hij had twee, drie verhalen gehoord over voorvallen in Berlijn, waarbij Schlehdorffs beulsknechten zich in het openbaar hadden vertoond. Richard was ervan overtuigd dat die verhalen op waarheid berustten. Schlehdorff was als een zoekplaatje met een schitterend oppervlak. Als je het een beetje verschoof en van een andere kant bekeek, vertoonde zich daaronder iets wazigs, iets troebels dat zich aan nadere beschouwing onttrok.

'Nou, mijn beste Marchese, dan zullen we maar eens aan het werk gaan,' zei Schlehdorff met een ondertoon van spijt in zijn stem. 'Waar zullen we beginnen? Meteen maar bij het huisje daar vooraan?'

Hij wachtte niet tot de tolk het vertaald had. Met zwierige tred liep hij weg, maar voor hij zich afwendde, zag Roberto nog zijn koele lachje.

Joachim Weldau bleef bij Richard in de polikliniek. De *Maresciallo* hing bij de oliepers rond, maar zijn poging om ongestoord het einde van de actie af te wachten werd al snel verijdeld. Hij raakte met een paar mannen van het landgoed in een verbitterd debat verwikkeld over zijn aanwezigheid, waaraan de twee zwarthemden ook deelnamen. Schlehdorff beval intussen de rest van zijn manschappen om huiszoekingen te doen. De twee SS'ers werkten snel en met een nietsontziende efficiëntie, die Roberto meer dan al het andere duidelijk maakte dat zij wisten wat ze deden. In het ene na het andere huis braken ze de kasten open, haalden bedden af en trokken matrassen van hun plaats. Schlehdorff zelf bleef steeds kalm in de deuropening staan en deed heel vriendelijk, tenminste wat zijn gezichtsuitdrukking betrof. Zijn opmerkingen, die voor zijn mannen bestemd waren en niet door de tolk werden vertaald, lieten aan duidelijkheid niets te wensen over. Hij maakte zich vrolijk over de bewoners van de huizen en hun manier van leven, en iets in zijn ogen vertelde Roberto, die de hele tijd niet van zijn zijde week, dat deze man hem verachtte, hem en zijn plattelandsmensen.

'Kijk toch eens naar dat smerige, oude wijf,' zei hij bijvoorbeeld vriendelijk, toen hij de oma van de schoenmaker zag. 'Het lijkt wel alsof er in elk huis overbodige kostgangers te eten krijgen.'

Het oudje, dat in elkaar gedoken in een leunstoel bij het raam zat, staarde wezenloos voor zich uit. Ze was over de negentig, had geen tanden meer en kon nauwelijks meer zien, maar haar gehoor was nog prima. Ze verstond de woorden wel niet, maar begreep toch de bedoeling. Ze siste een scheldwoord dat de tolk met het schaamrood op zijn kaken ontweek. Schlehdorff bekeek de vrouw nieuwsgierig. 'We moeten haar eens ondervragen voor we dit huis doorzoeken. Of misschien kunnen we beter haar zonen en kleinzonen verhoren.'

Roberto vocht moeizaam om beleefd te blijven, nadat de tolk het vertaald had. 'Ze heeft alleen een kleinzoon, hij is de schoenmaker van La Befana.'

'Waar is hij nu?'

Roberto zette zijn tanden op elkaar, maar bleef vriendelijk. Hij wees de Duitser de werkplaats naast het huis, waar Schlehdorffs SS'ers veel grover dan tot nu toe te werk gingen. Ze rukten planken van de muren, trokken de werkbank naar het midden van de ruimte en gooiden daarbij schijnbaar toevallig allerlei gereedschappen op de grond. Ernesto en zijn zoon Fabio stonden angstig in een hoek en keken met hulpeloze woede toe.

Roberto stond in de ingang, bleek maar beheerst. 'Geen reden voor opwinding, Ernesto,' zei hij kalmerend.

Schlehdorff bekeek de schoenmaker, zijn slanke gestalte, de vooruitstekende neus, de diepliggende ogen. Hij blies zijn neusvleugels op alsof hij iets vies had geroken. 'Die man is een jood.'

'Ik denk het niet, want we gaan al veertig jaar zondags samen naar de kerk,' loog de Marchese kalm, nadat hij de vertaling van de tolk had gehoord. Hij had geen idee tot welk geloof Ernesto behoorde. In de kerk had hij hem nog nooit gezien. Roberto vermoedde eerder dat hij een overtuigd atheïst was. En bovendien vermoedelijk ook communist. Hij had wel eens gehoord dat Ernesto hardop minachtend over de *Mezzadria* had gesproken en meer gerechtigheid voor het volk had geëist. Maar behalve dit soort krachtige uitspraken had hij nooit iets misdaan. Roberto koesterde een brommerige sympathie voor de man, want eigenzinnigheid en trots waren eigenschappen die hij waardeerde, vooral wanneer ze, zoals bij Ernesto, gepaard gingen met uitgesproken vakkundigheid. De kleine schoenmaker deed op La Befana uitstekend werk. Zijn schoenen en zadels waren van de beste kwaliteit, en ook als stoffeerder had hij enige ervaring.

Toen de Duitsers met Ernesto's werkplaats klaar waren, gingen ze met zijn huis verder. Zijn oma stond zwijgend en gebogen in een hoek van de kamer, haar ogen gloeiend van angst en woede. Ernesto liep handenwringend rond en verklaarde steeds weer dat hij niets gedaan had. Schlehdorff en zijn mannen luisterden niet. Ze gooiden levensmiddelen uit de keukenkasten, gooiden zonder met hun ogen te knipperen kruikjes met olie op de grond leeg en sneden in de slaapkamer de matrassen open.

Roberto was blij dat Ernesto's vrouw in Florence was, zo bleef haar tenminste de aanblik van deze chaos bespaard. Bleek en vol machteloze woede keek hij naar het optreden van de SS'ers. Hij kon zich maar met moeite inhouden, maar hij zei tegen zichzelf dat niemand erbij gebaat was als hij zijn zelfbeheersing verloor. De aangerichte schade was niet zo erg, die kon vergoed worden.

Daarna werd Donata's huis doorzocht. Ook hier toonden de Duitsers geen enkel respect. Ze trokken kinderkleding en beddengoed uit de kasten en gooiden dekens, speelgoed en keukengerei op een slordige hoop bij elkaar. Donata stond, met de kleine Claudio op haar arm, tegen een muur te snikken. Marco en Maria stonden angstig tegen haar benen gedrukt.

'Hoeveel huizen zijn er nog?' vroeg Schlehdorff, alsof hij een toeristische rondgang maakte. Hij stond op de binnenplaats voor de stallen die zijn mannen doorzochten. 'Ik denk dat we ze bijna allemaal gehad hebben, niet?'

Roberto liet het wel uit zijn hoofd hem op de vele, omliggende boerderijen van zijn pachters te wijzen.

Schlehdorff schermde zijn ogen met zijn hand af. 'Blijft die daar nog over.' Hij wees naar de *Fattoria*, en Roberto voelde hoe een ijzige hand zich om zijn hart sloot.

Schlehdorff lachte raadselachtig. Hij draaide zich om naar de villa. 'En die natuurlijk. De grootste en mooiste van allemaal. Die van u, toch, Marchese?'

De tolk vertaalde het. Roberto knikte kort. Schlehdorffs lachje werd zwakker. 'Een kast van een huis. Een vorst waardig. Maar dat bent u ook, hè, Marchese? Nou, uw huis zullen we tot het laatst bewaren.'

'Mijn man is er niet,' zei Elsa zonder zichtbare emotie, toen de Duitsers voor haar deur stonden. Schlehdorff lachte geamuseerd en bekeek haar goedkeurend. 'Wat een knap, aantrekkelijk vrouwtje,' zei hij tegen zijn tolk. Die knikte alleen beleefd. Blijkbaar wist hij precies welke woorden van zijn meerdere vertaald moesten worden en welke alleen voor zijn landgenoten bestemd waren.

'Dit huis is beter dan de andere.' Schlehdorff stapte de woonkamer binnen en bekeek de zware stoelen, de boekenkast en het bureau. 'Het is bijna comfortabel.' Hij wendde zich tot Elsa, die met haar armen over elkaar in de deuropening stond en toekeek. 'Wat doet je man, liefje?'

'Hij is mijn rentmeester,' antwoordde Roberto in haar plaats, nadat de tolk Schlehdorffs vraag vertaald had.

'Aha. En waar is hij op het moment?'

Roberto's mond vertrok honend. 'Hij houdt toezicht op het onderbrengen van Engelse krijgsgevangenen op mijn land, Herr Obersturmbannführer. In de stad was geen plaats meer in de ge-

vangenis. En ze moeten toch ergens blijven, hè?'
Tijdens de vertaling vernauwden Schlehdorffs ogen zich onmerkbaar, maar toen liet hij weer een zonnig lachje zien. 'Ah, ik begrijp het. Wat bent u toch een voorbeeldig patriot. U moet het wel heerlijk vinden om vanwege die gruwelijke aanslag op een van mijn dapperste mannen met mij samen te werken!' Hij gaf zijn mensen een wenk, waarna ze zonder erbarmen verdergingen. Elsa hield haar adem in toen ze hoorde hoe in de kamer ernaast kasten werden leeggehaald en boeken van de planken werden gegooid. Roberto ving haar blik op en hield hem vast. *Zwijg,* bezwoeren zijn ogen haar.

Maar tegen het trillen kon ze niets doen. Met haar armen stijf over elkaar wachtte ze doodsbleek tot de SS'ers klaar waren met het doorzoeken van het huis. Ze kwamen overal en vergaten de kleinste ruimte niet. Zelfs de provisiekamer doorzochten ze, zonder erop te letten of ze iets braken.

Elsa staarde naar de grond. Het liefst was ze in huilen uitgebarsten en de aandrang om zich in Roberto's armen te werpen was bijna onbedwingbaar.

Schlehdorff, die de hele tijd bij haar was blijven staan en naar haar keek als een kat naar een muis, draaide zich naar Roberto om. 'Een echt ongewoon knappe vrouw, die echtgenote van de rentmeester. Hoe heet ze eigenlijk?'

Zijn blik bleef op haar borsten rusten, die door haar over elkaar geslagen armen naar voren werden geduwd. De tolk vertaalde het.

'Farnesi,' zei Roberto met geforceerde kalmte.

'En haar voornaam?'

'Ik wist niet dat u dat iets aanging.' Roberto beantwoordde de blik van de Duitser met een strak gezicht. Hij keek niet meer naar de tolk. Er borrelde woede in hem op. Zijn handen openden en sloten zich achter zijn rug. Als hij deze man straffeloos had kunnen doden zou hij geen seconde geaarzeld hebben het te doen. Het was een oeroude, krachtige aandrang, en opeens kon hij begrijpen wat Antonio bezield had. Voor hem stond de vijand en hij was slecht tot in zijn tenen. Hij verdiende het niet te leven.

'Vraag haar naar haar voornaam,' beval Schlehdorff de tolk.

'Elsa,' antwoordde ze toonloos op de vraag. Daarbij keek ze Schlehdorff niet aan.

'Elsa.' Schlehdorff sprak de naam proevend uit, maar schudde toen spijtig zijn hoofd. 'Ik vind bijvoorbeeld *Julia* of *Maria* of *Anna* veel mooier. *Elsa* is zo... gewoon, zo boers. Vindt u ook niet, Marchese?'

Roberto had moeite zijn zelfbeheersing te bewaren. Nooit eerder in zijn leven was de behoefte een mens te slaan zo sterk geweest als op dit moment.

'We zijn klaar,' zei een van de SS'ers. Hij was lang en sterk en niet ouder dan twintig. Zijn gezicht was rood van inspanning, verder toonde het geen emotie. De ander was misschien vijf jaar ouder en iets kleiner, met een vierkante kin vol littekens en dode ogen.

'Nou, dan zullen we de woonplaats van de vorst eens beter gaan bekijken,' verkondigde Schlehdorff.

'Wilt u daarmee misschien beweren dat ik een voortvluchtige misdadiger in mijn huis verberg?' informeerde Roberto bars.

Schlehdorff bleef met een ruk op het pad naar het huis staan, nadat de tolk de vraag in het Duits had vertaald. 'Wat zegt u?'

'Mijn huis is geen schuilplaats voor moordenaars.'

'Mijn beste Marchese, dat wil ik ook helemaal niet beweren,' riep Schlehdorff beledigd uit.

'Nou, dat wilt u wel. U wilt mijn kasten doorzoeken en mijn meubels verplaatsen. Misschien zelfs mijn porselein kapot laten vallen en mijn voorraden door elkaar gooien, zoals bij de anderen. Wie weet.' Roberto bekeek hem bedachtzaam. 'Ik neem aan dat u of de *Maresciallo* een huiszoekingsbevel heeft, of een soortgelijke, schriftelijke volmacht om mijn huis te doorzoeken?' Hij wachtte even. 'Niet?'

Schlehdorff stak zijn handen in de zakken van zijn onberispelijk gestreken uniformbroek. 'En als ik iets dergelijks niet heb?'

Roberto klakte met zijn tong. 'Misschien heeft u wel geen bijzondere toestemming nodig voor wat u doet, wie zal dat in deze tijd kunnen zeggen. Maar u moet weten dat mijn oom door zijn moeder een neef van de koning is. Afgezien daarvan hebben we de regering altijd gesteund. Mijn enige zoon vecht in Sicilië. Ach ja, en één ding moet misschien ook nog vermeld worden: eerste luitenant Kroner heeft bij ons vanaf het begin de beste behandeling en verzorging gekregen. Misschien moet u hem er zelf nog eens naar vragen.'

'Wat ik zal doen, zal wel blijken,' antwoordde Schlehdorff. Er flik-

kerde iets in zijn ogen. 'En áls ik het dan zal doen, dan zult u me niet in de weg staan, Marchese.'
Met die woorden liet hij Roberto staan. Hij wenkte zijn mannen en haastte zich naar de vrachtwagen, die kort daarna met ratelende motor richting dal reed.
Roberto liep naar de groep mannen die nog steeds luidkeels met de *Maresciallo* en de twee zwarthemden stonden te discussiëren.
'Hij is u gewoon vergeten,' zei Roberto laconiek.
De *Maresciallo* staarde perplex de kleiner wordende vrachtauto na, tot hij in de schaduw van de cipressenlaan verdwenen was.
Roberto gaf een van zijn mannen opdracht om Weldau, de twee zwarthemden en de politieman naar de stad te brengen, en toen liep hij met lange passen naar de *Fattoria*. Het kon hem op dit moment niets schelen wat de mensen dachten.
Elsa stond nog steeds in de woonkamer, precies zoals hij haar had achtergelaten. Met grote schrikogen keek ze hem aan.
'Elsa,' zei hij zacht.
Ze stortte zich in zijn armen en klampte zich aan hem vast.
'Ze weten iets,' fluisterde ze. 'Die man... zoals hij me aankeek! Hij vermoedt iets. Misschien weet hij het al!'
'Wat dan?'
'Dat híj het heeft gedaan. Antonio!'
'Onzin.'
'Ik ben bang.'
'Ik ben bij je.'
'God, Roberto!' Ze snikte. 'Hou me vast! Hou me voor altijd vast!'
Met een hete, eindeloze kus snoerde hij haar de mond.
'Elsa,' bracht hij ten slotte wanhopig uit. 'Elsa!'
Kreunend drukte ze zich dichter tegen hem aan.
Buiten was het gebrom van een motor te horen. Elsa verstijfde. 'Ze komen terug!'
Roberto luisterde, toen liet hij haar los en deed een stap terug om uit het raam te kijken. 'Nee, het is Salvatore.' Hij streek zijn kraag glad en ging met zijn handen door zijn haar. 'Ga je haar kammen, Elsa. En was je gezicht.'
Hij bukte zich en tilde een van de boeken op die door de SS'ers uit de kast was gegooid. Zijn rug deed pijn bij de beweging en opeens voelde hij zich oud. 'Ik zal intussen opruimen.'

Salvatore was bezweet en in een erg slecht humeur. Hij had het druk gehad met de krijgsgevangenen. In plaats van de oorspronkelijk aangekondigde negentien man, stonden er vijfentwintig voor het politiebureau van Chiusi te wachten. Baardige, haveloos geklede figuren, waarvan er maar een paar Engelsen konden zijn. De meesten spraken geen woord Engels en kwamen vermoedelijk ergens anders vandaan, uit Griekenland, Algerije, Servië. Alle mannen stonden stijf van het vuil en zagen er verzwakt en uitgeput uit. De meesten waren al weken geleden gearresteerd en ze waren steeds van het ene onderkomen naar het andere verplaatst. Een paar van hen waren al voor de tweede en zelfs voor de derde keer opgepakt, omdat het hun niet lukte zich langere tijd schuil te houden – of omdat ze door de honger weer naar een dorp werden gedreven, nadat ze tevergeefs geprobeerd hadden zich in de bergen met het zetten van vallen en met kruiden in leven te houden.

Salvatore wreef over zijn pijnlijke nek, terwijl hij naar de *Fattoria* toe liep. Hij had dorst en verlangde naar een bad.

De hele zaak was moeilijker geweest dan verwacht. Er waren taalproblemen geweest die een haast onoverkoombaar probleem werden toen Salvatore hun had opgedragen hun onderkomen schoon te maken en strozakken neer te leggen. Twee of drie mannen hadden zich van den domme gehouden. Hij kon hun weigering niet negeren. Morrend hadden ze zich ten slotte toch laten overhalen een van de cellen van het klooster te vegen, nadat twee van de drie carabinieri die hen hadden begeleid Salvatores bevel met getrokken wapen hadden benadrukt.

Salvatore duwde de huisdeur open die op een kier stond.

'Elsa?'

Hij was verrast toen de Marchese voor hem stond. 'Marchese, wat doet u hier?'

Roberto's blik was open, maar hij kon niet verhinderen dat hij zenuwachtig was en zich betrapt voelde, haast als een schoolkind dat iets heeft uitgehaald.

'De Duitsers zijn hier geweest.' Hij hield een van de boeken omhoog die Schlehdorffs mannen bij de huiszoeking op de grond hadden geslingerd.

Salvatore liep zwijgend langs hem heen naar de slaapkamer, waar

Elsa bezig was het afgehaalde bed weer op te maken.

Hij keek om. De inhoud van de kleerkast was er met een grove hand uitgetrokken en lag over de vloer verspreid. Zonder woorden ging Salvatore naar zijn vrouw en nam haar in zijn armen. 'Salvatore,' zei ze verstikt tegen zijn borst. Ze maakte geen aanstalten zijn omarming te beantwoorden, maar leunde trillend tegen hem aan. Over zijn schouder zag ze Roberto in de deuropening staan. Zijn brandende blik verlamde haar. Op zijn kaak trilde een spier.

Na een paar seconden draaide hij zich abrupt om en ging weg. Elsa hield op met trillen. In plaats daarvan verstijfde ze. 'Het gaat alweer, Salvatore.' Ze maakte zich los uit zijn omarming en begon de kledingstukken op te rapen.

Hij was woedend. 'Het gaat helemaal niet goed! Die monsters! Wat hebben ze hier te zoeken?'

'Ze waren in alle huizen. Vanwege... de aanslag op de Duitse officier. Ze onderzoeken het.'

Salvatore wist niets van Antonio's daad. Elsa had hem de waarheid niet durven vertellen. In de door de SS'ers aangerichte chaos moest Elsa weer aan Salvatores reactie denken toen hij van de aanslag had gehoord. Zijn gezicht was op een ongewoon dreigende manier vertrokken en er was een koude uitdrukking in zijn ogen gekomen. 'Die laffe moordenaar kan de dood van ons allemaal veroorzaken.'

'Misschien was het maar een domme jongen.'

Salvatore had walgend zijn hoofd geschud. 'Domme jongens gooien met stenen. Ze schieten niet op een mens vanuit een hinderlaag.'

Op zich had hij gelijk. Hun zoon had hen allemaal in gevaar gebracht. De Duitsers zouden terugkomen, zouden misschien onschuldigen arresteren en meenemen.

Salvatore ging achter zijn vrouw staan en pakte haar bij de schouders. Hij draaide haar om tot ze zichzelf in de spiegel konden zien, die op de middelste deur van de kledingkast hing. Het was een zware, met houtsnijwerk versierde, eiken kast, die ze voor hun huwelijk van Salvatores ouders hadden gekregen. Salvatore had de spiegel er later op laten maken, zodat zijn knappe vrouw, had hij plagend gezegd, zich altijd van hoofd tot voeten kon bekijken.

Hij legde van achteren zijn handen om haar borsten.

'Salvatore, nee, wat moet dat...'

141

Hij pakte ze steviger vast en begon met haar tepels te spelen. Elsa verstijfde afwerend. Met een zwak gebaar wees ze naar de puinhoop om hen heen. 'Ik moet opruimen. En ik heb nog niet gekookt. Je hebt vast wel honger.'

'O ja.' Salvatore boog zijn hoofd en kuste haar hals, toen beet hij speels in een gevoelig plekje onder haar haren.

'Hou je van me, Elsa?'

Ze aarzelde een fractie van een seconde. 'Ja.'

Hij hief zijn hoofd op en keek haar doordringend in de spiegel aan. 'Je zou het toch wel zeggen, hè, als het anders was? Als je niet meer van me zou houden?'

Ze staarde hem aan zonder iets te zeggen.

'Ik heb een vermoeiende dag gehad,' fluisterde hij. 'Ik dacht dat ik moe was, maar nu, nu ik je in mijn armen houd, voel ik me weer goed.'

Elsa haalde diep adem en probeerde gewoon te doen. 'De krijgsgevangenen... Zijn ze allemaal in het klooster?'

'Achter slot en grendel, zoals het hoort. In elk geval de komende dagen.'

'De komende dagen?'

Hij haalde zijn schouders op, waarbij zijn lichaam verschoof en Elsa zijn erectie voelde.

'Ze zullen natuurlijk weer ontvluchten,' zei hij. 'Of we laten ze gewoon vrij. In Rome staan de voortekenen op storm. Er staat iets te gebeuren, dat ben ik met de Marchese eens. We hebben vast al voor het einde van de maand een nieuwe regering, en dat betekent dan meteen het einde van het bondgenootschap met Duitsland.' Hij drukte zich dichter tegen haar aan. 'Wie weet. Misschien strijden we al snel zij aan zij met de geallieerden.'

Elsa huiverde en sloot haar ogen.

'Kijk me eens aan, Elsa,' zei Salvatore aarzelend.

Hij draaide haar om in zijn armen en knoopte haar jurk los.

'Salvatore, alsjeblieft...de Duitsers zijn net weg, ik ben nog overstuur...'

'Ik hou zoveel van je, Elsa. Ik hou meer van je dan van mijn leven. Kom. Je bent mijn vrouw.'

Hij duwde haar op het bed. Ze liet het toe, maar lag er bewegingloos als een dode bij.

Toen hij even later van haar af rolde, bleef hij naast haar liggen, hijgend, zijn hand over zijn ogen.

Elsa maakte zich los uit het klamme laken en rende naar de badkamer. Ze haalde nog net de toiletpot voor ze moest overgeven. Dat was de vierde keer in een paar dagen. Meestal was het 's morgens het ergst, maar het gebeurde ook dat ze aan het eind van de middag misselijk werd, zoals nu.

Ze richtte zich op en veegde haar mond af, terwijl ze koortsachtig rekende. Wanneer was ze voor het laatst ongesteld geweest? O nee, dat was al veel te lang geleden! Ze was al drie weken over tijd! Waarom had ze dat niet eerder gemerkt? In blinde paniek staarde Elsa naar haar handen, waarmee ze de dagen had afgeteld. Haar cyclus was normaal heel regelmatig. Maar deze keer niet. Voor de eerste keer in twintig jaar. En ze was net zo misselijk als bij haar andere drie zwangerschappen.

O, nee toch, dacht Elsa.

Ze was drieënveertig. Haar kinderen waren allang volwassen. Nadat haar jongste zoon was geboren, eenentwintig jaar geleden, was ze niet meer zwanger geweest. Het was gewoon niet meer gebeurd, al hadden zij en Salvatore geen maatregelen genomen. Elsa dacht dat het misschien kwam doordat Salvatore ziek was geweest in het jaar na Antonio's geboorte. Hij had langdurig hoge koorts gehad en alle klieren over zijn hele lichaam waren pijnlijk opgezwollen. Ze had er sinds die tijd niet meer over nagedacht, en Salvatore ook niet. Hij had graag nog meer kinderen gehad, maar Elsa was blij geweest dat ze niet meer zwanger werd. God had hun drie gezonde kinderen geschonken, dat was genoeg. Genoeg werk, genoeg zorgen, genoeg verantwoordelijkheid.

Ze waste zich mechanisch. Hoe vaak had ze dat de laatste tijd gedaan? Zeker honderd keer of meer, veel vaker dan nodig was.

Ze had het voor Salvatore gedaan, om elke verdenking dat ze een ander had te vermijden, en voor Roberto, die haar onbevlekt door haar echtgenoot wilde hebben.

Elsa onderdrukte een hysterisch lachje. Ze had zo geprobeerd om haar lichaam voor twee mannen schoon te houden, en hoe jammerlijk was ze tekortgeschoten! Dit zou ze niet zomaar weg kunnen wassen. Ze zou groeien en haar lichaam zou opzwellen, tot iedereen haar schande kon zien!

Zorgvuldig wrong ze het washandje uit en zeepte zich nog een keer in, voordat ze zich met schoon water naspoelde, een procedure die ze keer op keer nauwgezet herhaalde, tot haar huid gloeide. Voor Roberto, die haar binnenkort weer zou willen hebben. Waarschijnlijk nog de komende nacht. Dat had ze eerder in zijn ogen gezien. Toen ze klaar was, steunde ze op de wastafel. Ze legde haar hoofd tegen de spiegel tot haar adem het glas besloeg en de ontzette uitdrukking in haar ogen liet vervagen. Toen richtte ze zich op, leunde tegen de muur en begroef haar gezicht in haar handen.

11

Richard was behoorlijk zenuwachtig toen hij naar de villa ging. Het was even voor achten; de Marchese had hem laten weten dat ze voor het eten nog samen een aperitief zouden drinken. Het diner zou later beginnen, tegen negen uur.

Het grootste deel van de middag had hij met slapen en dommelen doorgebracht. In de loop van de dag was het steeds beter met hem gegaan. Joachim Weldau had hem gevraagd of hij zich sterk genoeg voelde om met hem en de *Maresciallo* naar de stad terug te gaan, maar Richard had het afgewezen. Hij had best mee kunnen gaan, want zijn hoofdpijn was bijna verdwenen. Maar hij kon er niet toe besluiten deze plek te verlaten, al had hij uit militair oogpunt bezien zijn opdracht vervuld. De villa met de bijgebouwen lag strategisch erg gunstig, en zou bij het aanleggen van een verdedigingslinie zeker in beschouwing genomen moeten worden. Het had niet veel moeite gekost om dat te zien. Datzelfde gold voor de verzorgingssituatie. Er was voldoende graan en slachtvee, genoeg voor een maandenlang beleg. Zonder zijn verwonding zou hij allang verder zijn getrokken om andere, geschikte plekken voor het toekomstige front te onderzoeken en op zijn kaart aan te tekenen.

Normaal gesproken zou hij niet langer dan een uur in deze streek zijn gebleven. Het lot had het anders bepaald, maar Richard wist niet precies of hij daar dankbaar voor moest zijn of bezorgd.

Iets hield hem hier vast. Het was niet alleen het vooruitzicht het

145

meisje weer te zien, al was dat zeker de sterkste factor. Het was bijna of hij hier nog iets belangrijks te doen had, als hield het lot hem nog een poosje vast op La Befana gedurende een periode waarin iets bijzonders zou gebeuren.

Afgezien daarvan was hij nieuwsgierig naar het diner. En hij had zoveel honger dat hij wel een os kon verslinden.

Fernanda was tegen vijf uur met een klein hapje verschenen, vergelijkbaar met wat Sophia hem voor het middageten had gegeven. Hij had wat brood met kaas gegeten, maar nu had hij erg veel zin in een echte warme maaltijd. Daarna was ze nog een keer gekomen om hem namens de Marchese uit te nodigen de komende nacht in de villa door te brengen. De Marchese stond erop dat Richard de tijd tot zijn vertrek onder zijn dak verbleef – als geëerde gast in zijn huis, zoals het dienstmeisje de uitnodiging woordelijk herhaalde.

De weg voerde licht slingerend tussen tulpenbomen en azalea's door naar het langgerekte huis. Achter het gebouw zag hij in de verte het bos van de berghelling en aan de zuidwestelijke kant strekte zich aan beide kanten van het terras in al zijn liefelijkheid de verzorgde, parkachtige tuin uit. Het murmelen en spetteren van de fontein was al van ver te horen, en toen er een briesje langskwam, kreeg Richard het idee dat hij de koele vochtigheid van het sproeiende water op zijn tong kon proeven.

Ten oosten van de villa lagen wijnvelden en olijfboomgaarden tegen de heuvel. De avondzon hulde de knoestige, wijdvertakte stammen van de wijnranken in een roodachtig licht vol schaduwen. De bladeren van de olijfbomen bewogen zich in het briesje, zilverig en roze glinsterend in de weerschijn van de afnemende zonnestralen.

Richard bleef op het hoogste punt van de weg staan en keek achterom. Daar was het weer, het grandioze uitzicht dat hem die ochtend al had betoverd – het heuvelachtige land langs het groen, de *Crete*, zo schraal en toch zo mooi en zo innemend in hun vreemdheid. Het was alsof het land leefde, alsof er iets bijzonders in leefde dat ervoor zorgde dat hij het zich voor eeuwig zou herinneren.

Richard ademde diep de geur van dit betoverende landschap in, de bestanddelen die zich tot een onvergelijkelijk essence verenigden. De geur van de aarde en avondbries stroomden samen met de geur van rozen en onrijpe druiven, met de scherpere geur van hooi en paardenmest, van olijven en groene bladeren. Alles vermengde zich tot een bijzonder aroma, zoals het bouquet van een kostelijke wijn, net ontkurkt en ademend, tot hij klaar was voor het verhemelte van de wijnproever.

Er waren ook andere geuren die eerder uit gevoelens en herinneringen bestonden, en die het land met gevlei leken te omgeven, als de wuivende sluier van een doorzichtig gewaad. De zachte, troostrijke adem van oude beelden, overtrokken met het vernis van eeuwen. De licht muffe uitstraling van een vervallen renaissancevilla aan de rand van Fiesole. De iets vissige geur boven de traag stromende Arno in de grote middaghitte. Het onzichtbare, stoffige waas om een standbeeld van wit marmer kort voor een regenbui.

En over alles zweefde de bijzondere, kostbare geur van de vrouw die hij zo zou zien.

Ze was geen minuut uit zijn gedachten. Hij vroeg zich af of hij er goed uitzag in zijn pasgewassen, zorgvuldig gestreken uniform. In de polikliniek was er alleen maar een kleine spiegel boven de wastafel, waarvoor hij zich had geschoren. Het dikke verband had hij er zelf afgehaald en door een grote pleister vervangen.

Richard verheugde zich op de avond. Het verdriet van het verleden viel met een plotselinge lichtheid van hem af, die hem verbaasde.

Hij versnelde zijn passen en legde de rest van de weg af, waarna hij de klopper op de deur liet vallen, een ouderwets gevaarte van zwaar brons, in de vorm van een leeuwenkop.

De Marchese deed zelf open en liet hem binnen. Zijn kleding was bescheiden en elegant. Bij een donkere broek droeg hij een smokingjasje van wijnrood fluweel en een kunstig gestrikte das. Zijn zwarte haar was zorgvuldig achterover gekamd en bij zijn slapen met een vleugje pommade gladgestreken.

Roberto gaf Richard een hand. 'Ik ben blij dat u er bent.' Met de nonchalante gratie van een roofdier deed hij daarna een stap opzij om hem binnen te laten. In de foyer was het schemerig met hier en daar wat zwakke vlekken zonlicht, die van een hoog smal raam aan de voet van de trap kwamen. Op de achtergrond klonk zachtjes een grammofoon. Richard herkende de zwierige melodie van een pianosonate van Mozart.

'Komt u maar.' De Marchese ging hem voor. Zijn voetstappen weerklonken op de marmeren vloer. Richard volgde hem door openslaande deuren de salon in, waar al meer mensen aanwezig waren. Sophia was er ook. Ze draaide zich om en keek naar hem. Hij bleef midden in een stap staan en staarde haar aan. Ze droeg een tweedelige jurk van dieprode, changerende zijde. De snit verhulde de vorm van haar lichaam, maar toch vond Richard haar mooier en verleidelijker dan ooit. Haar haar was op klassieke manier opgemaakt. In de nek tot een knot in elkaar gedraaid, liet het haar gezicht vrij. Een kapsel dat de perfecte gelijkmatigheid van haar trekken en haar gracieuze hals goed uit liet komen. Ze droeg een kostbare ketting van robijnen, waarvan het fonkelende rood nog versterkt werd door de kleur van haar jurk. Ze lachte niet, maar in haar ogen zag hij een donker, geheimzinnig licht dat hem als een magneet aantrok. Hij liep naar haar toe en alsof ze alleen in de kamer waren, nam hij haar hand en bracht hem naar zijn lippen. 'Goedenavond, Sophia,' zei hij.

Nu lachte ze hem wel toe, ademloos en een beetje onzeker, en hij merkte dat zijn hart op hol sloeg.

'U had het verband er niet af mogen halen.'

Hij keek in haar ogen. 'De wond zag er niet erg gevaarlijk uit.'

Verward kwam hij het volgende moment weer tot zichzelf, toen de Marchese naar hem toe liep en hem aan de andere gasten voorstelde. Een elegante, blonde vrouw in een blauwzijden jurk en een lange, formeel geklede man, die tot Richards verbazing een spiegelbeeld van de Marchese leek te zijn – Giovanni Scarlatti, de chirurg waar Sophia hem over verteld had. Roberto stelde hem voor als zijn broer, waar Giovanni hartelijk om lachte, waarna hij zei dat ieder mens met ogen in zijn hoofd dat zelf wel kon zien.

Richard begroette de vrouw met een vluchtige handkus en een beleefde buiging.

Giovanni en Anna Scarlatti gedroegen zich tegenover hem gereserveerd, maar vriendelijk. Richard had moeite zijn verlegenheid te verbergen. Niet alleen vanwege zijn blunder om Sophia haastig te begroeten zonder af te wachten tot hij aan de anderen werd voorgesteld, maar ook omdat hij zich erg bewust werd van het klassenverschil. Het interieur van het huis was helemaal niet vol pracht en praal, maar de Marchese en zijn familie straalden de ongekunstelde, superieure zelfverzekerdheid uit van mensen die zich bewust zijn van hun stand. Ze waren daarbij helemaal niet hooghartig, maar dat versterkte het effect eerder. Als er iets bestond als een aangeboren noblesse, dan zag Richard die hier in de salon. Maar het lichte gevoel van onzekerheid verdween snel. Richard had geen complexen over zijn afkomst; zijn ouders waren, ondanks hun scholing, eenvoudige mensen zonder drang hogerop te komen, en ze hielden ook vast aan tradities; onvermoeibaar spanden ze zich in voor waarden als familietrouw, spaarzaamheid, beleefdheid en liefdevolle omgang met anderen. Richard had al snel geleerd dat die eigenschappen een vaste basis in zijn leven vormden. Vol dankbaarheid dacht hij terug aan het gevoel van geborgenheid, dat hij in zijn jeugd steeds ervaren had. En het was dat gevoel dat hem in staat stelde zijn leven te beheersen – en dat hem ook geholpen had over de dood van zijn kind en vrouw heen te komen. Hij had ooit ergens gelezen dat de liefde die een mens als kind had gekregen, hem hielp ook de zwaarste slagen van het lot te boven te komen.

'Uw Italiaans is voortreffelijk,' vond Anna.

Richard bedankte haar beleefd. Hij vroeg haar naar haar lievelingsschilder uit de Renaissance en meteen begon er een geanimeerd gesprek over Botticelli en Fra Filippo Lippi. Het duurde niet lang voor hij de schoonzus van zijn gastheer voor zich had ingenomen. Ze had net zoveel verstand van kunst als hij, en Richard genoot ervan met iemand over zijn studiejaren in Florence te kunnen praten die dezelfde verrukking voelde bij de aanblik van een Donatellofiguur, een Michelangelobeeld of een Da Vincischilderij. Ze praatten ook over zijn werk als kunsthistoricus. Anna Scarlatti luisterde geïnteresseerd toen hij op haar verzoek in grote trekken het onderwerp van zijn proefschrift schetste, dat hij een aantal jaren geleden over de Toscaanse frescoschilderingen in de Middeleeuwen had geschreven.

'Maar ik verveel u,' besloot hij ten slotte met een galant lachje.

'Kunst is nooit saai,' verklaarde ze energiek.

De Marchese voerde een gesprek met zijn broer en dochter. Ze stonden bij het raam en praatten met gedempte stemmen over de nieuwste ontwikkelingen in de oorlog. De Marchese had gehoord dat de Siciliaanse eenheden voorgoed ontbonden zouden worden. Ze hoopten allemaal op een snelle thuiskomst van Francesco.

'Ik word er gek van dat we nog geen nieuws van hem hebben,' zei

Roberto. Er kwam een grimmige rimpel tussen zijn wenkbrauwen, toen hij eraan dacht hoe vaak hij tevergeefs geprobeerd had via zijn politieke contacten in Florence en Rome iets over zijn zoon te horen. Niemand wist iets. De achterhoedegevechten waren nog steeds in volle gang, en geen mens kon zeggen hoe lang ze nog zouden duren. En niemand kon garanderen dat Francesco er onbeschadigd uit tevoorschijn zou komen. De communicatiesituatie was catastrofaal.

Na een poosje kwam Fernanda de salon binnen. Ze droeg een blad met vijf glazen, die ze uitdeelde. Richard bedankte de Marchese bij die gelegenheid voor de uitnodiging en bracht een toost uit op hem en zijn dochter. De prikkelende smaak van de champagnecocktail scherpte zijn zinnen, en hij wilde plotseling met heel zijn hart dat hij met Sophia alleen kon zijn.

Giovanni scheen de blikken van de Duitse gast op te merken. Hij verliet zijn broer en zijn nicht en ging bij Richard en Anna zitten. 'Hoor ik daar die alom bekende, vreselijk intimiderende namen? Da Vinci? Michelangelo? Donatello? Ben ik er geen vergeten?'

'Tientallen,' lachte zijn vrouw. 'Nee, nog veel meer!'

Hij legde zijn arm om haar schouder en gaf haar een lichte kus op haar slaap. 'Mijn vrouw is me in dit opzicht ver vooruit. Ik ben een enorme kunstbarbaar.'

'Je overdrijft vreselijk.'

Giovanni schudde goedmoedig zijn hoofd. 'Het is de waarheid,' zei hij tegen Richard. 'Ik kan een Titiaan niet van een Dürer onderscheiden.'

Anna gaf hem een speels tikje op zijn hand. 'Jij bent goed in dingen die veel belangrijker zijn.'

'Bijvoorbeeld het hanteren van een operatiemes,' zei Richard. 'Uw nicht heeft me verteld over uw werk in Montepulciano.'

Giovanni keek geamuseerd. 'Werkelijk? Alleen maar goeds, hoop ik?'

'Maakt u zich maar geen zorgen,' lachte Richard. 'Niets dan goeds.'

Hij was hen dankbaar dat ze op deze lichte manier met hem praatten en het moeilijke onderwerp van de oorlog vermeden. Het begin van de avond was goed verlopen, behalve dan dat hij nog niet met Sophia had kunnen praten.

Ze stond dicht bij haar vader en zei iets wat hij, net als het vorige gesprek bij het raam, niet kon verstaan. Het onderwerp scheen ernstig te zijn. Sophia had haar kin trots naar voren gestoken en de Marchese scheen ergens boos over te zijn.

Richard zou verrast zijn geweest als hij had geweten dat ze op dat moment over hem spraken.

'Wat heb je met die kerel te maken?' vroeg de Marchese boos.

'Wat bedoel je daarmee?'

'Hoe ver is het al? Hij staarde je aan als een... een...'

'Zeg het niet,' viel Sophia hem met rode wangen in de rede. Toen boog ze haar hoofd, zodat hij niet kon zien dat ze loog. 'We hebben alleen maar wat gepraat. Dat is alles.'

'Jullie hebben samen in het bos gewandeld. Denk je soms dat er hier op La Befana ook maar iets voor mij verborgen blijft?'

'Wat wil je daarmee zeggen?'

'Die Duitser daar is geen domme jongen zoals Antonio. Het is een man. En hij is gevaarlijk. Ik vertrouw hem niet.'

'Waarom niet? Wat heeft hij dan gedaan? Luister je soms naar het domme geklets van een kokkin?'

'Josefa heeft soms meer verstand dan jij, mijn kind. Maar daar gaat het nu niet om.'

'Vertel me dan eens waar het wel om gaat! Wat heb je tegen Richard Kroner?'

'Hij vecht aan de verkeerde kant.'

'Maar...'

'Spaar je adem, Sophia. Ik weet wat je wilt zeggen. Luister, mijn kind: de dagen van het bondgenootschap zijn geteld. De Duitsers zullen binnenkort onze vijanden en de bezetter zijn. Dan moge God ons bijstaan, want wat er vandaag gebeurde, was pas het begin.'

Sophia fronste. 'Ik begrijp niet...'

'Nee, want je was er niet bij.'

Sophia's verwarring nam toe. Ze wist niet waar hij het over had, maar het moest met het onderzoekscommando te maken hebben dat vandaag op La Befana was geweest. Ze had nog geen gelegenheid gehad met haar vader te praten over hoe dat verlopen was. Kon het echt zo erg geweest zijn?

'Als je zo vijandig staat tegenover de Duitsers, begrijp ik niet waarom je de eerste luitenant hebt uitgenodigd.' Sophia probeerde dat zo rustig mogelijk te zeggen. 'Hoe kan dat, papa? Je zegt dat je hem niet vertrouwt, en toch is hij vanavond onze gast!'

'Niet tóch, maar dáárom,' verbeterde Roberto haar koel. 'Ik wil mijn vijand in het oog houden als ik daar de gelegenheid voor heb.' Hij boog zich naar voren. 'Ik hoop in elk geval wel dat je weet waar je loyaliteit ligt.'

Sophia's hoofd ging met een ruk omhoog. 'Hoe kun je zoiets zeggen!'

Haar verontwaardiging maakte geen indruk op de Marchese. 'Je kunt trouwens wel een bijdrage leveren aan de veiligheid van ons allemaal.'

'Zeg het maar,' zei Sophia koeltjes.

'Praat met hem. Wees aardig.'

'Dat ben ik altijd.'

'En probeer informatie uit hem te krijgen,' ging de Marchese onverstoorbaar verder. 'Ik wil weten waarom hij hier rondsnuffelt.'

Sophia kneep zo hard in haar glas dat de knokkels van haar handen wit werden. 'Je hebt hem hier uitgenodigd om hem uit te horen!'

'Hou je in en praat zachter!'

'Hij is een man van eer!' zei Sophia, niet in staat haar boosheid te bedwingen.

'Misschien,' antwoordde de Marchese moe. 'Maar wat hij ook is: in eerste instantie is hij soldaat. En dat mag je nooit vergeten.'

Richard keek de eetkamer rond, nadat hij de hem toegewezen plaats naast Sophia had ingenomen. De tafel was stijlvol gedekt, met kristal, zilver en het fijnste porselein op glanzend damast, maar Richard kon, net als in de salon, ook hier zien dat er minder aandacht was voor aanstellerige elegantie dan voor degelijkheid. De tafelversiering was eenvoudig; een schaal met bloemen en twee brandende kaarsen. De grote, ronde tafel en de stoelen met hoge rugleuning waren van gepolijst eiken; het hout had in de loop der jaren de kleur van donkere aarde gekregen. Boven de tafel hing een kroonluchter, de enige, echte buitensporigheid in de kamer. Hij stamde uit de achttiende eeuw en kwam uit Frankrijk. De vader van de Marchese had hem in het begin van de eeuw aangeschaft; later was hij voorzien van elektrische bedrading.

Een buffetkast met opbouw en een hoekvitrinekast completeerden de inrichting van de eetkamer, die door een doorgang met de salon was verbonden.

Ook hier voerden openslaande deuren naar de tuin. De deuren stonden open en lieten de geur van rozen binnen.

Fernanda diende het voorgerecht op: klassieke, Italiaanse antipasti van verschillende, ingemaakte groenten. Daarbij werd knapperig, versgebakken witbrood en een lichte rosé geserveerd.

De Marchese had intussen een andere grammofoonplaat opgelegd. Nu waren de gedempte klanken van Amerikaanse jazz te horen.

'Ik hoop dat u van dit soort muziek houdt,' zei de Marchese met een ondoorgrondelijke gezichtsuitdrukking. Hij zat tegenover Richard, tussen zijn broer en zijn schoonzus.

Richard voelde hoe Sophia hem van terzijde aankeek. Ook zonder zich naar haar toe te wenden, merkte hij de lichte spanning in haar houding.

'Ik hou wel van jazz,' antwoordde hij vriendelijk.

'Tegen de muzieksmaak in die officieel van hogerhand aan het Duitse volk wordt opgelegd?' vroeg de Marchese met een spoor van ironie. 'Hoe noemt men het daar ook alweer? Wacht even... ja, ik heb het: negermuziek.'

Richard had genoeg ervaring om meteen te weten waar de Marchese naartoe wilde. Het was hem al eerder duidelijk geworden dat zijn gastheer hem niet uit vriendschappelijke motieven had uitgenodigd, maar uit tactische overwegingen. Richard had zich daarop ingesteld, en het kon hem niets schelen, zolang hij maar naast Sophia kon zitten en een spoortje van haar adem tegen zijn wang voelde.

Rustig antwoordde hij: 'Het is bekend dat smaken verschillen. Hoe arm zou onze cultuur zijn zonder verschillende stromingen. Men moet alle richtingen in hun waarde laten, oude en nieuwe, of het nu in de schilderkunst is of in de muziek. Veranderingen horen bij hun wezen. Dat geldt voor alle kunst in elke vorm.'

'Nou, ik denk dat u gelijk hebt – vooral als je het betrekt op het begrip tussen volkeren.'

Richard lachte flauwtjes. 'Mij ontgaat de samenhang, Marchese.'

'Die is heel eenvoudig. Mensen die vandaag vijanden zijn, kunnen morgen vrienden zijn.'

153

Anna bracht een toost uit. 'Dat heb je mooi gezegd, Roberto. En zo toepasselijk.' Ze keek rond met een lachje, dat ondanks haar opmerking een beetje verkrampt leek.

Ze wierp de Duitser een onzekere blik toe.

'Wat natuurlijk ook omgekeerd geldt,' voegde Roberto eraan toe. 'Ook vrienden kunnen vijanden worden.'

'Niet gedwongen.' Richard bleef hem aankijken. 'Het wezen van vriendschap zou zo'n verandering aankunnen. Ware vriendschap blijft altijd bestaan. Als ik vriendschap sluit, dan voor eeuwig.'

Naast hem hield Sophia haar adem in. Richard wendde zich naar haar toe en zag tot zijn verrassing de glans van tranen in haar ogen. Roberto gaf niet op. 'Waaraan denkt u dat je echte vrienden herkent?'

'Dat is makkelijk,' mengde Anna zich haastig in het gesprek. 'Als je in moeilijkheden zit, merk je pas wie je echte vrienden zijn.'

'Klopt,' stemde Giovanni er vrolijk mee in. 'Laten we hopen dat we nooit in moeilijkheden komen!' Hij hief zijn glas.

Roberto antwoordde nonchalant: 'Een goede heildronk. We moeten het daar maar bij laten.'

Hij wenkte het dienstmeisje dat in de deuropening op zijn bevelen stond te wachten.

De lege borden werden afgeruimd en de volgende gang werd geserveerd: een heerlijke paddestoelenrisotto. Richard at met veel smaak en deed ook de wijn, die het dienstmeisje regelmatig bijschonk, alle eer aan. Af en toe wisselde hij opmerkingen uit met Roberto, die alleen over onschuldige onderwerpen gingen. Blijkbaar wilde de Marchese zijn gast niet voor het hoofd stoten. Het leek alsof twee elegante schermers om elkaar heen draaiden en elkaars vaardigheden taxeerden.

Na de risotto volgde een met rozemarijn gekruide lamsrug, waarbij een fruitige rode wijn werd geserveerd. Het vlees was zo zacht dat het op de tong smolt, en de gasten waren vol lof.

Giovanni zwaaide met zijn vork. 'Ik ga Josefa omkopen om voor mij te komen werken.'

'En waarmee wil je haar dan omkopen, lieve broer?'

'Eens kijken. Wat heb ik te bieden? Kosteloze medische verzorging tot het eind van haar leven.'

'Dat krijgt ze al van dokter Rossi,' merkte Sophia op. 'Hij komt eens per maand om naar haar gewrichtsreuma te kijken. Daarvoor mag hij bij haar in de keuken eten. Hij is voor haar kookkunst gevallen en heeft haar al drie huwelijksaanzoeken gedaan.'

De Marchese lachte. 'Hoor, hoor!'

Sophia wendde zich tot Richard. 'Dat mag eigenlijk niemand weten, want het is een geheim.'

'Hoe weet u het dan?'

'Omdat ik hen heb afgeluisterd,' antwoordde Sophia prompt. Schalks keek ze hem in de ogen. Ze straalde hem toe en Richard voelde dat hij het warm kreeg.

Als Roberto het al gemerkt had, dan liet hij in elk geval niets merken. 'Als Josefa met iemand gaat trouwen, dan met mij,' verkondigde hij goedgehumeurd.

'Dan zul je haar toch eerst moeten vragen,' merkte Giovanni listig op.

'Wacht maar af wat we als nagerecht krijgen.'

Opeens was de stemming ontspannen. Toen Fernanda verscheen om de borden weg te halen, zei Roberto: 'Zeg alsjeblieft tegen Josefa dat ze zichzelf heeft overtroffen. En als ze ooit op de gedachte komt La Befana te verlaten, dan sluit ik haar op in de kelder.'

Fernanda sperde geschrokken haar ogen open, maar lachte toen, maakte een lichte buiging en verdween haastig naar de keuken.

Josefa dook kort daarna zelf op om het nagerecht te serveren. Ze had een smetteloos wit schort met kostbaar kant aan, dat ze overduidelijk alleen voor dit doel droeg. Majestueus liep ze met haar blad om de tafel heen en zette een schaaltje met zabaglione voor de Marchese neer.

Hij bekeek het schaaltje dat mooi was opgemaakt met muntblaadjes en getruffeerde slagroom, en pakte zijn lepel.

Josefa bleef afwachtend naast hem staan. Blijkbaar was dit een ritueel dat zich veel vaker voltrok.

Roberto proefde een lepel vol. 'Ah!' zuchtte hij verrukt. 'Wil je deze keer wel met me trouwen, Josefa?'

'Nee,' antwoordde Josefa onaangedaan. 'Maar vraag het gerust nog een keer. Misschien zeg ik op een keer wel ja.'

Ze liet een vrolijk lachje horen, terwijl ze de anderen serveerde. Toen ze bij Richard kwam, was ze opeens stil. Ze knalde het schaaltje zabaglione voor hem neer en snoof verachtelijk. Toen was ze in een werveling van zwarte rokken en wit kant verdwenen.

'Vrouwen,' zei de Marchese spottend. 'Ze zijn gewoon onberekenbaar.'

'Niet allemaal,' vond Sophia. 'Onder de tafel zocht ze naar Richards hand en drukte hem kalmerend.

Met een onbewogen gezicht beantwoordde hij het gebaar kort. Toen veranderde zijn aanraking ineens, werd intiem en teder. Net als die ochtend in het bos streek hij over haar huid, gleed met zijn duimen langs de welvingen van haar hand, over de zachte binnenkant van haar vingers.

Sophia voelde hoe een gloeiende hitte zich over haar gezicht verspreidde en snel boog ze haar hoofd om haar roodheid te verbergen.

Richard merkte haar verlegenheid en liet haar los – na een laatste druk van zijn vingers.

De maaltijd had lang geduurd. Het was inmiddels na tienen. Fernanda serveerde sherry en cognac in de salon. De Marchese stak het klaarstaande hout in de open haard aan en al snel klonk het geknetter van het vuur door de kamer.

Anna en Sophia zaten naast elkaar op de leren bank. Giovanni stond in een ontspannen houding voor hen, zijn voet op de stapel haardhout en met twee vingers zijn cognacglas op zijn knie balancerend.

'Bijna als vroeger,' zei hij weemoedig.

Sophia keek naar hem op en haar blik volgde de zijne naar de vleugel aan de andere kant van de kamer. Ze beet op haar lippen, omdat de aanblik pijn deed. Hoe vaak had ze daar 's avonds gezeten en haar moeder op de vleugel begeleid? Zeker duizend keer of vaker, en bijna altijd waren Anna en Giovanni erbij geweest. En Francesco natuurlijk.

Met plotselinge innigheid dacht Sophia aan haar broer, en ze had er veel voor over gehad hem nu in haar armen te kunnen sluiten.

Anna zei tegen Richard: 'Mijn nichtje moet u straks de badkamer op de bovenverdieping eens laten zien. Het is echt een juweeltje van Jugendstil.'

Richard stond dicht bij de open haard en genoot van de warmte van het vuur op zijn rug. De Marchese was in een van de fauteuils gaan zitten en bladerde in een tijdschrift. Zonder op te kijken, zei hij: 'Hij zal hem later toch wel zien, want hij blijft hier overnachten.'

'Ik zal u straks uw kamer wijzen,' bood Sophia aan.

Het gesprek kabbelde nog een poosje voort. De Marchese was nu in een vredelievende stemming. De door Richard verwachte, indringende vragen bleven uit, en er kwamen ook geen scherpe, dubbelzinnige opmerkingen meer. In plaats daarvan toonde Roberto zich een charmant causeur. Hij scheen vastbesloten de ontspannen sfeer vast te houden en alle wanklanken te vermijden. Onderwerpen die de oorlog of het bondgenootschap betroffen, vermeed hij zorgvuldig, net als alles wat met de aanslag op Richard en het onderzoek door de SS te maken had.

In de loop van de avond vermaakte hij de aanwezigen met anekdotes uit zijn en Giovanni's jeugd. Als jongens hadden ze de volwassenen met hun talloze streken tot wanhoop gedreven, waarbij ze schaamteloos gebruik hadden gemaakt van hun gelijkenis.

'Lieve hemel, dat waren nog eens tijden,' grinnikte Giovanni. 'Wat hebben wij een wisseltrucs uitgevoerd!'

'Maar het liep niet altijd goed af,' zei Roberto grijnzend. 'Ik herinner me bijvoorbeeld nog die afschuwelijke levertraan...'

'Hij heeft altijd beweerd dat hij zijn portie al had ingenomen,' klaagde Giovanni prompt.

'Dat had je toch alleen maar hoeven rechtzetten,' vond Sophia.

'Tja, maar er was één probleem. Hij had hem echt al ingenomen.'

Iedereen lachte.

'Maar soms hadden we ook meer geluk,' zei Roberto knipogend.

'Wat bedoel je met wé!' riep Giovanni quasi-verontwaardigd uit.

'Ik denk alleen maar aan die voortreffelijke Tiroolse appeltaart van Josefa...'

'Vergeet niet dat ik de oudste rechten had!'

'Poeh! Oudste! Vijf minuten, dat is toch niks!'

'Hoe zat dat met die appeltaart?' vroeg Anna, hoewel ze het verhaal al kende.

'Nou dat zal ik je vertellen.' Giovanni wees beschuldigend naar zijn broer. 'Hij beweerde dat niet hij, maar ik al een stuk had gehad, en hij dus nog niets. En dat was nog niet alles. Nadat hij de twee stukken naar binnen had gewerkt, ging hij weer terug naar

de keuken en deed heel verontwaardigd, waarbij hij mij het bedrog in de schoenen schoof. En toen moest Josefa hem, als broer die nog niets had gehad, natuurlijk ook twee stukken geven!'
Roberto trok een gezicht. 'Het is nog maar de vraag of het echt zo'n geluk voor me was. Ik weet nog dat ik me de hele dag beroerd heb gevoeld. Nog nooit heb ik zo'n buikpijn gehad!'
'Waarmee we bij de vraag komen of Josefa niet al de hele tijd doorhad wat er gebeurde,' zei Richard.
De broers keken elkaar verbouwereerd aan.
'Dat idee is nou nog nooit bij me opgekomen,' zei Giovanni peinzend.
'Ja, het heeft wel wat,' moest Roberto toegeven.
'Erg veel zelfs,' verklaarde Anna beslist. 'Ik had het in elk geval ook zo gedaan als een oneerlijk zesjarig ventje had geprobeerd me erin te luizen.'
'We waren pas vijf,' zei Roberto klagelijk.
'Maar die truc hebben jullie vast nooit meer uitgehaald, hè?'
'Nooit meer,' lachte Roberto.
Op die manier kreeg de avond een vergevingsgezinde sfeer. Giovanni en Anna braken kort daarna op.
'Misschien zien we elkaar nog eens,' zei Anna. Ze gaf Richard ten afscheid een hand.
'Wie weet,' lachte Richard. 'Misschien komen we elkaar wel weer voor een oude meester tegen. Of misschien kom ik nog wel eens in Montepulciano.'
'U bent altijd welkom, zodra deze oorlog voorbij is.' Giovanni's afscheidswoorden werden luchtigjes geuit, maar de onderliggende boodschap kwam duidelijk bij Richard over. *Blijf weg als je niet in vrede kunt komen.*
Roberto liep met hen mee de hal in. 'Ik loop met jullie mee naar de auto.' Hij wierp Sophia een blik toe. 'Wacht maar niet op me. Ik moet nog even met Salvatore praten.' Tegen Richard zei hij: 'Ik wens u alvast goedenacht, *Tenente.*'
De dubbele deur viel achter hem in het slot. Richard en Sophia waren alleen.

12

Ze liep naar het dressoir en rommelde met de glazen en flessen.
'Nog wat cognac?'
Hij gaf haar zijn lege glas aan. ' Een klein beetje, alsjeblieft.'
Ze goot een bodempje van de barnsteenkleurige vloeistof in het
glas en gaf het aan Richard.
'En jij?' Zonder veel omhaal tutoyeerde hij haar weer.
Sophia wist niet waar ze haar handen moest laten en dus schonk ze
zich nog wat sherry in, al had ze er al twee glazen van gehad. Bij het
eten had ze wijn gedronken, niet veel, hoogstens drie halve glazen,
maar ze was niet aan alcohol gewend. Ze merkte dat ze een beetje
zweverig was.
'Ik wil je al de hele avond zeggen hoe betoverend je eruitziet in die
jurk.'
'Dank je.' Ze liep naar de open haard en legde twee blokken hout
op het vuur, waarna ze erin porde tot de vonken in het rond vlogen. In een onbewust bevallig gebaar strekte ze zich vervolgens
uit. De losse mouwen van haar jurk vielen open. Gefascineerd bekeek Richard het spierenspel op haar blote armen. De haartjes op
haar onderarmen waren blond, alhoewel ze een donker type was.
Ze praatten een poosje over van alles en nog wat, net als de laatste
keer in de polikliniek en tijdens hun wandeling van die ochtend.
Het gesprek kabbelde licht en gezellig verder, maar Richards gedachten draaiden steeds om hetzelfde onderwerp. Hij staarde in
de flakkerende vlammen. Had hij te veel gedronken? Objectief ge-

zien zou hij die vraag ontkennend beantwoorden, maar zodra hij de vrouw naast zich bekeek, was hij daar niet meer zo zeker van. Als hij langer naar Sophia zou kijken, zou hij iets ondoordachts doen. Zijn zelfbeheersing hing aan een zijden draadje, zijn verlangen was zo sterk dat hij zich haast een dier voelde. Zijn verlangen Sophia aan te raken, haar warme huid te voelen, haar zinnelijke mond met zijn lippen te bedekken, was nauwelijks onder controle te houden.

Richard had het vage vermoeden dat de Marchese er niets op tegen zou hebben – mits het niet meer zou worden dan een flirt bij het haardvuur. Een zedige kus, een paar gestamelde woorden van hartstocht, meer niet. Zonder twijfel zou Roberto Scarlatti op tijd weer opduiken om erger te voorkomen.

Richard had geen illusies over de motieven van zijn gastheer. Hij wilde twee dingen: ten eerste moest hij hem, de Duitser, gunstig stemmen om verdere strafmaatregelen vanwege de aanslag te voorkomen. Dat Schlehdorff op dat punt niet met zich liet spotten, was de Marchese waarschijnlijk in de loop van de middag pijnlijk duidelijk geworden. Schlehdorff liet niet zo gauw los als hij zich in een zaak van enige betekenis had vastgebeten – en in deze dagen was een aanslag op een Duitse officier ernstig genoeg om verreikende maatregelen te rechtvaardigen. Schlehdorff zou terugkomen. Hij had de Marchese instinctief als tegenstander herkend.

Ten tweede was Scarlatti op hetzelfde uit als waarvoor Richard naar La Befana was gekomen: informatie.

Niets was zo waardevol als kennis over de vijand.

Over overwinning of nederlaag in een oorlog werd niet alleen beslist door de troepensterkte, het aantal tanks en vliegtuigen, de overmacht aan bommen, geweren en munitie. Het hoofdbeginsel van een goede krijgsvoering was dat je de geheimen van je tegenstander kende, achter zijn zwakke plekken probeerde te komen en daar listig op reageerde. Pas dan kon je beginnen hem met de gewone wapens te verslaan. Op die manier kon ook iemand winnen die zwakker was dan zijn tegenstander.

In stilte moest Richard zijn gastheer om die strategie bewonderen. Als een mens hem achteloos kon doen worden, dan zonder twijfel dit meisje. Als Scarlatti haar als wapen wilde inzetten, dan had hij een goede keus gemaakt.

Ze draaide zich naar hem om en lachte ondeugend. 'Wil je mij je geheim niet vertellen?'

'Wat zou dat dan kunnen zijn?' plaagde hij haar.

'Dat weet ik niet, daarom vraag ik het.'

'Geheimen blijven alleen geheim als men ze voor zich houdt.'

'Dat weet ik. Maar er is niets zo opwindend als een geheim ontdekken.'

'Daar heb je gelijk in,' gaf Richard geamuseerd toe. 'Maar misschien heb ik helemaal geen geheimen.'

'Toch wel,' hield ze pruilend vol. 'Je hebt er een, dat weet ik. Je wilt er niet over praten, maar ik wil het graag weten.'

Ze lachte weer, maar deze keer op een manier waardoor zijn adem sneller ging. Vastbesloten zette hij zijn glas cognac op de schoorsteenmantel, nam toen het glas sherry uit haar hand en zette het naast zijn eigen glas.

Hij greep haar hand en kuste speels haar vingertoppen.

Ze staarde hem aan en verzette zich niet toen hij haar dichter naar zich toe trok.

'Je hebt gelijk,' zei hij met schorre stem. 'Ik heb een geheim. En ik zal het je vertellen.'

Hij had haar aan haar hand zo dicht naar zich toe getrokken dat haar dijen de zijne raakten. 'Ik verlang naar je, Sophia. Moge God me bijstaan, maar ik verlang zo naar je dat ik niet anders kan.'

Hij nam haar in zijn armen. Zijn mond naderde de hare en niets had hem nu meer tegen kunnen houden. Niet haar geschrokken, wijdopen ogen, niet het plotselinge harde geknetter van een blok hout in het vuur, niet de plotselinge windvlaag die de gordijnen naar binnen deed waaien.

Het volgende moment kuste hij haar met een heftige intensiteit. Zijn mond duwde zich tegen haar lippen en dwong haar hem open te doen.

Sophia kon niet meer helder denken. Verlangen stroomde door haar aders, opwindend en beangstigend tegelijk. Ze voelde zijn onderzoekende tong in haar mond en dacht dat ze flauw zou vallen.

Alleen een kus, dacht Richard. Alleen maar één enkele kus...

Het zou nooit genoeg zijn, dat wist hij op hetzelfde moment dat ze haar lippen opende. Ze smaakte naar sherry, zacht en zoet, een aroma van uitgelezen scherpte. Het was als een withete explosie die hem pakte en schokte en hem alles om zich heen deed vergeten, behalve dat ene dat hij doen moest, omdat hij anders gestorven was. Hij kreunde, zijn tong drong zich naar voren tegen de hare, onderzocht haar hete mond, steeds weer, steeds dieper. Sophia snakte naar adem. Ze kon nauwelijks nog ademhalen, maar het stoorde haar niet. Richard hield haar vast omklemd, zijn omhelzing dreigde haar ribben te breken, maar ze verwelkomde hem. Nog nooit had iets haar zo goed, zo geweldig geleken. Instinctief beantwoordde ze zijn kus, ontmoette haar tong voorzichtig de zijne. Een kreunend geluid steeg op uit zijn borst toen ze dat deed. Sophia voelde hoe ze duizelig werd toen Richard haar omdraaide en tegen de houten betimmering naast de open haard duwde.

Hij hield niet op haar te kussen. Zijn handen lagen zwaar op haar heupen en drukten haar tegen zijn lendenen. Daarbij duwde hij haar tegen de muur, niet hard, maar nadrukkelijk met vloeiende, ritmische bewegingen. Sophia had het gevoel als warme was te smelten. Het was niet de hitte van het vuur naast haar dat dat gevoel opriep, maar de harde zwelling aan zijn lichaam die zich tegen haar venusheuvel drukte. Sophia voelde hoe een vloeibare gloed in golven door haar onderlichaam stroomde. Zonder erbij na te denken, ging ze op haar tenen staan om hem tegemoet te komen.

Richards lippen verlieten haar vochtige mond, beroerden na elkaar haar wangen, haar hals, haar oorlelletjes. Hij ademde zwaar en hortend en stotend. Zijn borst ging op en neer als een blaasbalg, en toch scheen het hem niet te lukken genoeg lucht voor een heldere gedachte binnen te krijgen. 'Dit is waanzin.' Zijn stem was onduidelijk, nauwelijks te verstaan. 'Zeg me dat ik moet ophouden.'

'Nooit. Ik wist niet...'

'Wat?'

In de weerschijn van het vuur werd ze vuurrood. 'Niks. Alleen...' Ze drukte zich tegen hem aan, wilde meer van zijn hardheid. 'Ik was nog zo dom.'

Richard wilde niet praten. Hij kuste haar opnieuw, nog dringender dan eerst. Zijn rechterhand bewoog zich van haar taille over haar bovenlichaam omhoog, gleed met koortsachtige haast over de boog van haar ribben en bleef op haar linkerborst liggen. Verdoofd betastte hij de halfronde vorm onder zijn vingers. Het was zo lang geleden dat hij dit gedaan had, een eeuwigheid. Zijn duim vond de gevoelige tepel onder de soepele stof van haar jurk. Sophia kreunde en boog zich naar hem toe, toen hij haar op die manier aanraakte. Zijn hand gleed in de opening van haar jurk en beroerde de zachte huid onder haar beha. Haar warmte ontstak een vuur in hem dat hij niet meer onder controle had. Razende lust vlamde in hem op, hij wilde haar nemen, hier en nu.

Zijn liefkozingen werden harder, haast ruw, en een zacht, haast snikkend geluid ontsnapte haar. Ze bevond zich in een andere wereld, waarin niets anders bestond dan dat verzengende, allesoverheersende gevoel van begeerte. Ze kon hem niet weerstaan. Als hij haar had gewild zou ze zich aan hem hebben gegeven, zo, zoals ze was, tegen de muur geleund, naast de schoorsteenmantel in de salon van haar vader.

Maar zover kwam het niet.

Er klonk een luid geklop en het volgende moment vloog de deur open. Richard en Sophia stoven uit elkaar, een seconde voor Josefa verscheen, met een openhangende ochtendjas over haar nachthemd en met losse, verwarde haren.

'Wat is er, Josefa?' vroeg Sophia, terwijl ze zich een houding probeerde te geven. Ze tastte trillend naar haar glas en nam een grote slok. Richard deed hetzelfde, terwijl hij met zijn andere hand door zijn haar streek.

De kokkin was te opgewonden om het pikante van de situatie op te merken.

'Ze hebben het net doorgegeven,' stamelde ze. Tranen sprongen in haar ogen en stroomden langs haar wangen. 'Na zoveel jaren! Mijn god, na twintig jaar!'

'Wat is er in 's hemelsnaam aan de hand?' vroeg Richard.

Josefa huilde. 'Ze hebben het net op de radio gezegd. Hij is afgetreden. Mussolini is afgetreden! De Heer zij geloofd, hij heeft het gedaan!'

Richard en Sophia keken elkaar aan.

'Wat hebben ze nog meer gezegd?' wilde Richard weten.

'De koning heeft maarschalk Badoglio in zijn plaats als premier benoemd en hijzelf heeft het opperbevel over de strijdkrachten overgenomen!'

'Wat hebben ze over de oorlog gezegd?' riep Richard opgewonden uit. 'Wat gebeurt er met de oorlog?'

Josefa friemelde aan de zoom van haar ochtendjas. Haar houding drukte diepe moedeloosheid uit toen ze antwoordde: 'Badoglio heeft in een open verklaring bekendgemaakt dat Italië woord houdt.'

Sophia deed ongerust een stap naar voren. 'Wat betekent dat?'

'Dat de oorlog verdergaat,' zei Richard zacht.

Josefa knikte zwijgend, maar heftig. 'Ik moet het aan de Marchese gaan vertellen!'

'Dat doe ik wel,' zei Sophia. 'Ga maar weer naar bed.'

Josefa trok zich met een gemompeld goedenacht terug.

Sophia streek haar haren uit haar gezicht. Met hoogrode wangen zei ze: 'Ik zal je snel laten zien waar je kamer is.'

Richard zocht naar woorden. Zijn wanhopige blik zei haar dat hij haar om vergeving wilde vragen. 'Sophia, ik...'

'Het is al goed,' onderbrak ze hem. 'Kom mee naar boven.'

Schaamte en onderdrukte opwinding bepaalden haar bewegingen, toen ze hem boven naar de logeerkamer leidde. Fernanda had de kamer gelucht en het bed opgemaakt.

'Ik hoop dat hij je bevalt,' zei ze met afgewend gezicht. Haar hulpeloze handbeweging omvatte de ruime kamer, waar een bed met dikke poten en een hoofdeinde van houtsnijwerk en een hoge klerenkast uit de vorige eeuw stonden.

'Sophia.' Hij pakte haar hand en hield hem vast. 'Wat ik gedaan heb, was onvergeeflijk en je niet waardig. Vergeef me alsjeblieft.'

Nu deed hij het toch! Haar wangen brandden. En daarbij was zíj toch degene die zich onvergeeflijk en schandalig had gedragen, niet hij! Hij had alleen gereageerd op dat wat ze hem zo onomwonden had aangeboden! Als ze bedacht wat ze haast had gedaan! Ze was bijna zover geweest hem te smeken haar te nemen!

Haar gezicht brandde en ze trok haar hand terug.

'Sophia, wat...'

'Niet.'

'Alsjeblieft, blijf. Praat tenminste met me.'

Ze schudde haar hoofd. 'Ik wil er niet over praten.'

Ze trok zich achteruitlopend terug. Toen vluchtte ze. Seconden later hoorde hij haar de trap afgaan.

Richard staarde haar na en onderdrukte de vloek die hem op de tong lag. Hij had alles verknoeid! Wat was hij voor een idioot haar zo te overvallen! Hij had zich als een beest gedragen! Geen wonder dat ze niet meer met hem alleen wilde zijn! Maar misschien was het beter zo. Nee, dat was niet zo, gaf Richard zichzelf toe. Het was zéker beter zo. Alle redenen die tegen een liefdesverhouding met dit meisje spraken, golden nog steeds. Hij was getrouwd. Hij was een soldaat in een vreemd land. De tijden waren onzeker, en niemand kon zeggen of hij volgend jaar om deze tijd nog in leven zou zijn. Maar zijn gevoelens waren sterker dan zijn verstand. Zijn hart wilde niet accepteren dat alles voorbij was, voordat het zelfs maar was begonnen. Hij wilde haar nog steeds, met al zijn zintuigen. Een paar vluchtige ogenblikken had hij in haar binnenste kunnen kijken en daar gezien dat ze hem op dezelfde manier wilde. Een bijzondere macht die ver boven het lichamelijke uitging, trok hen naar elkaar toe. Richard was oud genoeg om het verschil te merken. Het was alsof ze elkaar over een grote afstand heen gevonden hadden, en het moment waarop ze elkaar hadden aangeraakt, was zo onvergelijkelijk zoet geweest dat het bijna pijn had gedaan. Haar in zijn armen te mogen houden, haar te voelen, zich in haar te verliezen, had iets in hem losgemaakt wat hij nog nooit eerder had gevoeld, ook niet tijdens zijn huwelijk. Het was alsof zich een cirkel had gesloten, alsof iets vervuld was – als twee delen van een gebroken ziel.

De teleurstelling was als een lichamelijke pijn, een harde knoop in zijn lichaam, die hem de adem benam. Moedeloosheid overviel hem, ja erger nog, het was een gevoel van volkomen mislukking en erbarmelijke onvolmaaktheid. Het leek hem opeens alsof zijn hele leven tevergeefs was geweest, alsof het nooit ergens toe had geleid.

Plotseling was hij erg moe.

Richard trok zijn uniformjasje uit en hing het over een van de ronde bedstijlen. Toen liep hij naar het raam en keek naar buiten. De hoge bomen voor zijn raam bewogen zachtjes in de wind. Onder zijn kamer liep het heuvelland naar het zuiden af, diep weggedoken in de nachtelijke duisternis. De cipressen aan de rand van de oprit waren zwak te zien; hun toppen bewogen langzaam alsof ze door de hand van een reus werden gestreeld.

Het was een onbedorven, groots landschap, een toverland dat onberoerd leek te zijn door mensenhanden. Slechts een paar eenzame lichtjes schenen vanuit de omliggende huizen naar buiten. Richard opende het raam en verwelkomde de nachtwind. De maan boven de weg die naar het dal voerde, was een onwerkelijk grote, bleke kogel omgeven door een grote halo. Het fonkelen van de sterren verdronk in dat transparante, melkachtige licht dat de hele hemel leek op te vullen. Ergens in de verte schreeuwde een uiltje.

Richard nam de geuren en geluiden van de levendige nacht in zich op.

Een windvlaag liet de geopende luiken klapperen. Er waaide een haarlok in zijn ogen en met een onbewuste beweging streek hij hem opzij. Daarbij kwam hij vlak bij zijn slaap, en de korte, scherpe pijn maakte iets in hem los. De beklemming die over hem was gekomen, verdween. Hij voelde hoe de bitterheid van hem afviel en een zekerheid opkwam, die met elke slag van zijn hart sterker werd.

Het was niet voorbij. Het was begonnen en zou verdergaan.

Hij kon niet zeggen waarom hij dat zo zeker wist.

Maar hij wist het, en dat was genoeg. En het was echt een zekerheid, veel meer dan een gevoel of hoop, een zekerheid zo oud als de tijd en zo grenzeloos als de eeuwigheid. Spoedig zou hij haar weer in zijn armen houden, en dan zou ze niet meer weglopen.

Hij was daar zo zeker van dat hij hardop lachte. Hij voelde zich opeens vrolijk en blij als een kleine jongen.

Op datzelfde moment sprak de Marchese met zijn rentmeester over de onderzoeksactie van de SS en over de Engelse krijgsgevangenen.

Salvatore hoorde het zonder zichtbare emotie aan toen Roberto zei dat hij er rekening mee hield dat Schlehdorff binnenkort terug zou komen.

'Waarschijnlijk heb ik die kerel tegen me in het harnas gejaagd. Hij is zo glad als een aal, maar hij heeft er heel duidelijk plezier in om mensen te treiteren. Hoe dan ook, met hem is het geen goed kersen eten.'

Salvatore knikte kalm. 'Datzelfde kun je over de Engelse krijgsgevangenen zeggen. Voorzover het Engelsen zijn. Dat is van de meesten niet precies te zeggen. Er zitten er in elk geval een paar tussen waar we goed op moeten letten.'

'Ik laat het aan jou over hoe je ze behandelt.'

'Nou, in dat geval kan het gebeuren dat in de loop van de volgende week de helft van hen ontsnapt. Die kerels hebben honger, en wij zijn niet in staat zoveel extra monden te vullen. In elk geval niet voor langere tijd. En dan heb ik het nog niet eens over de mensen die we als bewakers moesten aanstellen.'

Elsa kwam de werkkamer binnen maar zei niets terwijl ze de mannen een glas wijn inschonk. Daarna trok ze zich meteen weer terug.

Roberto's gesprek met Salvatore was snel beëindigd. De rentmeester was zwijgzaam en in zichzelf gekeerd. Zijn brede schouders hingen naar beneden, alsof hij doodmoe was. Er lagen schaduwen onder zijn ogen, en hij streek meerdere keren vermoeid met zijn hand over zijn gezicht.

'Je ziet er doodmoe uit,' zei Roberto.

Salvatore antwoordde kort: 'Ik heb een vervelende dag achter de rug, maar van een goede nachtrust zal ik wel weer opknappen.'

'Dan zal ik je niet langer storen.' Bijna had Roberto eraan toegevoegd: *beste vriend*, zoals hij anders vaak deed als hij hier kwam om de gebeurtenissen van de dag te bespreken. Maar de woorden wilden deze keer niet over zijn lippen komen. De hele avond had hij zijn boosheid nauwelijks kunnen bedwingen. Steeds weer zag hij die twee voor zich, Elsa in Salvatores armen, in hun gezamenlijke slaapkamer, vlak naast het echtelijk bed.

Dat beeld had zich als een zuur in zijn binnenste gebrand. Hij had geprobeerd het te verdringen, in een vriendelijke stemming te komen, om tenminste tijdens het eten de Duitser voor zich in te nemen. Dat was hem alleen gelukt omdat hij zich steeds voor ogen had gehouden dat het om La Befana ging, om het landgoed, de gezinnen en de hogere belangen van de mensen die van hem afhankelijk waren. Hij moest erachter zien te komen wat de Duitsers hier van plan waren, en daarvoor was bijna elk middel gerechtvaardigd.

Maar om hier bij Salvatore te zitten en net te doen alsof alles in orde was, ging zijn krachten bijna te boven.

Ze is van mij! had hij wel willen uitschreeuwen. Hij was naar Salvatore gegaan met het vaste voornemen om het hem te vertellen. Maar het lukte hem weer niet. Hij had een vieze smaak in zijn mond, die met wijn niet weggespoeld kon worden. Nog nooit had hij zichzelf zo veracht als op deze avond. Salvatore zou het toch binnenkort wel horen, als dat wat Roberto aannam zou gebeuren. Waarschijnlijk had Antonio hem en Elsa samen gezien. Anders waren zijn verwarde opmerkingen in het bos, waar Sophia hem over verteld had, niet te verklaren.

Al was Antonio tijdig gestopt – Roberto werd nog steeds woedend als hij eraan dacht. Wat er tussen hem en Elsa was, gaf haar zoon niet het recht zich bij Sophia vrijheden te veroorloven! Hij zou die jongen zo'n pak slaag geven dat horen en zien hem zouden vergaan!

Wat de aanslag op de Duitse officier betreft, waren Roberto's gevoelens tegenstrijdig. Hij wist dat Salvatore die actie sterk veroordeelde, en waarschijnlijk niet van mening zou veranderen als hij wist dat de sluipschutter zijn eigen zoon was.

Maar Roberto zag meer in de aanslag, hij begreep het gevoel dat erachter lag, herkende de wanhoop waarmee de jongen tot zijn besluit moest zijn gekomen. De partizanen vochten de strijd van de verliezers, ze vochten uit naam van een hulpeloos volk dat van alle wapens was beroofd. Ze wilden niet toelaten dat hun landgenoten als een kudde apathische schapen in een kooi werden gedreven, en met huid en haar werden overgeleverd aan de grillen van een zelf benoemd superieur ras.

Partizanen waren radicaal, maar geen pure fanatici. De meesten waren jonge, hoopvolle mannen en niet weinigen van hen behoorden tot de elite van hun generatie. Ze waren compromisloos, moedig en geloofden in hun zaak. Ze volgden een strategie van speldenprikken, van uitputting, waarvan het uiteindelijke doel vrijheid was. Voor die vrijheid zetten ze hun leven op het spel.

Roberto had zo'n instelling kunnen bewonderen, als hun acties niet ook tegelijkertijd de levens van onschuldige mensen in gevaar brachten. In dit geval was La Befana erin betrokken, en zoals het er nu naar uitzag, kwamen er daardoor niets dan moeilijkheden.

Salvatore keek hem sloom aan. 'Waaraan denkt u, Marchese?'

'O, aan niets bijzonders.'

De klok aan de muur sloeg middernacht. Het werd tijd. Roberto stond op. 'Je bent doodmoe,' zei hij. 'We zien elkaar morgen weer.' Toen Salvatore aanstalten maakte ook op te staan, maakte Roberto een afwerend gebaar. 'Blijf maar zitten. Ik kom er wel uit.' Op weg naar buiten kwam hij langs de openstaande keukendeur. Elsa wierp hem een blik over haar schouder toe en zag de vraag in zijn ogen. Roberto registreerde haar korte, nauwelijks merkbare knikje en liep verder.

Hij wachtte op haar in de door struikgewas en hekken omgeven olijfboomgaard boven de *Fattoria.* Dichtbij genoeg om snel thuis te kunnen zijn, en ver genoeg van het huis om niet gezien te worden tussen de dicht op elkaar staande bomen. Ze hadden elkaar daar al vaker ontmoet, als de maan helder genoeg was om zonder lamp buiten te kunnen lopen.

Roberto had nauwelijks twintig minuten gewacht toen hij zachte, voorzichtige voetstappen hoorde. Even later was ze bij hem.

'Slaapt hij al?'

Ze knikte, te uitgeput om langere verklaringen te geven.

'Wat wil je, Roberto?'

De woede die de hele avond over hem had gehangen, flakkerde plotseling op. 'Je hebt je belofte gebroken.'

Ze wist wat hij bedoelde. Zonder de moeite te nemen het te ontkennen, zei ze: 'Het ging niet anders.'

Het liefst had hij haar een klap gegeven. Bitterheid en razende jaloezie vraten aan hem, maar hij wist niet wat hij moest zeggen.

Ze ging met haar benen onder zich in het gras zitten en keek naar hem omhoog. Hij stond naast een knoestige olijfboom, en de contouren van zijn gestalte waren door maanlicht omgeven. Zijn gezicht was in de duisternis niet te zien.

'Het is met hem niet als met jou. Nooit kan het met een ander zijn als met jou.'

'Woorden,' stootte hij uit. 'Alleen maar woorden!'

'Je weet dat dat niet waar is!' Ze schreeuwde haast. 'Ik hou van je!'

'Dan wordt het tijd!'

'Waarvoor?'

'Dat hij dat hoort.'

Ze ademde trillend uit. 'Ik denk dat hij het al vermoedt.'

'Hij heeft niets laten merken.'

'Je kent hem niet zoals ik hem ken.'

Die opmerking maakte hem nog woedender. 'Het moet ophouden!'

Ze lachte bitter. 'Hoe zou dat moeten gaan? Wat moet ik doen? Hem verlaten? En dan?' Rustiger voegde ze eraan toe: 'Ik verwacht een baby.'

Hij bewoog zich niet, maar hij voelde zich alsof een onzichtbare vuist hem had getroffen. Zonder het haar te hoeven vragen, wist hij dat hij de vader was, niet Salvatore.

Elsa boog haar hoofd. 'Je hebt helemaal gelijk dat het moet ophouden. We moeten ermee stoppen. Dat is het enige wat we kunnen doen. Ik heb een fout gemaakt. Ik had toen niet naar je toe moeten komen. God heeft me voor mijn zonden gestraft.'

Roberto stoof woedend op. 'Zwijg! Ik laat niet toe dat je zo praat.' Met één stap was hij bij haar en zakte naast haar op zijn hurken. 'Hoe ver ben je?'

'Nog in het begin.'

'Laat het me zien.'

'Ach, Roberto,' zuchtte ze.

Hij omhelsde haar. Toen voelde ze zijn grote hand, hoe hij warm en zwaar over haar lichaam tastte, met een ongewone, aarzelende tederheid die haar hart bijna brak.

'Laat me,' smeekte hij haar, toen ze hem verlegen wilde wegduwen. 'Het is toch van mij.' Het was een vaststelling, geen vraag.

Zijn aanraking maakte haar zwak, als altijd, en ondanks haar verzet merkte ze dat ze weer onder de betovering van zijn nabijheid kwam.

'Wat moeten we nu doen, Roberto?'

'We vinden er wel wat op.'

Ze wilde hem graag geloven, maar kon het niet.

'Vertrouw je me?'

Ze knikte, al had ze alle vertrouwen in de toekomst verloren.

'We vertellen het aan hem. Meteen morgen kom ik naar jullie toe, dan praat ik met hem. Hij zal er toch wel achter komen.'

Ze keek hem vragend aan, maar hij wilde op het moment niet over Antonio praten.

Hij kuste haar vingertoppen, de een na de ander. 'Salvatore zal het wel begrijpen. Zeker nu je mijn kind draagt, zal hij inzien dat het niet anders kan. Dat je bij mij hoort. Hij zal je vrijlaten.'

Dat zou Salvatore nooit doen, maar Elsa sprak hem niet tegen. Een gevoel van angst bekroop haar, een voorgevoel van een naderend, onstuitbaar onheil.

'Hou me vast,' zei ze. 'Nog deze, ene keer.'

'Niet één keer,' verbeterde hij haar langzaam. 'Voor altijd.'

Diep keek hij in haar ogen, die de geheimzinnige glans van de maan weerspiegelden. Langzaam hief hij zijn handen op en begon haar jurk los te knopen.

13

Sophia had haar vader uit de *Fattoria* zien komen. Ze was snel naar hem toe gelopen en wilde haar mond al opendoen om hem het blijde nieuws van het einde van het fascistische regime toe te roepen, toen ze merkte dat hij niet de weg naar hun huis nam, maar heuvelopwaarts liep. Even later was hij in het donker tussen de bomen en struiken verdwenen.

Langzaam volgde ze hem. Wat had hij zo laat nog buiten te zoeken? Voor een nachtelijke wandeling was dit zeker niet de goede plek. Misschien had hij iets verdachts gehoord en ging nu kijken wat het was?

'Papa?' riep ze halfluid, maar er kwam geen antwoord.

Ze boog de takken van een statige bremstruik opzij en worstelde zich door een wildgroeiende buksboomheg, tot ze de olijfboomgaard bereikte. De knoestige stammen van de bomen om haar heen staken donker omhoog, terwijl ze voorzichtig verderging, erop bedacht geen lawaai te maken. Als haar vader dacht dat hij iemand ontdekt had, mocht ze het niet bederven door aan te komen stampen en hem op de vlucht te jagen. Zou Antonio weer hier zijn? Sophia geloofde het niet. Zelfs hij kon niet zo idioot zijn zichzelf bloot te stellen aan een achtervolging door de SS. Hier hadden zelfs de stenen oren. Hij wist vast allang wat er vandaag op het landgoed gebeurd was.

Sophia trilde nog steeds van de spanning. Ze kon de gebeurtenis in de salon niet vergeten. Ze beleefde steeds weer hoe ze in Richards armen had gelegen, begerig, zich helemaal aan hem gevend. Hij moest haar wel een schaamteloos schepsel vinden, maar ze had het zo heerlijk gevonden, zo goed! Toen hij haar naar zich toe had getrokken en had gekust, was het alsof ze na lange tijd teruggekomen was naar een plek waar ze thuishoorde. Toen hij haar borsten had gekust en haar tussen haar benen had aangeraakt, was ze haast gestorven van gelukzaligheid. Hoe kon dat verkeerd zijn? En toch wist ze dat ze het niet had moeten doen. Alleen vrouwen van lichte zeden gedroegen zich zo. Ze was precies wat Josefa had gezegd: een hoer. Haar vader zou zich vol verachting van haar afkeren als hij het wist.

Sophia liep langzaam verder. Steeds weer bleef ze staan om te luisteren. En toen zag ze het paar onder de bomen, de man en de vrouw. Sophia hoorde hen fluisteren. De man kleedde de vrouw uit en toen zichzelf. Zijn witte overhemd hing over een tak, een bleke vlek in de nacht. Toen waren ze allebei naakt. Sophia zag gebiologeerd hoe de man zich over de vrouw boog. Ze kon niet ademen, verloor alle gevoel voor plaats en tijd. Met hun verstrengelde ledematen zagen ze eruit als Griekse standbeelden, sierlijk uit marmer gehakt en in het landschap geplaatst alsof ze daar altijd al thuishoorden.

Maar de sneller wordende bewegingen verstoorden het beeld. De man ging op de vrouw liggen en nam haar. Sophia hoorde hoe vlees op vlees botste, hoorde geluiden van wellust, onderbroken door gekreun van de man en gezucht van de vrouw, en opeens wilde ze alleen maar weg. Toen hoorde ze de gekwelde, bevelende stem van de man.

'Zeg me dat je alleen nog maar aan mij zult toebehoren, voor altijd. Zeg het!'

'Ja, voor altijd. Ik hou van je. O god, ik hou zoveel van je, Roberto.'

Sophia voelde al het bloed uit haar gezicht wegtrekken.

Roberto. Die man daar was haar vader, en de vrouw was Elsa Farnesi!

Op hetzelfde moment begreep Sophia wat Antonio bedoeld had. Hij wist het. Hij had hetzelfde gezien als zij. Had vanuit een schuilplaats gezien hoe die man zijn moeder nam, terwijl zijn vader in bed lag te slapen.

O nee. Haar vader en Elsa.

Ze liet een langgerekt, klagend geluid horen, dat klonk als het gekreun van een gewond dier.

Elsa duwde tegen de borst van de man op haar. 'Roberto! Daar is iemand!'

Het hoofd van haar vader draaide zich om.

Sophia struikelde een stap achteruit.

'Wie is daar?' riep de Marchese woedend.

Blindelings vluchtte ze weg, struikelde in het wilde weg vooruit zonder te zien waar ze liep, botste met haar schouders en armen pijnlijk tegen stammen en takken. Snikken stegen in haar op, ze hijgde en huilde en liet onsamenhangende geluiden horen. Met uitgestrekte armen baande ze zich een weg, ging sneller en zekerder. Zonder in te houden rende ze verder, struikelend schoof ze de takken weg die in haar gezicht sloegen, worstelde zich door de beplanting tot ze de rand van het bos bereikte.

Daar bleef ze staan en drukte haar handen tegen haar pijnlijke zij. Er kwam een golf misselijkheid omhoog. Met een hand tegen een boom gesteund, boog ze zich voorover en gaf onbeheerst over. Toen de misselijkheid zakte, vluchtte ze verder. Een innerlijke drang dreef haar naar een bepaalde plek, zonder te weten waarom. Pas toen ze op haar knieën viel en met haar handen begon te graven, herkende ze de plek waar ze die ochtend Salvatores geweer had begraven. Het was niet een van de oude buksen die de boeren gebruikten om op vogels te jagen, maar een zwaar precisiewapen met gepoetste lade en een zorgzaam geoliede loop.

Sophia groef met blote handen, tot ze met haar vingertoppen iets hards voelde. Ze trok het geweer uit de aarde, stond met wankele benen op en rende terug naar de olijfboomgaard. Ze kon niet meer helder denken; haar hele wezen was vervuld van de oeroude drang het weerzinwekkende schouwspel tussen de olijfbomen te beëindigen.

Ja, ze wilde doden, vernietigen, alle bewijzen van die schande uitwissen!

De wind veegde de snikken van haar lippen. Na een poosje, het hadden net zo goed minuten als uren kunnen zijn, kwam ze weer bij het bos boven de *Fattoria* voor de olijfboomgaard.

Haar vader en Elsa kwamen haar tegemoet, allebei aangekleed.

Roberto drong zichzelf door de heg. Zijn gezicht was in de schaduw, maar Sophia merkte dat hij haar recht aankeek.

'Kind,' zei hij.

Ze schudde haar hoofd, als om een lastige aanraking kwijt te raken.

'Ze heeft een geweer, Roberto.'

De klank van zijn naam uit de mond van die vrouw liet iets in Sophia knappen. Ze hief het geweer tegen haar wang, de vinger aan de trekker. Ze kneep haar ogen samen en dwong zich de trekker over te halen. Ze wilde het echt doen, maar hoe ze zich ook inspande, ze kon het niet.

Slap zakten haar armen naar beneden. De loop van het geweer kwam op de grond bij haar voeten.

'Vergeef me, mama,' fluisterde ze in kinderlijke wanhoop. 'Ik ben te laf.'

'Luister eens,' zei Roberto sussend. 'Ik weet wat je moet denken, maar zo is het niet. Zo is het helemaal niet!'

'Nee, zo is het helemaal niet,' zei ze toonloos, nu weer met de stem van een volwassen vrouw. 'Je bent niet stiekem weggeslopen voor een pleziertje met een getrouwde vrouw, terwijl haar man de slaap van de rechtvaardigen slaapt.' Ze brak af, haalde trillend adem. 'En dat alles terwijl mama pas een paar maanden...'

'Dit heeft niets met je moeder te maken,' onderbrak Elsa haar scherp. 'Je vader heeft erg veel van je moeder gehouden!'

Sophia draaide zich om.

'Sophia, wacht!' De stem van haar vader klonk gedempt, maar woedend.

Maar Sophia had zich al in beweging gezet. Als een slaapwandelaarster liep ze naar de *Fattoria*, waar ze zonder te blijven staan het geweer in een struik bij de veranda gooide. Achter zich hoorde ze voetstappen. Sophia wierp een blik over haar schouder. Haar vader was haar gevolgd. Snel liep ze door.

'Ik wil met je praten.'

Maar Sophia lette niet op hem. Over het platgetreden pad ging ze terug naar de villa.

'Sophia!'

'Laat haar maar, Roberto. Praat morgen maar met haar, als ze weer rustig is geworden.'

Maar Sophia was alweer rustig toen ze het huis binnenging. Het was een dodelijke, glasheldere, kille rust, die ze tot in haar vingertoppen voelde. Ze ging naar de badkamer, liet het bad vol water lopen en deed er wat geparfumeerd badzout bij. Ze waste zich zorgvuldig, reinigde haar lichaam van het nachtelijke uitstapje. Na het afdrogen wreef ze geurende crème op de schaafwonden op haar handen en armen, en trok haar mooiste nachthemd aan. Ze had het vorig jaar van haar moeder voor haar verjaardag gekregen, een ragfijne creatie van duifblauwe zijde.

Er werd geklopt. 'Sophia?'

Het was haar vader. Ze gaf geen antwoord.

'Alles in orde?'

'Ja,' zei ze koud.

'Morgen wil ik met je praten.' Het klonk hulpeloos en ellendig. Zwijgend bekeek ze zich in de spiegel tot zijn voetstappen zich verwijderden. Even later hoorde ze de deur van zijn slaapkamer dichtvallen.

Ze borstelde haar haar tot het losjes in zachte krullen over haar blote schouders en rug viel. Ook kneep ze in haar bleke wangen tot ze roze werden. Binnen in haar woedde een soort koorts, die maar door één enkele daad genezen kon worden. Slingerende paden van duistere gevoelens trokken onontwarbaar door de chaos van haar gedachten, en ze wist dat ze maar naar één enkel punt voerden. Met een dromerig gebaar hief ze haar armen omhoog, tot haar borsten zich welfden en haar hoofd achterover viel als bij een heidens offer.

Toen ging ze op weg naar Richards kamer.

Hij had nog niet geslapen, hoewel het al bijna twee uur was. Nog voordat hij haar hoorde kloppen, wist hij dat ze voor de deur stond. Zonder licht te maken, stond hij op. Snel deed hij de ochtendjas aan die hij in de kast had gevonden, waarschijnlijk een kledingstuk van haar vader of haar broer. Met een paar stappen was hij bij de deur en deed hem open.

'Mag ik binnenkomen?' Zonder zijn antwoord af te wachten, liep ze de kamer in. Terwijl ze naar het raam liep, veroorzaakten haar blote voeten een zacht geluid op de houten planken. Voor het raam bleef ze in het maanlicht staan, als een zilveren elfje. Haar losse haar viel als een zijdeachtige wolk over haar borsten en bedekte een deel van haar mooie, treurige gezicht. Ze wendde zich naar hem toe en keek hem recht aan, haar ogen als donkerglanzende, ondoorgrondelijke poelen vol belofte.

Hij duwde de kamerdeur achter zich dicht en draaide de sleutel twee keer om, terwijl hij met zijn andere hand de ochtendjas losmaakte.

Ze wachtte bij het raam op hem, bevend maar vastbesloten.

Hij wilde met haar praten, iets zeggen, maar zijn tong leek wel verlamd en hij kon geen woord uitbrengen. Met een enkele beweging liet hij de ochtendjas van zijn schouders glijden en op de grond vallen, toen pakte hij haar nachthemd en stroopte hem over haar armen af. De zijde bleef aan haar opgerichte tepels hangen, en Richard hief als in slowmotion een vinger op en veegde er één keer zacht langs. Het volgende moment gleed het nachthemd naar beneden en vormde een blauwe vlek om haar voeten.

Richard zei nog steeds niets. Hij raakte haar niet aan, keek alleen maar. Naakt was ze het mooiste schepsel dat hij ooit had gezien. Als een beeldhouwer modelleerde hij in gedachten met zijn vingers haar vorm na, ging met zijn handen over de welvingen van haar borsten en betastte elk geheim plekje, zonder haar aan te raken.

Ze had de hoog aangezette borsten van een jonge Venus, spits en toch heerlijk rond en vol richtten ze zich naar hem op. Haar smalle borstkas ging in de zachte welving van haar buik over, waarvan de huid in het onwerkelijke licht van de maan glansde als parelmoer. De krulletjes van haar schaamhaar lagen als een schaduw over haar schoot, die zijn blik op magische manier aantrok. Onwillekeurig sperde hij zijn neusgaten open, toen hij haar geur opving. Een mengsel van wilde bloemen en gras die nu met de zware, licht bijtende muskusgeur van vrouwelijke opwinding was vermengd.

Hij had daar zo eeuwig kunnen blijven kijken, zonder haar aan te raken. Maar de tijd van wachten was nu voorbij. Sophia werd onrustig onder zijn blik. 'Beval ik je niet?'

Ze moest wel weten dat ze hem beviel, want haar ogen werden groot toen haar blik op zijn pijnlijk grote erectie viel.

Hij vond zijn stem weer, hoewel hij niet veel beter klonk dan een geroest scharnier. 'Ik verlang zo naar je dat het pijn doet. Nog nooit in mijn leven heb ik iets zo graag gewild als jou te bezitten.'

Hij schraapte zijn keel en vroeg toen: 'Wil je mij ook?'

Ze knikte zwijgend.

Hij raakte haar nog steeds niet aan. 'Ik weet niet of ik je meer kan geven dan één nacht.' Dat was hij haar en zijn geweten op zijn minst schuldig. 'Het is oorlog, ik trek al gauw verder. Misschien zien we elkaar nooit meer.'

'Dat kan me niet schelen. Eén nacht is genoeg. Als dat alles is wat je me kunt geven, dan wil ik niet meer.' Het klonk trots, maar hij begreep dat ze het meende.

Ze strekte haar hand uit en legde hem tegen zijn borst, daar waar zijn hart sloeg als een stoomhamer.

Haar ogen daagden hem uit. 'Waar wachten we nog op?' Ze lachte achter in haar keel, en Richard vroeg zich even af of het misschien een beetje hysterisch klonk. Maar daarover kon hij nu niet nadenken. Hij kon helemaal niet meer denken. Zijn verstand hield zich alleen maar bezig met het enkele feit dat hij haar nu eindelijk zou hebben.

'Voor mij is het lang geleden,' bracht hij moeizaam uit. 'Ik weet niet of ik genoeg zelfbeheersing kan opbrengen. Of ik het de eerste keer ook fijn voor jou kan maken.'

Zijn handen trilden, toen hij haar middel pakte en haar op het bed duwde. Met één knie op de matras keek hij op haar neer. 'Het is toch de eerste keer voor je?'

'Nee,' zei ze koel. Ze staarde hem aan en zag er zo sterk als een gevallen engel uit, dat hij nauwelijks kon ademen. Het uitgespreide haar lag om haar hoofd als een stralenkrans. Ze bevochtigde haar lippen met haar tong voor ze vroeg: 'Stoort dat je?'

Richard lachte nerveus. 'Lieve hemel nee. Dat maakt het voor ons allebei... nou ja, makkelijker.' Plotseling lachte hij bevrijd en boog zich over haar heen om haar te kussen. Ze kwam hem bereidwillig tegemoet, opende haar mond en verwelkomde zijn mond met een hitte die zijn bloed binnen seconden tot het kookpunt bracht.

Richard wilde haar borsten pakken, zich op haar leggen en meteen in haar binnendringen, maar hij deed het niet want hij wist dat hij dan verloren was. Alleen al de aanraking van haar lippen liet al zijn zintuigen trillen. Ze kusten elkaar, eindeloze, hete seconden lang...

Toen, zonder waarschuwing, trok ze zijn hoofd naar beneden, naar haar borsten. Richard kreunde en gehoorzaamde aan de uitnodiging. Zuigend omsloten zijn lippen haar tepel, trokken toen een vochtig spoor over haar ribben en gingen toen naar de andere harde top toe om hem in de vochtige holte van zijn mond te trekken. Sophia hijgde en duwde haar lichaam tegen hem aan. Toen greep ze zijn hand en trok hem tussen haar gespreide benen.

'Nu,' zei ze met gespannen stem. 'Doe het nu. Meteen.'

Die uitnodiging en de hitte die hij onder zijn vingertoppen voelde, deed hem een onzichtbare grens overschrijden. Hij handelde zonder plan, puur instinctief. Met beide handen pakte hij haar heupen, gooide zich in één enkele beweging op haar en drong bij haar binnen. De tegenstand van haar lichaam en haar zachte kreet zweepten zijn begeerte op tot razernij, hij duwde zich meedogenloos dieper in haar zachte schoot, tot hij iets voelde scheuren en de waarheid tot hem doordrong.

Maar het was al lang te laat voor spijt of andere gevoelens, dan die zijn handelen dicteerden. Ze had hem helemaal in zich opgenomen en zijn lichaam begon te bewegen, gedreven door de oeroude drang tot paren.

Hij hoorde niets anders meer dan het kloppen van zijn hete bloed. Ze kreunde en kronkelde zich onder hem alsof ze hem van zich af wilde duwen, maar daarmee vuurde ze hem juist aan. Steeds wilder en sneller werden zijn bewegingen, tot de hete drang in zijn binnenste zich in een orgasme ontlaadde.

Nog nooit eerder had hij het zo gevoeld, niet met zo'n intensiteit, zo'n kracht. *La petite mort.* Wie had dat gezegd? Een Fransman, ja, maar welke?

Nu wist hij pas goed wat dat betekende. Een kleine dood, dat was het werkelijk voor hem geweest. Hij was gestorven en weer op aarde teruggekeerd.

Voorzichtig trok hij zich uit haar terug en rolde van haar af. Wat hem aan wonderen was overkomen, zij had het niet met hem gedeeld.

Zwijgend en bewegingloos lag ze daar, met haar ogen dicht. Tranen liepen over haar wangen. Haar mond trilde alsof ze haar snikken wilde onderdrukken. Richard stak zijn hand uit en legde zijn vingers op haar lippen.

'Waarom heb je tegen me gelogen?' Zijn stem klonk zacht en verward.

Ze deed haar ogen open. 'Wat bedoel je?'

'Het was de eerste keer voor je.'

'Waarom wil je dat weten?'

Toen hij het haar glimlachend uitlegde, wendde ze zwijgend haar hoofd af.

'Ik wilde het gewoon doen,' zei ze koud. 'Misschien was je anders opgehouden en dat wilde ik niet. Eén keer moet de eerste zijn. Maak je er maar niet ongerust over.'

Toen ze wilde gaan zitten, hield hij haar vast. Nu, nu hij weer helder kon denken, kreeg hij een vreemd gevoel. Het had er niets mee te maken dat ze nog maagd was geweest. Er stak meer achter. Zijn gevoel zei hem ondubbelzinnig dat hij zelfs voor iets gebruikt was, hoe absurd dat ook leek.

'Je gaat nu niet weg,' zei hij grimmig. 'Niet voor je me hebt uitgelegd wat dit te betekenen heeft. Was ik dat voor je? Alleen maar een willekeurige man die goed van pas kwam om je tot vrouw te maken?'

'Je hebt gehad wat je wilde,' zei ze geprikkeld. 'Wat valt er nog uit te leggen? Ik wilde het ook, anders was ik niet gekomen. We wisten allebei waar we op uit waren, en nu is het voorbij.'

Ze wilde zich uit zijn greep losmaken, maar hij liet het niet toe. Zijn woede deed niet onder voor die van haar. 'Zo makkelijk kom je er niet vanaf. Wat heeft je in mijn bed gedreven? En maak me niet wijs dat je door verlangen naar me werd verteerd, want dat klopt niet! Zo was het misschien vanavond na het eten in de salon, maar niet toen je hier binnenkwam! Wat voer je in je schild?'

'Dat gaat je niets aan. En laat me nu los. Je hebt me pijn gedaan en me vies gemaakt. Ik moet me gaan wassen.'

Ze trok zich los uit zijn armen en sprong uit bed. Naakt liep ze naar het voeteneinde en pakte haar nachthemd op. Vlug trok ze het aan en haastte zich naar de deur.

Plotseling dacht hij te weten waarom ze was gekomen. 'Je moest me uithoren, hè? Heeft je vader je gestuurd? Was het dat wat hij in dit spel wilde inzetten? Je mooie, maagdelijke lichaam?'

Ze bleef staan alsof hij haar had geslagen.

'Nou, dan moet je niet weggaan voordat je de vruchten van je offer hebt geplukt, meisje.' Zijn stem droop van een bijtend sarcasme.

'Wat bedoel je?'

Hij ging rechtop zitten. Opeens voelde hij zich moe, verslagen en beroofd van alle hoop. Datgene waar hij zo naar verlangd had, scheen hem nu smakeloos en leeg. Zijn overwinning was in een vreselijke nederlaag veranderd.

'Ja, ik heb je pijn gedaan,' zei hij. 'Dat spijt me. Alles spijt me, het meest nog dat ik hier gekomen ben. Twee dagen lang dacht ik dat ik het paradijs had gevonden, een hof van Eden na de hel van de oorlog. Maar ik heb me vergist.'

Hij lette niet op haar hulpeloze gebaar van protest. Traag stond hij op, pakte de ochtendjas en trok hem aan. Hij knoopte de ceintuur dicht en liep naar Sophia, die bij de dichte deur stond en hem waakzaam aankeek.

Hij raakte haar niet aan, bleef alleen voor haar staan met zijn handen diep in de zakken van de ochtendjas. 'Ik kwam hier om de streek te verkennen, zoals je al vermoedde. Het front rukt op, en dus is het belangrijk de ideale verdedigingslinie te vinden. We denken niet alleen aan de volgende maand, maar ook aan die erna. Hoe langer vooruit de planning, hoe beter. Streken in het achterland zoals La Befana laten zich meestal erg goed in een strategische versterkingslinie integreren, en zeker als er veel voorraden zijn zoals hier.' Zijn houding drukte uitputting uit. 'Hemel, ik heb er genoeg van, Sophia. Dit alles gaat nu al jaren door, het doden en moorden – het houdt niet op. Zoveel goede mannen zijn al gestorven. Ik heb het gezien. O god, ik heb zoveel gezien! Zal het ooit ophouden?'

Ze antwoordde niet, staarde hem alleen aan met wijd opengesperde ogen, als een opgejaagd hert.

Richard lachte bitter. 'Weet je het niet? Nou, ik ook niet. Ik ben vergeten hoe dat is, vrede, eensgezindheid, liefde tussen mensen. Ik ben mijn hoop kwijtgeraakt, Sophia.'

Hij draaide zich om en ging weer op het bed zitten. 'Zover het in mijn macht ligt, zal ik ervoor zorgen dat de volgende verdedigingslinie niet in jullie onmiddellijke omgeving komt te liggen. Wat kunnen me een paar kilometer schelen? Bovendien is het toch maar een kwestie van tijd. Bereid je er maar op voor dat de oorlog jullie toch wel zal bereiken. Of Italië nu uit het verbond stapt of niet, dat speelt daar geen rol bij. Duitsland zal met of zonder jullie tot het bittere einde doorgaan, Sophia. Een aparte vrede voor Italië zal er nooit komen, niet zolang er nog Duitse troepen in het land zijn. Een wapenstilstand is een illusie. Reken er maar op dat het front je binnenkort inhaalt, hoe dan ook. Niemand kan jullie dan nog helpen, ook ik niet. Zoals al gezegd, vrienden kunnen altijd vijanden worden. Je vader heeft dat goed gezien.' Hij keek op en wendde haar zijn gezicht toe, dat door teleurstelling en neerslachtigheid getekend was. 'Meer kan ik niet doen. Zeg de Marchese maar dat jullie list succes heeft gehad. En ga nu maar.'

Hij ging liggen, met zijn ogen op het raam gericht. Terwijl hij de zachte klik hoorde waarmee de deur in het slot viel, keek hij naar het bleke, zielloze gezicht van de maan.

Toen Sophia de volgende dag naar beneden kwam, was Richard al weg. Josefa vertelde haar dat op kalme toon. Ze stond in de keuken bij de radio en draaide aan de knoppen, omdat ze het laatste nieuws over de voortgang van de oorlog wilde horen. Het recentste nieuws werd door de BBC doorgegeven, maar tot haar spijt verstond Josefa geen Engels, en Sophia was deze morgen niet in de stemming het te vertalen. Ze pakte een van de versgebakken broodjes, die op een plaat op de houten tafel stonden af te koelen, zette zich daarmee op een krukje bij het raam en keek naar buiten naar de stralende morgen. Ze voelde zich uitgeput. Haar lichaam deed nog pijn en ze voelde elke ondoordachte beweging.

'Wat is er gebeurd?' vroeg Josefa ongewoon vriendelijk. 'Je ziet eruit of je een spook hebt gezien!'

Sophia gaf geen antwoord. Mechanisch nam ze een hap van het broodje, maar ze had net zo goed zaagsel kunnen eten.

Josefa gaf haar een kop versgezette koffie. 'Hier, daar zul je van opknappen, liefje. Trouwens, je vader verwacht je zo in de bibliotheek. Hij wil je spreken voor je uitrijdt, dat heeft hij me zelf gezegd.'

Sophia stond op en legde het half opgegeten broodje op tafel. 'Dank je,' zei ze zacht.

Het was zinloos het uit te stellen. Ze liep naar de bibliotheek, klopte en stapte naar binnen.

De Marchese stond zoals gewoonlijk midden in de kamer. Hij stond met zijn rug naar haar toe en keek uit het raam, de handen in zijn broekzakken en zijn schouders op een vreemd beschermende manier opgetrokken. Toen Sophia binnenkwam, draaide hij zich om. Onder zijn bruine huid was hij bleek.

'Goedemorgen, Sophia. Ga zitten, kind.' Hij gebaarde naar een stoel.
'Dank je, maar ik blijf liever staan.'
Met een afwezige gezichtsuitdrukking greep hij naar de linkerkant van zijn borst en begon hem te masseren. 'Zoals je wilt. Wat je vannacht gezien hebt, was niet...'
'Ik wil er niet over praten,' zei ze met heldere stem. 'Ik ben alleen gekomen om je te zeggen dat ik vandaag wegga. Ik heb al gepakt.'
De Marchese keek haar strak aan, maar ze ontweek zijn blik niet.
'Ik hoop dat je niet zult proberen me tegen te houden. Volgende maand word ik meerderjarig en dan kan ik toch doen wat ik wil.'
'Waar wil je naartoe?'
Ze haalde haar schouders op. 'Eerst naar Montepulciano naar oom Giovanni. Hij heeft steeds gezegd dat ik altijd welkom ben.'
'Ga je weer in het ziekenhuis werken?'
'Waarschijnlijk wel,' zei ze koel.
Hij wendde zich af, omdat hij haar doordringende blik niet meer uithield. Alles was hem liever geweest dan deze koele afwijzing. Tranen, verwijten, beschuldigingen – daar had hij mee kunnen leven. Maar haar ijzige verachting was meer dan hij deze morgen kon verdragen.
'Misschien is het beter zo,' zei hij vlak. 'Op een dag zul je inzien dat de dingen niet altijd alleen zwart of wit zijn.'
'Dat kan best,' zei Sophia toonloos. Ze liep naar de deur, maar bleef toen staan alsof ze nog iets was vergeten. 'O ja, nog iets. Ik heb je opdracht uitgevoerd. Tot je tevredenheid, hoop ik.'
'Wat bedoel je?'
'Ik heb informatie uit hem gekregen. Heel interessante informatie, al zeg ik het zelf. Hij is oorspronkelijk hier naartoe gekomen om plaatsen voor het volgende front te verkennen. La Befana is erg geschikt, vindt hij. Maar nu wil hij terughoudender zijn. Dat moest ik je vertellen. Ik moest je uitdrukkelijk zeggen dat onze tactiek succes heeft gehad.'
'Onze...' Hij brak af en staarde haar aan. 'Wat heb je gedaan?'
Over haar schouder wierp ze de Marchese een blik vol triomf en smeulende woede toe. Even dacht Roberto ook iets als verdriet of spijt te zien, maar die indruk verdween bij haar volgende woorden.
'Hetzelfde als Elsa. Dat wat alle hoeren doen.'

183

In blinde woede legde hij de paar meter af die hem van haar scheidden.

Zijn hand ging omhoog en kwam kletsend op haar wang neer.

Sophia deinsde terug en hield haar hand tegen haar gezicht. Haar ogen fonkelden van haat en diepe voldoening.

'Je hebt met hem geslapen,' zei hij toonloos.

'Inderdaad. Het zal in de familie zitten.'

Zijn gezicht was als een stenen masker. 'Sophia, in 's hemelsnaam...'

'Het ga je goed, papa.'

Het volgende moment viel de deur met een knal achter haar dicht.

14

Al een halfuur later reed een van Salvatores mannen haar naar het huis van haar oom in Montepulciano. Anna begroette haar. Ze schrok van Sophia's bleke, starre gezicht, maar stelde geen vragen. 'Je oom zal blij zijn als hij je vanavond ziet,' zei ze met gespeelde opgewektheid, terwijl ze haar nichtje hartelijk omhelsde. 'Kom, geef je koffer maar, die zetten we zolang hier neer.'
Ze gaf haar dienstmeisje opdracht de logeerkamer in orde te maken en ging toen thee zetten. 'Weet je, die gewoonte van de Engelsen heeft wel wat,' zei ze vrolijk. 'Als je niet meer weet hoe het verder moet, kun je altijd nog thee gaan drinken.'
Sophia bedankte haar voor de thee, maar reageerde verder nauwelijks op de pogingen van Anna een gesprek aan te knopen. Het goedbedoelde gepraat van haar tante maakte haar zenuwachtig. Ze had hoofdpijn en ze merkte dat haar handen steeds weer begonnen te trillen. Ze wist niet meer hoe het verder moest, daar had Anna volkomen gelijk in. Maar dat zou met thee zeker niet veranderen.
Na een poosje gaf Anna het op. Sophia vroeg of ze zich op haar kamer mocht terugtrekken. Daar haalde ze de foto van haar moeder uit haar koffer, drukte hem tegen haar borst en ging zo op bed liggen. Bewegingloos staarde ze voor zich uit. Haar ogen waren droog. Ze kon niet huilen, al had ze het graag gedaan. Vroeg of laat, dat wist ze, zou ze over de gebeurtenissen van de afgelopen nacht moeten nadenken. Maar liever later, niet nu. Haar gevoelens

raasden en kookten en wervelden rond een zwarte, bodemloze put. Ze wilde dat ze dood was.

Roberto wachtte tot na het middageten, toen vond hij dat het tijd was. Hij ging naar zijn slaapkamer en trok een schoon overhemd aan. Terwijl hij zich in de spiegel bekeek, vroeg hij zich af of hij onder andere omstandigheden ook zou hebben gedaan wat hij nu wilde gaan doen. Hij wilde graag geloven dat het zo was, dat hij genoeg zelfrespect en eerlijkheid bezat om in elk geval naar Salvatore te zijn gegaan. Ook als er geen baby gekomen zou zijn, ook als zijn dochter hem niet met Elsa had betrapt. Hij trok zijn kraag recht en haalde een kam door zijn haar. Onbehaaglijk stelde hij vast dat hij eruitzag of hij naar de kerk ging. Zijn kin was gladgeschoren, zijn broek met een keurige vouw gestreken en zijn haar netjes gekamd.

Maar de reden waarom hij zich zo had opgedoft, was net zo pikzwart als de zonde die op zijn ziel drukte. Hij streefde niet naar vergeving van zijn misdaad, maar naar toestemming ermee door te gaan, iets waar hij niet op durfde hopen.

Hij voelde zich ziek. Terwijl hij het huis verliet en naar de *Fattoria* liep, probeerde hij de pijn te vergeten die sinds afgelopen nacht in zijn borst woedde als een steeds oplaaiend vuur.

Elsa deed de deur open. Haar ogen waren roodomrand en haar wangen bleek. Haar gezicht stond strak van angst en zorgen.

'Ik ben bang,' fluisterde ze.

Hoewel het hemzelf niet veel beter ging, drukte hij haar hand bemoedigend.

'Het komt wel goed,' fluisterde hij in haar oor.

Toen rechtte hij zijn rug en ging de werkkamer binnen, waar Salvatore over een paar rekeningen gebogen zat.

'Salvatore, ik moet met je praten.'

Salvatore keek op. 'Zo vroeg vandaag? Wat is er aan de hand?'

Roberto trok een stoel naar het bureau en ging zitten. 'Het gaat om Elsa,' zei hij vastbesloten. 'We houden van elkaar, zij en ik. Ze verwacht een baby van me.'

Zo, het was eruit. Hij was niet van plan geweest het Salvatore zo rechtstreeks te zeggen, maar hij had het gedaan. Nu kon er niets meer aan veranderd worden, en Roberto moest toegeven dat hij zich opgelucht voelde. Het ergste lag achter hem. De tijd van stiekem doen was voorbij.

Elsa stond in de deuropening, haar armen haast beschermend om zichzelf heen geslagen.

Salvatore keek Roberto verbaasd aan. 'Wat zegt u daar, Marchese? Een baby? Van u? U moet gek zijn geworden.'

'Het is waar,' zei Elsa zacht.

Salvatore stond op. 'Je bent mijn vrouw. Als God ons in zijn goedheid nog een kind wil schenken, dan zal het van ons samen zijn. Gaat u weg, Marchese. Verdwijn uit mijn huis!'

'Het is mijn huis, Salvatore. Als er iemand moet gaan, dan ben jij het.' Roberto had het gezegd zonder na te denken. Toen hij het besefte, was het te laat om het terug te draaien. Van buiten klonk het geluid van een motor, harde mannenstemmen, opgewonden kindergeschreeuw en het schrille gekwebbel van de vrouwen door, maar hij lette er niet op. Zijn hele waarnemingsvermogen concentreerde zich op Salvatore.

'Alsjeblieft, wees verstandig. Laten we er als volwassen mannen over praten. Ik wil dat je Elsa haar vrijheid teruggeeft. Dat jullie als vrienden uit elkaar gaan. We zullen proberen een scheiding te krijgen. Het is het beste, geloof me. Alleen al vanwege de baby.'

Op Salvatores rechterslaap zwol een ader op. Hij sprong op en rende naar Elsa toe, omhelsde haar met beide armen en trok haar naar zich toe. 'Je bent mijn vrouw. Voor God en de wereld hoor je bij mij. Als je een baby krijgt, dan is het mijn kind. Zeg hem dat hij moet verdwijnen. Zeg het, Elsa.'

'Nee,' zei ze met trillende stem. 'Nee, dat doe ik niet. Het spijt me, Salvatore. Het spijt me zo erg!'

Tot ontzetting van Roberto en Elsa begon Salvatore te huilen. De tranen rolden over zijn wangen en zijn lichaam schokte van het snikken. 'Alsjeblieft, zeg hem dat hij weg moet gaan!'

Maar Elsa zei niets. Ze probeerde zich los te maken uit zijn omhelzing, maar hij hield haar onverbiddelijk vast.

Maar toen, opeens, duwde hij haar van zich af en deinsde twee stappen achteruit. Zijn gezicht vertrok. 'Jullie... Jullie tweeën hebben... Steeds weer en weer hebben jullie het gedaan! Ik dacht, het kan toch niet waar zijn, niet als ze pas zo kort dood is! En toch is het zo. Ik dacht dat het wel snel over zou zijn, gewoon een bevlieging, niks ernstigs. Tenslotte hou ik al mijn hele leven van haar, en tussen jullie is het pas een paar maanden. Ik zei steeds weer tegen mezelf: wat zijn nou een paar maanden tegenover vijfentwintig jaar! Het gaat wel over, zei ik, en dan kan ik het weer vergeten.' Hij stokte en verslikte zich. Toen ging hij met overslaande stem verder: 'Dachten jullie soms dat ik het niet wist? Dachten jullie nou echt dat ik niet gemerkt heb hoe jullie 's nachts wegslopen? Hoe ze rook als ze van je terugkwam?' Salvatore liet een verstikt geluid horen. 'Naar zeep. O god, altijd als ze naar zeep rook, wist ik dat jij haar gehad had, hond!'

Hij brulde het uit, de dierlijke, gepijnigde schreeuw van een gemarteld wezen.

'Salvatore...' begon Roberto gekweld.

Salvatore week nog verder terug, tot hij de kast in de hoek van de kamer bereikt had. Koortsachtig draaide hij de sleutel om en trok hem open, toen begon hij op de bovenste plank te zoeken. 'Waar is hij? Hij moet er toch liggen? Waar heb je hem gelaten, Elsa?'

'Hij is daar niet,' stamelde ze.

Roberto stond op en deed onwillekeurig een stap naar haar toe. De pijn onder zijn sleutelbeen was veranderd, het was een levend wezen geworden dat scheurend en brandend door zijn borst raasde en zijn linkerarm vanaf zijn hand verlamde. Een reusachtige vuist kneep zijn ribben samen. Hij hijgde en snakte naar adem. 'Wat zoek je in 's hemelsnaam?'

'Het geweer,' zei Elsa met spierwitte lippen.

Roberto probeerde de samenhang tussen die nacht en wat ze net had gezegd vast te stellen, maar het lukte niet, al wist hij dat er een verband was. Het geweer... Antonio... Sophia...

Het werd donker aan de randen van zijn gezichtsveld en hij wankelde. Hij steunde tegen de leuning van de stoel om niet te vallen. 'Roberto?' Elsa's stem klonk schril van ongerustheid en angst. Roberto wilde haar geruststellen, haar zeggen dat alles in orde zou komen, maar hij kon het niet. Niet omdat hij dat niet geloofde – dat had hij nooit gedaan, hij had zichzelf maar wat wijsgemaakt, moest hij nu toegeven – maar omdat zijn stem niet gehoorzaamde. De hitte in zijn borst was veranderd in ijs. Zijn binnenste was verstard, bevroren. Hij kon geen adem meer krijgen en niets meer zien.

'Waar is dat vervloekte geweer?' brulde Salvatore.

'Als u dat heel speciale geweer bedoelt – nou, dit kon het wel eens zijn, niet? Het lijkt erop dat iemand het begraven heeft en daarna weer opgegraven. Er zit nog aarde aan. En heel toevallig lag het in de struiken voor uw veranda, mevrouw... Hoe was uw naam ook alweer? O ja, Elsa Farnesi. Het ziet ernaar uit dat het geweer van uw dierbare echtgenoot is.'

Schlehdorff, dacht Roberto, terwijl hij door een koude nevel werd omringd.

Roberto had niet begrepen wat er werd gezegd, maar die stem zou hij uit duizenden herkennen. Meteen daarna kwam de vertaling van de jonge, fatterige tolk, die er ook de vorige dag bij was geweest. Daarna een zacht lachje van Schlehdorff.

'Goh, wat is er met u aan de hand, Marchese? U ziet eruit alsof u zich niet helemaal goed voelt.'

Roberto zakte langzaam door zijn knieën. Hij voelde niets anders dan de kou, voordat hij ten slotte in een eindeloze duisternis viel.

Vroeg in de avond verstoorde het gerinkel van de telefoon de gebruikelijke stilte in Giovanni's huis. Sophia, die in de studeerkamer van haar oom zat en lusteloos in een anatomieatlas bladerde, hief haar hoofd op. Ze voelde de onrust in zich omhoog kruipen toen haar tante opnam. Het volgende moment klonk Anna's ontzette uitroep door het huis.

'O nee! Wanneer?'

Sophia sprong meteen op. Anna stelde korte, snelle vragen, die werden onderbroken door verschrikte uitroepen. Met wijd opengesperde ogen staarde Sophia haar tante aan, toen ze kort daarna met een geschrokken gezicht de studeerkamer binnenkwam.

Sophia liet zich weer in haar stoel vallen, omdat ze het trillen van haar knieën niet onder controle kon houden. 'Wat is er gebeurd?'

'Giovanni belde. Je vader is in het ziekenhuis opgenomen. Hij heeft een zware hartaanval gehad.'

Anna begon te huilen. 'Het was vreselijk! Twee mannen hebben hem gebracht! SS'ers! Ze hebben hem afgeladen als een zak zand, vertelde Giovanni. Hij gaat misschien wel dood.'

Sophia voelde zich als verdoofd. De tranen sprongen in haar ogen. Haar vader zou sterven!

Mijn schuld, dacht ze versuft. Alleen mijn schuld!

Ze had hem veroordeeld en tegelijk zichzelf als rechter opgeworpen. Ze had hem op een manier gestraft waarvan ze wist dat het zijn hart zou breken!

O god, dacht ze, van een verlammende ontzetting vervuld, dat heb ik niet gewild! Nooit heb ik gewild dat hij zou sterven!

Ze stond op en vocht moeizaam tegen de duizeligheid die ze voelde. 'Ik moet meteen naar hem toe.'

Anna schudde vol medelijden haar hoofd.

'Ik begrijp je wel, mijn kind. Maar dat gaat niet.'

'Waarom niet? Wil hij me niet zien?' Er klonk paniek in haar stem door.

Anna sloot Sophia in haar armen. 'Natuurlijk wel, wat haal je je in je hoofd, lieverd! Giovanni heeft gezegd dat er niemand bij hem mocht. Je vader heeft nu vooral rust nodig. De kleinste opwinding kan fataal zijn.'

'Waarom hebben de SS'ers hem naar het ziekenhuis gebracht?'

'De Duitsers waren vandaag weer op La Befana. Dezelfde vreselijke mensen als gisteren. Zou de eerste luitenant die we gisteren bij het diner ontmoet hebben, daar iets mee te maken hebben?'

'Nee,' zei Sophia beslist. 'Hij niet. Nooit.'

Haar tante keek haar verbaasd aan, liep toen naar de schommelstoel bij de haard en liet zich erin vallen. 'Giovanni heeft meteen naar het landgoed gebeld, nadat hij je vader had verzorgd. Roberto kon nog niet veel zeggen en had ook zware medicijnen gehad. De kokkin vertelde wat er aan de hand was. Dat de Duitsers overal rondgesnuffeld hebben, ook in jullie huis. Maar dat was pas daarna.'

'Daarna?'

'Nadat ze bij de *Fattoria* het geweer hadden gevonden en jullie rentmeester vanwege poging tot moord op de Duitser hadden gearresteerd. Hij kreeg die hartaanval toen ze kwamen om Salvatore Farnesi te arresteren.'

Sophia hield haar adem in. 'Hebben ze Salvatore meegenomen?'

'Iemand heeft dokter Rossi gebeld, maar toen hij kwam, vond hij dat de Marchese meteen naar het ziekenhuis moest. Toen zei die SS-commandant dat hij daar wel voor kon zorgen. En toen hebben ze je vader en jullie rentmeester ingeladen en zijn weggereden.'

Het was al avond toen Giovanni eindelijk naar huis kwam. De beide vrouwen zaten vol ongeduld op hem te wachten. Hij zag bleek en zijn gezicht was getekend door zorgen. Sophia's aanwezigheid accepteerde hij zonder commentaar. Hij gaf Anna een kus, omhelsde zijn nichtje en pakte toen het glas sherry aan dat zijn vrouw voor hem had ingeschonken.

'Hoe gaat het met Roberto?' vroeg Anna angstig.

'Hij slaapt nu.'

'Wordt hij weer beter?' Sophia's stem trilde van onderdrukte gevoelens, ze kon er niets tegen doen. Ze ontweek de onderzoekende blik van haar oom, want ze voelde zich zo schuldig als nooit tevoren.

Giovanni nam een slokje van zijn sherry. 'Roberto heeft een zware hartaanval gehad.' De hand die het glas vasthield, trilde. Hij pakte het in zijn andere hand en streek haastig over zijn gezicht, alsof hij zo de emoties die daar plotseling op te zien waren, kon wegvegen. 'Misschien overleeft hij het niet. Vaak gebeurt het na een paar dagen of weken, als men gelooft dat de patiënt alweer aan de beterende hand is. Maar het gebeurt ook vaak dat ze weer beter worden en weer normaal kunnen leven, mits ze zich in acht nemen en opwinding vermijden.'

'Mag ik morgen naar hem toe?'

'Dat is nog te vroeg, Sophia.'

'Excuseer me. Ik ben moe en wil slapen.' Ze stond op en liep met houterige bewegingen de kamer uit.

Vol medeleven keek Anna haar na. 'Het arme kind.'

'Wat is er de afgelopen nacht gebeurd?'

'Ze wil er niet over praten. Het moet iets ergs zijn. Ze is helemaal buiten zichzelf.'

Giovanni stond op.

'Wat ga je doen?' vroeg Anna bezorgd.

'Ik ga weer naar hem toe.' Er lag een treurige trek om zijn mond. 'Ik kan hem niet alleen laten, Anna. Hij is mijn andere helft. Hij is altijd mijn tweede ik geweest. Hij mag niet sterven. Ik laat het niet toe.'

Anna liep naar hem toe, drukte zich tegen hem aan en legde haar hoofd op zijn schouder. Blond haar vermengde zich met zwart. 'Zijn leven is in Gods hand. We zullen voor hem bidden.'

Sophia bad die nacht ook. Ze bad om vergeving van haar zonden, wanhopig en steeds weer, hoewel ze geen hoop had indruk op God te maken met haar berouw.

Daarvoor waren haar misstappen te groot. Trots en eigengerechtigheid, woede en wraakzucht, onverzoenlijkheid en haat waren een onheilig verbond aangegaan, dat haar vader bijna het leven had gekost. Salvatore zat in de gevangenis als onschuldig slachtoffer van haar onnadenkendheid, en moest zelfs rekening houden met de dood. En alsof dat alles nog niet genoeg was, had ze een rechtschapen man, die na jaren van eenzaamheid niets anders had gezocht dan een beetje genegenheid en tederheid, met haar intriges en haar berekenende gruwelijkheid gewond, alleen omdat hij haar als instrument van haar wraak goed van pas kwam.

Hoe vreselijk verkeerd was het geweest om naar zijn kamer te gaan! Niet omdat ze hem niet gewild had, maar omdat de voorwaarden niet meer klopten. Niet blinde, koude woede en de drang haar vader zijn handelingen betaald te zetten, hadden haar motief moeten zijn, maar dezelfde gevoelens die haar in de salon in zijn armen hadden laten smelten!

Het ergst was dat ze van al haar fouten er niet één kon goedmaken. Wat Salvatore betrof, iedereen op La Befana wist dat het geweer van hem was. En het was waarschijnlijk te bewijzen dat er met het wapen was geschoten. Hij kon zich niet vrijpleiten, en Elsa zou het ook niet doen. Ze kon tenslotte moeilijk toegeven dat niet hij, Salvatore, maar haar zoon de schuldige was.

Haar vader zweefde tussen leven en dood, en Sophia twijfelde er niet aan dat ze daar aanmerkelijk aan bij had gedragen. Als hij stierf, zou een groot deel van de schuld bij haar liggen.

Voor wat ze Richard had aangedaan was er ook geen excuus. Hij was zo liefdevol geweest, zo vol vertrouwen. Ze had zoveel geluk in zijn ogen gezien toen hij haar omhelsde en kuste! En hoe gelukkig had ze zelf kunnen zijn als ze...

Als toch alleen maar, dacht ze terwijl de tranen over haar gezicht stroomden, als toch alleen maar...

Sophia lag wanhopig in haar bed te woelen en kreeg de slaap niet te pakken.

Pas een week later mocht ze eindelijk naar haar vader toe. Hij lag in een eenpersoonskamer; Giovanni had nachtenlang bij hem gewaakt en voor de overige tijd de meest ervaren artsen en verpleegsters aangesteld om hem te verzorgen.

Sophia schrok toen ze haar vader zag, maar ze liet het niet merken. Giovanni had haar verboden iets anders te doen dan lachen. Als een cerberus hield hij, maar een paar stappen van haar verwijderd, in de gaten of ze zich wel aan zijn instructies hield.

Roberto was bleek en zijn gezicht sterk vermagerd, alsof hij al lange tijd ziek was. Hij was wel netjes geschoren en gekamd, zag Sophia meteen.

'Papa,' zei ze zacht. Met een paar stappen was ze bij zijn bed en zakte op haar knieën. Ze pakte zijn hand en drukte hem tegen haar gezicht. Ze kon niet lachen, hoe ze zich ook inspande. Ze barstte in tranen uit, al had ze zichzelf gezworen dat ze dat niet zou doen, omdat het hem kon opwinden.

'Sophia!' maande Giovanni ongerust.

'Laat haar maar,' zei Roberto zacht.

'Vergeef me, papa,' fluisterde ze met verstikte stem tegen zijn handpalm. 'Alsjeblieft, vergeef me wat ik heb gedaan.'

Roberto maakte een wrevelig gebaar en trok zijn hand terug.

'Onzin, er is niks te vergeven. Je hebt niks ergs gedaan.' Zijn gezicht vertrok. 'In elk geval niets ergers dan ik. Zullen we elkaar dan maar vergeven, kindje?'

Maakte hij een grapje? Ongelovig keek ze hem aan en zag een plagend lichtje in zijn ogen. Ondanks de pijn, die hij blijkbaar nog steeds had, deed hij moeite haar op te vrolijken!

Met tranen in haar ogen keek ze hem aan. 'Hoe gaat het met je?'

'Erg slecht, omdat die despoot daar me niet naar huis wil laten gaan.'

'Dat zal nog wel een paar weken duren, Roberto.'

'Vast niet,' verklaarde de Marchese beslist. Toen vroeg hij: 'Wil je ons een minuutje alleen laten?'

'Denk aan wat ik heb gezegd,' zei Giovanni tegen Sophia, voor hij wegging.

'Sophia,' begon Roberto aarzelend. 'We moeten er nog één keer over praten. Over Elsa en mij...'

'Er valt niets te zeggen,' onderbrak ze hem snel. 'Het is goed. Ik begrijp je. Mannen zijn nu eenmaal zo. Ze hebben... Hmm, ze hebben dat nodig.'

Zijn rechtermondhoek vertrok even, maar meteen werd hij weer ernstig. 'Je bent nog zo jong, Sophia. Over veel dingen weet je gewoon nog zo weinig. Begeerte is maar één aspect van de liefde, moet je weten.'

Liefde? Sophia voelde hoe haar keel zich dichtkneep.

Roberto hield haar blik vast. 'Ja, liefde. Geloof me alsjeblieft als ik zeg dat ik met heel mijn hart van je moeder heb gehouden. Ik had mijn leven voor haar gegeven als ik haar daarmee had kunnen redden. Ze was alles voor me, het middelpunt van mijn leven, mijn zon en maan tegelijk. Ik hoop dat je daar niet aan twijfelt, Sophia. Nooit.'

'Maar je houdt ook van Elsa,' wierp ze met hese stem tegen.

Hij probeerde het niet te ontkennen, integendeel. 'Ja, ik hou van haar. En ik schaam me er niet voor. Sophia, dat is niet ten koste van je moeder gegaan. Ik ben haar nooit ontrouw geweest. Geen enkele keer. Het enige wat je me kunt verwijten, is dat ik haar nagedachtenis heb onteerd. Geloof me, dat heb ik mezelf ook steeds weer voorgehouden. Maar toen heb ik begrepen dat dat niet waar is. Dat de levenden de doden geen pijn doen als ze weer gelukkig zijn. Integendeel. Ik geloof zelfs...' Hij stopte en zocht even naar de geschikte woorden. 'Ik denk dat je moeder blij zou zijn dat ik weer gelukkig ben.' Toen hij dat zei, zag hij er zo ernstig en waardig uit, zo verheven boven elk verwijt, dat Sophia zich diep schaamde.

'Ze was er toen ik in de war en eenzaam was na de dood van je moeder. Elsa... Ze hield al veel langer van me, weet je. Ze heeft me uit mijn ellende gehaald, me laten zien dat het leven verdergaat, dat er vreugde is en optimisme. Zeker, in het begin dacht ik niet dat ze iets voor me kon betekenen. Maar toen... Opeens was alles anders. Ik kon niet meer zonder haar. Ze betekent erg veel voor me. Zeker, ze is getrouwd en dat is een grote barrière. Maar zelfs dat kan me niet verhinderen van haar te houden.' In gedachten streelde hij Sophia's haar. 'Liefde volgt net als het toeval soms vreemde wegen. Het lot toont ons die wegen, en je kunt niet anders dan ze volgen. Liefde is sterker dan veel conventies. Ze is een heel bijzondere kracht.'

'Ja,' fluisterde Sophia, en ze staarde in de verte.

Roberto pakte haar kin en tilde haar hoofd op. 'De Duitser?'

Ze knikte met neergeslagen ogen. Roberto zuchtte.

'Hij maakte geen gelukkige indruk toen hij La Befana verliet.'
Roberto speelde in gedachten met een lok van Sophia's haar,
waar de binnenvallende zon lichtjes in toverde. 'Maar weet je wat
ik geloof? Dat je hem terug zult zien.'

'Ach, papa, vast niet. Ik heb alles verpest.'

'Arm kind, liefde en verdriet gaan helaas maar al te vaak hand in
hand.'

'Wat moeten we nu doen?'

'We volgen de weg van het lot, wat anders?' Hij haalde diep adem.

'Wil je me iets beloven?'

'Alles.'

Hij lachte. 'Maar één ding. Draag geen zwart, wat er ook gebeurt.'
Ze fronste. 'Wat bedoel je?'

'Dat weet je best. Beloof me dat je niet in het zwart gaat.'

'Papa, praat niet zo!' riep ze in tranen uit.

'Beloof je het? Het idee dat mijn prachtige dochter eruitziet als een
kraai maakt me helemaal ziek.'

'Ik beloof het,' zei ze bereidwillig, met Giovanni's instructies in gedachten dat ze moest voorkomen dat hij zich opwond.

Sophia had graag nog langer met hem gepraat, over alles wat haar
dwarszat en wat haar de afgelopen nachten verhinderd had in slaap
te vallen. Haar angsten, haar gevoel dat ze tekort was geschoten,
haar wanhoop. Maar ze durfde het niet, omdat ze zijn gezondheid
niet in gevaar wilde brengen. En dus zei ze wat ze sinds ze klein was
niet meer gezegd had, al vele jaren niet meer, en het kwam uit het
diepst van haar hart. 'Ik hou zoveel van je, papa.'

'Ik ook van jou, mijn meisje. Ik ook van jou.'

De middag van dezelfde dag mocht Elsa bij hem op bezoek. Giovanni was intussen van alles op de hoogte. Roberto had het het beste gevonden een vertrouweling te hebben, en wie was daarvoor ge-
schikter dan de persoon die hem op deze wereld het best kende?
Giovanni had zo zijn bezwaren tegen het bezoek van Elsa, maar
Roberto had erop gestaan. En dus had Giovanni toegegeven en
was zelf naar La Befana gegaan om haar op te halen.

Ze had haar mooiste jurk aangetrokken. De jurk waarin ze de
eerste keer naar de Marchese was gegaan, op die beslissende middag in het voorjaar. Daarbij droeg ze een chic hoedje, net zo een

als ze gezien had toen ze de laatste keer naar de bioscoop was geweest. Dat was vorige zomer geweest, toen ze met Salvatore en hun dochter een uitstapje naar Rome had gemaakt, maar het leek wel jaren geleden. Alles wat zich voor haar relatie met Roberto had afgespeeld, hoorde bij een ander leven, een andere vrouw, die ze niet goed meer kende.

Het gaf haar een steek Roberto's broer te zien. Ze was hem bijna in de armen gevallen om hem te smeken haar nooit meer te verlaten. Maar de impuls verdween net zo snel als hij gekomen was. Als je beter keek, zag je de verschillen. Giovanni zag er jeugdiger uit, minder ernstig. Om zijn ogen had hij meer lachrimpeltjes dan Roberto, de lijnen om zijn mond waren niet zo diep, en in zijn haar was minder grijs te zien. Hij lachte vaker dan Roberto.

Elsa dwong zich tot kalmte toen ze in zijn auto stapte, een donkerblauwe Lancia met leren bekleding.

Tijdens de tocht naar Montepulciano praatte hij met haar over alles wat zijn broer hem had opgedragen haar te zeggen. Ze bleef tijdens zijn uitlatingen zwijgend zitten, met neergeslagen ogen.

'Wat er ook gebeurt, ik zal er voor u zijn,' zei hij ten slotte op bezwerende toon.

'Dank u, dat waardeer ik erg.'

Hij begeleidde haar naar Roberto's kamer en voordat hij de deur opende, nam hij haar hand. Ernstig keek hij haar aan. 'Zorg ervoor dat hij zich rustig houdt.'

Ze knikte krampachtig en staarde hem strak aan. God, die gelijkenis, dacht ze plotseling bedrukt.

Hij merkte wat ze dacht en lachte zachtjes. Plotseling zag hij eruit als iemand anders, wat haar een gevoel van opluchting gaf.

'Wat uw bijzondere toestand aangaat – vertrouw maar op mij.' Zijn blik gleed vluchtig, maar duidelijk, over haar nog platte buik.

'Dat... dat is erg ruimdenkend van u,' stotterde Elsa zacht.

Hij knikte, opende de deur en wenkte Elsa.

'Roberto, hier is ze.'

Elsa stapte aarzelend de kamer binnen. Toen Giovanni de deur zachtjes achter haar dichtdeed, kromp ze zenuwachtig in elkaar, maar toen keek ze naar het bed.

'Roberto!'

'Kom hier, liefste.'

Het volgende moment was ze bij hem, in zijn armen. Ze zat op de rand van het bed en hield hem zo voorzichtig mogelijk vast. Hij daarentegen omklemde haar zo stevig dat ze nauwelijks adem kon halen.

'Niet doen, Roberto! Je broer heeft gezegd...'

'Hij praat te veel de laatste dagen!' Roberto fronste grimmig. 'Kus me.'

Gehoorzaam drukte ze haar mond op zijn wang, maar hij draaide zijn hoofd en ving haar lippen op met de zijne voor een hartstochtelijke kus.

Te snel maakte Elsa zich van hem los. In haar blik lag een mengsel van liefde en angst.

'Je bent een onmogelijke man.'

'Weet ik.' Hij pakte haar hand. 'Wat is er voor nieuws? Vertel.'

Ze wist wat hij bedoelde. De bleekheid van haar gezicht sprak boekdelen. 'Ze verhoren hem al dagen, maar hij weigert iets te zeggen. Meer weet ik niet. Ze laten me niet bij hem, verder ook niemand.' Elsa drukte haar hand tegen haar mond om het trillen van haar lippen te verbergen. 'Ik weet niet wat ik moet doen.'

'Ik heb Giovanni gevraagd zich ermee te bemoeien. Hij kent Badoglio van vroeger. Misschien kan hij iets doen.'

'Badoglio is in Rome. Men zegt dat hij een marionet van de koning is.'

'Die velen weer een marionet van zijn eigen grillen vinden.' Roberto zuchtte. 'Ik weet dat het niet makkelijk is. En zeker niet van hieruit. Maar ik wil mijn uiterste best doen hem eruit te krijgen.'

'Misschien kan de Duitser iets doen, die Richard Kroner.'

'Misschien,' zei Roberto ontwijkend. Zijn stem klonk uitgeput.

'Hij was gek op Sophia, dat weet ik. Hij kon zijn ogen niet van haar afhouden. En met haar was het net zo.' Ze drukte haar hand tegen haar mond. 'Het is mijn schuld. Als ik niet...'

'Stil. We praten niet meer over schuld.'

Ze staarde hem aan. Haar ogen waren rood van het vele huilen. 'Er wordt gezegd dat Salvatore opgehangen zal worden. In het zuiden hebben ze al meer partizanen opgehangen.'

'Hij is geen partizaan.'

'Wat maakt dat uit als ze denken dat hij het wel is? Je hebt niet meer gezien hoe ze hem geboeid hebben en in de auto gegooid...

Sorry, wat zeg ik nu! Het spijt me zo, Roberto!'
'Het is al goed,' zei Roberto. Hij was moe. De medicijnen die zijn broer hem had gegeven, maakten hem slaperig. 'We moeten praten, Elsa.'
'We praten toch.'
'Nee, nee, je weet wel wat ik bedoel.' Hij drukte haar hand. 'Luister. Als... ik bedoel, als ik er niet meer zou zijn...'
'Praat geen onzin,' viel ze hem geschrokken en woedend in de rede. 'Als ik er niet meer zou zijn,' ging hij onverstoorbaar verder, 'dan is er voor jou geen reden meer Salvatore te verlaten. Hij is een goede man en houdt van je. Ik ben ervan overtuigd dat hij goed voor jou en de baby zal zorgen, ook als hij weet dat hij van mij is. Ik ken hem. Hij zal bij je blijven.'
Elsa boog haar hoofd. Er viel een traan naar beneden, maar ze lette er niet op. 'Roberto, zeg dat toch niet! Je wordt weer beter!'
'Vast,' zei hij lachend. Troostend streelde hij haar hand. 'Alles zal in orde komen. Ze laten Salvatore vrij en hij zal instemmen met de scheiding. We zullen samen zijn als de baby komt.'
Niets van dat alles zou gebeuren, zij wist dat net zo goed als hij, en toch deed het hen goed een ogenblik te geloven dat het wel zo zou zijn.
'Vraag Giovanni om hulp, als... als je niet meer op Salvatore kunt rekenen. Mijn broer zal je op elke, denkbare manier ondersteunen.'
'Dat heeft hij al gezegd.' Ze stokte, toen ging ze moeizaam verder: 'Roberto, ik... O god, als je... Ik kan niet...' Weer stopte ze, toen zei ze wanhopig: 'Ik kan niet zonder je leven! Nooit!'
'Niet doen,' zei hij zacht. 'Maak het niet moeilijker dan het al is.'
Ze gooide haar hoofd in haar nek en sloot haar ogen. God, nee, dacht ze met plotseling opkomende paniek. Neem hem niet van me af! Straf me niet zo vreselijk! Neem Salvatore! De baby! Maar hem niet! Niet hem!
Roberto zag haar verdriet, haar woede, maar wat had het voor zin je ogen voor het onvermijdelijke te sluiten? Hij wist dat zijn tijd was gekomen, en hij was dankbaar dat hij nog een paar dagen had gekregen om zijn zaken af te handelen. Maar wat kostte het hem een inspanning om ten minste de ergste dingen nog goed te regelen. Met vele andere dingen, die ook belangrijk waren, zou hij zich niet meer bezig kunnen houden.

De hemel wist wat er van La Befana zou worden nu zijn zoon aan het front zat en niemand wist of hij zou terugkomen. Een van de grootste fouten van zijn leven was geweest dat hij op Francesco had gerekend als zijn enige opvolger. Sophia... Ze was sterk en slim, maar soms ook impulsief. Maar zij zou het landgoed kunnen leiden, dat wist hij zeker. Zou het te laat zijn het haar te vragen? Misschien zou ze het kunnen proberen tot Francesco terugkwam. Ze kon het best. Om haar maakte hij zich geen grote zorgen. Maar Elsa! Hoe verdrietig was ze om hem! Welke prijs hadden ze voor die paar maanden geluk moeten betalen! Hij had een nieuw leven verwekt, met een vrouw die zijn tweede grote liefde was geworden. Wat zou de toekomst brengen voor dit laatste kind van hem? Zou het de schande moeten dragen dat het een buitenechtelijk kind was? Hij zou het niet meer meemaken, en die wetenschap vergrootte de pijn die al dagen onophoudelijk in zijn borst woedde. Die reusachtige vuist was er nog steeds, drukte met geweld zijn binnenste in elkaar en maakte hem ervan bewust dat hij niet veel tijd meer had. Misschien niet meer genoeg om... 'Elsa, mijn liefste,' zei hij opgewekt. 'Wil je zo goed zijn mijn broer te halen? En Sophia... Zij moet ook komen.'

'Roberto,' huilde ze.

'Ik hou van je. Heb ik je dat al eens gezegd?'

'Nu heb je het gedaan.' De tranen stroomden over haar gezicht. 'Maar ik wist het al veel langer. Vanaf het begin, mijn liefste.'

'Dan is het goed.'

Hij had graag nog meer gezegd, haar verteld dat hij haar vanaf de eerste dag had begeerd als geen andere vrouw. Dat ze hem gelukkig had gemaakt, zo erg dat hij soms 's nachts wakker was geworden omdat hij zich leeg voelde als ze niet bij hem was.

'Elsa, je...' Hij brak af. Zijn stem wilde hem niet meer gehoorzamen, en langzaam sloot hij zijn ogen. Ze was hier, ze hield hem in haar armen. Dat was alles wat voor hem telde. Nu waren alleen zij tweeën er nog...

Elsa bleef bij hem. Ze wist instinctief dat ze nu niet weg moest gaan, want dan zou hij helemaal alleen achterblijven. En zo bleef ze bij hem en hield hem vast toen hij voorgoed wegging.

15

'En stel je toch eens voor, commandant Frignani is voor de Duce gaan staan en heeft hem bevolen in een ziekenwagen te gaan zitten die voor de koninklijke residentie stond.' Benedetta was de verontwaardiging zelve. 'Op bevel van de koning! Terwijl hij toch net van een audiëntie bij hem vandaan kwam! Wat een gemene streek!' Benedetta's vader bekleedde een hoge functie bij de fascistische partij, waardoor ze dus alle details van de arrestatie van de Duce wist. Haar vertrouwen in de monarchie was geschokt. Ze kon niet bevatten wat men Mussolini had aangedaan.

'De meeste Italianen zijn blij met zijn aftreden,' zei Sophia onverschillig. 'Niemand wil hem nog hebben.'

'Behalve senator Morgagni,' mengde de patiënte zich erin. 'En die heeft zichzelf doodgeschoten toen hij hoorde dat de Duce werd afgezet. Ik moet zeggen dat ik dat erg extreem vind.'

Benedetta zweeg. Haar gezicht had een half beledigde, half gegeneerde uitdrukking. Ondanks alle indoctrinatie was ze te jong om een leider die ze niet eens goed gekend had lang trouw te blijven, en die ze alleen maar aanhing omdat haar vader hem altijd zo opgehemeld had. Daarbij had zelfs hij de laatste weken een andere toon aangeslagen, want de tijden veranderden. De *Camera dei Fasci e delle Corporazioni* was door het nieuwe kabinet officieel opgeheven. Politieke partijen waren verboden, net als politieke activiteiten. In de steden van Noord-Italië waren ongeregeldheden. In de straten van Milaan werd geschoten, talrijke fascisten waren al door hun tegenstanders gedood of in elkaar geslagen. Overal werden de partijsecretarissen en de prefecten van de *Fascia* gevangengezet of in preventieve hechtenis genomen. De tijd van afrekening met het oude kader was aangebroken.

'Misschien breken er zonder de fascisten echt betere tijden aan,' zei Benedetta verzoenend. 'Er wordt gezegd dat heel Rome door een golf van vreugde op zijn kop staat.'

'Ik was ook blij,' verklaarde de grijsharige patiënte in het bed voor hen. 'Iedereen die bij zijn verstand is, moet wel blij zijn! Als die geallieerden maar niet steeds hun bedreigingen ook tegen ons richtten! Al die pamfletten die ze steeds afwerpen: weg met de Duitsers – of vuur en staal!' Hijgend leunde ze terug in de kussens. 'Waren ze maar weg! Dan hadden de Engelsen en Amerikanen geen reden meer om ons met bommen te bestoken! Rome, Milaan, Turijn... wat een ellende. Waarom houden ze er niet mee op?'

'Omdat Italië te laf is vredesonderhandelingen met de geallieerden te beginnen,' zei Sophia. 'Badoglio moet proberen een aparte vrede te sluiten, dan zou dat hele gedoe snel voorbij zijn.'

'Denkt u?' De patiënte fronste. 'Misschien proberen ze het al de hele tijd en lukt het niet.'

Sophia vond dat een naïeve opvatting, zonder dat ze er enig idee van had hoe dicht het bij de waarheid lag.

Sophia en Benedetta maakten deze ochtend de bedden op op de vrouwenafdeling. Sinds een paar dagen was Sophia weer aan het werk.

'Het zal je een beetje afleiden, kind,' had Anna aangedrongen. 'Wie heeft er wat aan als je de hele dag voor je uit zit te staren? Jij niet, en wij ook niet. Help anderen en je helpt jezelf.'

Sophia had ten slotte toegegeven omdat ze niet meer tegen de stilte in het huis kon. De rust was niet langer weldadig, maar verlammend en akelig. Ze kreeg het gevoel dat ze in een gevangenis zat. Naar La Befana teruggaan, was voor haar geen optie. Geen macht ter wereld kon haar naar de plek van haar schande en fouten terug doen keren, in elk geval voorlopig niet. Bij de gedachte alleen al werd ze misselijk.

Haar vader lag daarboven op de heuvel begraven, naast haar moeder. Ze kon het niet verdragen ook maar in de buurt van de begraafplaats te komen. Later misschien. Maar niet nu. Niet zolang de schuld nog zo zwaar op haar drukte dat het haar de adem benam als ze aan haar vader dacht, en aan de dag dat hij was gestorven. Zijn dood was als een open wond, altijd pijnlijk, maar vol ondraaglijke pijn als je eraan kwam.

En dus had ze besloten haar werk in het ziekenhuis maar weer op te pakken. 'Waar is Mussolini nu eigenlijk?' vroeg de patiënte. Ze leed aan waterzucht; haar buik en benen waren opgezet door overtollig weefselvocht, terwijl haar gezicht er uitgemergeld en ingevallen uitzag. Haar binnenste zat vol tumoren, waar niets meer aan te doen was. De vrouw had misschien nog maar drie maanden te leven. Sophia en de andere verpleegsters probeerden het haar de resterende tijd zo aangenaam mogelijk te maken. Al waren de levensmiddelen gerantsoeneerd, ze probeerden de doodzieke patiënte toch af en toe iets lekkers toe te stoppen. Ze at trouwens toch al bijna niets meer. Benedetta nam meteen de gelegenheid te baat om gewichtig te doen. 'Eerst hebben ze de Duce naar de Polgorakazerne gebracht, en van daaruit naar de cadettenschool in de Via Legnano. Daar was hij tot zevenentwintig juli.'

'En daarna?' vroeg de patiënte. 'Dat is toch al... wacht even. Hoe lang is dat geleden?'

'Drie weken en vier dagen,' zei Sophia zacht. Hoe zou ze ook maar één enkele dag sinds de gebeurtenissen van de laatste maand hebben kunnen vergeten?

'En waar is de Duce nu?' wilde de patiënte weten.

Benedetta schudde treurig haar hoofd. 'Dat weet geen mens. Misschien is hij al dood.'

Richard Kroner wist meer over Mussolini's lot dan Benedetta en bijna alle andere Italianen. De Duce stond nog steeds onder arrest. Op de avond van zevenentwintig juli was hij met een vrachtwagenkonvooi naar Gaeta gebracht en na het invallen van de duisternis vandaar met de korvet *Persefone* naar Ponza overgebracht. De dag daarop werd hem een primitieve behuizing toegewezen, met niets anders dan de dingen die hij sinds zijn arrestatie bij zich had.

Op de dag na zijn aankomst was hij zestig geworden. Richard Kroner had gehoord dat Göring de Duce persoonlijk een gelukstelegram had gestuurd. Bovendien had Mussolini een verjaardagscadeau van Hitler gekregen, een luxe uitgave in vierentwintig banden van de verzamelde werken van Friedrich Nietzsche. Het zag ernaar uit dat hij nu alle tijd had ze te lezen: sinds zeven augustus bevond Mussolini zich in een privé-villa op vlootbasis La Maddalena, waar hij streng werd bewaakt. Zijn cipier was Bruno Brivonesi, die slecht over de Duce te spreken was sinds hij hem voor de krijgsraad had gedaagd. Admiraal Brivonesi was toentertijd door tussenkomst van de koning aan een veroordeling ontsnapt, en daarom was hij nu vast van plan zijn tegenstander goed onder de duim te houden.

Richard wist alles over dat soort dingen, omdat hij promotie had gemaakt en nu als speciale verbindingsofficier van de generale staf was aangesteld. De Duitse legerleiding had meteen na Mussolini's val de daarvoor opgestelde plannen SIEGFRIED en KONSTANTIN in werking gezet, en binnen enkele dagen waren acht Duitse divisies Noord-Italië binnengevallen. Daaronder was de Eerste Pantserdivisie van het lievelings-SS-regiment van Adolf Hitler, dat van het oostfront was teruggetrokken.

In het hoofdkwartier was men ervan overtuigd dat de herhaalde verzekeringen van Badoglio en de koning dat ze in de oorlog aan de kant van de Duitsers zouden blijven vechten, niets meer waren dan een achterbakse tactiek ter omwisseling van de verbondspartners, met het enige doel tijd te winnen.

In werkelijkheid was, volgens de onofficiële lezing, Italië eropuit de oorlog zo snel mogelijk te beëindigen. Maar Italië was bang door Duitsland als tegenstander behandeld te worden – een weinig gewenst lot in deze tijd.

De verdenking van de Duitsers zou snel bevestigd worden. De radiocontrole in Cap Gris Nez in Frankrijk had eind juli een gesprek tussen Churchill en Roosevelt afgeluisterd. Daardoor hadden de Duitsers ontdekt dat er onderhandelingen werden gevoerd tussen Italië en de geallieerden, om de oorlog eenzijdig te beëindigen.

Maar al daarvoor had Hitler, die het nieuwe regime niet vertrouwde, de geheime commando-operaties SCHWARZ en EICHE laten voorbereiden. Richard vond het ene codewoord nog onbenulliger dan het andere, maar het doel erachter was niet lachwekkend. Hitler was onder de codenaam SCHWARZ van plan Rome te bezetten en de koninklijke familie te arresteren en naar Duitsland over te brengen. Het geheime commando EICHE had de opdracht Mussolini uit zijn gevangenschap te bevrijden.

Richard was niet erg enthousiast over zijn nieuwe baan, niet alleen omdat hij dacht dat de plannen toch niet te verwezenlijken waren, maar vooral omdat hij de Waffen-SS die deelnam aan de operatie als slecht gezelschap beschouwde. Zijn nieuwe baan had hij trouwens alleen aan Schlehdorff te danken, die op grond van motieven die Richard niet begreep voor zijn overplaatsing had gezorgd. Schlehdorff had tegenover een SS-leider onder generaal Kurt Student, de bevelhebber van het XIe vliegerkorps, Richards verwonding op La Befana een heldendaad in dienst van het vaderland genoemd, en zijn capaciteiten in alle toonaarden geprezen. De leiding van de Wehrmacht, altijd op zoek naar goede mensen voor het verkennings- en verbindingswezen, had Richard – waarschijnlijk vanwege zijn goede kennis van het Italiaans en zijn gedetailleerde verslag van zijn laatste verkenningsopdracht – zonder veel omslag tot kapitein bevorderd. En ook tijdelijk aangesteld als verbindingsofficier onder generaal Student, die verantwoordelijk was voor de speciale commando's Schwarz en Eiche. Beide acties waren streng geheim, er waren maar weinig officieren van op de hoogte. Sindsdien was er een echt kat-en-muisspel aan de gang met steeds wisselende schaakstukken, waarbij de Duitsers en Italianen elkaar bij de neus probeerden te nemen, terwijl ze officieel trouwe bondgenoten waren.

Ondertussen arresteerde het regime Badoglio aan de lopend band leidinggevende fascisten. Daarom zochten bekende partijleden hun toevlucht tot de Duitse ambassade in Rome. De vroegere partijsecretaris Farinacci en Graaf Ciano, een overtuigd aanhanger van de *Fascia* en familie van de Duce, waren stiekem naar Duitsland overgebracht. Ciano's familie, die door het regime Badoglio was vastgezet, werd door een speciaal commando bevrijd en ook naar Duitsland overgebracht.

Wat de Duce zelf betrof, met de actie onder de codenaam Eiche was iets anders gepland. Men was koortsachtig bezig uit te zoeken waar hij precies verbleef, om hem daarna met een verrassingsaanval te bevrijden en weer aan de macht te brengen.

Over Mussolini deden de gekste geruchten de ronde. Het stond wel vast dat hij een paar keer naar een andere verblijfplaats was gebracht. Eerst werd er gezegd dat hij bij La Spezia op een oorlogsschip werd vastgehouden, om als oorlogsmisdadiger aan de geallieerden uitgeleverd te worden. Rommel stond achter die opvatting, terwijl Student er vanaf het begin van overtuigd was dat Mussolini zich op La Maddalena bevond. Hij schakelde Otto Skorzeny in, de ambitieuze leider van een speciale SS-eenheid, die door Hitler voor politie- en verkenningsopdrachten was geïnstrueerd en die voor de duur van zijn opdracht ook onder generaal Student werd aangesteld.

Richard had inlichtingen ingewonnen en al snel ontdekt dat Student gelijk had met zijn vermoeden. Mussolini werd, geïsoleerd en zwaar bewaakt, inderdaad aan de zuidkant van het vestingeiland gevangen gehouden.

Student en zijn mensen overlegden zonder onderbreking hoe ze het terrein het best konden verkennen.

Op de avond van 18 augustus sprak Richard er met Joachim Weldau over. De sergeant-majoor was zijn adjudant en vertrouwensman gebleven, ten minste één voordeel dat Richard uit de hele toestand had kunnen halen – naast de omstandigheid dat hij niet meer tot de strijdende troepen behoorde. Voor dat laatste was hij nog steeds dankbaar. Hij zou nooit meer kunnen doden. Hij kon zelfs geen wapen meer afvuren. Alleen al bij de poging zijn pistool schoon te maken, begonnen zijn handen te trillen.

Hij had het aan de officier van gezondheid verteld en die had hem aangeraden om overplaatsing naar een ander onderdeel te vragen. 'In de artillerie hebt u niets meer te zoeken, dat moet u duidelijk maken. Als u het toch zou proberen, gaat u eraan. Wat kunt u nog meer, behalve schieten en een tank besturen?'

Nou, hij sprak Italiaans, en dus zat hij hier, in het kantoortje dat hem was toegewezen in het hoofdkwartier van de opperbevelhebbers Zuid in Frascati bij Rome. In dit soort werk, dat stond voor hem intussen vast, was het leven niet veel makkelijker, maar lang niet zo gevaarlijk, en het had het voordeel dat hij op niemand hoefde te schieten.

Joachim Weldau leunde tegen het gammele bureau vol houtworm, waarvan verschillende laden klemden. De augustushitte kroop, ondanks de gesloten luiken, door het geopende raam de kamer binnen en veroorzaakte een klimaat als in een broeikas. Richard had zijn uniformjasje uitgedaan, zijn overhemd was nat van het zweet. 'Het staat nu wel vast dat Mussolini op La Maddalena is,' zei Richard peinzend. 'Ik wou dat het ook vaststond hoe hij daar weggehaald kan worden.'

'Dat hangt ervan af hoe goed hij bewaakt wordt,' merkte Weldau droogjes op. De wijnvlek op zijn wang was rood. Er parelde zweet op zijn voorhoofd, en de weinige haren die hij nog had, hingen in slierten naar beneden. De hitte deed alle pogingen er netjes uit te zien teniet. Alleen Schlehdorff lukte het steeds er onberispelijk uit te zien. Steeds als Richard hem zag, wat deze dagen regelmatig voorkwam, kon men hem door een ringetje halen. Nooit ontsierde ook maar een enkel vlekje zijn glanzend gepoetste laarzen.

Richard pakte een potlood en tikte daarmee op de rand van zijn bureau, dat vol papieren lag. Radioberichten, landkaarten, vertalingen en verslagen van de toestand op Sicilië en in Zuid-Italië lagen kriskras door elkaar. Weldau, die meestal Richards zaken op orde hield, hield zich verre van die administratieve rompslomp. In het verleden was duidelijk geworden dat Richard in die chaos beter kon vinden wat hij nodig had als er niemand anders aan kwam.

'Warger heeft al meer ontdekt,' zei Richard.

SS-Untersturmführer Robert Warger sprak net als Richard vloeiend Italiaans. Als matroos verkleed was hij aangesteld onder fregatkapitein Hunaeus, de Duitse chef-staf bij de Italiaanse admiraal op Sardinië, en op die manier was het hem gelukt met discrete vragen bijzonderheden over Mussolini's hechtenis te weten te komen.

'Wat is Skorzeny nu van plan?' wilde Weldau weten.

Richard trok een gezicht. 'Iets wat me niet zo bevalt, maar het is zijn zaak. Als hij zijn nek breekt, is deze actie voor mij misschien voorbij.'

Hij stond op. De gammele, houten stoel kreunde protesterend toen Richard hem achteruitschoof. Hij liep naar het raam en keek door een spleet naar buiten, daar werden de schaduwen langer. Er lag een lichte stofsluier over het plaveisel van kinderkopjes. Voor de buurgebouwen stonden een paar mannen in uniform te roken. Ergens was het hoefgetrappel van paarden te horen, en in de verte klonk het geblaf van een hond. In de buurt moest ergens een rozentuin zijn. De geur herinnerde Richard sterk aan Sophia en in één klap was alles weer terug wat hij zo graag wilde vergeten.

Maar dat was niet mogelijk. Hoe zou hij de minuten van hun samenzijn die nacht uit zijn gedachten kunnen bannen? De bitterheid en de afwijzing waarmee Sophia uit zijn leven was verdwenen, deden hem nog steeds pijn. Het gemene spelletje dat ze met hem had gespeeld, greep hem aan als een langzaam werkend gif, dat in de loop van de tijd eerder sterker dan zwakker werd. Maar net zo slecht kon hij die betoverende momenten waarin ze in zijn armen had gelegen, vergeten. Wat haar motief ook geweest was – ze was nog nooit eerder op die manier met een man samen geweest, voordat ze zich aan hem had gegeven.

Geklop op de deur haalde hem uit zijn overpeinzingen. Er kwam een ordonnans binnen die Richard een bericht in code overhandigde, waarna hij zich saluerend weer terugtrok.

Richard begon met behulp van zijn codeboek het bericht meteen te decoderen. 'Tja,' zei hij toen tegen Weldau. 'Skorzeny heeft veel geluk gehad.'

'Wat is er gebeurd?'

'Hij heeft van Student een He 111 gekregen en is daarmee over La Maddalena gevlogen. De Tommy's hebben hem neergeschoten.'

'En dat noem je geluk?'

'Zeker. Hij kon Wargers resultaten verifiëren. Bovendien leeft hij nog. Op een paar gebroken ribben na heeft hij niks.'

'En nu?'

Richard greep al naar de telefoon om generaal Student te informeren. 'Ik neem aan dat Student een escadrille watervliegtuigen wil bestellen om de bevrijdingsactie op gang te brengen.'

'En daarna? Wat gebeurt er als het inderdaad lukt Mussolini eruit te halen?'

'Dat mag Joost weten.'

De veldtocht op Sicilië was definitief beëindigd. Messina was gevallen en de troepen van de asmogendheden waren allemaal naar het vasteland overgeplaatst.

Toch had Sophia nog steeds niets van haar broer gehoord. Via de legerleiding had ze hem een telegram gestuurd om hem over de dood van de Marchese te informeren, maar Francesco had niets van zich laten horen. Zijn eenheid was tijdens het gevecht om de Etna in de pan gehakt, en hij was als vermist opgegeven.

Begin september woonde Sophia nog steeds bij haar oom in Montepulciano. Giovanni had een rentmeester uit de omgeving van Florence aangesteld om de zaken op La Befana te regelen. Sophia hoorde af en toe nieuws uit het Val d'Orcia. In het dal werd steeds meer Duitse artillerie samengebracht, zodat alle kustplaatsen van Toscane in geval van de verwachte landing van de geallieerden zo snel mogelijk bereikt konden worden. In Montepulciano zelf was de oorlogsdreiging al lang duidelijk geworden. Beneden de toegangswegen om de hele berg waren loopgraven uitgegraven, en verder omhoog op de helling waren op strategische punten geschutstukken in stelling gebracht, die soms alleen provisorisch met bladeren en takken waren gecamoufleerd.

In de stad wemelde het van soldaten van de divisie Ravenna, die pas uit Rusland waren teruggekeerd. Soms werden er ook gewonde soldaten het ziekenhuis binnengebracht, maar meestal ging het om mannen die zich bij de militaire oefeningen hadden verwond. Er werd tot nu toe alleen verder naar het zuiden gevochten. Sinds drie september landden er Britse en Canadese troepen van het Achtste Leger in Reggio di Calabria. De invasie van het vasteland was begonnen. Sophia had het bericht op die dag al vroeg op de BBC gehoord, en 's middags was het via de Italiaanse radio bevestigd. De oorlog kwam steeds dichterbij, en ook Montepulciano maakte zich gereed hem te ontvangen.

Steeds weer klonk het gedreun van vliegtuigen boven het stadje, en de mensen doken in elkaar alsof ze zo aan onverwachte bombardementen konden ontsnappen.

Bij het zien van de overal aanwezige soldaten, moest Sophia er vaak aan denken dat La Befana er op dit moment ook zo zou hebben uitgezien, als Richard niet had besloten het landgoed buiten beschouwing te laten voor een verdedigingslinie van de Duitsers.

Maar wie had toen kunnen denken hoe onverschillig ze nu tegenover La Befana stond, nu haar vader niet meer leefde!

Over Elsa en haar man hoorde Sophia erg weinig. Soms moest ze aan de geliefde van haar vader denken, en dan vroeg ze zich af wat Elsa bij de dood van de Marchese moest hebben gevoeld. Zijn dochter noch zijn zoon waren bij hem geweest, maar zíj was het die zijn laatste woorden had gehoord!

Bij de begrafenis was Elsa niet geweest, iets wat Sophia met bittere voldoening had vervuld, maar wat de andere mensen van het landgoed, waarvan niemand ontbrak, vreemd hadden gevonden.

Men had haar afwezigheid ten slotte geweten aan het lot van haar man, wiens toekomst nog steeds onzeker was. Er werd gezegd dat verschillende instanties aan het touwtrekken waren over wie in dit geval de bevoegdheid had; er was nog steeds geen datum voor een proces vastgesteld.

Van Josefa, die af en toe opbelde, had Sophia gehoord dat Elsa nog steeds in de *Fattoria* woonde. De nieuwe rentmeester had kamers in de villa gekregen.

'Maar alleen tot jij naar huis komt, kindje,' had Josefa sussend gezegd. 'Dan neem jij de touwtjes in handen, zoals het hoort. Jij gaat voor het landgoed zorgen.'

'Dat kan ik niet, Josefa.'

'Dan leer je het maar. Je moeder kon het ook, uit zichzelf. Er is toch niets aan! Je bent slim, had altijd alles snel door! En ik zal voor je koken en met Fernanda het huis op orde houden!'

Maar Sophia duwde elke gedachte om naar huis terug te gaan ver van zich af. Ze werkte in het ziekenhuis tot ze erbij neerviel en 's avonds viel ze uitgeput in slaap. 's Nachts werd ze vaak wakker, doordat ze vreselijke nachtmerries had. Dan kon ze niet meer in slaap komen en huilde tot ze geen tranen meer over had. Soms hoorde Anna haar gesnik en dan ging ze naar haar toe om haar te troosten, maar Sophia stuurde haar elke keer weg. Haar verdriet was niet het soort dat ze met anderen kon delen. Zijzelf had die last op zich genomen en ze geloofde dat ze hem ook alleen moest dragen. Het was al lang niet meer het verdriet om haar vader of de angst om haar broer dat haar dwarszat, en ook niet het schuldgevoel om Salvatore die nog steeds gevangenzat.

Dat wat haar nu dwarszat, was iets heel anders: ze kreeg een baby. Ze had het al langer vermoed, want de symptomen waren duidelijk. Haar ongesteldheid, die altijd heel regelmatig was, was al voor de tweede keer uitgebleven, haar borsten waren voller en de randen om haar tepels waren donkerder geworden. Haar altijd al mooie huid had de zachte glans van porselein gekregen.

Tot nu toe was het haar nog gelukt haar zwangerschap voor Anna en Giovanni geheim te houden. Ze was af en toe wel misselijk, maar ze hoefde niet over te geven.

Op 8 september ging ze naar een dokter in Rome, om zekerheid te krijgen. Ze durfde niet naar een gynaecoloog in Siena of Florence te gaan, omdat ze bang was herkend te zullen worden.

Tegen Anna en Giovanni zei ze dat ze in Rome op bezoek ging bij een schoolvriendin.

'Ik vind het niet zo prettig dat je in deze tijd naar Rome gaat,' zei Anna.

'Ik kan wel op mezelf passen.'

'Wat kun je doen als je gebombardeerd wordt?' vroeg Anna geërgerd. 'Gewoon weglopen?'

'Het is toch alleen gevaarlijk in de buurt van het vliegveld en de industriegebieden. Je weet best dat Flavia midden in de stad woont.'

'Vorige maand hebben ze meerdere keren dezelfde wijk in de buurt van het station gebombardeerd.'

Maar Sophia liet zich niet overhalen. 'Vorige maand zijn er ook bommen in het Val d'Orcia gevallen, en er is niemand gewond geraakt.'

Vanwege de controles haalde ze bijtijds een pasje, dat al op het station van Montepulciano door een wachtpost van het daar gelegerde Duitse garnizoen werd gecontroleerd. De treinreis naar Rome verliep zonder problemen, maar de aanwezigheid van al die soldaten viel erg op. De trein was ondanks de onrust erg vol. Sophia zat in de eerste klas, samen met een zakenman, een duur gekleed echtpaar van middelbare leeftijd en een alleen reizende meneer.

Tijdens de reis werd levendig gediscussieerd over wanneer Badoglio de ophanden zijnde wapenstilstand bekend zou maken. Niemand nam de verzekering van de nieuwe regering dat ze de oorlog aan de zijde van Duitsland zouden voortzetten serieus. De zakenman, een dikke dertiger in een te strak pak, verklaarde vol overtuiging dat hij er zeker van was dat het wapenstilstandsverdrag met de geallieerden allang was getekend, en dat Badoglio alleen maar een gunstig moment afwachtte om het nieuws bekend te maken.

'Ik hoop maar dat hij dat dan snel doet,' zei de vrouw, een matrone met een bezwete, zijden blouse en strak achterover gekamd haar.

'Ik weet niet of we dat wel moeten willen,' zei haar man.

'Daar hebt u gelijk in,' zei de oudere man met een bekommerd gezicht. 'Wat zullen de Duitsers die ons hele land bezet hebben, dan doen? Zullen ze dan met een vriendelijk lachend gezicht naar huis gaan? Die zitten toch alleen maar te wachten tot ze ons als slaven kunnen behandelen! Ze hebben heus wel hun maatregelen genomen voor het geval Badoglio de wapenstilstand afkondigt.' Hij vouwde zijn handen en boog voorover. 'Dan zal er iets vreselijks gebeuren!'

Sophia bemoeide zich niet met het gesprek. Ze was blij toen de reis ten einde was. Ook in de hoofdstad wemelde het van de soldaten. De omgeving van Rome werd door Duitse troepen bezet, terwijl de toegangswegen door Italiaanse soldaten werden gecontroleerd.

Het passeren van de controle gaf geen problemen. Bij het station Termini nam Sophia een taxi naar de dokter, wiens adres ze opgezocht had. Zijn praktijk was vlak bij Vaticaanstad.

Bij de doktersassistente gaf ze een valse naam op, maar tijdens het onderzoek merkte ze dat ze ondanks haar zorgvuldige voorbereidingen toch een fout had gemaakt.

'Hoe oud bent u?' vroeg de dokter met een blik op haar lege ringvinger.

Sophia slikte en sloot haar ogen om hem niet aan te hoeven kijken, terwijl zijn handen haar buik betastten.

'Vijfentwintig,' loog ze.

Hij knikte zwijgend en zei haar dat ze zich weer aan kon kleden. Bij het daaropvolgende gesprek vertelde hij haar dat ze in de tweede maand van haar zwangerschap was, waarmee hij haar vermoeden bevestigde.

'Leeft u verder zoals u gewend bent, maar maak af en toe een wandeling. Eet meer verse groenten en fruit. Doe vaker een dutje en gun uzelf de nodige rust. Drink liever geen alcohol en rook niet.'

'Ik rook niet,' zei Sophia mechanisch.

'Des te beter. Hebt u veel last van misselijkheid?'

'Tot nu toe niet.'

'Dan heeft u geluk. Het hoeft niet altijd zo te zijn. Zover ik kan beoordelen is alles in orde. Uw zwangerschap ontwikkelt zich normaal. U zult ongeveer half april bevallen. Met Gods hulp zult u spoedig een gelukkige moeder zijn. Heeft u nog vragen?'

Sophia schudde haar hoofd en kon gaan.

Ze betaalde bij de doktersassistente voor ze weer wegging. De vraag die ze had willen stellen, was haar niet over de lippen gekomen nadat de dokter het over God had gehad. Hoe had ze toen nog over haar onzekerheid, haar angst en haar schaamte kunnen praten? Hoe had ze hem kunnen vragen welke mogelijkheden er waren de zwangerschap af te breken? Sophia had wel over vrouwen gehoord die zich daarmee bezighielden, maar ze kende geen namen of adressen en wist ook niet wie ze dat kon vragen. Er waren vast ook wel artsen die vrouwen hielpen als ze geen uitweg meer wisten. Zou Giovanni iemand kennen? Ze kon het hem vragen, heel terloops alsof ze het voor een bekende vroeg.

Om te doen alsof ze echt bij haar vriendin was geweest, kon ze pas met de laatste trein teruggaan. Tot dan had ze nog een paar uur, die ze in de stad kon doorbrengen. In de binnenstad was er van de vernietigende bombardementen van de laatste maanden niets te merken. Het leven van de Romeinen scheen verder te gaan als altijd. Ze liep langs de Engelsburcht en nam de weg over de Engelsbrug, waar ze de ongeëvenaarde marmeren beelden van Bernini bewonderde. Ze slenterde langs de Tiber en door de straten tot het Pantheon en even later bereikte ze de Trevifontein. Ze gooide een munt in de bron en vroeg zich af wanneer ze hier weer zou zijn en vooral wat het lot tot dan voor haar in petto had. Een mengsel van angst, trots en besluiteloosheid was over haar gekomen, sinds de dokter had bevestigd dat ze een baby kreeg. Ze was nog geen eenentwintig en niet getrouwd. Haar ouders leefden niet meer, en haar broer, de huidige Marchese, zat ergens in de oorlog. De mensen zouden over haar fluisteren en haar nawijzen. In de kerk en in het dorp zouden ze haar nastaren en een grote mond opzetten. Haar kind zou de schande van een buitenechtelijk kind moeten dragen, de andere kinderen zouden hem bespotten en pesten en zijn schande nog groter maken.

Nee, ze kon het niet laten komen. Het was uitgesloten, volledig ondenkbaar. Ze kon geen moeder worden. Niet zolang er geen hoop op een huwelijk bestond, iets wat ze zelf grondig verknoeid had. Haar maag trok zich in een harde knoop samen, toen ze dacht aan wat ze gedaan had.

Richard, dacht ze wanhopig. Als je toch eens hier was om me te helpen! Als ik je toch alles eens kon uitleggen en je om vergeving vragen!

Ze liep verder en voelde zich uitgeput toen ze bij de Spaanse Trappen kwam, waar ze in een café ging zitten om een espresso te drinken en naar de flanerende mensen te kijken. Hier leek de tijd stil te staan, het leek wel of de oorlog bij een andere wereld hoorde. Er bloeiden bloemen langs de bochten en krullen van het barokke meesterwerk, dat omhoog liep naar de Santissima Trinità dei Monti. Overal was men druk bezig en de mensen genoten als altijd van de drukte, de zomerse warmte en de pittoreske omgeving. Op de treden zat een man die in gedachten gitaar speelde en een oud volkslied zong. Schilders hadden hun ezels aan de voet van de trappen opgezet en zetten het monument met vaardige hand op linnen of aquarelpapier. Vakantiegangers slenterden trap op en trap af, op zoek naar een gunstige hoek voor een foto die de bezienswaardigheid zou vereeuwigen.

Sophia was hier al een paar keer geweest. Als kind met haar ouders, als jong meisje samen met Benedetta en haar broer en later, tijdens haar verpleegstersopleiding, ook met Anna die haar naar het Vaticaanmuseum en verschillende kerken had meegesleept, om maar te zwijgen van alle andere bezienswaardigheden. Sophia wist zo langzamerhand in Rome beter de weg dan in Florence. Ze bedacht of ze een kortere weg zou nemen naar de Piazza del Popolo, maar in plaats daarvan ging ze naar de Piazza Barberini. De waterspuwer van de Fontana del Tritone in het midden van het plein verspreidde in zijn onmiddellijke nabijheid een heerlijke, vochtige koelte. Sophia bleef er even staan, diep in gedachten verzonken. Haar blik gleed over de barokfiguren zonder ze echt te zien. Ze wist niet of het vocht op haar wangen van de nevel kwam, die de wind naar haar toe waaide, of dat het tranen waren die haar blik versluierden. Er kwam een zware moedeloosheid over haar toen ze zich omdraaide en op weg ging naar het station.

16

Skorzeny en zijn adjudant voerden op acht september een verkenningsvlucht uit boven de Abruzzen om luchtopnames te maken van Mussolini's nieuwe gevangenis. Richard had mee kunnen vliegen, maar hij bleef liever in het hoofdkwartier – niet omdat hij bang was dat Skorzeny weer neergeschoten zou worden, maar omdat hij omkwam in het werk. Hij had zijn handen vol om de binnenkomende berichten te vertalen, decoderen, coördineren en verder te leiden. Het PLAN EICHE draaide op volle toeren. Sinds op achtentwintig augustus bekend was geworden dat Mussolini naar het vasteland was overgebracht, had het niet lang geduurd voordat ze achter zijn nieuwe verblijfplaats waren gekomen. Sinds zes september bevond Mussolini zich in een sporthotel dat gelegen was op een hoogvlakte van de Gran Sasso. Het was alleen via een kabelbaan bereikbaar. Men had het van een camouflagebeschildering voorzien en alle vakantiegangers waren weggestuurd. Generaal Student plande de bevrijdingsactie voor de komende dagen.

Maar ook om andere redenen was het die dag druk in het hoofdkwartier in Frascati. Er moest een stafbespreking gehouden worden. Volgens de laatste berichten lag er een grote invasievloot van de geallieerden voor Salerno, een zeker teken dat de oorlog op het vasteland binnenkort in volle gang zou zijn.

Het lot van het verbond met Italië was nog steeds onzeker. Badoglio had een paar dagen eerder verklaard dat hij zich als een van de oudste maarschalken van Europa aan zijn woord hield.

Italië zou trouw blijven aan het verbond, het wantrouwen van de Rijksregering was voor hem onbegrijpelijk. De nieuwe Duitse ambassadeur was in Rome door de koning ontvangen, die hem nadrukkelijk verzekerde dat Italië nooit de wapens zou neerleggen. De Duitse geheime diensten wisten wel beter. Zowel de onder Canaris vallende, Duitse, militaire inlichtingendienst als de door Schellenberg geleide, politieke, buitenlandse spionagedienst berichtten onafhankelijk van elkaar dat Italië een frontverandering voorbereidde.

Men was dus voorbereid op het PLAN ACHSE – het zich terugtrekken uit de oorlog door Italië zou meteen grote tegenmaatregelen van het Duitse leger teweegbrengen.

Er werd geklopt en toen Richard zag wie er binnenkwam, vertrok zijn gezicht zich onwillekeurig. Schlehdorff had zich de laatste dagen, onder allerlei voorwendsels, vaker laten zien. Hij scheen graag met Richard te praten. In rang stond Schlehdorff boven hem, en als SS-officier met een speciale opdracht kon hij praktisch overal binnenkomen, of het de betrokkene nou beviel of niet.

'Ik hoop dat u uw werk niet saai gaat vinden,' zei hij opgewekt.

'Nee, zeker niet,' zei Richard beleefd.

'Hoe staan de acties ervoor? Wat voor nieuws is er over de Amerikanen?'

'Er zouden meer dan zevenhonderd schepen zijn.'

Schlehdorff floot door zijn tanden. 'Daar zullen we flink op los moeten slaan.' Hij boog zich over een landkaart. 'Vanuit Salerno is het nog een flink stuk hier naartoe. We zullen tijd genoeg hebben PLAN ACHSE uit te voeren. Ontwapening en vernietiging van alle Italiaanse troepen, opbouw van een front ten zuiden van Rome.'

'Tot nu toe zijn we nog steeds met de Italianen in dialoog. Kesselring en Westphal gaan vandaag naar Monte Rotondo, om met Ruotta over de Engelsen in Calabrië te praten.'

Schlehdorff maakte een verachtelijke handbeweging. 'Waarom nog praten? Wie nu nog in die leugenachtige hondenzonen gelooft, is zelf schuldig!' Zijn lippen vertrokken in een brede lach. 'Als je ze goed aanpakt, zeggen ze op een gegeven moment wel de waarheid, geloof me maar, Kroner. Daar maak ik me persoonlijk sterk voor, dat ligt me erg na aan het hart.' Hij bekeek zijn keurig gevijlde vingernagels nadrukkelijk. 'Neem nu die kerel die we vanwege die aanslag op u hebben gearresteerd, die rentmeester... hoe heet hij ook weer?'

'Farnesi,' zei Richard uitdrukkingsloos. Welk spelletje speelde Schlehdorff nu weer?

'Precies, Farnesi. Salvatore Farnesi. Heeft een knappe vrouw, die Farnesi. Elsa heet ze, ik herinner me haar nog goed. Zal ik eens wat vertellen? Ze heeft met de landheer gescharreld voor hij stierf. Heeft wat gehad met de voorname vorst. Dat heeft Farnesi toegegeven, toen we hem hebben ondervraagd. Nou ja, ik ken de *Maresciallo* heel goed, hij had er niets op tegen dat ik me persoonlijk met het verhoor heb beziggehouden. We hebben daar zo onze speciale methodes voor.'

Richard liet niet merken hoe geschokt hij was over de dood van Roberto Scarlatti. 'Wanneer is hij overleden?'

'Nou, toen we de rentmeester hebben gearresteerd. Hij kreeg een hartaanval toen we er waren. Als we hem niet toevallig naar het ziekenhuis hadden kunnen brengen, dan was hij vast nog eerder gestorven. Hij heeft het toch nog een paar dagen volgehouden, maar toen was het voorbij.'

Richard vond de meelevende toon van Schlehdorff onverdraaglijk. 'Helaas wil Farnesi niet toegeven dat hij heeft geschoten. Hij beweert dat hij het niet gedaan heeft, dat het geweer van hem was gestolen. Al het andere heeft hij wel toegegeven. Geen mens gelooft wat hij allemaal heeft gezegd, zelfs dat er op het landgoed levensmiddelen en zilver zijn begraven. Maar dat ene, belangrijke punt blijft hij ontkennen.' Schlehdorff boog zich voorover en keek Richard indringend aan. 'Maar geloof me, ik zal er alles aan doen de kerel te laten bekennen. Hij zal praten, dat garandeer ik. Ik laat niet toe dat men u straffeloos zoiets aandoet.'

Richard beantwoordde de indringende blik van de man tegenover hem met een onbehaaglijk gevoel. 'Misschien heeft hij het echt niet gedaan.'

'Als het iemand anders was, dan kom ik daar wel achter. De overleden Marchese heeft een dochter die bij haar oom in Montepulciano woont. Als ik in de buurt ben, zal ik die eens aan de tand voelen. Misschien weet zij iets. En als ik langs dat godverlaten landgoed kom, zal ik die Elsa ook nog eens onder handen nemen.'

Ze was naar haar oom gegaan! Richard bedacht dat er in Montepulciano een Duits garnizoen lag. Hij kon er makkelijk, heel officieel naartoe gaan, bijvoorbeeld voor een inspectiebezoek! Hadden Roberto en Anna Scarlatti hem niet uitgenodigd hen te bezoeken? Hij zou Sophia kunnen terugzien! Haar nog één keer te mogen zien...

'Ik vind het niet zo belangrijk de zaak verder uit te zoeken,' zei Richard afwezig. 'Laat het verleden toch rusten. Mijn verwonding is allang genezen, het gaat goed met me. Waarom nog zoveel ophef maken over die geschiedenis?'

'Die instelling is prijzenswaardig,' zei Schlehdorff minzaam. 'Maar het gaat hier niet om uw belang. We moeten een einde maken aan de praktijken van die partizanenzwijnen! We kunnen die geniepige aanval niet ongewroken laten. We moeten een voorbeeld stellen waar dat mogelijk is.'

Er werd weer geklopt, en Joachim Weldau verscheen met een stapel berichten. Hij hief zijn hand voor de voorgeschreven groet. 'Heil Hitler!' donderde hij.

Schlehdorff kromp in elkaar. 'Heil Hitler,' zei hij wrevelig.

'Het werk roept,' zei Richard opgelucht.

Schlehdorff nam afscheid met een welwillend knikje. De sergeant-majoor bekeek hij met een zure blik, terwijl hij naar buiten liep. Weldau keek hem vol verachting na. 'Hij kan het niet laten, hè?'

'Wat bedoel je daarmee?'

Weldau keek verrast. 'Je wilt toch niet zeggen dat je het niet gemerkt hebt!'

'Je bedoelt...' Richard schudde verbluft zijn hoofd. Op die gedachte was hij nog niet gekomen. 'Is hij niet getrouwd?'

Weldau haalde zijn schouders op. 'Wat wil dat nou zeggen in een oorlog?'

Plotseling liep hij naar het raam. 'Wat is dat?' Buiten klonk een dof gedreun, dat snel luider werd en toen in een huilend gefluit overging.

'Bommenwerpers,' riep Richard gealarmeerd uit. 'Ze zijn vlakbij! Dit is een aanval!' Hij sprong op, greep Weldau en trok hem op de grond. 'Zoek dekking!'

En toen explodeerde de wereld om hen heen in een fel licht. Het dak werd boven hun hoofd weggerukt, het regende grote brokken cement en kalk en de lucht vulde zich met stof.

Een gloeiend stuk metaal landde met een pijnlijke klap op Richards linkeronderarm. Het deed vreselijk veel pijn. Hij schreeuwde het uit en slingerde met een heftige beweging het ding van zich af. Toen wreef hij hoestend het stof uit zijn ogen. Er vielen nog steeds stukken van het dak naar beneden. Door de opening kwam een dikke rook naar binnen, waardoor hij nauwelijks meer kon ademen. Ergens in de buurt brandde iets.

'Joachim?'

Er kwam geen antwoord. Richard kokhalsde, omdat er rook en stof in zijn keel brandden.

Buiten ging het gedreun en gefluit onverminderd door, voortdurend onderbroken door het donderende geluid van inslagen. De geallieerden vielen het hoofdkwartier aan!

'Joachim!' riep Richard weer.

De gestalte naast hem bewoog niet.

Hij worstelde zich omhoog. De papieren op zijn bureau waren in brand gevlogen en het vuur breidde zich razendsnel uit. Het hout eronder begon al te gloeien.

Richard bukte zich en pakte de sergeant-majoor onder zijn armen. Weldau was geen lichtgewicht, het kostte hem enige moeite hem naar de deur te slepen, iets wat nog werd bemoeilijkt doordat hij door de dikke rook niets meer kon zien.

De deur brak uit zijn scharnieren toen hij zich er met zijn rug tegenaan gooide – niet door zijn gewicht, maar omdat er vlakbij weer een bom insloeg. Door de drukgolf stortte de muur van een dichtbij gelegen gebouw in en liet het glas van de ramen uit elkaar springen. Het regende glassplinters en puin, terwijl Richard onverstoorbaar het levenloze lichaam naar buiten sleepte.

Er kwam een verpleger langs gerend.

'Ik heb hulp nodig!' riep Richard. De verpleger bleef hijgend voor hem staan. 'Wat heeft u? Laat eens kijken.' Hij pakte Richards hand en duwde hem meteen weer van zich af. 'Dat kunt u zelf wel verbinden. Wat moet dat? Er zijn hier honderden anderen die mijn hulp veel harder nodig hebben!'

'Ik niet. Hij.' Richard liet de sergeant-majoor voorzichtig op de grond zakken.

De verpleger wiep een vluchtige blik op Joachim Weldau. 'U maakt zeker een grapje?'

Nu zag Richard het ook. Joachim Weldau had nog maar één oog, dat hem beschuldigend aanstaarde. Uit het andere stak als een obsceen, groot vraagteken, een reusachtige houtsplinter. Een van de in het rond slingerende brokstukken had zich er diep in geboord. 'Die is er geweest,' zei de verpleger. 'Behalve een doodskist heeft hij niets meer nodig.' Richard zakte naast hem op zijn knieën. Zijn ogen brandden als vuur en hij kon nauwelijks ademhalen. 'Nee,' fluisterde hij. 'Het zijn altijd de besten,' zei de verpleger, voordat hij verder rende.

Om hem heen ging de aanval van de geallieerden met onverminderde hevigheid door, maar Richard dacht er niet aan dekking te zoeken. In blinde, machteloze ontzetting bleef hij op de grond zitten, te midden van rokende bomkraters en in elkaar gestorte huizen, en hield een dodenwake voor zijn vriend en strijdmakker.

Sophia was bijna bij het station, toen er plotseling luid geschreeuwd werd. Een wildvreemde vrouw kwam op haar af rennen en trok haar in een uitbundige omhelzing. 'Het is zover!' schreeuwde ze, lachend en huilend tegelijk. 'De oorlog is voorbij!' Sophia maakte zich los. 'Wat...?' stamelde ze verward. Ze pakte haar handtas op, die op de grond was gevallen. De vrouw stak vol blijdschap haar armen in de lucht. 'Het was op de radio! Badoglio is het met de geallieerden eens geworden over een wapenstilstand! Vanaf nu is de oorlog voor Italië voorbij!' De vrouw omarmde Sophia nog een keer, toen liep ze verder om de volgende het heuglijke nieuws te vertellen. Op het plein voor het station stroomden de mensen samen, ze lachten, huilden en gilden opgewonden door elkaar. Er klonk hartstochtelijk gejuich. Grote groepen trokken dansend en zingend over het plein. Midden in die onbeschrijflijke chaos stond Sophia met haar handtas in haar armen geklemd en dacht steeds weer: de oorlog is voorbij. Het is voorbij. Het is voorbij. Nu hoeft hij niet meer te vechten. Hij is nu geen soldaat meer. Hij is een heel gewone man, die vrij is om te doen wat hij wil. Hij zou...

Haar gedachten werden onderbroken toen twee mannen haar vastpakten en haar in een vreugdedans wilden meetrekken.

'Kom, meisje, lach met ons mee. Zing met ons!' riep de een gelukkig. Maar ze had geen zin in feestvieren en maakte zich lachend los. Overal klonken kerkklokken. De mensenmassa stroomde van het station Termini in de richting van Vaticaanstad, om onderweg te feesten of de dankdiensten te bezoeken die overal werden gehouden, alsof Italië de oorlog had gewonnen in plaats van zich eruit terug te trekken.

Sophia dacht aan wat Richard haar gezegd had bij hun laatste ontmoeting.

Een wapenstilstand is een illusie. Reken er maar op dat het front je binnenkort inhaalt, hoe dan ook...

Het was een wonder dat ze ondanks de drukte de laatste trein nog haalde, maar hij vertrok met aanzienlijke vertraging. Bij aankomst in Montepulciano zag ze dat het station door Duitse soldaten belegerd werd. Met hun geweren in de aanslag bewaakten ze grimmig alle toegangen. Sophia liet haar pasje zien en een wachtpost wenkte haar bars dat ze door kon lopen. Op weg naar Giovanni's villa kwam ze ook overal soldaten tegen. Ze zagen er waakzaam en gespannen uit. De meesten van hen bekeken de inheemse bevolking met wantrouwige en haatdragende blikken.

Anna opende de deur. Opgelucht trok ze het meisje in haar armen.

'Daar ben je eindelijk! Ik begon me al zorgen te maken!'

'De trein had vertraging.'

'Dat kan ik me indenken.'

'Heb je van de wapenstilstand gehoord?'

'Natuurlijk. Er wordt over niets anders gepraat. Was het in Rome ook zo?'

Sophia knikte moe, terwijl ze in de gang haar jack en schoenen uitdeed. Haar voeten deden pijn van het vele lopen en ze was doodmoe. 'In de stad staat alles op z'n kop,' vertelde ze. 'De mensen zijn helemaal buiten zichzelf van blijdschap. Het was een onbeschrijflijke chaos. Hoe is het hier?'

'Meer ingehouden. Natuurlijk hebben veel mensen hun blijdschap getoond. Maar de Duitsers hebben overal posten betrokken en houden hun geweren in de aanslag. Begrijpelijk, omdat ze niet van ons op aan kunnen. Ik vraag me af waar dit alles zal eindigen.'

Ik voel me nog niet zo blij als ik naar de toekomst kijk. Je vraagt je af waar het gezonde, menselijke verstand is gebleven.'

Sophia haalde hulpeloos haar schouders op. 'De tijden zijn idioot, en de mensen ook. Tjee, wat ben ik moe.'

Anna bracht haar een kop thee, haar huismiddeltje tegen alle kwaaltjes. 'Kom, ga lekker bij de open haard zitten, ik heb een vuur gemaakt.'

Ze gingen naar de bibliotheek, waar ze zwijgend hun thee dronken en Sophia daarna vertelde hoe haar zogenaamde bezoek aan haar vriendin was geweest. Ze praatte kalm en staarde daarbij in de vlammen, terwijl ze zich ervan bewust was dat Anna haar af en toe onderzoekend aankeek.

Maar haar tante zei niets. Na een poosje stond ze op. 'Giovanni zal zo wel thuiskomen. Ik zal wat te eten voor hem maken. Heb jij ook nog honger? Ik heb een heerlijke lamsragout.'

Hoewel het al laat was en Sophia van plan was geweest naar bed te gaan, stemde ze toch toe. Opeens had ze gemerkt hoeveel honger ze had. Die middag had ze een broodje gekocht en tijdens haar wandeling opgegeten; dat was alles.

Kort daarna kwam Giovanni Scarlatti thuis. Hij kuste zijn vrouw op haar blonde haar en omarmde Sophia hartelijk.

'Hoe was het in Rome?'

'Opwindend,' zei Sophia naar waarheid. 'De mensen vierden feest in de straten.'

Ze gingen naar de eetkamer om te eten. De ragout was voortreffelijk; daarbij kregen ze witbrood, sla en een lichte, rode wijn.

'Het vlees is heerlijk, lieverd.' Giovanni deed het eten alle eer aan.

'Het is niet meer zo makkelijk een goed stuk vlees te kopen,' zei Anna spijtig. 'Zelfs niet op de zwarte markt.'

'Wordt er dan zoveel in beslag genomen?' vroeg Sophia.

Anna schudde haar hoofd. 'De boeren hamsteren wat ze kunnen, voor slechtere tijden.'

'Laten we maar hopen dat die niet snel aanbreken.' Giovanni hief zijn glas om een toost uit te brengen. 'Op een snel einde van de oorlog en dat we spoedig geen Duitsers meer hoeven zien.'

De volgende avond volgde Sophia na het eten haar oom naar de bibliotheek. 'Kan ik je even spreken?'

'Maar natuurlijk.' Hij gebaarde naar de uitnodigende fauteuil bij de haard. 'Ga zitten. Wil je een sherry?'

'Graag.' Ze stemde toe, deels uit verlegenheid, deels uit de behoefte zich een beetje moed in te drinken. Ze nipte voorzichtig aan de bleekgele, geurige vloeistof.

'Een bekende van me zit in moeilijkheden,' begon ze zenuwachtig. Giovanni trok zijn wenkbrauwen op. 'Wat voor moeilijkheden?'

'Ze... hmm, ze...' Sophia zocht naar de geschikte woorden, maar ontdekte dat er voor wat ze wilde zeggen geen verzachtende termen bestonden. 'Ze krijgt een baby.'

'Is het een ongewenste zwangerschap?' vroeg Govanni zakelijk. Sophia knikte met gloeiende wangen.

'En die... bekende – wil van jou weten wat ze ertegen kan doen?'

'Ze kan het kind niet krijgen,' gooide Sophia eruit. 'Het zou haar ondergang betekenen! De schande zou vreselijk zijn!'

'Hoe zit het met de vader?'

'Hij is... Hij is er niet meer.'

'Ik begrijp het.'

Giovanni keek zijn nichtje met een somber gezicht aan. 'Waarom heeft ze zich tot jou gewend? Waarom is ze niet naar mij toegekomen? Ik heb toch aangeboden haar te helpen? Ik zou zelfs... Laat maar. In haar situatie is het begrijpelijk dat ze er liever met een andere vrouw over praat.'

Hij staarde in de vlammen, die een helder licht op zijn knappe, trotse gezicht wierpen. Hij leek op dit moment zo sterk op Roberto dat de tranen Sophia in de ogen schoten. Bij de dagelijkse omgang met haar oom viel de gelijkenis haar niet zo erg op. Door zijn gulle lach en zijn vrolijke aard zou je niet zeggen dat hij Roberto's tweelingbroer was, maar op momenten als deze, als hij zo ernstig en bedachtzaam keek, kreeg Sophia het gevoel dat haar vader voor haar stond. Op zulke momenten kneep haar keel zich dicht van verdriet, zo wanhopig wilde ze dat hij nog leefde, al was het alleen maar om hem nog één keer te kunnen zeggen hoe erg ze het allemaal vond en hoeveel ze van hem hield.

'Ik kan een abortus regelen als ze dat echt wil.'

Sophia dacht dat ze het verkeerd gehoord had. Haar mond bleef openstaan.

Giovanni merkte haar verbazing niet. Hij draaide zich naar haar om.

'Maar als ze toch besluit de baby te krijgen, zal ik alles doen om haar te beschermen. Ik zal het kind opnemen en het als mijn eigen opvoeden.' Zijn gezicht zag er aangedaan uit, en terwijl hij sprak raakte hij meer en meer opgewonden. 'Het zal mijn naam dragen en mijn erfgenaam zijn. Ik heb altijd al een zoon gewild. Misschien wordt het wel een jongen. Het is van mijn bloed! Roberto en ik zijn altijd één geweest. Waarom zou zijn zoon niet ook de mijne zijn?'

Sophia staarde hem aan, terwijl ze langzaam aan begreep wat hij bedoelde. Dat kon toch niet waar zijn! Haar vader... Een baby? Dat betekende dan toch dat Elsa... Nee, dat was ondenkbaar! Maar Giovanni's volgende woorden gaven haar de schokkende zekerheid.

'Ik heb Badoglio gevraagd of hij zich wil inzetten voor de vrijlating van haar man! Hij kon niets beloven, maar hij zal zien wat hij kan doen. Ik kan haar ook geld geven, als ze dat nodig heeft. Zoveel ik kan missen. Ze kan ook hierheen komen, hier wonen. God, ik heb het haar toch aangeboden op de dag dat hij stierf! Ik heb het precies zo gedaan als hij wilde!'

Met trillende handen zette ze haar sherryglas weg. De tactiek die ze voor dit gesprek had uitgestippeld, was vergeten. Ze kon niet helder meer denken. Alles draaide om haar heen.

'Kijk me aan!' riep haar oom opgewonden uit. 'Is dat het? Wil ze geld? Wil ze dan misschien van mening veranderen?'

'Ik had het niet over Elsa,' fluisterde Sophia met een zielig stemmetje. 'Ik wist helemaal niet dat ze een baby verwachtte.'

Giovanni's gezicht weerspiegelde verschillende gevoelens. Het veranderde van wantrouwen, via verbluffen en opluchting naar onverholen kwaadheid, omdat hij ongewild een geheim had verraden.

'Wat ben ik voor een stomkop!' bracht hij uit. Toen fronste hij. 'Maar je wist toch dat Roberto en Elsa... Dat die twee... Je wist van hun affaire, dat heeft Roberto me zelf verteld!'

'Dat van de baby wist ik niet.'

Sophia stond op. Ze werd duizelig en pakte de rugleuning van de stoel. Giovanni deed een stap naar haar toe en pakte haar bij de schouders toen ze dreigde te vallen. 'Ga even zitten. Met je hoofd tussen je knieën.'

Ze gehoorzaamde en liet zich weer in de stoel vallen. Haar haren hingen als een donkere, zijdeachtige sluier naar beneden toen ze haar hoofd tussen haar benen legde.

'Vergeet niet te ademen.'

Met een beverig lachje zei ze: 'Hoe zou ik dat kunnen vergeten?'

'Nou, net zoals je bijvoorbeeld bent vergeten me te zeggen dat jij degene bent die een baby verwacht.'

Sophia's hoofd ging met een ruk omhoog. Zijn ogen stonden ondoorgrondelijk.

Toen ze wilde protesteren, schudde hij zijn hoofd. 'Ontken het maar niet. Ik ben arts. Bovendien krijgt veel van wat Anna de laatste tijd aan je is opgevallen opeens betekenis.'

'Geldt dat wat je net over Elsa zei ook voor mij? Zou je... Zou je hetzelfde voor mij doen als voor haar?'

'Wie is de vader? De Duitse officier die je toen bij het diner met zijn blikken uitkleedde? Ik begreep niet waarom je vader je met hem alleen liet, nadat het zo duidelijk was waar hij op uit was.'

'Misschien was mijn vader ook ergens op uit.'

Giovanni staarde haar aan en schudde toen zijn hoofd. 'Dat geloof ik niet. Nee, nooit. Mijn broer was geen berekenend mens. En hij zou nooit zo gewetenloos zijn geweest van jou te verwachten...' Hij onderbrak zichzelf. Er stond afschuw op zijn gezicht te lezen toen hij weer zijn hoofd schudde. 'Nooit.'

'Je hebt gelijk.' Sophia liet haar hoofd hangen. 'Het was heel anders.' Ze stond op en liep onrustig heen en weer. 'Hij wilde dat ik voor hem uitvond wat de Duitser op La Befana van plan was, maar natuurlijk vroeg hij niet van me dat ik... dat ik datgene deed wat ik heb gedaan. Dat gebeurde later, nadat ik toevallig had ontdekt dat hij en Elsa...'

Ze stopte omdat de herinnering aan die noodlottige nacht haar stem deed haperen. Maar toen vatte ze moed en vertelde ze haar oom de hele waarheid. Wat zou het ook voor zin hebben gehad als ze datgene wat toen gebeurd was, nog steeds voor hem zou verzwijgen? Het belangrijkst wist hij toch al. Ze was zwanger en afhankelijk van zijn hulp. Hij had haar vraag of zijn aanbod voor hulp ook voor haar gold, tot nu toe niet beantwoord. Toen ze het hem opnieuw vroeg, woelde hij met zijn hand door zijn haar tot het alle kanten uit stond.

'Daar moet ik eerst over nadenken,' verklaarde hij nors.

'Maar de omstandigheden zijn toch precies hetzelfde!' barstte Sophia uit.

Maar daar was Giovanni het niet mee eens. Scherp zei hij tegen haar: 'Bij jou is het een heel ander geval. Jij bent veel jonger. Jij hebt geen echtgenoot waarmee je in discussie moet over de afkomst van het kind. Jij behoort tot een hogere klasse, met genoeg geld. Jij hebt Anna en mij die je op alle mogelijke manieren zullen steunen. En dan is er ten slotte nog de vader van je kind. Je hebt zelf net nog gezegd dat je verliefd op hem bent.'

'Ja, maar hij is niet meer hier!' stoof Sophia op. 'Ik kan hem nooit meer terugzien! Hoe zou dat kunnen? Ik heb tegen hem gelogen, hem er op een schandelijke manier in laten lopen!'

'Onzin,' zei Giovanni kortaf. 'Je bent een jong, onervaren ding. Hij is minstens tien jaar ouder dan jij. Als er iemand de verantwoording voor die hele geschiedenis moet nemen, dan is hij dat wel. En ik zal ervoor zorgen dát hij die ook neemt, zo waar ik hier sta. Dat ben ik de familie, en vooral mijn broer, verschuldigd.'

'Wat ga je dan doen?'

'Laat dat maar aan mij over.'

In het ziekenhuis van Montepulciano was het druk. Sophia en Benedetta hadden hun handen vol de nieuwelingen onder te brengen, en de gewonden te verzorgen die in de loop van de dag binnengebracht werden.

In de hele omgeving waren schermutselingen tussen Duitse en Italiaanse troepen.

Sinds die belangrijke acht september waren de gebeurtenissen elkaar snel opgevolgd. Het grootste deel van Frascati, waar de Duitse generale staf zijn hoofdkwartier had, was door de luchtaanvallen van de geallieerden met de grond gelijk gemaakt. Sophia voelde een knagende angst als ze eraan dacht dat Richard daar misschien geweest was...

Vanaf de kust klonk het gedreun van nog meer bombardementen, wat vermoedelijk ook meer landingen betekende. Overal werd gevochten. De Duitsers waren vast van plan de Italianen te verslaan. Er lagen vijf Italiaanse divisies om Rome, maar zou het hen lukken de hoofdstad tegen de Duitsers te beschermen?

Opeens waren de vroegere bondgenoten met elkaar in oorlog. De spoorweg naar Rome was bij Monte Rotondo, waar het Italiaanse hoofdkwartier was, onderbroken. De Duitsers hadden alle wegen versperd en vorderden alle voertuigen. Bologna, Padua en Verona waren ook al door de Duitsers bezet. Het gerucht ging dat de geallieerden in de buurt van Rome een tweede landingsoperatie waren begonnen.

En het onbegrijpelijke nieuws: de koning en Badoglio hadden Rome verlaten! In alle stilte waren ze er vandoor gegaan om de bescherming van de geallieerden te zoeken.

Benedetta had het er al de hele morgen over dat de regering het Italiaanse volk in de steek had gelaten.

Nijdig bond ze een verband om het been van een soldaat, die met een van pijn vertrokken gezicht haar hulp over zich heen liet komen.

'Ze zijn gevlucht als ratten van een zinkend schip!' klaagde ze.

'Moeten ze dan rustig afwachten tot ze worden gearresteerd en opgehangen?' Sophia pakte het laatste stuk van het verband aan en bevestigde het aan het dijbeen van de kreunende, jonge Sardiniër. Een verdwaalde kogel had zijn been boven de knie doorboord en een vervelende vleeswond achtergelaten.

'Maar hoe kunnen ze nou gewoon verdwijnen, nadat ze deze puinhoop hebben veroorzaakt?' riep Benedetta verontwaardigd uit.

De soldaat wiens been ze verbonden had, was het ondanks de pijn met haar eens. 'Die schoften! Ze hebben ons allemaal in de steek gelaten! We hebben ons leven voor hen geriskeerd en ze gaan er als hazen vandoor! Wat moeten we nu doen? Doorgaan met vechten? Naar huis gaan?'

'Doorgaan met vechten!' vuurde Benedetta hem met fonkelende ogen aan.

'Bedoel je echt dat we...' Hij stopte en haalde sissend adem, terwijl hij boos naar Sophia's hand greep. 'God, wat doet dat pijn! Wil je me om het leven brengen, meisje?'

Sophia duwde zijn hand weg en stopte hem onverstoorbaar een koortsthermometer in zijn mond. 'Dat zullen de Duitsers wel doen als je weer een geweer pakt.'

In de middag van tien september werd de slag om Rome gestaakt. Sophia hoorde later dat de onderhandelingen tussen Westphal en

226

di Bergolo resultaat hadden gehad. De vijandelijkheden in het hele gebied om Rome werden beëindigd en Rome werd tot vrije stad verklaard. Meer dan achthonderd officieren en drieëntwintigduizend onderofficieren en manschappen legden hun wapens neer en werden naar huis gestuurd. Voor die handelwijze werd Kesselring later door het opperbevel van de Wehrmacht berispt; men verwachtte van hem dat hij alle gevangengenomen Italianen naar Duitsland zou sturen om daar geïnterneerd te worden. Kesselring weigerde en beweerde dat dat bevel onuitvoerbaar was.

In Rome bleven alleen wat Duitse soldaten achter ter bewaking van de belangrijkste gebouwen. Kesselring stelde, met instemming van di Bergolo, de Duitse generaal-majoor Stahel aan als stadsbevelhebber van Rome.

17

In de namiddag van twaalf september staarde Richard naar een telegram dat hem door de ordonnans was gebracht. Hij zat in de barak die men provisorisch voor de stafleden had ingericht.
De tekst van het telegram verbaasde hem. Hij las hem meerdere keren, maar snapte er niets van.

HIERBIJ WIL IK MIJN UITNODIGING HERHALEN EN U HARTELIJK UITNODIGEN BIJ ONS TE KOMEN DINEREN. HEB GEHOORD DAT U IN DE BUURT BENT. VERWACHT U TEGEN ACHT UUR. MET VRIENDELIJKE GROET, GIOVANNI SCARLATTI.

Richard wist niet wat hij ervan moest denken. Hij had bij hun vorige ontmoeting niet de indruk gekregen dat Giovanni Scarlatti hem nou zo graag als gast wilde ontvangen. Bovendien was Frascati niet echt dicht bij Montepulciano. Daaruit moest hij afleiden dat de arts hem om een bepaalde reden wilde spreken, en hem niet alleen voor een gezellig etentje wilde uitnodigen.
Maar het feit dat Sophia in het huis van haar oom verbleef, maakte de beslissing natuurlijk eenvoudig. Als hij de uitnodiging aannam, zou hij haar weer zien. Was het telegram misschien op haar aandringen gestuurd? Wilde ze hem weer ontmoeten? Had ze spijt van haar gedrag tegenover hem?
Na uitvoerig nadenken kwam Richard tot de slotsom dat de uitnodiging iets met haar te maken moest hebben. Ze wilde hem terugzien! Ze moest vast net zo vaak aan hem denken als hij aan haar!

Met bonzend hart bedacht hij of hij die middag een dienstreis naar Montepulciano zou kunnen maken. Zijn begeleiders kon hij in het daar gelegerde Duitse garnizoen achterlaten, en zijn eigen privé-inkwartiering motiveren door te zeggen dat hij discreet inlichtingen wilde inwinnen. Iets wat hij wel vaker deed.

Maar toen sloeg zijn blijde stemming om, want er kon geen slechtere dag gekozen worden voor een dineruitnodiging dan deze twaalfde september. Sinds de capitulatie liep bij de staf alles in het honderd. Bij de luchtaanval van de geallieerden op het hoofdkwartier waren meer dan honderd mannen van het stafpersoneel omgekomen, en ze hadden niet allemaal zo'n snel einde gekend als Joachim Weldau, die op slag dood was geweest. Nadat de rook was opgetrokken, was Richard rond gaan kijken en had een complete slachting aangetroffen. Het was een vreselijke aanblik geweest.

De overlevenden kregen, ondanks de chaos en de wanhoop, nauwelijks de tijd zich aan hun verdriet en ontzetting over te geven.

De oorlog ging verder en eiste dagelijks nieuwe slachtoffers. In dezelfde tijd dat de generaals Westphal en Toussaint met Roatta onderhandelden, had Kesselring de opheffing van PLAN ACHSE al bevolen. Terwijl de Duitsers in allerijl de Italiaanse troepen ontwapenden, werden ze tegelijkertijd zwaar onder vuur genomen door de gelande troepen van de geallieerden. Generaal-overste von Vietinghoff-Scheel kon bij Salerno maar drie van zijn divisies tegen de oprukkende Amerikanen inzetten; twee andere trokken zich tijdens harde achterhoedegevechten in de Calabrische bergen terug. De Eerste Paradivisie probeerde intussen in Apulië de opmars van de vanuit Taranto aanvallende Engelsen tegen te houden. En alle Duitse troepenbewegingen werden nog eens extra bemoeilijkt door de geallieerde overmacht in de lucht.

PLAN EICHE ging door. Zodra Student zeker wist dat Mussolini op de Gran Sasso gevangen gehouden werd, gaf hij per omgaande bevel tot zijn bevrijding. Richard had aan de omvangrijke organisatie meegewerkt en was opgelucht dat de onderneming eindelijk afgerond zou worden. Anders dan Skorzeny, die er per se bij wilde zijn en bij de laatste besprekingen aan Student had gevraagd of hij als 'politiek adviseur' mee mocht vliegen, had Richard geen zin bij de actie zijn leven in de waagschaal te stellen. Skorzeny stond erop zestien van zijn mannen mee te nemen, iets wat Student hem niet kon weigeren – een concessie die ertoe leidde dat zestien ervaren, goedopgeleide parachutisten het veld moesten ruimen voor een groep SS'ers. Het gevaar dat Skorzeny eigenmachtig in de geplande afloop van de onderneming zou ingrijpen, was in Richards ogen meer dan waarschijnlijk. De man had zich zo volledig gewijd aan de bevrijdingsoperatie, dat hij Mussolini waarschijnlijk met zijn eigen handen van de Gran Sasso naar beneden zou sleuren als hij daartoe de kans kreeg.

Om drie uur de afgelopen nacht waren drie compagnies in een vrachtwagenkonvooi vanuit het klooster Mondragone vertrokken om het dalstation van de Gran Sasso te bezetten. Een vierde compagnie had in de loop van de dag het militaire vliegveld Pratica di Mare bereikt, waar sleepmachines en vrachtzweefvliegtuigen klaarstonden die volgens plan laat in de middag gestart werden.

Dat waren de laatste berichten die Richard gekregen had. PLAN EICHE was in volle gang. Nu kon men alleen nog afwachten, en op het moment was dat precies wat Richard deed. Het was uitgesloten dat hij zomaar kon verdwijnen, zolang niet duidelijk was wat er op de Gran Sasso gebeurde.

Hij had er al in berust dat hij niet naar Montepulciano zou kunnen gaan, toen de deur openvloog en een van de onderofficieren van de radiokamer binnenkwam en uitriep:

'Het is gelukt! Ze hebben Mussolini bevrijd!'

Richard staarde hem verbluft aan. 'Zeg dat nog eens, maar dan langzaam.'

De onderofficier ging in de houding staan en riep afgemeten: 'Kapitein, Benito Mussolini is bevrijd en bevindt zich in veiligheid. De bataljonsradio heeft zojuist de melding doorgegeven en die luidt: opdracht vervuld, Duce per vliegtuig weggebracht!'

Richard kon het nauwelijks geloven, maar het zag ernaar uit dat de geplande overval echt was gelukt. De Duitsers hadden Mussolini bevrijd! Student zou zich vanaf nu persoonlijk op de hoogte houden, dat stond wel vast. Na het succes van PLAN EICHE kon Richard hier op z'n minst tijdelijk worden gemist.

Spontaan besloot hij toch te gaan. Hij meldde zich af bij de korpsleiding. Als reden gaf hij op dat hij gehoord had dat er bij de ontwapening van de Italiaanse divisie Ravenna in Montepulciano, eerder op de middag, problemen waren geweest die onderzoek door een hoofdofficier vereisten. Hij had inderdaad een melding gekregen dat het garnizoen in San Quirico tegenstand ondervond. Hij overdreef de zaak een beetje om een onderzoek te rechtvaardigen en rekruteerde een sergeant-majoor en een soldaat eerste klasse als begeleiders. Door de uitgelaten sfeer van triomf die er heerste na Mussolini's bevrijding, viel het niet op dat hij laat in de middag naar het noorden vertrok.

Toen Sophia die dag na haar werk naar huis kwam, verbaasde ze zich over Anna's zenuwachtigheid. Haar tante fladderde als een opgeschrikte vogel in de keuken rond, terwijl ze bezig was met de voorbereidingen voor het avondeten. Te oordelen naar de vele schotels en schalen die in gebruik waren, zou het vandaag iets bijzonders zijn.
'Wat is er aan de hand? Hebben we iets te vieren?'
'Wat? O, nee, we krijgen bezoek, de een of andere hoge militair. Giovanni komt vandaag speciaal vroeger naar huis.'
Anna draaide haar roodwordende gezicht weg, maar Sophia keek helemaal niet naar haar. Ze viste een gevulde olijf uit een schaal en stak hem in haar mond, waarna ze van de mousse au chocolat snoepte, die voor het dessert bestemd was. 'Mm, lekker. Moet ik ook bij het eten aanwezig zijn?'
'Natuurlijk!' riep Anna uit. Iets rustiger voegde ze eraan toe: 'Waarom neem je niet snel even een bad en doe je iets leuks aan?'
'Moet ik me dan erg netjes kleden?'
'Nee, heel informeel. Het is een bekende van Giovanni.'
Sophia, die ervan uitging dat de bekende in het Italiaanse leger zat, had niet veel zin bij het avondeten aanwezig te zijn.
'Ik blijf liever op mijn kamer om te lezen of vroeg te gaan slapen. Militairen heb ik genoeg gezien de laatste tijd.'
'Wie niet,' beaamde Anna vurig en zonder na te denken. De dag was al slecht begonnen. Meteen na het opstaan had ze op de radio de verklaring van maarschalk Kesselring gehoord, dat alle gebieden in Italië die door Duitsland bezet waren voortaan onder het Duitse oorlogsrecht vielen. De spoorwegen, de post en de telefoon bevonden zich nu in Duitse handen. Privé-brieven waren verboden, werd er verder gezegd en alle telefoongesprekken zouden worden

afgeluisterd. Niettemin had Josefa die middag opgebeld. Opgewonden had ze verteld dat de bossen rond La Befana wemelden van de Italiaanse soldaten die er sinds de capitulatie vandoor waren gegaan, en overal hun uniformen, die ze nu niet meer nodig hadden, achterlieten. Bovendien was de rentmeester niet mans genoeg om de gevluchte krijgsgevangenen weg te sturen, en dat terwijl de Duitsers toch zo vaak kwamen! Anna had haar moeten beloven het probleem aan Giovanni voor te leggen.

Sophia bekeek Anna van terzijde. Haar tante zag er die avond erg aantrekkelijk uit. Onder haar keukenschort droeg ze een paarse, zijden jurk met een witkanten kraag. Haar haren had ze gekruld, wat haar een meisjesachtig uiterlijk gaf. Ze had zelfs een beetje lippenstift opgedaan. Het bezoek dat verwacht werd, liet haar blijkbaar toch niet helemaal onverschillig.

Sophia schraapte haar keel. Tot nu toe had ze het niet gewaagd het onderwerp bij haar tante ter sprake te brengen. Ze had geen idee of Giovanni het zijn vrouw had verteld. Die onzekerheid maakte haar zo onrustig, dat ze de laatste dagen meerdere malen op het punt had gestaan Anna te vragen of ze over haar zwangerschap wist.

'Heeft...Heeft oom Giovanni verder nog iets gezegd?' vroeg ze terloops.

'Nog iets? Nee, niet dat ik weet.' Anna was druk bezig braadvocht over de rosbief, die in de oven stond, te gieten.

'Alleen dat hij graag wil dat je vanavond met ons mee-eet.'

En dus nam Sophia snel een bad en trok een van haar mooiste jurken aan, een smaragdgroene cocktailjurk met een wijdvallende rok en een hoog aangezette taille. Voor de spiegel kamde ze haar haren en deed een druppeltje parfum achter haar oren. De laatste weken was ze helemaal opgebloeid; haar uiterlijk had geen bijzondere zorg nodig.

Nadat ze de parelketting die ze van haar moeder geërfd had omgedaan had, draaide ze rond voor de spiegel en vond ze zichzelf voor de eerste keer in haar leven mooi. Wekenlang had ze geen sieraden of mooie kleren gedragen. Ze was – behalve tijdens de begrafenis van haar vader – niet in het zwart gegaan, die belofte had ze gehouden. Maar afgezien daarvan had ze geen bijzondere aandacht aan haar uiterlijk besteed. De laatste tijd had ze nooit iets anders aangehad dan eenvoudige kleding of haar gesteven verpleegstersuniform. Giovanni en Anna waren niet formeel ingesteld, en vooral haar oom droeg thuis meestal gemakkelijke kleding. Een gewoonte die Sophia graag had gevolgd. Als ze 's avonds na een drukke dag uit het ziekenhuis kwam, had ze helemaal geen zin zich nog op te doffen.

Op La Befana had ze zich voor het avondeten altijd omgekleed. Haar ouders hadden waarde gehecht aan een zekere etiquette, vooral de Marchesa, die zich graag elegant kleedde.

Bij de gedachte aan haar moeder moest Sophia automatisch denken aan de gebeurtenissen die zich voor de dood van haar vader hadden afgespeeld, aan zijn affaire met Elsa en aan het feit dat die vrouw een baby verwachtte. Sophia vond het een gemene speling van het lot dat ze op hetzelfde moment zwanger waren van een onwettig kind. Het verschil was alleen dat Elsa getrouwd was en haar kind dus de schande van onwettigheid bespaard zou blijven – mits Salvatore er niet openlijk afstand van zou nemen.

Opeens bedacht Sophia dat het kind waar Elsa zwanger van was, haar broertje of zusje zou zijn. Een familielid. Haar eigen kind was, als het op de wereld kwam, ook familie van Elsa's spruit. Voor het eerst vroeg ze zich af welk geslacht haar baby zou hebben. Zou het een jongen zijn? Ze had altijd gewild dat haar eerste kind een jongen zou zijn.

Maar toen verdrong ze die gedachte energiek. Haar instinct tot zelfbehoud verhinderde haar zich al te veel met haar toestand bezig te houden, omdat ze anders gevaar liep moederlijke gevoelens voor het nieuwe wezentje in haar buik te ontwikkelen. Steeds weer hield ze zich voor dat ze de baby niet kon laten komen, dat er geen andere oplossing was dan haar zwangerschap af te breken.

De veranderingen in haar lichaam waren nog niet zo ingrijpend dat ze er niet lichtjes overheen kon stappen.

Toen ze de deurbel hoorde, wachtte ze nog een paar minuten, daarna ging ze naar beneden. De gast was al door Viola, het dienstmeisje, in de bibliotheek gelaten. Aan de voet van de trap zag Sophia dat Viola met de jas van de gast naar de garderobe liep.

'Uw oom verwacht u in de bibliotheek, juffrouw,' zei Viola met een kleine buiging.

'Dank je.' Sophia liep langzaam naar de deur, die op een kier stond. Ze hoorde de stem van haar tante en toen, meteen daarna, het lachen van een man. Haar hart sloeg van de ene op de andere seconde op hol toen ze die lach hoorde. Nee, dat kan niet, riep ze zichzelf tot de orde. Je droomt!

Haar benen dreigden het te begeven toen ze door de gang naar de bibliotheek liep, een afstand die haar opeens zo eindeloos leek dat ze dacht het niet te zullen halen.

Maar toen was ze er, haar vingers legden zich als vanzelf op het donkere hout en duwden ertegen. De deur zwaaide naar binnen open.

Sophia zag eerst het silhouet van haar tante, wier jurk in het licht van de haard oplichtte als amethist. Haar oom stond naast haar, met zijn rug naar de deur. Omdat hij zo groot was, onttrok hij de gestalte van de bezoeker die tegenover hem stond bijna aan het gezicht – maar net niet helemaal, want de man was net zo lang als Giovanni. De vlammen van de open haard wierpen een metaalachtige glans op zijn blonde haar. Toen deed Giovanni een stap opzij en zag Sophia de man die al weken door haar hoofd spookte. Haar hart bonkte in haar keel en ze legde een hand tegen haar hals, alsof ze het op die manier onder controle kon krijgen.

Wat is hij toch knap, ging het door haar heen, en toen: o, wat heb ik hem gemist!

Richard hief zijn hoofd op en keek haar precies op dat moment recht aan. Haar hart lag in haar ogen, ze kon niet doen alsof. Instinctief wist hij wat ze dacht en hij voelde hetzelfde als zij. Haar verschijning was een vonkend kleurenspel als van kostbare edelstenen, van het glanzende bruin van haar haren langs het weelderige rood van haar lippen en de zachte glans van haar huid tot aan het stralende groen van haar jurk.

Als zijn gastheer niet naast hem had gestaan, dan was hij naar haar toe gehold en had haar ter plekke in zijn armen genomen. Moeizaam kon hij zichzelf dwingen tot een onschuldige begroeting. 'Sophia,' zei hij hees. Hij liep op haar af en gaf haar een hand, hoewel hij haar het liefst met kussen had overladen. 'Gecondoleerd.'

Ze knikte met vuurrode wangen, niet in staat haar ogen neer te slaan. Haar blik gleed over hem heen en nam elk detail in zich op. Hij was in uitgaansuniform. Sophia zag meteen het nieuwe rangonderscheidingsteken. Hij was iets magerder geworden en zag er meer uitgeput uit dan ze zich herinnerde, maar zijn ogen fonkelden net zoals op die juliavond op La Befana, toen hij haar in zijn armen had genomen.

Anna wisselde een blik met Giovanni. 'Wil je de kapitein even gezelschap houden?' vroeg ze aan Sophia. 'Jullie hebben elkaar vast veel te vertellen. Je oom en ik zullen ondertussen het vlees snijden. Kom je, lieverd?'

Sophia verspilde geen gedachten aan de vraag waarom Anna haar man nodig had bij het snijden van vlees dat net zo goed op tafel gesneden had kunnen worden. Ze merkte niet eens dat de deur achter hen dichtviel.

Ze deed haar mond open om iets te zeggen, maar ze kon niets uitbrengen. Er verscheen een smekende uitdrukking in haar ogen, en Richard herkende haar onuitgesproken vraag, omdat het hetzelfde was wat hij ook wilde. Maar een paar stappen scheidden hem van haar en hij legde ze af in een fractie van een seconde. Toen lag ze in zijn armen en zijn mond nam de hare in bezit.

Hij kuste haar hartstochtelijk en eisend, alsof hij zijn aanspraak op haar opnieuw wilde laten gelden en voor altijd vastleggen. Ze kwam zijn tong gewillig met de hare tegemoet, heet en zoet, en haar handen gingen onder het jasje van zijn uniform en vonden zijn warme borst. Haar vingertoppen tastten rond en vonden zijn harde spieren.

Richard streelde met zijn lippen over haar wangen, haar wenkbrauwen, haar oorlelletjes en haar hals. 'Sophia! O, wat heb ik je vreselijk gemist! Nooit meer, hoor je, je mag me nooit meer wegsturen!' Het liefst had hij gehuild, zo heerlijk was het gevoel haar na al die weken weer in zijn armen te houden.

'Het spijt me zo!' Sophia was niet, zoals hij, in staat haar gevoelens te beheersen. Ze huilde ongeremd en klemde zich aan hem vast, zo stevig als ze kon. En toch was het niet genoeg.

'Hou me vast,' fluisterde ze huilend. De woorden die zich in haar hadden opgehoopt, braken als een stortvloed naar buiten. 'Laat me nooit meer alleen! Ik heb je zo nodig! Ik hou van je! Het spijt me zo!'

'Niet doen,' mompelde hij.

'Nee, je begrijpt het niet, het was allemaal mijn schuld... Als ik toch maar... Het was alleen, omdat ik...'

Het duurde even voor Richard haar onsamenhangende gestamel

begreep, toen suste hij haar. 'Sst, hou op met huilen. Jij kon er niks aan doen. Ik had zelf moeten merken dat er iets niet klopte. Laten we maar gewoon zeggen dat het lot ons bij elkaar heeft gebracht, anders was ik hier vandaag niet. We horen bij elkaar, merk je dat ook?'

Papa had het ook over het lot, ging het door haar heen. Alsof hij het had vermoed!

Ze kusten elkaar weer, tot hun hartstocht ten slotte in tederheid overging. Richard streek een lok haar van Sophia's voorhoofd en zei toen eindelijk waar ze op gehoopt had.

'Ik hou van je.'

Er ontsnapte haar een gelukzalige zucht. 'Nu komt alles toch nog goed.'

'Wat bedoel je, liefste?'

Ze kreeg een kleur. 'Waarom denk je dat mijn oom je hier uitgenodigd heeft?'

Hij had niet meer dan een ademtocht nodig om te beseffen wat ze bedoelde. Wat was hij een idioot dat hij dat niet meteen gemerkt had!

'Je krijgt een baby.'

Ze knikte en beet op haar lippen, terwijl ze hem vragend aankeek.

Zijn gezicht versteende en langzaam liet hij zijn armen zakken.

Haar ogen gingen angstig wijdopen. 'Richard?'

Snel trok hij haar weer in zijn armen. 'Het is al goed, lieveling. Alles is goed. Ik blijf bij jou en de baby. We zullen alles in orde maken.'

Zijn gedachten tolden door zijn hoofd. Wat moest hij doen? Hoe kon hij nu zeggen dat hij niet vrij meer was? De waarheid zou haar verpletteren, vooral omdat hij haar had laten denken dat zijn vrouw niet meer leefde. Sophia zou hem meteen de deur wijzen als ze hoorde dat hij niet de weduwnaar was waarvoor ze hem hield. En deze keer zou het een scheiding voor eeuwig betekenen. Alleen al de gedachte haar nooit meer te zien, maakte hem bijna gek. Sophia was als een brug die hem na jaren van wanhoop naar een andere wereld voerde, waar hoop en liefde waren. Hij was liever gestorven dan weer om te draaien!

Op hetzelfde moment wist hij dat er maar één oplossing was. De gedachte ging door hem heen als een vurige bliksemflits, en hij verwierp hem meteen, omdat hij zo vreselijk was – alleen om hem ogenblikkelijk weer te overwegen en dan als onherroepelijk te accepteren.

Wanhopig dacht hij aan de brief die hij een paar dagen eerder van zijn moeder had gekregen. Ze bezocht Johanna af en toe in het tehuis en liet hem dan weten hoe het met zijn vrouw ging.

Ze kan niet meer in de rolstoel gezet worden, omdat de krampaanvallen heviger zijn geworden sinds ze geelzucht heeft gekregen. De artsen zeggen dat het er slecht voor haar uitziet. Ze zijn bang dat ze in een dodelijk coma terecht zal komen, en hoewel ik steeds voor jullie bid, geloof ik toch dat dat het beste zou zijn. Wat voor leven blijft er voor jullie over, wat voor huwelijk is het als ze altijd in een geestelijke schemering vertoeft? Ik hoop dat God het me vergeeft, maar ik bid dat haar lijden snel ophoudt, zodat ook jij de kracht zult vinden weer opnieuw te beginnen.

Schuldgevoel overweldigde hem, omdat zijn moeder met haar woorden een zwakke plek had getroffen. Hij schaamde zich vreselijk, omdat hij hetzelfde dacht als zij. Opnieuw beginnen – wat verlangde hij daarnaar!

Een nieuwe liefde, een nieuw gezin...

De vervulling van al zijn wensen stond in de gestalte van dit meisje voor hem. Hij hoefde het alleen maar te pakken en het waar te maken.

Nou, hij zóú het waarmaken, want in zijn hele leven had hij nog nooit zo sterk naar iets verlangd als naar deze tweede kans!

Maar hij was getrouwd. Met een vrouw die alleen nog maar een spastisch, stervend lichaam was, maar ondanks alles zijn wettige vrouw. Hij zou zich kunnen laten scheiden en daarmee deed hij niemand pijn, maar die procedure zou maanden, misschien zelfs jaren, duren. Dan zou zijn kind allang geboren zijn.

Bovendien had een scheiding uit Sophia's oogpunt bekeken geen zin, want haar geloof stond een huwelijk met een gescheiden man niet toe. Een kerkelijk huwelijk – en alleen dat telde in dit land – kwam al helemaal niet aan de orde.

Trouwen kon Sophia alleen als zijn eerste vrouw niet meer leefde, en wachten tot Johanna zou overlijden, kwam hem voor als het summum van stuitende gewetenloosheid. Bovendien – wie kon zeggen wanneer dat zou gebeuren? Haar dood lag in Gods hand.

En dus kon hij alleen dat doen wat hij al besloten had. In het bewustzijn dat hij er op een dag voor in de hel zou branden, stak hij vastbesloten zijn kin vooruit en vroeg: 'Wil je mijn vrouw worden?' Ze hief haar hoofd van zijn schouder. Haar ogen glansden vol vreugdetranen. 'Ja! Ja, ja, ja!'

Hij dwong zich tot een lachje. 'Je maakt me erg gelukkig.'

'Vast niet half zo gelukkig als ik ben!' riep ze uit. Ze drukte zich dichter tegen hem aan, maar toen stopte ze opeens en fluisterde: 'Ach, ik wou dat papa dit nog kon meemaken! Hij zou zo blij voor me zijn! En weet je wat? Hij heeft het geweten!'

'Wat?'

'Hij heeft tegen me gezegd dat we elkaar terug zouden zien. Dat we de wegen van het lot moesten gaan. En het is precies zo uitgekomen!' Ze liet hem los en wervelde in een groene wolk van zijde naar de deur. 'We gaan het mijn oom vertellen, goed? Hij zat zo in de zorgen om mij!'

En ze was de hal al ingelopen.

'Oom Giovanni! We gaan trouwen!'

Richard bleef in de bibliotheek staan en hield zwijgend een gesprek met zichzelf. De wegen van het lot volgen... Was het dat wat hij nu deed? Onderwierp hij zich aan een hogere macht, die hem dicteerde wat hij moest doen? Hij twijfelde eraan, maar hoe het ook zij, hij moest nu de ingeslagen weg vervolgen. En vooral de broer van de Marchese van zijn eerbare bedoelingen overtuigen.

Giovanni en Anna waren zichtbaar opgelucht over het nieuws. Anna sloot Richard als vanzelfsprekend in de armen, omdat hij nu bijna tot de familie behoorde.

Giovanni schonk iedereen een flink glas sherry in, alleen Sophia kreeg een kleinere portie.

Lachend bracht hij een toost uit. 'Op het verloofde paar.'

De onderzoekende, iets argwanende blikken die hij Richard daarbij toewierp, ontgingen hem niet. Hij wist dat hij er krampachtig uitzag, en dus haastte hij zich een reden voor die zenuwachtigheid te geven. 'De oorlog staat op het punt te escaleren en het tijdstip voor een bruiloft is nogal ongunstig. Italië en Duitsland staan vijandig tegenover elkaar. Sophia zou vervelende opmerkingen kunnen krijgen als bekend wordt dat ze met een Duitser gaat trouwen. Daar maak ik me zorgen over.'

Giovanni knikte langzaam. 'Ik begrijp het. U heeft gelijk, dat zou problemen kunnen opleveren. Wat stelt u voor?'
'Ik heb er al over nagedacht en hoop dat u niets tegen een snelle bruiloft heeft, zonder veel drukte. Zonder officiële aankondiging en zo.'
'Maar nee!' riep Anna uit. 'Een stille, onopvallende bruiloft is prima!' Toen bedacht ze dat haar nichtje er ook iets over te zeggen had. 'Natuurlijk moet jij het ermee eens zijn, kind.'
Sophia zweefde op een roze wolk en vond alles best. Haar volgende woorden troffen Richard diep.
'Ik hoef geen groot feest. Het belangrijkst is dat ik je vrouw word.' Ze pakte zijn hand en lachte gelukzalig naar hem op.
Zonder haar aan te kijken legde hij zijn arm om haar schouders. 'Ik zal zorgen voor een speciale vergunning, dan kunnen we trouwen.'
'Je kind zal zijn naam dragen,' zei Anna opgelucht.
Sophia keek verlegen. 'Wist je het?'
'Misschien nog eerder dan jij,' zei Anna zacht. Ze nam haar nichtje liefdevol in haar armen. 'En ik wist ook dat deze man je niet in de steek zou laten! Dat ziet toch iedereen die jullie samen ziet! Dom meisje! Waarom probeer je toch altijd je zorgen alleen te dragen?' Toen klapte ze in haar handen. 'Viola is al klaar om op te dienen. Laten we aan tafel gaan, voordat de rosbief helemaal taai wordt!'

Het kostte Richard geen moeite de vereiste papieren te vervalsen. Als kapitein van de legerleiding had hij toegang tot de benodigde documenten, en een paar dagen later stond niets een huwelijk met Sophia meer in de weg. Haar oom had zich in de tussentijd met de officiële formaliteiten beziggehouden, en hij had niet geaarzeld zijn afkomst en zijn positie als arts en burger van de stad te gebruiken om de voortgang te bespoedigen.
Op zondag 26 september 1943 vond in Sant' Agostino het kerkelijk huwelijk plaats. In alle stilte en alleen vergezeld van hun getuigen – Giovanni en Anna Scarlatti – werden Richard Kroner en Sophia Scarlatti voor de avondmis door een priester in de echt verbonden.
Richard had al twee weken eerder een dienstreis naar Montepulciano gepland als voorwendsel om een paar dagen afwezig te kunnen zijn op het hoofdkwartier. Deze keer had hij alleen een sergeant-

majoor bij zich die hij meteen na aankomst in het Duitse garnizoen had ondergebracht. De onderofficier had geen vragen gesteld. Giovanni had niet alleen voor de trouwringen gezorgd, maar Richard ook een van zijn pakken geleend, omdat hij niet in uniform wilde trouwen. Sophia verscheen in een eenvoudige, zijden jurk. De enige concessie aan deze bijzondere dag was de kleur – een zuiver, stralend wit – en het elegante hoedje, waar een ragfijne, tulen sluier aan vastzat. Haar bruidsboeket bestond uit gele rozen, de lievelingsbloemen van haar moeder.

De priester sprak de woorden van de huwelijksbelofte uit, en zonder aarzeling gaf Richard zijn jawoord. Sophia deed het ook, en haar ogen straalden van geluk toen ze met Richard de ringen uitwisselde.

Anna huilde en snoot haar neus luidruchtig in haar zakdoek, toen bruid en bruidegom elkaar kusten om het verbond te bezegelen dat ze voor God en de wereld hadden gesloten.

'Wees lief voor haar,' zei ze. 'Wees een goede echtgenoot.'

'Als dat niet zo is, dan krijgt hij met mij te maken,' dreigde Giovanni goedmoedig.

'Ik zal haar met mijn leven beschermen,' beloofde Richard, en het klonk net zo oprecht als hij het meende, net zoals de woorden die hij tegen de geestelijke had uitgesproken de volle waarheid waren. Hij zou van Sophia houden en haar vereren zolang hij leefde. Ook al was hij een vervloekte bigamist – voorzover het hem betrof, was ze nu zijn vrouw en dat zou ze eeuwig blijven, in goede en slechte tijden. Als het ook maar enigszins mogelijk was, zou ze er nooit achterkomen wat hij had gedaan. Misschien zou hij het haar in de loop der jaren vertellen, als hij genoeg tijd had gehad haar helemaal voor zich te winnen; als ze eerst de moeder van zijn kind was en had gemerkt hoeveel hij van haar hield, zou ze hem begrijpen. Misschien.

Anna veegde de tranen uit haar ogen en wees bij het naar buiten gaan op een terracottagroep. 'Kijk,' zei ze tegen Richard. 'Heb je het gezien? Daar onder de bogen?'

Hij bleef staan. 'Wat is dat?'

'Een moeder van God met kind, tussen Johannes de Doper en de heilige Augustinus. Ze is gemaakt door...'

'Wacht even,' zei Richard. 'Michelozzo?'

Anna lachte verrukt. 'Dat wist je al!'

Richard sprak haar niet tegen. Hij had geen oog voor de madonna. In plaats daarvan boog hij zich naar zijn knappe, jonge vrouw en kuste haar nog eens. Sophia beantwoordde zijn kus van harte. Ze wist dat ze nooit meer zo gelukkig zou zijn als op dit ogenblik. Eindelijk verheugde ze zich op de baby! Het was alsof ze opnieuw geschapen was, een vrouw die heel bewust een kind droeg. Ze zag al hoe ze het in haar armen hield, het troostte, tegen zich aan drukte en tot die bijzondere eenheid versmolt die alleen een moeder met haar kind vormde. Ze dankte God voor het geluk dat hij haar schonk, en tegelijk sprak ze een stilzwijgend schietgebedje uit dat ze dat geluk ook waardig zou kunnen zijn. Het liefst had ze hardop uitgeroepen hoeveel ze van haar man hield, en hoe ze zich erop verheugde hem spoedig een kind te schenken!

Wat de bruiloft betreft, had ze Richards wens om het in stilte te houden geaccepteerd, omdat ze zijn redenen begreep. Hij dacht om haar welzijn, omdat hij bang was dat haar landgenoten haar vijandig zouden bejegenen – iets waar hij wel gelijk in had. De pesterijen van de Duitse bezetter tegenover de Italiaanse bevolking, of het nou soldaten of burgers waren, namen in dezelfde mate toe als de haat van de Italianen tegen alles wat Duits was.

Uit Rome kwamen ontstellende berichten, want de SS voerde in de stad een waar schrikbewind. Schlehdorff was in Rome om zich, zoals men zei, met het 'jodenvraagstuk' bezig te houden, en het bleek dat hij helemaal in zijn element was.

Er werd ook gezegd dat er elke dag treintransporten naar Duitsland gingen, wagons vol Italiaanse soldaten die naar Duitse werkkampen gestuurd werden. Richard wist uit betrouwbare bron dat die transporten ook werkelijk plaatsvonden. Op dezelfde manier haalden de Duitsers ook dwangarbeiders uit het oosten voor de productie van de benodigde militaire goederen.

Bij de Italiaanse bevolking laaiden de haatgevoelens hoog op. Na nieuwe verordeningen van de Duitse legerleiding stond op het bezit van schietwapens de doodstraf. Ook op alle handelingen die dienden ter ondersteuning van de vijandelijke machten, bijvoorbeeld het opnemen van voortvluchtige krijgsgevangenen.

Het huwelijk van Richard en Sophia vond plaats onder een ongunstig gesternte. Precies op die dag werden niet alleen Pisa, Livorno,

Verona en Bologna weer gebombardeerd, maar voor de eerste keer ook Florence, met veel slachtoffers onder de burgerbevolking. Richard had er met het oog op de verslechterende situatie op gestaan dat Sophia haar werk in het ziekenhuis zou beëindigen en meteen terugging naar La Befana.

'Hier is het niet veilig genoeg,' verklaarde hij, zonder te weten dat haar vader een paar maanden eerder hetzelfde tegen haar had gezegd. Maar deze keer accepteerde ze het zonder tegenwerpingen, omdat ze niet alleen voor zichzelf verantwoordelijk was maar ook voor haar baby.

Giovanni gaf haar geen kans iets anders te beslissen.

'Je man heeft gelijk,' zei hij. 'Hier kun je in geen geval blijven. Je moet zo snel mogelijk terug naar het platteland. Als het in deze tijd ergens nog betrekkelijk veilig is, dan is het daar. Je kunt het best meteen morgen vertrekken. Anna, misschien moet je met haar meegaan.'

'Graag,' zei Anna met een lief lachje. 'Als jij ook meegaat.'

'Ik ben in het ziekenhuis nodig,' protesteerde Giovanni.

'Dan is het duidelijk. Ik blijf hier. Mijn plaats is aan jouw zijde.'

Richard wilde dat hij hetzelfde tegen Sophia zou kunnen zeggen, maar de tijd die hij met haar kon doorbrengen voor hij weer terugmoest, was maar kort. Ze had zonder klagen geaccepteerd dat hij de volgende dag al terug moest. Ze hadden alleen nog de komende nacht.

18

Voor het avondeten had Anna een bijzondere huwelijksmaaltijd bereid. Na een heerlijke minestrone was er als hoofdgerecht wildzwijnsrug met bospaddestoelen in een saus die Richard laaiend enthousiast maakte. Anna beweerde dat het een oeroud, streng geheim familierecept was, maar dat ze voor haar nieuw aangetrouwde neef een uitzondering wilde maken en het zou vertellen. Anders zou ze het meenemen in haar graf, en dat was tenslotte ook niet de bedoeling.

'Een goed bewaard kookrecept is niet het soort geheim dat je mee zou moeten nemen in je graf,' zei Sophia lachend. 'Er zijn vast wel andere geheimen waarbij dat nodig is.'

Ze wierp Richard, die naast haar zat, een vergenoegde blik toe. 'Wat zeg jij?'

Zijn lachje was nogal gedwongen. 'Daar heb je volkomen gelijk in.'

Giovanni hief zijn vork op. 'Nou, er schiet me eigenlijk geen gevaarlijker geheim te binnen dan het recept van een paddestoelensaus. Bospaddestoelen brengen het, zoals bekend, met zich mee. Bedenk maar eens hoeveel mensen zulk eten met hun leven hebben moeten bekopen!'

Door zijn opmerking barstten ze allemaal in lachen uit.

Na het eten trokken Anna en Giovanni zich al snel terug, en gaven Sophia en Richard op die manier de gelegenheid alleen te zijn.

Sophia had vol spanning op dat moment gewacht.

'Anna heeft een slaapkamer voor ons in orde laten maken.'

'Wat attent.' Richard verbeet een grijns. 'Hopelijk ligt hij niet naast die van hen.'

Sophia kreeg een kleur. 'Nee, aan het andere eind van de gang. Mijn kamer en badkamer liggen ertussen. Maar het huis is helemaal niet gehorig. Integendeel.'

'Dat is mij ook al opgevallen. Het is hier erg rustig.' Richard luisterde. In de diepe, behaaglijke stilte was alleen het knapperen van het bijna uitgedoofde haardvuur te horen. Het was alsof de wereld daarbuiten helemaal niet bestond, alsof er geen oorlog of vernietiging was.

Hij stond op. 'Voor we naar boven gaan, wil ik je nog mijn huwelijkscadeau geven.'

Verrast nam ze het kleine, sierlijk verpakte doosje aan. Haastig maakte ze het open en snakte naar adem toen ze de kostbare pareloorbellen op het blauwe fluweel zag liggen.

'Richard! Wat mooi!'

'Ja, vind je ze mooi?'

Ze hield er een voor haar oorlelletje en probeerde zich in het glas van de vitrinekast te bekijken. 'Ze zijn prachtig! Zoiets moois heb ik nog nooit gehad!'

Hij wist dat ze dat alleen maar uit beleefdheid zei, want hij had gezien hoe kostbaar de sieraden waren die ze droeg. Toch had hij zich behoorlijk in de kosten gestoken voor de oorbellen, want hij wist dat ze haar prachtig zouden staan.

Sophia bekeek haar cadeau uitgebreid van alle kanten.

'Ze zijn antiek!' zei ze verbaasd.

Richard knikte. 'Ze stammen uit de vroege achttiende eeuw. Ik heb ze op de Ponte Vecchio gevonden en dacht dat ze wel bij je pasten.'

Plotseling keek ze hem ontdaan aan.

'Ik heb geen cadeau voor jou!'

'Dat is niet waar.' Hij pakte haar polsen en legde haar armen om zijn nek. 'Jij bent mijn cadeau. Het mooiste wat een man zich maar kan wensen. De vervulling van al mijn wensen. Laten we naar boven gaan en uitproberen of onze slaapkamer echt geluiddicht is.'

Sophia was zenuwachtig. De vorige keer was ze als een slaapwandelaarster naar Richard toegegaan, maar nu wist ze niet goed wat ze moest doen. Fronsend stond ze in de kamer om zich heen te kijken. Opeens was alles anders. Ze was nu getrouwd en zou het bed gaan delen met haar echtgenoot. Schuw keek ze toe hoe Richard zijn jasje uitdeed en zijn das losmaakte. Bij het licht van de enige kaars die op de kaptafel stond, trok Richard zijn overhemd en hemd uit. Sophia slikte toen ze zijn harde bovenlichaam zag. Toen hij zijn riem losmaakte en snel zijn broek uittrok, sloeg ze haar ogen neer.

Toen ze haar jurk begon los te maken, hield hij haar tegen. 'Nee, dat doe ik wel. Ik wil je daarbij aankijken en kussen.' Richard kwam naakt op haar af, een toonbeeld van mannelijke opwinding. Zijn ogen fonkelden in het kaarslicht, en Sophia zag verschrikt hoe groot zijn erectie was. Zijn lid leek haar reusachtig. Stoutmoedig strekte hij zich uit zijn blonde schaamharen naar haar toe. Nu wist ze opeens ook weer hoeveel pijn het had gedaan! Ondanks de snijdende pijn was hij steeds weer bij haar binnengedrongen, tot ze had gedacht bewusteloos te raken. En nu zou hij dat weer gaan doen! Haastig deed ze een stap achteruit.

Ze bevochtigde haar lippen. 'Ik geloof niet dat het zal gaan.'

'Wat bedoel je?'

'Je... bent zo groot. Het zal niet... lukken.'

Hij moest moeite doen zijn vrolijkheid te verbergen. 'Het is al een keer gelukt.'

'Daarover verschillen we van mening.'

'Oh.' Hij lachte berouwvol. 'Ik begrijp het. Ik heb je veel pijn gedaan, hè?'

Ze knikte, niet in staat haar blik van zijn erectie af te wenden. Al kon ze zich de pijn nog heel goed herinneren, toch kreeg ze bij die aanblik een gevoel van zwakte. Een lichte trilling die in haar knieholtes begon, ging langs de binnenkant van haar dijen omhoog tot hij het centrum van haar vrouwelijkheid bereikte en daar in een zacht, wellustig trekken veranderde. Onwillekeurig drukte ze haar benen tegen elkaar. Haar vingertoppen tintelden en verschrikt moest ze bekennen dat ze hem wilde aanraken. En toen herinnerde ze zich opeens ook weer hoe het geweest was, toen hij haar voor de eerste keer gekust had in de salon naast de open haard. Zijn handen waren als vuur geweest op haar huid, en zijn tong had op die heerlijke manier haar mond en borsten verkend...

Richard keek naar haar gezicht en volgde toen haar blik. Hij keek naar beneden en moest toegeven dat hij voor een onervaren iemand wel beangstigend moest zijn.

'Ik beloof je dat het deze keer geen pijn zal doen.'

Hij zag dat ze hem niet geloofde, maar ze verzette zich niet toen hij haar langzaam uitkleedde. Stuk voor stuk trok hij haar kledingstukken uit, en overal waar haar naakte huid tevoorschijn kwam, streelde en kuste hij haar behoedzaam.

Hoewel het niet warm was in de kamer gloeide Sophia van top tot teen. Richard deed precies wat hij had aangekondigd. Hij kuste haar onophoudelijk over haar hele lichaam, haar schouders, haar armen, haar borsten, haar buik, haar dijen. Toen hij op zijn hurken ging zitten en langzaam haar kousen afstroopte, blies zijn warme adem tegen haar schaamhaar. Ze hield haar adem in, maar hij deed niets anders dan haar lachend aankijken. Haar borsten prikten en het trekken in haar onderlijf was een verwachtingsvol geklop geworden. Ze verlangde wanhopig naar meer, maar de lichte angst wilde niet weggaan. Toen ze naakt was, tilde Richard haar op om haar naar het bed te dragen. Hij hijgde hoorbaar toen hij haar op de matras liet zakken. 'Mijn hemel, vrouw, wat ben je zwaar!'

Ze lachte. 'Ik krijg een baby. Ik ben vast al aangekomen.'

'Nee, het zal er wel aan liggen dat ik langzaam oud word.'

Sophia giechelde. 'Wacht even, dan haal ik een hete baksteen en een kopje kruidenthee voor je!' Ze deed alsof ze uit bed wilde stappen, maar hij pakte haar bij haar enkels en hield haar vast. 'Hier blijven. Eerst moet je je echtelijke plichten vervullen.'

'Als jij niet te oud bent om je echtelijke rechten op te eisen!' antwoordde ze koket.

Het vrolijke geklets had de spanning weggenomen, en Sophia besefte dat Richard dat precies zo van plan was geweest. Haar hart zwol op van liefde voor hem en woordeloos strekte ze haar armen naar hem uit.

Zijn stem klonk hees toen hij haar naakte lichaam tegen zich aandrukte. 'Ben je nog bang?'

'Een beetje,' bekende ze.

'Laat mij je nemen.'

'Ik ben er klaar voor,' zei ze vastbesloten.

Hij lachte. 'Nog niet. Maar ik zal ervoor zorgen dat je dat snel wel bent. Laten we het deze keer gewoon wat langzamer doen.'

Op zijn zij lag hij haar te bekijken. 'Je bent nog mooier geworden.' Hij legde zijn hand om haar rechterborst, zijn duim gleed over de tepel. Sophia zuchtte in een mengsel van verlangen en angst. 'Binnenkort ben ik net zo dik als Josefa, dan vind je me vast niet mooi meer.'

'Onzin. Je kunt zo rond worden als je wilt, ik zal je altijd begeren.' Zijn vingers gleden over haar platte buik naar beneden en verdwenen tussen haar dijbenen. Vragend keek hij haar aan en deze keer gaf Sophia hem een uitnodigend, maar ook wat onzeker lachje. Met vaardige liefkozingen opende hij haar schaamlippen en streelde met zijn wijsvinger haar gezwollen lustknopje, tot Sophia hijgend haar hoofd naar achteren gooide.

Ja, dacht ze verdoofd. Zo wilde ze het, steeds weer! Waarvoor was ze zo bang geweest? De mannelijke geur van zijn lichaam kwam in haar neus. Sophia ademde hem met volle teugen in, alsof ze zo nog meer van hem kon krijgen. Ze drukte zich tegen hem aan, zocht zijn lippen. Zijn kus was heet en hartstochtelijk en maakte iets in haar los wat ze niet meer onder controle had. Haar hart bonsde en ze hoorde het bloed in haar oren suizen. Ondanks zijn strelende vingers op haar verhitte vlees, voelde ze plotseling een pijnlijke leegte in haar binnenste die alleen hij kon vullen. Ze wilde hem vastpakken, hem in zich hebben. Zonder dat ze het zelf wist, tastten haar handen rond, pakten zijn lid en gingen strelend op en neer.

'Niet doen,' zei hij met verstikte stem.

'Vind je het niet fijn?' Onthutst opende ze haar ogen.

'Jawel. Ik vind... het erg fijn. Hou niet op.'

Een paar seconden, dacht hij met op elkaar geklemde tanden, nog een paar seconden van die heerlijke marteling genieten.

Richard voelde dat zijn verlangen hem dreigde te overweldigen, maar hij had gezworen haar deze keer tot de hoogste vervulling te brengen. Hij pakte haar pols en hield hem vast.

'Wacht even.'

'Maar...'

Hij smoorde haar protest met zijn lippen en knielde toen over haar heen. Met zijn dijen hield hij haar heupen vast, terwijl hij afwisselend aan haar borsten zoog. Sophia drukte zich kreunend tegen hem aan. Richard gleed naar beneden tot hij tussen haar wijd geopende benen kwam, toen legde hij zijn handen onder haar volle rondingen om haar lichaam naar zijn mond te tillen. Sophia hief geschrokken haar hoofd op toen ze voelde hoe zijn gloeiende tong in haar wegzonk.

'Nee,' bracht ze vol ontzetting uit. 'Dat is... dat mag je niet!'

Maar hij schonk er geen aandacht aan.

Ze wilde weer protesteren en pakte zijn haren om hem weg te trekken, maar alles wat ze kon doen, was hem nog dichter tegen zich aan drukken, zodat hij haar verder betoveren kon.

Hij zonk weg in een rode nevel van lust, terwijl hij haar op deze manier liefhad. Haar smaak, haar geur waren betoverend en brachten hem in een niet eerder gekende roes. In zijn innerlijk bouwde zich een hevige spanning op die elk moment kon uitbarsten.

Verward besefte hij dat het verlangen van de gever dat van de ontvanger evenaarde. Hij kon niet meer zeggen waar de begeerte van de een of de ander begon. Het was alsof ze één lichaam, één ziel waren.

Sophia schreeuwde het uit en kromde zich naar zijn mond toe.

'Ja,' hijgde ze, overmand door een onbeheerst verlangen. 'O ja!'

'Ja, nu,' bracht hij uit, terwijl hij over haar heen schoof, plotseling gebiedend en onverbiddelijk. Zonder aarzelen drong hij bij haar binnen en nam haar met stevige stoten in bezit, toen ze door hete golven van wellust werd overweldigd. Instinctief klemde ze zich aan hem vast, terwijl haar een ademloze kreet van verrukking ontsnapte. Haar nagels drukten zich in zijn rug en haar hielen drukten zich tegen zijn dijbenen om hem nog dieper in zich te duwen. Haar mond gleed over zijn kin en zocht zijn lippen en toen dat niet meer genoeg was, draaide ze haar hoofd om en beet hem in zijn schouder, terwijl haar extase zijn hoogtepunt bereikte. Richard voelde hoe stevig ze hem vasthield, en bleef even bewegingloos liggen om te genieten van het kloppen van haar vlees en zich tegelijkertijd over onzichtbare grenzen te laten drijven. Toen kregen zijn mannelijke instincten weer de overhand en de spieren op zijn bezwete lichaam spanden zich krampachtig, toen hij door zijn eigen orgasme werd overweldigd. Kloppend bleef hij in haar. Om haar niet met zijn gewicht te belasten, rolde hij haar op haar zij, maar hield haar stijf tegen zich aan geklemd.

In het flakkerende licht van de kaars hief ze haar hoofd op, en liet het meteen traag weer zakken. Haar stem was vol verwondering. 'Ik had nooit gedacht dat het zo kon zijn. Even dacht ik dat ik gestorven was.'

'Dan heb je hetzelfde gevoeld als ik.'

'Jij hebt me gelukkig gemaakt, Richard. Ik hou zoveel van je!'

'Ik ook van jou, mijn hartje.' Hij kuste haar op haar slaap.

In een zwijgende omarming genoten ze van de nawerking van hun liefdesspel, terwijl ze elkaar liefkoosden en luisterden hoe de wekker op het nachtkastje de seconden wegtikte. Na een poosje schoof hij een stukje bij haar vandaan en bekeek haar liefdevol.

'Was het anders dan je je had voorgesteld?'

'Ja, heel anders,' zei ze eerlijk. 'Ik wist echt niet dat het zo kan zijn.'

'Zo is het niet altijd tussen mensen. Het lot heeft het goed met ons voor. Tenminste, in dit opzicht.'

'Wat wil je daarmee zeggen?'

Hij zuchtte. 'Nou, voor een normaal huwelijk zijn de omstandigheden een beetje ongewoon, nietwaar?'

Sophia trok een gezicht. Even was ze helemaal vergeten dat het oorlog was en haar echtgenoot, strikt genomen, haar vijand.

'We zullen toch maar proberen er het beste van te maken,' zei ze kordaat. 'De oorlog zal niet eeuwig duren.'

'Vast niet.'

'Als hij voorbij is . . .' Ze stopte en tekende met haar vinger cirkels op zijn blond behaarde borst. 'Blijf je dan bij me? In Italië? Of zou je willen dat we in Duitsland gingen wonen?'

'We blijven hier,' antwoordde hij meteen. 'Voor altijd.'

Sophia lachte blij. Ze had zich al angstig afgevraagd hoe het zou zijn om in een land te moeten leven, waar ze de taal niet sprak en waar het klimaat veel guurder was dan in Toscane.

'Ik ben blij dat je niet aan het front hoeft te vechten.'

'Ik ook, liever, ik ook.' Hij vertelde haar maar niet dat hij in Frascati was geweest tijdens de luchtaanval, en dat zijn oude krijgsmakker in zijn armen was gestorven. Het had hem net zo goed kunnen overkomen. Het was niets dan louter toeval dat Joachim slachtoffer was geworden van het bombardement, terwijl hijzelf er met alleen een brandwond aan zijn arm vanaf was gekomen. Toch kon hij elk moment weer naar het front gestuurd worden, als het zijn meerderen zo uitkwam.

Hij zei er ook niets over dat de Duitsers Mussolini hadden bevrijd. Blijkbaar had de familie Scarlatti daar nog niets over gehoord – wat hem goed uitkwam, want hij wilde voor geen prijs dat die mooie avond bedorven werd. Morgen mocht de hele wereld weten wat er gebeurd was.

Sophia drukte een kus op zijn schouder. 'Zul je goed op jezelf passen tot de oorlog voorbij is?'

'Natuurlijk.'

'Beloof het.'

'Op mijn erewoord.'

Hij trok haar dichter naar zich toe en legde zijn hand op haar buik. 'Als je mij belooft dat je goed op ons kind past.'

Plotseling voelde hij een wild verlangen, tegelijk met de pijn om de dood van zijn zoon.

Misschien zou zijn verdriet in de loop van de tijd minder worden, misschien zou het langzaam aan vervangen worden door weemoedige, hartverscheurende, gelukkige herinneringen. Richard was dankbaar dat een hogere macht hem dit tweede kind schonk en hem daarmee de kans gaf nog een keer vader te zijn. Het nieuwe kind kon Peter niet vervangen, maar misschien kon zijn bestaan de wond helen die de dood van zijn zoon had achtergelaten.

Ik zal een goede vader zijn voor dit kind, beloofde hij zichzelf. 'Wat is er?' Sophia hief haar hand op en voelde de vochtigheid op zijn wangen.

'Niets. Ik... ben alleen gelukkig, dat is alles.'

Ze rekte zich uit en vond zijn lippen voor een lange, tedere kus. Kort daarop ging de kaars met een zwak gesis uit.

'O jee,' zei Sophia . 'Wie van ons staat er op om licht te maken?'

Maar zijn handen waren alweer aan een tocht over de rondingen van haar lichaam begonnen. 'Waar hebben we licht voor nodig?'

Herfststormen trokken over het land, toen Sophia drie weken later in oktober naar La Befana terugkeerde. Richard bracht haar zelf in een legerjeep, om haar veilig te begeleiden. Het gebeurde regelmatig dat de Duitsers bij wegversperringen alle passerende auto's aanhielden en vorderden.

Hij kon maar tot de volgende dag blijven en was vastbesloten van die tijd te genieten. Maar hij was erop bedacht zo discreet mogelijk te handelen. Aan de ene kant om Sophia voor vijandigheden van haar landgenoten te behoeden, aan de andere kant omdat het een ramp zou zijn als zijn meerderen erachter kwamen dat hij op vrijersvoeten was, terwijl men dacht dat hij een dienstreis maakte. Afgezien daarvan was het bij de legerleiding bekend dat hij in Duitsland getrouwd was. Hij zou zelfs in de gevangenis terechtkomen als ze erachter kwamen wat hij had gedaan.

'Vertel alsjeblieft niet dat je met een Duitser getrouwd bent,' maande hij haar voor de zoveelste keer, terwijl hij haar koffer in de hal van de villa neerzette.

Ze sloeg haar jas open en raakte haar buik en haar voller wordende borsten aan. 'Maar hiervoor moet ik toch met iemand getrouwd zijn.'

Het gebaar bracht zijn bloed aan het koken en zonder rekening te houden met eventuele luisteraars trok hij haar naar zich toe. Sinds hun huwelijksnacht had hij niet meer met haar geslapen. Hij drukte haar tegen zich aan om haar met kussen te smoren. 'Ik heb maar één nacht met je voor ik weer weg moet,' fluisterde hij, terwijl hij in haar oorlelletje beet.

'Ik weet het.' Haar vingers friemelden met de knopen van zijn uniform. 'Dan moeten we er een gedenkwaardige nacht van maken. Gaan we meteen naar boven of wil je eerst iets eten?'

'Eerst wil ik jou.'

'In 's hemelsnaam!' krijste een vrouwenstem achter hen.

Richard en Sophia stoven verschrikt uit elkaar. Josefa stond in de deuropening van de keuken. Met haar hand tegen haar zwoegende boezem gedrukt, riep ze uit: 'Het is de Duitse officier!'

'Hij is mijn man,' zei Sophia. 'Hallo, Josefa.'

Josefa maakte haastig een kruis en kwam toen aarzelend dichterbij. Haar ogen werden groot toen ze de trouwring aan Sophia's vinger ontdekte.

'Je hebt het echt gedaan! Je bent met die zondige meisjesverleider getrouwd!'

'Waar heb je het over?' vroeg Sophia geërgerd. Ze trok haar jas uit. Richard hielp haar en keek rond waar hij hem op kon hangen. Toen Josefa geen aanstalten maakte hem te helpen, legde hij hem gewoon over zijn arm en volgde het gesprek tussen de twee vrouwen.

'Denk je dat ik niet weet wat hij je aan heeft gedaan, in de nacht voordat je van hier bent verdwenen?' schold de kokkin.

Sophia kreeg een kleur. 'Wat je ook gelooft, het klopt vast niet. Ik hou van hem en heb hem tot man genomen. Ik verwacht een baby.'

Josefa's mond viel open. Haar houding veranderde dramatisch. Er verscheen verrukking in haar ogen. 'Een baby? O god, dat ik dat nog mag meemaken!' Ze kwam dichterbij en liep om Sophia heen. 'Er is nog niks te zien. Maar dat is normaal, het is nog veel te vroeg, hè? Ben je misselijk, mijn duifje? Nee, vast niet, dat zit niet in je familie, de Marchesa was nooit misselijk, ze was een echte dame, ze hoefde geen enkele keer over te geven! Ze had zelfs zuiver adellijk bloed, en dat zal op je kind worden overgedragen!' Ze bleef staan en haar beschuldigende blik bleef op Richard rusten. 'Hoewel we natuurlijk niet weten wat voor bloed er van vaders kant bijkomt. Blauw is het in elk geval niet.'

Richard kon met moeite een geamuseerde grijns onderdrukken. 'Het is behoorlijk rood, vrees ik.'

Josefa sloeg nors haar armen over haar zwarte schort. 'Daar zullen we dan mee moeten leren leven.'

Tegen Sophia zei ze: 'Kom eerst mee naar de keuken om iets te eten. Je ziet er afgetobd uit.' Weer richtte ze een blik vol verwijten op Richard, alsof hij alleen in Sophia's leven was gekomen om haar zwanger te maken en daarna te laten verhongeren.

In de keuken kon hij er niet omheen verrukt te zijn over Josefa's kookkunst. Ze kregen kaas, olijven, tomaten, zacht gesmoorde courgette, vers, donker brood, plakken zachtroze lamsvlees en scherp gekruide kippenpoten. Richard had sinds zijn bruiloftsmaaltijd niet meer zo lekker gegeten, maar Josefa hield star vol dat het maar een erbarmelijk hapje was. Ze uitte haar wrok dat Sophia niet had opgebeld om haar komst aan te kondigen, en zelfs het feit dat de telefoonverbinding de meeste tijd verbroken was, vond ze geen verontschuldiging voor het onaangekondigde opduiken van de vrouw des huizes.

Mopperend schonk ze Richard de krachtige landwijn in, die het vroege avondeten perfect afrondde.

Hij had net zijn laatste hap genomen, toen Fernanda in de keuken opdook. Haar schort zat vol vlekken, maar de zwarte rouwband om haar arm was smetteloos schoon. Toen Richard dat zag, begreep hij meteen dat het personeel van La Befana vanwege de overleden landeigenaar in de rouw was. Dat verklaarde ook Josefa's zwarte schort. Alles aan haar was donker, inclusief haar blouse en schoenen. Ze moest erg op de Marchese gesteld zijn geweest. Meteen viel hem op dat Sophia geen rouwkleuren droeg.

Ze zag zijn blik en begreep zijn gedachten, en weer scheen het Richard toe dat ze op een bijzondere manier op elkaar waren afgestemd. Hoe liet zich anders die harmonie in gevoelens en waarnemingen verklaren?

'Papa heeft me verboden zwart te dragen,' zei ze zacht. 'Hij vond dat ik er dan als een kraai uit zou zien.'

Josefa had het gehoord. Ze legde haar handen tegen haar wangen, maar kon de opkomende tranen niet tegenhouden. 'Dat is echt iets voor die man!' Snikkend wendde ze zich af en ging bij het aanrecht staan, waar ze woedend met een mes op een onschuldige salami inhakte. Toen draaide ze zich om. 'Wat wil je?' snauwde ze tegen Fernanda, die schuchter in de deuropening stond en wachtte tot men haar aanwezigheid opmerkte.

'Signor Vascari laat vragen of hij de meesteres mag spreken,' stamelde het meisje.

Josefa wees met het mes naar haar. 'De meesteres zal hem wel laten weten wanneer ze hem wenst te zien!'

'Wacht even.' Sophia stond op. 'Wie is Signor Vascari?'

Fernanda maakte een buiginkje. 'De rentmeester.'

'De tijdelijke rentmeester,' verbeterde Josefa grimmig.

'Waar is hij nu?' wilde Sophia weten.

'Hij wacht in de hal. Hij heeft gehoord dat u er weer bent en wil zijn opwachting maken.'

'Zeg hem maar dat ik hem over vijf minuten in de bibliotheek zal ontvangen,' zei Sophia beslist. Fernanda boog weer en liep weg. Sophia pakte een kruik water en schonk zich in. Ze nam een grote slok en vroeg Josefa zonder omwegen: 'Wat is het voor iemand, die Signor Vascari?'

'Een volslagen idioot, als je het mij vraagt,' bromde Josefa.

Sophia trok haar wenkbrauwen op. 'Hoezo?'

'Hij is een lafaard. Hij gelooft dat hij half Rome hier te eten kan geven.'

Voordat Sophia kon vragen wat Josefa daarmee bedoelde, ging ze nijdig verder: 'Hij gaat beslissingen uit de weg en zodra er Duitsers aan de horizon verschijnen, wat nogal vaak voorkomt, laat hij toe dat die dieven...' – ze vertrok haar mond en wierp Richard van opzij een giftige blik toe – '... alles meenemen wat niet nagelvast zit.' Ze telde het op haar vingers af. 'Ze hebben de auto van je vader in beslag genomen, met de reservebanden. Vorige week hebben ze de kleinste vrachtwagen meegenomen. Als Signor Vascari die dag niet toevallig onderweg was geweest, hadden ze de andere ook nog gestolen. Bovendien hebben ze twee paarden geconfisqueerd.' Haar gezicht werd zacht toen ze de ontzetting op Sophia's gezicht zag. 'Nee, wees maar niet bang, Sancho Pansa hebben ze niet gekregen. Ik heb Gianni met hem naar Luigi's boerderij gestuurd, daar zorgt iemand voor hem. Ik wilde niet toelaten dat ze jouw paard stalen.'
'Dank je,' zei Sophia. 'Wat is er nog meer over Signor Vascari te vertellen?'
'Behalve dat hij eruitziet als een verzopen rat, bedoel je?' Josefa haalde haar schouders op. 'De paarden gaan er vandoor, zodra hij in de buurt komt.'
Sophia besloot deze beschuldigingen te laten rusten, vooral de laatstgenoemde punten, omdat haar de samenhang met de overige verwijten niet helemaal duidelijk was. Voor het ogenblik vond ze het het best zich zelf een beeld te vormen.
Tegen Richard zei ze: 'Wil je me even verontschuldigen?'
Hij kwam half omhoog. 'Als je mijn hulp nodig hebt...'
'Dank je, maar ik doe het liever alleen,' zei ze lachend. 'Het gaat om La Befana en het schijnt dat een hoop dingen hier een tijdlang verwaarloosd zijn.' Ze reikte over tafel en drukte teder zijn hand, toen liep ze weg.
Richard keek haar een beetje verrast na. Deze kant van Sophia had hij nog niet leren kennen.
In Josefa's ogen blonk triomf. 'Ze heeft er aanleg voor, dat heb ik altijd al geweten.'
Richard twijfelde er niet aan wat de kokkin daarmee bedoelde. 'Dat heeft ze inderdaad,' zei hij langzaam, terwijl het hem duidelijk werd dat hij met een vrouw met vele facetten was getrouwd.
Josefa wierp hem terloops een blik toe, maar haar vraag was helemaal niet terloops. 'Zult u haar haar gang laten gaan?'

Er speelde een lachje om zijn mondhoeken. 'Ik weet wel niet wat u dat aangaat, maar ja, ik zal haar haar gang laten gaan. Een van mijn deviezen is dat je een talent niet moet verspillen, maar het op alle denkbare manieren moet gebruiken en vrucht laten dragen. Ik zal nooit dingen doen die anderen beter kunnen. Ben je tevreden met mijn antwoord, Josefa?'

Josefa bekeek hem met een scheve blik. 'Blijft u lang hier?'

'Tot morgen. En als de oorlog voorbij is voor altijd. Ik hoop dat we met elkaar zullen kunnen opschieten.'

Zwijgend liep Josefa naar het fornuis, trok de klep open en haalde er een bakblik vol koekjes uit. 'Hier, proeft u maar,' zei ze nors.

Richard gehoorzaamde bereidwillig. 'Hmm. Zijn dat amandelen?'

'Amandelen en hazelnoten. En natuurlijk amaretto.'

'Heerlijk. Mag ik er nog een nemen?'

'Voor mijn part.'

19

Vito Vascari wachtte, zoals hem was opgedragen, in de bibliotheek. Hij stond midden in de kamer, draaide zijn strohoed tussen zijn handen rond en wipte onrustig van de ene voet op de andere. Toen Sophia binnenkwam, verstrakte hij. Met een formele buiging stelde hij zich voor.

'Goedendag, Signorina. Mijn naam is Vito Vascari.'

'Goedendag, Signor Vascari. Gaat u toch zitten.'

Terwijl hij onhandig ging zitten, bekeek Sophia hem eens goed. Josefa had niet helemaal ongelijk wat zijn uiterlijk betreft. Hij was een schrale man van in de veertig. Als hij lachte, openbaarde zich een betreurenswaardige overbeet; zijn naar voren staande voortanden deden hem inderdaad op een knaagdier lijken, een indruk die nog versterkt werd door de grote, knobbelige neus. Zijn zwarte haar was met pommade achterover gekamd. Een kapsel dat hem niet stond, omdat het zijn terugwijkende kin benadrukte. Maar in zijn gesprek met Sophia werd al gauw duidelijk dat hij geenszins de bangerik was waar Josefa hem voor hield. Eerst was hij een beetje zenuwachtig, maar dat was gauw over toen Sophia hem met een vriendelijk lachje op zijn gemak stelde.

'Hoe zou u de situatie op La Befana omschrijven, Signor Vascari?'

'Nou,' begon hij rustig, 'dat hangt er vanaf of u de economische situatie of de situatie ten gevolge van de oorlog bedoelt.'

'Begint u maar met de economische situatie.'

'De graanoogst was goed en zoals het er nu naar uitziet, zullen we dit jaar genoeg druiven en erg veel olijven oogsten. We kunnen onze boeren voeden en ook nog een overzienbare hoeveelheid vluchtelingen, laten we zeggen tachtig tot honderd mensen. La Befana is in ruime mate zelfvoorzienend. De transportmogelijkheden tussen de boerderijen zijn voorlopig veilig gesteld. We hebben nog genoeg paarden, lastossen en koetsen. En er is genoeg slachtvee om ons de winter door te helpen.'

'Dat klinkt goed,' zei Sophia, aangenaam verrast door zijn precieze samenvatting.

Vascari knikte. 'Helaas zijn er te veel onzekerheden door de oorlog. Om te beginnen de vluchtelingen. Het worden er dagelijks meer.'

Sophia keek ongerust. 'Daar wist ik niets van.'

'Het zijn er al tientallen. Er zijn veel vrouwen en kinderen bij, die uit de steden naar het platteland zijn gevlucht. Ook komen er steeds meer soldaten, Italiaanse en geallieerde, zelfs een paar Duitse deserteurs. We weten niet meer waar we ze allemaal moeten verstoppen. Dat er steeds Duitse militaire patrouilles langskomen en gebruiksgoederen in beslag nemen, stelt ons voor nog meer problemen.'

'U weet toch dat er de doodstraf op staat om gevluchte soldaten onderdak te verlenen?'

Vascari staarde zwijgend naar zijn handen, toen zei hij zacht: 'Als we in deze zaak niet hetzelfde standpunt hebben, moet ik hierbij mijn ontslag indienen.'

'Legt u mij uw standpunt eens uit,' vroeg Sophia hem.

Langzaam antwoordde hij: 'Het zijn mensen die bang zijn, hongerig, geschonden, geslagen, vaak erg ziek. Moet ik die wegsturen?'

'Dat is voorlopig niet aan de orde. Ik denk er net zo over.'

Sophia leunde peinzend achterover. De oorlog ging niet zomaar aan haar huis voorbij, dat had ze intussen wel begrepen. La Befana was helemaal niet het onaangetaste paradijs dat ze zich de hele tijd had voorgesteld. Ze had, wat dat betreft, blijkbaar in een droomwereld geleefd.

'Kunt u met de mensen hier opschieten, Signor Vascari?'

'Ja, heel goed tot nu toe,' antwoordde hij beleefd.

'Geldt dat ook voor het huispersoneel?'

Hij kreeg een kleur. 'Hmm... nou... er waren wat meningsverschillen met uw kokkin, vrees ik. Ze schijnt me een rustverstoorder te vinden. Misschien kan ik beter niet hier in huis wonen. Helaas zijn de mogelijkheden om mensen onder te brengen beperkt. Bijna alle boeren hebben al vluchtelingen opgenomen. Signora Farnesi wil ik niet lastigvallen, het gaat niet zo goed met haar nu haar man door de SS is meegenomen.'

Sophia voelde een steek. 'We zullen er wel iets op vinden. Hoe staat het met de krijgsgevangenen? Ik heb gehoord dat we er een aantal hier hebben.'

Vascari knikte zorgelijk. 'Ik wilde dat we ons aan die verplichting konden onttrekken, maar dat is niet zo eenvoudig. Ze willen niet weg.'

Sophia stond perplex. 'Bedoelt u dat u heeft aangeboden hen vrij te laten?'

Vascari lachte, waardoor hij eruitzag als een vergenoegde fret. 'Meerdere keren. Officieel zijn ze intussen allemaal gevlucht. Twee of drie zijn er inderdaad vandoor gegaan, maar de rest weigert. Ze zijn bang dat ze gepakt worden en in een Duits concentratiekamp terechtkomen. Als de Duitsers komen, verstoppen ze zich in het bos. Ze zijn er al behoorlijk in geoefend. Boven op de berg hebben ze voortdurend twee wachtposten staan die het ons op tijd doorgeven als er Duitsers aankomen, dan verstoppen we snel alles wat nodig is.' Hij grijnsde. 'Voor de vrachtwagen hebben we in het bos een verstopplaats gemaakt, en de paarden zijn, op een paar oudjes na, allemaal op afgelegen boerderijen ondergebracht, die ze met die legervrachtwagens niet kunnen bereiken. We hebben grote benzinevoorraden. Uw vader heeft samen met mijn voorganger heel wat in veiligheid kunnen brengen.'

Sophia stond op. Vascari sprong meteen op en keek haar verwachtingsvol aan.

Sophia lachte hem toe, iets wat zijn adamsappel op onverklaarbare manier deed opspringen. 'Signor Vascari, ik geloof dat mijn oom met u een goede keus heeft gemaakt. Ik ben blij u als rentmeester te hebben. U lijkt me een man met veel ervaring. Wat heeft u hiervoor gedaan?'

'Ik heb op een landgoed op Sicilië gewerkt,' zei hij toonloos. 'De geallieerden hebben het plat gebombardeerd. De hele familie van de eigenaar is om het leven gekomen. En mijn vrouw ook.'

'Dat spijt me erg,' zei Sophia pijnlijk getroffen.

'Toen ben ik naar mijn zus in Florence gegaan. Daar heeft uw oom me deze baan aangeboden.'

'Signor Vascari, ik moet u zeggen dat er moeilijke tijden aankomen. De geallieerden vechten zich maar langzaam naar het noorden, en als ze in dit tempo doorgaan, kan het nog maanden duren voor we bij de bevrijde zone horen. Op hun terugtocht voeren de Duitsers de politiek van de verbrande aarde. Ze vernielen de huizen, doden het vee, verwoesten de gewassen op het veld en deporteren de mensen. Niets of niemand zal hier veilig zijn als het front dichterbij komt.'

'Dat weet ik,' zei Vascari kalm. 'Wat er ook gebeurt, ik zal u zeker niet in de steek laten. Voor mij staat het welzijn en het overleven van de mensen op dit landgoed voorop, daarvoor zal ik me met heel mijn vermogen inzetten. Ik heb niemand anders waar ik voor moet zorgen. Signorina, ik zal mijn best doen.'

'Signor, ik ben getrouwd. Komt u mee, dan zal ik u mijn man voorstellen.'

Richard genoot van de weinige uren die hij nog met Sophia kon doorbrengen. Ze aten die avond samen een laat diner, waarvoor Josefa alle registers had opengetrokken. Sophia had Fernanda een kleine tafel in de salon laten dekken, omdat daar een behaaglijker sfeer hing dan in de eetkamer.

Ze zaten tegenover elkaar en wisselden blikken en liefkozingen uit, zoals alle jonge stelletjes, terwijl ze samen aten. Een warm licht vulde de kamer, die alleen door het vuur in de open haard en twee kaarsen verlicht werd.

Sophia had een langspeelplaat van Chopin opgezet. De muziek speelde zachtjes op de achtergrond, terwijl Sophia en Richard zich vol toewijding aan het zoetzure kipgerecht wijdden dat Josefa in korte tijd voor hen had klaargemaakt.

Als dessert was er vanillecrème, waar Richard een tweede portie van vroeg.

'Wie weet wanneer ik weer zoiets lekkers zal krijgen.'

Josefa, die zoals gewoonlijk het dessert opdiende, nam vol welgevallen de lof in ontvangst en begon ook Sophia's schaaltje nog een keer te vullen.

'Nee, alsjeblieft niet, anders klap ik. Je mag gaan. Bedankt, het eten was als altijd heerlijk.' Haar toon was beslist en tot Richards verrassing knikte Josefa en trok zich met een 'welterusten' meteen terug.

'Ze heeft je niet tegengesproken,' zei hij.

'Waarom zou ze?'

Haar antwoord maakte hem duidelijk dat deze jonge vrouw zonder veel moeite in een rol was geglipt, waar ze van jongs af aan op was voorbereid. Met een vanzelfsprekende kalmte had ze de taak op zich genomen een groot landgoed te besturen. Zonder aarzelen had ze de verantwoording voor honderden mensen op zich genomen, mensen die afhankelijk waren van haar beslissingen.

Richard bekeek zijn vrouw peinzend. Er zat zoveel meer in die jonge verpleegster dan hij op de dag van hun eerste ontmoeting had kunnen vermoeden. Dat ze bekwaam was, had hij al snel gemerkt, maar sinds ze naar La Befana waren gekomen, straalde ze een zelfverzekerdheid uit die haast beangstigend was.

Ze had hem verteld hoe bang ze was geweest om weer hier terug te komen, maar dat had niets met de verantwoording te maken, maar alleen met de vreselijke herinneringen aan de tijd vlak voor haar overhaaste vertrek.

'Sophia,' zei Richard, 'je vader was trots op je.'

Ze kreeg een kleur van blijdschap bij dat compliment. 'Meen je dat echt?'

'Ik weet het.'

Sophia speelde met haar wijnglas. 'Eerst wilde ik er onderuit zien te komen, maar nu heb ik ingezien dat het mijn plicht is het landgoed voor Francesco te behouden.'

'Wat als hij niet terugkomt?'

'Dat doet hij wel,' zei ze met meer optimisme dan ze voelde.

Als hij niet thuis zou komen, of zonder erfgenamen overlijden, dan zouden volgens de wet het landgoed en de titel naar Giovanni gaan. Maar hij had er geen geheim van gemaakt dat hij al in de tijd van haar grootvader van zijn aanspraken had afgezien. Hij wilde zijn leven aan de geneeskunde wijden. En dus zouden La Befana en de titel op de volgende mannelijke erfgenaam overgaan – op Sophia's kind als het een jongen was.

'Ik moet je iets vragen,' zei ze opeens. 'Ik zou het erg fijn vinden als je in een bepaalde zaak je invloed zou kunnen gebruiken.'

'Als het in mijn macht ligt, zal ik het zeker doen.'
'Het gaat om Salvatore,' zei ze aarzelend.
Hij wist hoe moeilijk ze het vond dat onderwerp ter sprake te brengen. Ze gaf zichzelf nog steeds de schuld van de arrestatie van de rentmeester.
'Giovanni heeft er ook al met Badoglio over gesproken, maar wat heeft die nu nog te vertellen?'
'Hij heeft de Duitsers toch maar de oorlog verklaard,' zei Richard droog.
Sophia vertrok haar mond afkeurend. 'Ja, en daar lachen ze alleen maar om. Nee, nee, nu hebben de Duitsers het voor het zeggen wat de gevangenen betreft. Als het hen zo uitkomt, verklaren ze die arme kerels eenvoudig voor geïnterneerd, en dan vallen ze ook nog onder de SS.' Met een heftige beweging frommelde ze haar servet in elkaar. 'Dat hebben ze ook met Salvatore gedaan. Maar weet je, hij heeft toen niet op jou geschoten. Het was...' Ze stopte, omdat ze het niet wilde zeggen, zelfs niet tegen haar eigen man.
Richard begreep hoe onwankelbaar haar trouw was, en al was hij in dit geval bijna het slachtoffer geworden, hij bewonderde haar daarvoor.
'Ik weet wie het was,' zei Richard rustig.
Verrast staarde ze hem aan. 'Hoe dan?'
'Ik heb 's nachts in de polikliniek een gesprek tussen je vader en Elsa gehoord,' zei hij met tegenzin. Hij wist best dat de relatie tussen de Marchese en de vrouw van de rentmeester voor Sophia een teer punt was.
'Dan wist je dus al de hele tijd wie er geschoten heeft, en toch heb je niets gedaan?'
Hij haalde zijn schouders op. 'Hij was toch al ondergedoken. Bovendien vond ik het niet zo belangrijk.'
'Vond je het niet zo belangrijk?' herhaalde ze ongelovig.
'Er was toen maar één ding dat ik belangrijk vond.' Hij greep over de tafel naar haar hand. 'Jij.'
Sophia haalde diep adem. 'Heb ik je vandaag al gezegd hoeveel ik van je hou?'
'Nee, maar ik hoor het graag.' Hij lachte ondeugend. 'En je krijgt de hele nacht de gelegenheid het te herhalen.'
Hij pakte zijn servet en veegde zijn lippen af. 'Wat Salvatore be-

treft, zal ik kijken wat ik kan doen. Hoe zit het – gaan we nu eindelijk eens slapen?'

'Slapen is niet precies wat ik deze nacht van plan ben, Signor Capitano.'

De kuiltjes in haar wangen glommen ondeugend toen ze opstond en de kaarsen uitblies.

Ze hadden het hele huis voor zich alleen. De dienstboden, inclusief Vito Vascari, hadden zich allang in de personeelsvleugel teruggetrokken.

In haar kamer stak Sophia een vuur aan in de haard, en toen begon ze zich zonder verlegenheid uit te kleden. Richard ging op bed zitten en keek toe.

'Moet jij je ook niet uitkleden?' vroeg ze.

Zijn ogen fonkelden vol verlangen. 'Ik dacht dat jij dat maar moest doen.'

Dat liet ze zich geen twee keer zeggen. Deze keer was zij degene die een borst met kussen bedekte, nadat ze zijn jasje en overhemd had uitgetrokken. Zijn mannelijke geur overweldigde haar, terwijl ze haar lippen over zijn borst liet glijden en toen zonder erbij na te denken naar beneden zakte, tot ze bij de rand van zijn broek was aangekomen. Ongeduldig friemelde ze aan zijn riem.

Hij keek op haar trillende borsten neer en had moeite zijn handen thuis te houden.

Toen was hij ook naakt en ze knielde voor hem neer en nam zijn stijve lid in haar mond. Toen hij die heerlijke kwelling niet meer uit kon houden, tilde hij Sophia op en droeg haar naar het bed. Deze keer was er geen vrolijkheid en tederheid tussen hen. Ze namen elkaar met heftige begeerte, hard en snel en vol blinde hartstocht, als twee wezens zonder verleden en zonder toekomst.

Later hielden ze elkaar uitgeput in de armen. Ze voelden elkaars wanhoop, de onuitsprekelijke angst dat dit misschien wel de laatste keer was.

Toen Sophia opstond om hout op het vuur te leggen, speelde het flakkerende vuur om haar silhouet en de vlammen schilderden een rode glans in haar losse haren. Haar figuur was vrouwelijker geworden, en als je goed keek, kon je de lichte welving van haar buik al zien.

Haar schoonheid was anders, zinnelijker dan eerst, ze was betoverend als een jonge, heidense godin. Richard hield vol opvlammende begeerte zijn adem in, toen ze zich naar hem omdraaide en omhuld door het licht van de vlammen naar het bed terugliep. Maar twee meter ervoor bleef ze staan.

'Kom,' zei ze zacht.

'Waarheen?' vroeg hij verward.

'Je hebt de badkamer nog niet gezien, hè? Je had het vast wel gezegd als je er geweest was.'

Hij zwaaide zijn benen uit bed en stond op. 'Je hebt gelijk. Jullie hadden het toen over jullie bijzondere badkamer, maar niemand heeft hem laten zien.'

Zonder iets aan te trekken, stak ze een kaars aan, en liep ermee de donkere gang in tot ze een deur opende en de badkamer binnen liep.

In het kaarslicht ging er een wonderlijke onderwaterwereld voor Richard open, bestaand uit kleurige, mythische wezens met vinnen en zilveren schubben, drijvende waterplanten en gouden zandduinen.

Hij bleef vol verbazing staan, terwijl Sophia met de kaars in de hand langs de muren liep om de kostbare mozaïeken te belichten.

'Je ziet bij kaarslicht pas goed hoe mooi dit kunstwerk is,' zei ze met fonkelende ogen. 'Zie je deze prachtige Neptunus met zijn drietand? Ik vind dat hij wel wat op je lijkt.'

Richard bekeek de gestalte met het golvende, blonde haar vol twijfel. 'Vind je dat echt?'

Ze knikte ernstig.

'Hij heeft een baard. Ik niet.'

'Dat maakt niet uit,' zei ze beslist. 'Toen ik klein was, wist ik dat ik op een dag met hem zou trouwen. Altijd als ik in bad lag, stelde ik me voor dat hij naar me toe zou komen en me naar zijn geheime koninkrijk zou meenemen.'

Ze boog zich voorover en draaide de kraan open. Borrelend kwam het water naar buiten en vulde de badkuip. Sophia duwde Richard de kaars in de hand en pakte een flacon van een tafeltje. Ze goot iets van de geurige inhoud in het water, dat daardoor begon te schuimen.

'Wat ben je van plan?'

'In bad gaan.' Ze lachte naar hem, pakte de kaars en zette hem naast het bad op de grond. Daarna stapte ze gracieus in het bad. Richard bleef bewegingloos staan en keek geboeid toe. Toen liep hij naar haar toe, maar waagde het niet haar aan te raken, alsof hij met een ondoordachte beweging de mystieke bevalligheid van haar bewegingen kon verstoren.

Het water spoelde om haar knieën. 'Wat is er, liefste?'

Hij schudde zijn hoofd. Zijn stem was laag en hees. 'Niets.'

Toen stapte hij bij haar in het water. Samen lieten ze zich achterover zakken in de warmte. Haar lichaam rustte ruggelings tegen zijn lichaam, haar achterste drukte tegen zijn lendenen, haar hoofd rustte licht op zijn schouder.

'Kijk alleen maar,' zei ze zacht.

Richard keek om zich heen en liet zich vangen. De toverwereld van de mozaïeken leek op een geheimzinnige manier in beweging te zijn; Neptunus gleed voorbij, zijn hoofd vol hoogmoed opgeheven, de drietand in zijn hand. Aan zijn voeten baadden sierlijke zeemeerminnen, hun zilveren lichamen omgeven door hun heuplange haar. Vissen gleden als glinsterende vlekken door het wier, mosselen openden zich en toonden hun paarlemoeren binnenste, en uit de donkere ondieptes van een verre zee stegen fabelwezens op, wier tentakels van puur goud waren.

Richard zweefde tussen droom en werkelijkheid, in een land aan de andere kant van dag en nacht, in een wereld waarin alleen magie en schoonheid bestonden.

Deze ruimte ontwikkelde voor hem onverwachts een eigen leven, het was haast alsof de wanden hem wilden oproepen alles achter zich te laten, onder te duiken in de vergetelheid die dit betoverende scenario hem beloofde.

Sophia draaide zich om in zijn armen. 'Is het niet geweldig?'

Hij kon niets uitbrengen. Haar haren dreven als nat zeegras voor zijn gezicht. Hij schoof het opzij en zocht haar mond met zijn lippen.

'Richard,' zuchtte ze, terwijl ze zich tegen zijn lichaam aanvlijde en in een heerlijke, wilde, ondeugende waternimf veranderde.

Hij liefkoosde haar en de hele tijd zwoer hij zichzelf dat hij terug zou komen.

Op een dag, zei hij zwijgend, op een dag kom ik terug.

Als ik het geloof, is het waar. Dan wordt ook de betovering die over al deze dingen ligt mijn deel. Dan kan niemand me meer afpakken wat van mij is!

Na zijn bevrijding stichtte Mussolini een nazistisch imitatieregime, de republiek van Salò. De nieuwe regering zetelde in de Villa Feltrinelli bij Gargano aan het Gardameer. Op 22 november stelde Mussolini zijn kabinet voor. Maar in werkelijkheid hadden de Duitsers het voor het zeggen. Leden van de hoge adel werden net zo goed gearresteerd als willekeurige burgers die de fout gemaakt hadden hun trouw aan de monarchie toe te geven.

Arezzo, Orvieto, Perugia en Grosseto werden opnieuw gebombardeerd. Door het hele dal klonk het geluid van de strijd en de lucht zag rood door de brandende steden.

Sophia werd verteerd door zorgen om Richard, van wie ze al twee weken niets meer gehoord had. De telefoon werkte nu helemaal niet meer.

Minstens één keer in de week verschenen er Duitsers op het landgoed, die alles inpikten wat hen maar waardevol leek. Ze namen varkens, kippen en geiten mee en ook de beide melkkoeien.

Vlees was in de villa, net als in de omliggende boerderijen, schaars geworden; hun voedsel bestond hoofdzakelijk uit meelspijzen, aardappelgerechten of groenteschotels. Josefa jammerde steeds dat ze niets meer te koken had.

'Hoe kan ik nou met alleen maar meel een fatsoenlijke maaltijd klaarmaken?' klaagde ze.

'Doe er water, gist en zout bij en je hebt al een brood,' antwoordde Sophia laconiek.

Josefa keek verontwaardigd. 'Je krijgt een baby! Wil je dat je tanden uitvallen?'

Sophia lachte alleen maar, nam een appel uit de fruitschaal, gooide hem omhoog en beet erin. 'Kijk eens. Ze zitten er allemaal nog!'

Sophia had Vascari opgedragen zo veel mogelijk levensmiddelen in het bos te verstoppen. Kruiken met olijfolie, vaten wijn, zakken meel, conserven, gedroogd fruit en alles wat maar enigszins houdbaar was, werden in speciaal daarvoor gegraven gaten in de grond verstopt.

Ze haalde alle waardevolle schilderijen van de muren, haalde de lijsten eraf, rolde de doeken in wasdoek en verstopte ze in een droge put in de buurt van het huis. Hetzelfde deed ze met het zilver, de bontjassen van haar moeder en de familiejuwelen.

Op haar verzoek reed Vascari met de oudste koets en het magerste paard dat ze hadden naar Montepulciano om conserven, wollen dekens, acetyleen, ether, desinfecterende middelen, medicijnen en verbandmiddelen te kopen.

's Avonds kwam hij met een lege wagen weer terug. Hij klom met een bleek en wanhopig gezicht van de bok, zijn ogen vol tranen. Sophia, die hem aan had zien komen, liep hem tegemoet.

'Wat is er gebeurd?'

'Ik kwam een wegversperring van de Duitsers tegen. Ze hebben alles in beslag genomen!'

'Vervloekte Duitsers!' riep Sophia uit. Toen sloeg ze verschrikt haar hand voor haar mond.

Vascari lachte vermoeid. 'Een zekere afwezige uitgezonderd, nietwaar?' Hij wreef zijn stijve nek. 'Wat nu?'

Ze stak vastberaden haar kin naar voren. 'Morgen probeer je het nog een keer.'

De tweede keer verliep zonder problemen. Het lukte Vascari zelfs ergens een koe op te scharrelen.

Sophia straalde en omhelsde haar rentmeester. 'Je bent een tovenaar, Vito!'

Hij werd vuurrood en wist niet waar hij kijken moest.

'De kinderen hebben toch melk nodig,' mompelde hij verlegen.

De afgelopen nacht waren er weer drie gezinnen met in totaal negen kinderen aangekomen. Het waren joden uit Rome die op het nippertje ontkomen waren aan de verwoesting van het getto en de aansluitende deportatie naar Birkenau. Vascari had hen op een van de verafgelegen boerderijen kunnen onderbrengen.

Sophia pakte haar werk in de polikliniek weer op en verzorgde de zieken, onder wie veel van de gevluchte soldaten. De meesten waren niet alleen vreselijk ondervoed, maar zaten ook vol ongedierte. Velen van hen hadden ernstige diarree en koortsaanvallen. Er was een jonge Engelsman bij die al weken een kogel in zijn rechterschouder had. Bij de wond was een levensbedreigende infectie ontstaan.

Sophia onderzocht hem grondig en zag al gauw hoe ernstig hij eraan toe was. Als hij niet snel geopereerd zou worden, zou het te laat zijn.

Maar behalve zijzelf was er niemand die dat zou kunnen doen. Het was onmogelijk de Engelsman langs de Duitse wegversperringen naar het ziekenhuis te brengen, en er was al sinds lange tijd geen arts meer op het landgoed geweest. Josefa nam het dokter Rossi erg kwalijk dat hij niet meer kwam.

'Als hij weer eens verschijnt, krijgt hij van mij geen kruimel meer te eten,' zei ze boos tegen Sophia.

'Praat geen onzin,' zei Sophia geprikkeld. 'Hoe moet hij hier komen? Te voet? Het kan je toch niet zijn ontgaan dat hij geen auto meer heeft.'

Josefa trok zich beledigd terug in haar keuken, terwijl Sophia de operatie voorbereidde.

Eerst moest ze ervoor zorgen dat ze een behoorlijke assistent kreeg. Op het landgoed was niemand daar beter geschikt voor dan Elsa, en dus besloot ze haar te vragen.

Ze was al een tijdje terug op La Befana, maar Sophia had Elsa nog niet ontmoet. Er werd gezegd dat ze zelden haar huis verliet, en de mensen fluisterden al dat de arrestatie van haar man haar verstand had aangetast. Josefa beweerde dat het Elsa's schuld was dat de Marchese was overleden, omdat hij in haar huis ingestort was voordat de Duitsers hem samen met haar man hadden weggesleept.

Josefa sloeg een kruis toen ze het aan Sophia vertelde.

'In de nacht na de begrafenis heb ik haar op het kerkhof gezien. Ze had bij zijn graf zitten huilen, in het donker met alleen het licht van de maan. Arm ding.'

'Wat zeggen de mensen over haar?' wilde Sophia weten.

Josefa's gezicht werd afwerend. 'Niks.'

Het ontging Sophia niet hoe ongewoon zwijgzaam de kokkin opeens was, en niet voor de eerste keer vroeg ze zich af of de oude vrouw meer wist dan ze liet merken. Maar ze drong niet verder aan.

In de polikliniek was alles klaar voor de operatie. Ze had een van de bedden afgedekt met een schoon laken, en aan het hoofdeinde de felste lamp de ze kon vinden neergezet. De instrumenten lagen in een desinfecterend bad en het narcoseapparaat met de ether stond klaar.

De Engelsman lag half bewusteloos in bed, een noodverband om zijn gezwollen schouder. Sophia had hem een uur geleden al een sterke slaappil gegeven. De hoge koorts deed de rest. Ze was bang dat hij de nacht niet zou overleven, of ze hem nu opereerde of niet. Sophia bekeek hem oplettend, terwijl ze zijn pols opnam. Af en toe liet hij een zwak gekreun horen, en één keer riep hij met een hoge, klagelijke stem om zijn moeder.

Hij is net als die Amerikaan die bij Grosseto was neergeschoten, schoot het door haar hoofd. Een jongen, haast nog een kind. Alleen kinderen verlangen zo wanhopig naar hun moeder!

Ze wist niet veel van hem, alleen dat hij Henry Mance heette en uit Dover kwam. Hij was mager, had roodblond haar en zag eruit of hij nauwelijks vijftien was. Ze bekeek zijn papieren. Hij was vorige maand achttien geworden.

'Je gaat niet dood,' zei ze bezwerend. 'Als het aan mij ligt niet.'

Sophia voelde hoe de kracht door haar heen stroomde. Haar eigen zwangerschap maakte haar ervan bewust hoe kostbaar het leven van een kind voor zijn moeder is.

Zachtjes legde ze de hand van de jongen op het bed terug, en ging toen Elsa halen.

20

Elsa hoorde het kloppen wel, maar ze registreerde het als een achtergrondgeluid, zoals het klapperen van de luiken in de wind, het gemekker van de geit achter het huis of de blikkerige stemmen uit de radio.

Ze zat in Salvatores schommelstoel en staarde naar zijn bureau.

Sinds ze hem hadden meegenomen was daar niets veranderd. Nog steeds lag daar het boek waar hij in had zitten lezen, opengeslagen op dezelfde bladzijde. In de badkamer stonden zijn scheerspullen, en zijn pyjama lag opgevouwen onder zijn kussen. Haar eigen bed daarnaast was netjes opgemaakt. Maar ze sliep niet meer daar, omdat de herinnering aan de twee mannen met wie ze dat bed had gedeeld haar gek maakte.

Nee, verbeterde ze zich in gedachten, gek was ze toch allang. Haar lichaam leek haar een leeg omhulsel, met een dunne huid en krachteloos, niet in staat iets anders te doen dan onophoudelijk tranen produceren. Tranen die niemand konden helpen, Salvatore en Roberto niet, en ook haarzelf niet.

Als ze toevallig langs een spiegel liep, keek ze geen tweede keer naar die vreemdeling met die holle wangen en rode ogen.

Ze had opgehouden aan haar zwangerschap te denken. Haar verdringingstactiek werkte verrassend goed, vooral omdat haar misselijkheid intussen over was. De overige veranderingen in haar lichaam accepteerde ze onverschillig. Haar buik was nu duidelijk zichtbaar, maar ze verborg hem met wijde kleren en jassen. Als ze naar buiten ging, wat zelden voorkwam, viel het niet op, omdat het weer slechter werd en ze warme kleding nodig had. Soms dacht ze er dagenlang niet aan dat er in haar lichaam een nieuw leven groeide.

Al sliep ze veel, toch voelde ze constant een loodzware vermoeidheid. Het grootste deel van de dag zat ze in de schommelstoel. Geen enkele van de veelvoorkomende huilbuien gaf haar verlichting, ze versterkten eerder de eentonigheid van haar bestaan. Ze ging niet meer in bad en trok alleen schone kleren aan als ze zichzelf rook.

De nieuwe rentmeester was een goed mens, hij bracht haar levensmiddelen, zodat ze niet zo vaak het huis uit hoefde. Eén keer had ze onbewust gelachen omdat hij zo onhandig was, en toen had hij haar met zijn treurige ogen aangekeken. 'Signora, ik zie hoe zwaar uw last is. Soms helpt het om verdriet met anderen te delen. Kom naar me toe als u wilt praten. Ik heet Vito.'

Ze had hem bedankt en was weer naar binnen geschuifeld. Ze wilde niemand zien, met niemand praten.

Intussen was er ook geen mogelijkheid meer om naar de stad te gaan om naar Salvatore te informeren. Ze had geen flauw idee wat er van hem geworden was, ze wist zelfs niet of hij nog leefde.

Op een nacht was Antonio gekomen, met twee van zijn partizanenvrienden. Hij had willen weten hoe het met zijn vader ging. Toen had hij gehuild en haar uitgescholden dat ze een vervloekte, lelijke hoer was.

Ze had niets anders gedaan dan hem zwijgend aanstaren, terwijl ze met de schommelstoel zachtjes heen en weer ging.

In de keuken had hij met zijn vrienden de alcoholvoorraad die ze in huis had, opgemaakt en daarna was hij zonder afscheid te nemen weer verdwenen.

Haar dochter Rosa was samen met het gezin van Elsa's neef naar Milaan verhuisd, waar haar neef een nieuwe baan had. Elsa was daar, op een vluchtige, onbestemde manier, blij om. In Milaan was de oorlog nog ver weg. Van Vincenzo, haar oudste zoon, had ze niets gehoord. Iemand had haar verteld dat hij misschien in het leger was gegaan. Hij hoorde bij de jaargangen die een oproep hadden gekregen. Als je daar niet aan gehoorzaamde, werd je doodgeschoten.

Elsa kromp in elkaar, maar het was geen gevoel van zorgen, alleen een ondefinieerbaar onbehagen als ze aan haar kinderen dacht. Het was bijna zo alsof ze met de gedachte aan de ongeborene in haar lichaam ook elke verbinding met haar andere kinderen had doorgesneden.

Er werd harder geklopt. Elsa hield haar hoofd scheef tot ze uit de vele nietszeggende geluiden had gefilterd wat het was: een onwelkome storing.

Met tegenzin stond ze op. Ze opende de deur op een kier en toen ze zag wie er buiten stond, wilde ze hem weer dichtdoen.

Maar Sophia zette haar voet ertussen.

'Ik ben er weer,' zei ze.

'Dat zie ik,' antwoordde Elsa nors. 'Ik heb geen tijd.'

'Ik weet dat je van mijn vader hebt gehouden,' zei Sophia beheerst. 'Hij is dood.'

'Maar hij heeft ook van jou gehouden. Dat heeft hij me gezegd.' Elsa probeerde onverschillig te doen, maar kon niet voorkomen dat haar stem trilde. 'Waarom laat je me niet met rust?'

'Dat zou ik graag doen, maar ik heb je nodig.'

'Waarvoor?'

'Er is een jongen, hij heet Henry. Hij heeft een kogel in zijn schouder en als ik hem er niet uithaal, zal hij vannacht nog sterven.'

'Wat kan mij dat schelen?'

'Dat weet ik niet. Mij kan het wel schelen. Ik wil hem helpen.'

'Waarom?'

'Omdat ik het moet.' Het was gewoon een simpele constatering, maar bij die woorden brak er iets in Elsa. Ze voelde dat ze begon te trillen. Nog terwijl ze zich afvroeg wat er opeens met haar aan de hand was, begreep ze het. Het was de formulering, woorden die Roberto ook gebruikt had. Net zo.

Ik moet doen wat ik doen moet. Meer dan één keer had hij dat tegen haar gezegd. Als er ergens een verplichting nagekomen moest worden, dan was Roberto als eerste ter plaatse. Het was dat bijzondere, sterk ontwikkelde verantwoordelijkheidsgevoel, de wens er voor andere mensen te zijn. Roberto had die eigenschap in grote mate bezeten.

Sophia was net als hij.

Elsa's hand ging naar haar mond, omdat ze het trillen van haar lippen wilde verbergen. Ze herinnerde zich hoe Roberto hier opge-ruimd had, toen de SS'ers alles door elkaar hadden gegooid. Wat was hij bleek en gespannen geweest! Zijn borst had al pijn gedaan, en toch had hij zichzelf gedwongen orde te scheppen. Het was de symboliek van zijn hele leven. Hij had gedaan wat hij doen moest, ook wat haarzelf betrof. Niet één keer had hij bij dat alles aan zich-zelf en zijn eigen welzijn gedacht. Voor hem kwamen de anderen altijd eerst.

Het trillen zette zich door in haar hele lichaam. Uit afschuw van zichzelf deed ze een stap naar achteren, omdat ze niet wilde dat Sophia zag hoe ze geworden was, hoe beschamend zwak ze was. Ze had niet alleen zichzelf opgegeven, maar ook het kind dat Roberto bij haar verwekt had. Hij zou dat nooit begrepen hebben. Roberto! Ze snikte innerlijk. Help me! Ik wilde het niet zo! Ik wilde toch sterk zijn, zoals jij het wilde! Zo sterk als jij! Als je dochter!

'Kom je?' vroeg Sophia.

Elsa staarde haar eindeloos lang aan.

Sophia beantwoordde haar blik met een vreemde nadrukkelijk-heid.

Ze namen elkaar op.

'Kom je?' vroeg Sophia weer.

Elsa haalde diep adem. Haar pijn was opeens anders dan in de voorgaande weken, veel harder en snijdender. Het was alsof haar hele innerlijk opeens naar buiten wilde. Maar ze was geoefend in de kunst van verdringing en onderdrukte binnen enkele ogenblik-ken alle storende gevoelens. Ze knikte kalm. 'Een minuutje. Ik wil me even wassen en omkleden.'

Sophia schrobde haar handen krachtig met carbolzeep. Ze zeepte haar onderarmen tot aan de ellebogen in, spoelde toen haar armen onder de kraan af en waste zich nog een keer. Daarna droogde ze haar handen met een uitgekookte, linnen doek af en liep naar het hoofdeinde van het bed, waar ze Elsa uitlegde hoe de narcose moest verlopen.

'Er zijn maar weinig druppels nodig. Hij heeft al een pil gehad en slaapt diep en vast. We zullen hem goed in de gaten houden. Zodra hij onrustig wordt, druppel je wat ether op het gaasje. Maar doe het zorgvuldig, te veel kan dodelijk zijn.'

'Ik zal voorzichtig zijn.'

Net als Sophia droeg Elsa een schone verpleegstersjas, een gezichtsmasker en een muts. Haar handen gloeiden nog van de borstel en zeep waarmee ze haar handen had schoongemaakt.

Sophia had het lichaam van de jongen rond de wond met witte lakens afgedekt.

'Het ziet er slecht uit,' zei Elsa. Onwillekeurig hield ze haar adem in toen de geur van etter en zwerend vlees in haar neus kwam.

Sophia keek Elsa doordringend aan. 'Voel je je niet goed?'

'Jawel, jawel, het gaat al weer. Het is alleen... hij is nog zo jong. Hij ziet er zo hulpeloos uit.'

Sophia knikte zwijgend, terwijl ze wat ether op het gezichtsmasker van de jongen druppelde. Ze voelde zijn pols en wachtte even, toen pakte ze het scalpel. Eerder had ze Elsa de functie van de instrumenten uitgelegd en de namen verteld.

'Ik ga beginnen. Ben je er klaar voor?'

Elsa knikte.

Sophia sneed het opgezwollen vlees van de wond kruisgewijs open en haalde zorgvuldig zoveel van het aangetaste, afgestorven weefsel weg als ze durfde. De spier schoof open en liet de loop van de kogel zien. Hij zat erg diep, waarschijnlijk was hij dicht bij het bot blijven steken.

'Sonde,' zei Sophia.

Elsa legde het glanzende instrument in haar uitgestrekte hand.

Geconcentreerd begon Sophia de wond te sonderen. Een golf bloed spoot tevoorschijn toen het instrument zich een weg door de spier baande.

Sophia begon te transpireren, en opeens verloor ze alle moed. Wat was ze aan het doen? Waar haalde ze het lef vandaan een operatie uit te voeren waarmee ze deze jongen waarschijnlijk toch niet kon redden, en hem misschien alleen maar invalide zou maken? Tot nu toe was ze niets anders dan bloedend weefsel tegengekomen. De kogel had ze nog niet gevonden.

Ze trok de sonde eruit, haalde diep adem en wees naar haar voorhoofd, waar grote zweetdruppels op stonden. Elsa pakte een doek en depte haar gezicht zorgzaam af. 'Gaat het weer?'

Sophia knikte en werkte zwijgend verder, zorgvuldig oplettend dat ze geen grotere bloedvaten raakte.

De patiënt begon te kreunen, zijn benen trokken even.

'Ether,' zei Sophia, en toen: 'Aderklem.'

Elsa reageerde meteen en een tijdlang was er niets anders te horen dan het gekletter en geschraap van de instrumenten en het geluid van hun ademhaling.

'Depper,' zei Sophia. Voorzichtig, maar krachtig, depte ze bloed en wondvocht op.

Na een eeuwigheid kwam ze eindelijk bij de kogel. Zoals ze al had verwacht, zat het vervormde stukje metaal in het bot vast. Waarschijnlijk was de bovenarm op die plek zelfs gebroken, of in elk geval gekneusd. Sophia hoopte maar dat de ontsteking zich nog niet tot het beenvlies had uitgebreid. Het afgestorven weefsel gaf haar al genoeg zorgen. Nadat ze de wond had geopend was ze er meer van tegengekomen dan ze verwacht had.

'Pincet,' vroeg Sophia ten slotte.

Hij lag al in haar hand, en toen begon ze aan het moeizame karwei de kogel door de rafelige opening naar buiten te halen. Er klonk een akelig geknars toen de kogel losliet uit het bot. Ze kreeg het stuk metaal te pakken en trok, maar het spierweefsel van de jongen gaf verrassend veel tegenstand. De kogel schoot meerdere keren los, en één keer vloekte ze zo hard dat Elsa in elkaar kromp. Toen was de kogel eruit en Sophia liet hem kletterend in een schaal vallen, die ze al had klaargezet. Ze legde de gebruikte instrumenten ernaast en bekeek de gapende wond spijtig. 'Ik ben bang dat het beter had gekund.'

Ze desinfecteerde het bloederige gat in de schouder van de jongen met medicinale alcohol.

Elsa keek haar aan. 'Overleeft hij het?'

Sophia haalde haar schouders op.

'Moeilijk te zeggen. Het hangt er vanaf hoe groot zijn weerstand is.'

'De wond ziet er ontstoken uit.'

'Weet ik. Het is een vergevorderde infectie. Nog geen bloedvergiftiging en geen koudvuur, maar zo toch al erg genoeg, omdat er weefsel is afgestorven. Een arts zou misschien wel meer wegsnijden.'

'Maar je bent geen arts.'

'Dat weet ik ook wel.'

'Je zou een uitstekend arts kunnen zijn! Dat wat je net hebt gedaan, zou geen arts je kunnen verbeteren, dat weet ik wel zeker!' vond Elsa waarderend.

Over haar masker heen, keek Sophia de oudere vrouw aan. Blijdschap en trots welden in haar op, maar ook een grote onzekerheid. 'Ik zou hem waarschijnlijk doden als ik een nog grotere *debridement* bij hem zou uitvoeren. In elk geval zou hij zijn arm niet meer kunnen gebruiken.'

'Heet dat zo? Het weghalen van dood vlees?'

Sophia knikte. 'Ik durf niet zo diep te snijden. Hij kan erdoor sterven.'

'Misschien sterft hij juist omdat je níet wilt snijden.'

'Ik doe het niet.' Er sprak ergernis uit het gebaar waarmee Sophia haar masker aftrok.

'Wat in mijn macht lag, heb ik voor hem gedaan,' verklaarde ze. 'Misschien kan ik ook nog iets doen.'

'Dat heb je al gedaan. Als dat niet genoeg is – bid dan voor hem.'

'Bidden kan nooit kwaad. Maar ook dat zal niet genoeg zijn.' Elsa wierp een onderzoekende blik op het bleke gezicht van de jonge soldaat. 'Kan ik heel even weg?'

Sophia haalde wrevelig haar schouders op.

Even later kwam Elsa terug met een bord waarop een paar bedorven stukken vlees lagen. Ze zaten vol witte maden. Sophia deinsde walgend terug. 'Jakkes, dat stinkt! Wat is dat?'

'Een stuk van een kattenkadaver.'

Elsa nam een pincet en pakte er een paar maden mee op.

'Wat ga je doen?'

Elsa gaf geen antwoord. Ze haalde de wriemelende dieren één voor één uit het stinkende vlees en legde ze op een gaasje dat ze Sophia voorhield. Maar die maakte geen aanstalten het aan te pakken.

'Ben je gek geworden? Doe dat gauw naar buiten!'

Elsa bleef rustig staan. 'Dat doe ik niet. Het kan hem helpen.'

'Hoe kom je op dat krankzinnige idee?'

'Ik heb drie keer gezien dat het gebruikt werd. Mijn oma was wat men een kruidenvrouw noemt.'

'Lieve hemel, waar kom je dan vandaan?'

'Ik ben op Sicilië geboren, maar opgegroeid in een dorp bij Catanzaro. Mijn vader kwam met een zwaar ontstoken been uit de vorige oorlog terug. Ze wilden het amputeren, maar mijn oma zette maden in de wond. Een week later begon het te genezen.'

Sophia trok kritisch haar wenkbrauwen op. 'Ik denk niet dat zulke sprookjes...'

'Wacht even.' Elsa hief haar hand op. 'Op een dag sloeg mijn oom een roestige spijker in zijn duim. Eerst was het een onschuldige wond, maar toen begon hij vies te worden en te stinken. Mijn oma legde er maden op en na een paar dagen was hij genezen.'

'En de derde keer?'

Elsa lachte zwakjes. 'Dat was bij mezelf.' Ze trok haar rok omhoog en liet haar kuit zien, waar een breed, gerafeld litteken overheen liep. 'Ik was vijf jaar. Ik was niet voorzichtig genoeg en heb me aan een zaag bezeerd. Mijn been werd dubbel zo dik en de hele wond bestond uit ontstoken, dood vlees. Hij zag er net zo uit als die daar.'

Ze wees naar de schouder van de jongen.

'De maden hebben misschien mijn leven gered, en in elk geval mijn been. De wond werd roze en genas. Ik weet niet hoe ze het gedaan hebben, maar ze hebben me geholpen.'

'Ze eten het afgestorven weefsel,' zei Sophia langzaam. Vaag herinnerde ze zich dat ze ooit van deze behandelingsmethode gehoord had. Ze wist niet meer waar en wanneer en ze had er ook niet verder over nagedacht, omdat ze het een dom, gevaarlijk bijgeloof vond.

Verlangend staarde ze naar de telefoon die werkeloos op het kleine bureau stond. Als ze haar oom maar zou kunnen bellen om het hem te vragen! Hij wist vast wel of dat met die maden goed was!

'Wat gebeurt er met de maden? Ik bedoel, hoe haal je ze er later uit?'

'Geen idee. Mijn oma haalde het verband eraf en ze waren weg.'

Elsa zag hoe het onbehagen uit Sophia's ogen verdween.

'Natuurlijk!' riep Sophia enthousiast uit. 'Ze vliegen gewoon weg!' Ze scheen het volkomen ernstig te menen. Elsa verbaasde zich over het lachje dat in haar opborrelde. Wanneer had ze zich voor het laatst vrolijk gevoeld? Het moest in een ander leven zijn geweest.

Sophia pakte aarzelend het stuk gaas met de maden op.

'Natuurlijk vliegen ze weg,' herhaalde ze mompelend in zichzelf. 'Het worden ten slotte vliegen. Ze vreten zich vol, verpoppen

276

zich en gaan er vandoor.' Ze keek naar het stuk gaas met de wriemelende massa. 'Wat maakt het ook uit. Erger kan het er toch niet door worden.' Vol afschuw, maar vastbesloten pakte ze met de pincet een zestal maden en zette ze in de ontstoken wond. Ze dekte de plek af met een stuk gaas en deed er een steriel, linnen verband omheen.

'Dat was het. Nu moeten we maar hopen dat die beesten die arme Henry niet levend opeten.'

Deze keer kon Elsa niet anders dan in lachen uitbarsten.

Alsof Henry hoorde dat ze het over hem hadden, liet hij een protesterend gekreun horen.

'Heeft hij nog meer ether nodig?'

'Nee, hij moet nu langzaam uit de narcose ontwaken.' Sophia boog zich over hem heen. 'Henry? Hoor je me?' riep ze in het Engels.

Elsa zag hoe het gezicht van de jongen vertrok van pijn en angst. In een plotselinge opwelling pakte ze zijn hand. 'Henry, ik zal voor je zorgen.'

Hij draaide zijn hoofd om en gaf over op haar schort.

Sophia zuchtte. 'Het spijt me. Ik had je moeten waarschuwen dat dat kon gebeuren.'

Elsa's lippen krulden zich in een half berouwvol, half spottend lachje. Haar blik rustte op Sophia's jas die onder het bloed zat. 'Sommige dingen gebeuren nu eenmaal. Je moet het maar nemen zoals het is.'

In Rome zag Richard onvoorstelbaar veel ellende. Overal hingen hongerige mensen rond, die angstig opzij gingen als ze hem zagen. Voor de openbare gebouwen stonden SS'ers, en in de stad patrouilleerden Duitse troepen.

Richard zag een keer dat een groep mensen door mannen in SS-uniformen uit een huis werd gedreven. Met opgeheven machinegeweren duwden ze mannen, vrouwen en kinderen in een vrachtwagen.

Er was een hoogzwangere vrouw bij. Met één arm hield ze een armzalig bundeltje kleren omklemd, met de andere drukte ze een klein kind tegen haar lichaam. Ze huilde stilletjes voor zich uit. Door haar zware lichaam en het kind in haar armen lukte het haar niet op de laadklep van de vrachtwagen te klimmen. Ontsteld zag Richard vanaf de andere kant van de straat hoe een SS-soldaat het kind uit haar armen trok en als een zak zand met het hoofd vooruit in de vrachtwagen slingerde, voordat hij de snikkende vrouw omhoogduwde.

Woedend keek Richard om zich heen, maar er was niemand die wilde ingrijpen. Op de hoek stonden meer toeschouwers, die met elkaar fluisterden en met ontzette blikken toekeken.

'Stop!' schreeuwde Richard woedend, maar op hetzelfde moment gooiden de SS-mannen de laadklep dicht. Haastig klommen ze in de chauffeurscabine. Richard rende erop af en bonkte met zijn vuisten tegen de achterkant van de wegrijdende vrachtwagen, maar in het geluid van de optrekkende motor ging zijn geroep verloren. De vrachtwagen verdween in een stinkende wolk uitlaatgassen om de hoek. Richard rende nog een paar meter verder, toen bleef hij hijgend staan.

'Mijn god,' zei hij geschokt, 'laat het niet waar zijn.'

Hij had de berichten gelezen, maar papier was geduldig. Als het opgeschreven was, leek het anders. Zakelijk en onpersoonlijk. Het waren gewoon getallen en data, verder niets.

Maar nu had hij het voor de eerste keer zelf gezien.

In een plotselinge vlaag van afgrijzen besefte hij dat het waar was wat er bij de staf gefluisterd werd. Men had het over grote kampen, waar joden niet alleen dwangarbeid moesten verrichten, maar waar ze ook gedood werden als ze te zwak waren om te werken. Er werd gezegd dat ze in grote ruimtes werden gedreven, waar ze met gas werden gedood. Richard had die verhalen tot nu toe altijd voor angstvisioenen gehouden van mensen die te snel bang waren.

Maar dit hier was de realiteit. Deportatie.

Richard geloofde geen seconde dat ze werden gedeporteerd om te werken. Geen hoogzwangere vrouwen of kleine kinderen. Men nam ze mee om ze ongestoord en ongezien door de wereld op een stille plek te doden en te begraven.

Hij dacht aan Sophia die zijn kind droeg, en zijn maag trok samen van machteloze woede. Opeens werd hij vervuld van haat tegen zijn eigen land, tegen de mannen die de Duitsers bereidwillig de macht hadden gegeven die ze nodig hadden om deze gruweldaden uit te kunnen voeren.

Hij vond het adres waar Schlehdorff zijn hoofdkwartier had ingericht. Het was een huis in de Via Tasso, waarin verschillende kantoren waren gevestigd.

Schlehdorff, wiens kantoor op de eerste verdieping lag, begroette Richard vol oprechte hartelijkheid. Richard beantwoordde de handdruk van de ander en deed zijn best vriendelijk te lachen, al had hij het idee dat zijn mondhoeken waren vastgevroren. Hij accepteerde de aangeboden stoel en wees ook de verfrissing die Schlehdorff hem aanbood niet af. Een ordonnans bracht een blad en serveerde thee in het mooiste porselein. Theepot, suikerpot en melkkannetje waren van zwaar zilver.

'Erg luxueus,' merkte Richard op.

Schlehdorff lachte, terwijl hij een stapel papieren ordende en opzij legde. 'Tja, wat er soms in dit soort huizen achtergelaten wordt!'

Richard haatte hem uit de grond van zijn hart, maar hij durfde niets te laten merken. Hij stuurde het gesprek naar een onschuldig onderwerp, om Schlehdorff in een goed humeur te brengen.

'Wat vindt u van onze slag op de Gran Sasso?'

Maar tot zijn verrassing merkte hij dat hij zich met die opmerking in een wespennest had gestoken.

'Ik vind dat u het slecht getroffen hebt, Richard! Die arrogante kerel!'

Richard was te verbluft om de nieuwe vertrouwelijkheid op te merken die in Schlehdorffs toon was geslopen. 'Bedoelt u Skorzeny?'

Schlehdorff sprong op en liep opgewonden door de kamer. 'Natuurlijk, wie anders! Hij haalt het ridderkruis binnen, maar wie heeft al het werk gedaan? Student en zijn staf, en u toch vooral!'

'Ik ben niet kwaad op hem.'

Schlehdorff snoof. 'Hij heeft de hele onderneming in gevaar gebracht! Die kerel van tweehonderd kilo moest zich per se ook in het vliegtuig persen! In een Fieseler Storch, waar nauwelijks twee mensen in passen! Op een haar na waren ze neergestort! En dat alleen omdat hij de Duce persoonlijk bij de Führer wilde afleveren!'

'Ik heb met kapitein Gerlach gesproken,' zei Richard grijnzend. 'Hij heeft het toch klaargespeeld. Op het nippertje.'

'Een kraan van een piloot,' zei Schlehdorff bewonderend. Toen schudde hij nijdig zijn hoofd. 'En wie krijgt alle eer?'

'Een SS-man.' Richard kon deze steek onder water niet voor zich houden. 'Dat moet u toch plezier doen.'

Schlehdorff rekte zich uit. 'Dat meent u niet. Ik kan een onderscheiding heel goed waarderen als hij eerlijk verdiend is. Maar in deze zaak is het niet correct toegegaan.'

'Skorzeny heeft veel gepresteerd.'

'Voor SCHWARZ ja, maar niet voor EICHE. Met de logistiek heeft hij niets te maken gehad. Hij heeft het zelfs bijna verprutst.'

'Hij heeft in elk geval zijn leven geriskeerd.'

'Daarvoor heeft hij toch het ridderkruis gekregen! En voor het nageslacht wordt hij een legende.' Schlehdorff zuchtte. 'Maar zo gaat het in het leven. Ondank is 's werelds loon. Wat brengt u eigenlijk hier, Richard?'

'Ik had iets in de buurt te doen en vond dat ik even snel gedag moest komen zeggen.'

'Zit u nog bij Student in het korps?'

Richard beantwoordde die vraag bevestigend en dronk van zijn thee om tijd te winnen. Misschien moest hij niet te snel over de eigenlijke reden van zijn bezoek beginnen.

'Hoe vordert uw werk?' vroeg hij beleefd. Er liep een ijzige rilling langs zijn rug toen hij aan het tafereel dacht dat hij net gezien had.

'Heel goed,' antwoordde Schlehdorff opgeruimd. 'Het joodse getto is zo goed als leeggemaakt. Natuurlijk hebben ze zich door de hele stad verstopt, als ratten kruipen ze weg in kelders en op zolders. Maar we vinden er heel wat, nog steeds. Tot nu toe hebben we er negenhonderd. En dat zijn alleen de raszuivere joden.'

'Wat gebeurt er met ze?'

Schlehdorff lachte argeloos. 'Ze worden naar kampen gebracht waar ze werk en eten hebben. Wie heeft dat hier in dit land nog? Ik kan wel zeggen dat de joden het goed hebben. Dat was altijd al zo.'

'Dat meent u niet in ernst,' zei Richard vol walging.

Schlehdorff scheen geen aandacht aan zijn opmerking te besteden. 'Wel zeker,' zei hij zelfvoldaan. 'Die hele groep zwemt in het geld. Heeft u gehoord wat Kappler heeft gedaan? Die heeft pas verstand van zaken.'

Richard wist het maar al te goed. Op 26 september had SS-Obersturmbannführer Herbert Kappler, hoofd van het commando van de bevelhebbers van de veiligheidspolitie en de SD in Italië, de joodse gemeenschap in Rome een ultimatum gesteld. Ze moesten binnen zesendertig uur vijftig kilo goud leveren, anders zouden er tweehonderd joden uit het getto gearresteerd worden. Joden en niet-joden hadden in een wanhopige actie het goud bij elkaar gebracht en stipt op tijd afgeleverd. Een dag later begon de SS met de plundering en verwoesting van het getto, twee weken later met de systematische deportaties.

'Ik heb van zijn manier van zakendoen gehoord,' zei Richard zonder emotie.

Schlehdorff schonk hem nog eens thee in. 'Maar nu in alle eerlijkheid. Wat wilt u?'

'Ik wil nog een keer op de gebeurtenis van afgelopen zomer terugkomen. U weet wel, toen ik neergeschoten ben.'

'Hoe zou ik dat kunnen vergeten!' Schlehdorff lachte breed. 'Ik dacht dat u het al gehoord had! We hebben die smeerlap te pakken!'

Richard deed onverschillig, hoewel hij geschokt was. 'Wie bedoelt u?'

'Nou, de kerel die op u geschoten heeft heet Antonio Farnesi en is de zoon van die Salvatore, die we gearresteerd hadden. Geen wonder dat hij niet wilde praten. Nou, hoe het ook zij, vorige week werd in het bos van Spineta een van die roversholen ontdekt, een partizanennest. Drie van die kerels werden opgepakt, de rest kon helaas ontsnappen. Maar onder die drie zat een echte voltreffer, dat moet u toegeven.'

'Heeft hij bekend?'

Schlehdorff vouwde zijn handen en liet zijn knokkels kraken. 'Ik was vanwege die jongen in Chiusi en heb hem verhoord. Hij bekende.' Schlehdorff verbeterde zich. 'Nee, dat klopt niet: hij was erg mededeelzaam nadat we... nou ja, nader in gesprek waren gekomen.'

Richard omklemde de armleuningen van zijn stoel. Zijn gezicht voelde koud en bloedeloos aan.

'En weet u wat?' ging Schlehdorff goedgehumeurd verder. 'Hij heeft me nog meer verteld, iets wat ik heel interessant vind. Het geweer waar hij mee geschoten heeft... U weet wel, dat we later op de veranda van de rentmeester hebben gevonden – dat had de dochter van de overleden Marchese hem eerder afgenomen en in het bos verstopt. Zodat hij verder geen domme dingen meer kon doen, zei hij. Blijkbaar dacht ze er later anders over, en heeft het weer opgegraven en op de veranda gelegd – zodat we het daar zouden vinden, moeten we aannemen. Een brave meid, hè?' Schlehdorff liet zijn knokkels weer kraken en zei peinzend: 'Het kan natuurlijk ook zijn dat ze met z'n allen onder één hoedje hebben gespeeld. De Marchese slaapt met de vrouw van zijn rentmeester, de dochter van de Marchese verstopt het geweer, waarmee de zoon van de rentmeester Duitse officieren neerknalt – u ziet, er zijn verschillende dingen die we nog grondig moeten uitzoeken. Daar zal ik me nog mee bezighouden. Zoals gezegd, de dochter schijnt een sleutelrol te vervullen. Ik zal haar eindelijk eens onder handen nemen.'

Richard besefte met ijzige schrik hoezeer hij deze man had onderschat. Niets had hem op dit ogenblik voorbereid, maar toch lukte het hem op de een of andere manier om onverschillig te lijken. Hij deed alsof hij erg geïnteresseerd was in de akten en documenten die achter Schlehdorffs bureau stonden opgeslagen.

'Nou,' zei hij langzaam, 'nu u hier in Rome zoveel werk heeft, zult u blij zijn dat u zich niet verder met die zaak bezig hoeft te houden.'

Schlehdorff keek hem loerend aan. 'Hoezo?'

'Ik was kortgeleden in de gelegenheid met de jongedame te praten. U weet misschien dat ze me toen als verpleegster heeft behandeld?'

'Die dikke, zwarte kraai met die krijsende kinderen?'

'Dat was ze niet.'

'Ik begrijp het. De dochter van de Marchese – een verpleegster?'

'Inderdaad. Ze is een ruimdenkende, onzelfzuchtige, jonge vrouw. Ze heeft mijn leven gered.'

'Hoor ik daar een amoureuze klank in uw stem?'

Richard vroeg zich af hoe hij zo dom kon zijn geweest Schlehdorff voor een ijdele sukkel met geldingsdrang te houden. Deze man had een messcherpe intelligentie en gebruikte die ook. En toch – wat Richard betrof, scheen Schlehdorff nog andere doelen na te streven.

Richard fronste toen hem te binnen schoot wat Joachim Weldau over Schlehdorffs neigingen had gezegd. Maar hij had te veel mannen een bloedige dood zien sterven om in dit geval zijn zelfbeheersing te verliezen.

'U vergist zich,' zei hij rustig, zonder de moeite te nemen de dubbele bedoeling van zijn woorden te verbergen. 'Ik ben een getrouwd man.'

'Zeker,' antwoordde Schlehdorff lachend. 'Net als ik.'

'Hoe dan ook, ik ben die jongedame erg dankbaar voor haar hulp en gastvrijheid. Het idee dat ze iets met de aanslag te maken zou hebben, is volledig absurd.'

'Als u dat zo overtuigend zegt, zou ik het bijna geloven. Dan hebben we de zaak met het geweer nog... Maar laten we dat even vergeten. U zou dus willen dat ik de zaak verder laat rusten?'

'Dat niet alleen. Ik zou willen dat de rentmeester vrijgelaten wordt. Hij heeft niets gedaan.'

'Hij heeft de schutter beschermd.'

'Het gaat om zijn zoon die het geweer van zijn vader had gestolen.'

'U vindt zeker dat u een slechte indruk maakt op de dochter van de Marchese als we twee mensen van het landgoed vasthouden, terwijl er maar één op u heeft geschoten?'

'Inderdaad.' Richard keek hem koud aan. De zekerheid dat hij deze man zonder met zijn ogen te knipperen zou kunnen doden, trok door hem heen tot in zijn vingertoppen. Achter die façade van vriendelijkheid zat een sadist, wiens enige doel leek te zijn angst en verschrikking te verspreiden.

Het werd tijd er een einde aan te maken.

'Ik hoop dat u mijn standpunt begrijpt.' Richard stond op. 'Natuurlijk... als er een probleem zou zijn, kan ik de zaak ook met Student bespreken. Hij heeft altijd een luisterend oor als het gaat om represaillemaatregelen tegen de burgerbevolking. Feitelijk lijkt het daarop neer te komen.'

'Waarop?' Schlehdorff keek hem afwachtend aan.

'Dat Farnesi als geïnterneerde werd geclassificeerd, hoewel hij niet tot de troepen behoort en dus ook niet onder de verantwoordelijkheid van de SS valt. Zeker gewoon een vergissing?'

'Zeker,' zei Schlehdorff luchtig.

'U heeft uw dader. Heb ik uw woord dat u de rentmeester vrijlaat en de zaak verder laat rusten?'

'Maar natuurlijk, mijn jongen.' Schlehdorff wipte met zijn stoel op en neer. 'Weet u, Richard, u bent een opmerkelijk man.'

'In hoeverre?'

'U bent een gewiekst tacticus. U sluipt om uw prooi heen en slaat pas toe als u zeker bent van de overwinning.'

'Dat is onzin.' Richard liep naar de deur.

'We zien elkaar weer.' Schlehdorff lachte hem vriendelijk toe. Niets in zijn gezichtsuitdrukking wees erop dat hij een nederlaag had geleden. Bij het verlaten van het gebouw kon Richard het gevoel niet van zich afzetten dat Schlehdorffs laatste woorden geen afscheid betekenden, maar een waarschuwing om de volgende keer voorzichtig te zijn. Een somber gevoel van dreiging kwam over hem toen hij op straat stond en omhoog keek. Schlehdorff stond voor het raam van zijn kantoor en keek op hem neer.

21

Eind november was het bitterkoud op La Befana. De open haarden en kachels in de villa brandden van vroeg tot laat. Sophia had stapels brandhout binnen laten brengen, het enige, behalve water, waar ze nog genoeg van hadden. De elektriciteit viel steeds vaker uit, zodat ze het water in grote ketels op het fornuis moesten verwarmen. In bad gaan was een luxe geworden.

De stroom vluchtelingen die op het platteland een veilige plek zochten, nam nog steeds niet af. Sophia liet de salon en de eetkamer leegmaken en bracht daar, net als op de bovenverdieping, een aantal van de ergste gevallen onder; jonge vrouwen met baby's en oude mensen die niet meer verder konden.

Een groot deel van de vluchtelingen wilde niet blijven, maar naar het zuiden verder trekken. Ze zochten de bescherming van de geallieerden, al wemelde het overal van de Duitse artillerie.

Sophia gaf de doortrekkende vluchtelingen zo veel mogelijk mee: dekens, warme kleding, schoenen en eten. Het koude weer overviel iedereen. Er was nauwelijks genoeg kleding voor de vluchtelingen. Sophia haalde uit haar eigen spullen alles wat ze kon missen, en van de stof naaide Donata vervolgens op de naaimachine wat er het hardst nodig was, vooral kinderkleding. Vaak werkte ze tot diep in de nacht, maar toch was het niet genoeg.

Josefa stond van vroeg tot laat in de keuken en deed wat Sophia haar eerder als grapje had aangeraden: van olijfolie, meel, water, zout en gist bakte ze ontelbare broden die ze onder de langstrekkende vluchtelingen verdeelde. Er stonden steeds grote pannen op het vuur, waarin ze eenpansgerechten en soep kookte.

'Ik weet niet waarom ik het doe,' beklaagde ze zich. 'Ze rukken me het eten uit de handen en verdwijnen weer. Op een dag zijn al onze voorraden op, dan verhongeren we allemaal.'

'Dan verhongeren we tenminste als goede christenen,' antwoordde Sophia bars.

'Als we niet voor die tijd gearresteerd worden!' riep Josefa uit. 'Je rent met open ogen je ondergang tegemoet! Er trekken hier honderden mensen voorbij en ieder van hen kan opgepakt worden! Ze zullen de Duitsers vertellen waar ze vandaan komen, waar ze onderdak en voedsel hebben gekregen! Daar staat de doodstraf op, ben je dat vergeten?'

Sophia haatte die gesprekken, omdat ze helemaal niet zoveel zelfvertrouwen had als ze uitstraalde. Ze was net zo bang als Josefa. Het enige verschil tussen hen was dat ze er niet over peinsde zich eronder te laten krijgen. Ze had gezworen niet terug te krabbelen, wat er ook zou gebeuren. Elke avond, voordat ze ging slapen, hield ze in zichzelf een gesprek met haar vader. Dan vroeg ze hem hoe hij in die of die situatie zou handelen. 's Nachts kwam er dan meestal een oplossing, waarvan ze dacht dat de Marchese het ook zo gedaan zou hebben. Dit ritueel hielp haar met de dagelijkse problemen om te gaan zonder ervoor weg te lopen.

Verder had Josefa het mis; Sophia was heus niet zo naïef dat ze zich niet bewust was van het gevaar waar ze permanent in verkeerden. Vascari had voorgesteld wachtposten langs de toegangsweg neer te zetten, die konden waarschuwen als er Duitsers aankwamen. Dan konden de vluchtelingen zich tijdig in het bos verstoppen. Joden en gevluchte, geallieerde soldaten stuurden ze altijd meteen naar de verst afgelegen boerderijen, omdat ze, vanwege de steeds opduikende Duitse patrouilles, het risico niet konden nemen hen in het grote huis onder te brengen. Om dezelfde reden had Sophia ook het oude klooster op laten ruimen om daar de om hulp vragende Italiaanse families onder te brengen. De geallieerde soldaten die er eerst zaten, kampeerden nu in het bos of hadden een plek gevonden op de omliggende boerderijen.

Af en toe doken er ook partizanen op La Befana op, haveloze, uitgeputte mannen met geweren en messen. Ze vroegen om eten, verstopten zich voor een paar dagen in het bos en trokken dan verder. Een van hen wist te vertellen dat Antonio Farnesi was gearresteerd. Vascari vertelde het aan Sophia, die hem vroeg het niet tegen Elsa te zeggen.

Sophia en Elsa hadden een soort wapenstilstand gesloten. Bij de verzorging van de zieken werkten ze samen alsof ze dat al jaren gedaan hadden, maar er was geen vertrouwelijkheid tussen hen. Het was alsof ze zwijgend overeen waren gekomen niet te praten over wat er die zomer gebeurd was. Dus wisselden ze privé nauwelijks een woord met elkaar, hoewel Elsa sinds de operatie elke dag uit zichzelf naar de polikliniek kwam en Sophia zo veel mogelijk hielp met de verzorging van de vele patiënten.

In de polikliniek waren inmiddels alle bedden vol. Er kwamen steeds nieuwe patiënten bij, de meeste verzwakt door de honger en daardoor vatbaar voor infecties. Kinderen en oude mensen werden het makkelijkst ziek, omdat zij de minste weerstand hadden.

Henry Mance, de jonge Engelsman, hielp zoveel hij kon. Met zijn rechterarm in een mitella hield hij zich onvermoeibaar met de zieke kinderen bezig. Hij las hen voor, voerde hen en troostte hen als ze verdrietig waren. Als hij niet met de zieken bezig was, liep hij als een schaduw achter Elsa aan. Voor de tijd van zijn genezing had ze hem in de *Fattoria* ondergebracht, omdat ze elk bed in de polikliniek nodig hadden. Voor het geval er Duitsers verschenen, had hij opdracht gekregen meteen in het bos te verdwijnen.

Henry's wond genas uitstekend. Sophia vond het nog steeds een wonder dat hij zo snel herstelde van zo'n zware verwonding. Al bij de eerste keer dat ze het verband verwisselde, was te zien dat de maden hun werk deden. De infectie werd minder, de wond ging dicht en er groeide nieuwe, roze huid. Het bot had blijkbaar niet zoveel te lijden gehad als ze eerst gevreesd had. Hij kon zijn schoudergewricht en zijn arm bewegen.

'Je hebt veel geluk gehad, Henry,' zei Sophia tegen hem, toen ze er eindelijk zeker van was dat hij buiten gevaar was.

'Geen geluk,' zei hij. 'Gewoon de juiste hulp.' Daarbij keek hij vol aanbidding naar Elsa, die bij het raam zat en schoongewassen verband oprolde.

Hij aanbad haar, hoewel ze nauwelijks met elkaar konden praten. Ze verstond maar een paar woorden Engels en hij helemaal geen

Italiaans. De communicatie bestond daarom hoofdzakelijk uit veelzeggende gebaren en mimiek. Sophia merkte al na een paar dagen dat Elsa dol was op de jonge Engelsman. Ze bemoederde hem, leerde hem Italiaanse woorden, stopte hem extra eten toe, deed zijn was en hielp hem zijn stijve arm door oefeningen steviger en beweeglijker te maken.

Zijn lange lichaam zag er nog onvolwassen uit, met handen en voeten die te groot waren voor zijn slungelige ledematen. Op zijn wangen waren nauwelijks baardharen te zien, maar Henry schoor zich dagelijks, heel ernstig en met veel scheerschuim.

'Hij is een lieve jongen,' zei Elsa tegen Sophia. 'Hij mist zijn moeder.'

En op dat moment besefte Sophia dat ook Elsa haar jongste zoon miste.

Op een middag half december had Sophia zich in de bibliotheek teruggetrokken om aan het bureau van de Marchese de lijst met ingekochte levensmiddelen na te kijken. Vascari ging net als vroeger één keer in de week met de koets naar de stad om conserven, stoffen en medicijnen te kopen. Die onderneming werd steeds gevaarlijker, omdat de Duitsers ertoe waren overgegaan mijnen te leggen onder een deel van de wegen. Normaal gesproken waren de weer dichtgegooide gaten goed te zien, maar als er sneeuw overheen was gewaaid, was het gebruik van de weg een spel op leven en dood.

Zuchtend ging Sophia met haar vinger langs de lijst die ze Vascari had meegegeven. Maar een paar dingen waren door Vascari afgestreept, bij een paar andere had hij in zijn nette handschrift opmerkingen geschreven, bijvoorbeeld: 'Pijnstillers alleen nog te krijgen met distributiebonnen', of: 'In de hele stad geen verbandgaas te krijgen'.

Vanuit de salon klonk het gehuil van een baby. Renata, zijn moeder, was eergisteren met het kleine bundeltje aangekomen, volledig uitgeput, half bevroren en met alleen de kleren die zij en de baby aanhadden. Ze kwam uit Siena. Drie weken geleden was haar man bij een razzia door de fascisten voor haar ogen doodgeschoten, omdat hij geen gehoor had gegeven aan een oproep voor militaire dienst. Ze had nog een jongere broer die ook was ondergedoken om niet in dienst te hoeven. Ze hadden gedreigd haar en het kind te arresteren als hij zich niet binnen twaalf uur meldde. Ze had haar nauwelijks vier weken oude baby opgepakt en was weggegaan zonder de tijd te nemen iets in te pakken. Sinds haar aankomst had ze alleen maar zitten beven en huilen en de baby huilde dag en nacht. Sophia en Josefa hadden afwisselend uren met hem rondgelopen tot hij eindelijk sliep.

Sophia voelde zich door een vreselijke vermoeidheid overmand. Ze duwde de lijst opzij en legde haar hoofd op haar armen.

Waarom deden mensen elkaar zulke vreselijke dingen aan? Hoe konden ze een man doodschieten voor de ogen van zijn jonge vrouw die net was bevallen, alleen maar omdat hij weigerde zijn leven in een zinloze oorlog op te offeren?

Met één hand wreef ze over haar dikker wordende buik.

'Ik zal je beschermen,' zei ze bezwerend. 'Wat er ook gebeurt, ik laat niet toe dat je iets overkomt.'

Op hetzelfde moment meldde haar maag zich met een flink geknor en herinnerde haar eraan dat ze niet meer genoeg te eten hadden. Ze moesten nu de meelvoorraden aanspreken die ze in het bos hadden begraven. Daarna zouden ze de reserves moeten gebruiken die ze in de kelder hadden ingemetseld.

Maar wat haar nog het meest dwarszat, was dat ze zo zelden iets van Richard hoorde. Ze maakte zich ernstig zorgen om hem.

Aan het eind van de vorige maand had ze een kort berichtje gehad, overgebracht door een Duitse onderofficier die speciaal daarvoor vanuit het garnizoen in Chiusi naar La Befana was gekomen.

Alles goed. Laat gauw weer wat van me horen. R.

Ze voelde zich beverig van opluchting dat hij het goed maakte, maar ze was ook teleurgesteld over het feit dat het berichtje zo kort was. Daaraan, aan hoe vreselijk graag ze een teken van zijn genegenheid wilde hebben, kon ze merken hoe ze hem miste. Ze wist natuurlijk dat hun huwelijk zo veel mogelijk geheimgehouden moest worden; op La Befana wist niemand er iets van, behalve Josefa en Vascari.

Haar zwangerschap zou ze binnenkort niet meer kunnen verbergen. Sophia had allang in een opwelling van trots besloten het maar te laten gebeuren. Ze was tenslotte niemand rekenschap verschuldigd. Wat zouden de mensen roddelen! Nou, wie zich eraan stoorde, kon ophoepelen!

De jonge onderofficier die het bericht had gebracht, vertelde haar in gebroken Italiaans dat hij met Richard in Rusland had gediend. Uit dankbaarheid wilde ze hem een fles uit haar cognacvoorraad meegeven, maar hij wees het af. In plaats daarvan wees hij op de grammofoon en keek Sophia vragend aan. Hij wilde hem niet meenemen, maar alleen een plaatje horen. Sophia zette een aria van haar moeder op. De jonge man luisterde met gesloten ogen en af en toe bewoog hij zijn hoofd. Er stonden tranen in zijn ogen toen het lied uit was.

'De muziek mis ik nog het meest,' zei hij toen hij wegging. 'Altijd maar schoten en geschreeuw en bommen. Er is nergens meer muziek, behalve hierbinnen.' Daarbij wees hij op zijn hoofd.

Sinds die dag had ze niets meer van Richard gehoord.

Er werd geklopt en nadat Sophia geantwoord had, kwam Fernanda binnen. Ze maakte een buiginkje en wachtte tot Sophia iets tegen haar zei. Al was er de laatste tijd weinig reden meer voor vormelijkheid en etiquette, Fernanda bleef zich onderdanig gedragen.

'Fernanda,' zei Sophia geduldig, 'hoe vaak moet ik je nog zeggen dat je meteen naar binnen mag komen als je geklopt hebt? Je hoeft niet te wachten tot ik je vraag binnen te komen. En als je dan binnen bent, mag je meteen zeggen waar je voor komt. Heb je dat begrepen?'

Fernanda greep naar haar dikke, zwarte vlecht en trok er verlegen aan. 'Ja, ik heb het begrepen.'

Sophia wachtte, en zuchtte toen Fernanda geen aanstalten maakte te zeggen waarvoor ze gekomen was. 'Nou, goed. Wat is er?'

'De jonge Engelsman laat vragen of u tijd voor Elsa heeft.'

'Is er een gewonde aangekomen?' Sophia stond op.

Fernanda schudde haar hoofd.

'Waar gaat het dan om?' vroeg Sophia, geërgerd omdat ze elk woord uit het meisje moest trekken.

'Ik begreep hem niet. Hij praat zo grappig.'

'Is ze in de polikliniek?'

'Nee, in de *Fattoria*.'

'Zeg hem dat ik over een kwartiertje kom.'

Fernanda verdween weer met een buiginkje en Sophia ging naar de keuken om iets eetbaars te zoeken. De twee oude vrouwen die op de bovenverdieping waren ondergebracht, zaten aan tafel groenten te snijden. Josefa stond gebukt voor het fornuis en stopte er hout in. Het fornuis verspreidde een ondraaglijke hitte.

Er kwamen stoomwolken uit een gigantische pan waarin het avondeten voor de huisbewoners stond te pruttelen: een stoofpot van groenten en een paar stukken van een konijn dat Vascari twee dagen eerder gevangen had. Sinds een paar weken zette hij in de omliggende velden strikken uit om hun voedsel wat aan te vullen, een onderneming die maar zelden resultaat opleverde.

Sophia snoof. De stoofpot rook heerlijk. Josefa richtte zich op en toen ze Sophia's hongerige blikken zag, haastte ze zich naar het aanrecht om een homp vers brood af te snijden. Ze holde het een beetje uit, pelde een hardgekookt ei en schoof het samen met een paar olijven in de holte. 'Hier, liefje. Het duurt nog wel even tot het avondeten.'

'Dank je, Josefa.' Sophia beet hongerig in het brood en wisselde toen een paar woorden met de oude dames. Het waren twee zussen; de ene, Margherita, was bijna tachtig, de andere, Rosalia, twee jaar jonger. Ze waren uit Florence ontsnapt nadat hun broer van vijfentachtig bijna was gearresteerd, omdat hij, net als zijn zussen, een jood was.

'Hoe gaat het vandaag met u?' vroeg Sophia vriendelijk, waarna de twee zich haastten hun gastvrouw te verzekeren dat ze het prima maakten. Het tegendeel was waar, maar dat zouden ze nooit toegeven. Rosalia had last van een hardnekkige hoest, en Margherita's handen waren zo reumatisch dat ze het mes waar ze de groenten mee sneed nauwelijks vast kon houden. En toch accepteerden de vrouwen het verbazend opgewekt dat ze nu, in plaats van in hun luxe huis in Florence, onder armelijke omstandigheden op het platteland moesten leven, waar er nauwelijks iets belangrijkers was dan de vraag wat er bij de volgende maaltijd gegeten zou worden. Ze hielpen waar ze konden. Nog nooit had Sophia één van hen horen klagen.

Sophia gaf Rosalia een fles hoestsiroop die ze zelf gemaakt had. Behalve kruiden en honing zat er een behoorlijke hoeveelheid alcohol in die zorgde voor een diepe slaap.

'Neemt u er alleen 's avonds van,' zei ze tegen de oude vrouw.

Voor Margherita's reumatische handen had ze een zalf gemaakt.

'Uw zus kan u helpen het in te wrijven als uw eigen vingers daar te stijf voor zijn,' zei Sophia.

De vrouwen bedankten Sophia uitbundig en toen ze naar buiten ging, hoorde ze Rosalia nog zeggen: 'Een echte, grote dame.'

'Daar kan ze niks aan doen, haar vader was een reus van een man,' kwam Josefa's antwoord.

Sophia grijnsde toen ze het gegrinnik van Margherita en Rosalia hoorde.

Maar op weg naar de *Fattoria* verdween haar vrolijkheid. Ze dook dieper in haar jas vanwege de kou, terwijl ze zich, zoals zo vaak de laatste tijd, het hoofd brak hoe ze al die mensen te eten moest geven. Zouden ze de volgende week, de volgende maand nog te eten hebben? Over tien dagen was het Kerstmis, en het stond nu al vast dat er geen cadeaus of gebak zouden zijn. Haar hele leven was zo door elkaar gegooid dat het komende feest bijna iets absurds werd. Waarschijnlijk moesten ze te voet naar het dorp om de mis bij te wonen. Monsignore Petruccio zou de dorpelingen en boeren voorhouden dat ze vast moesten houden aan hun geloof en de geboorte van Christus als een teken van hoop zien.

Hoop en liefde, zo luidde de boodschap van de kerk in tijden van vrede en ook in oorlog. Een oorlog waarvan het einde niet in zicht was!

De doortrekkende soldaten waren een onuitputtelijke bron van informatie, zodat Sophia steeds goed op de hoogte bleef van het verloop van de oorlog. Wat ze hoorde, gaf geen reden tot blijdschap. De geallieerden rukten lang niet zo snel op als ze gehoopt hadden. Het leek erop dat Toscane nog lang onder Duitse bezetting zou blijven. De legers trokken onder zware achterhoedegevechten wel steeds verder terug naar het noorden, maar de geallieerden schoten maar weinig op. Langs de hoofdverdedigingslinie van de Duitsers, die na de geallieerde landing bij Salerno was gegraven, de zogenaamde Gustavlinie, werd zwaar gevochten. De linie liep van de monding van de Garigliano over de Monte Cassino en de kam van de Apennijnen naar de Adriatische Zee. Het belangrijkste punt van de Duitse stellingen was de Monte Cassino met het wereldberoemde historische klooster.

Al begin december hadden de geallieerden een eerste bestorming van de Monte Cassino uitgevoerd. Dit tussen de Abruzzen en de Aurune- en Ausonigebergten gelegen gebied was al sinds de antieke Oudheid de toegangsroute naar Rome. Om verder vooruit te kunnen stoten, moesten de geallieerden per se een doorbraak naar Rome forceren door dit bergachtige land, maar tot nu toe hadden de Duitse verdedigingsstellingen bij Rapido en Garigliano elke aanval afgeslagen.

De snijdende wind joeg Sophia een ijzig mengsel van regen en hagel in het gezicht, toen ze de laatste meters naar de *Fattoria* aflegde. Ze klopte op de deur, die meteen openging. Henry stond voor haar, lijkbleek, zijn ogen wijdopen van ontzetting. 'U moet haar helpen!' riep hij uit.

Ongerust stapte Sophia naar binnen. 'Waar is ze? Wat is er aan de hand?'

Henry pakte haar arm en trok haar de woonkamer in, waar Elsa onder een deken op de bank lag. Het was er ijskoud.

Sophia wees naar de kachel. 'Wil je hem alsjeblieft aansteken, Henry?'

De jongen gehoorzaamde. Haastig duwde hij hout en krantenpapier in de kachel en streek minstens vijf lucifers af om de kranten aan te steken.

Sophia boog zich over Elsa, wier gezicht ondanks de kou bezweet was. Haar lichaam onder de deken bibberde onophoudelijk.

Sophia legde haar hand op Elsa's voorhoofd. Dat voelde koel aan. 'Waarom heb je me niet eerder laten roepen?'

'Ik dacht dat het wel over zou gaan. Maar het wordt erger.'

Bij die woorden kromp Elsa in elkaar.

'Heb je pijn?' vroeg Sophia geschrokken.

Ze sloeg de deken opzij en zag dat Elsa haar armen om haar lichaam klemde.

'De baby?' vroeg ze rustig.

Elsa staarde haar met doffe ogen aan. 'Je weet ervan?'

Sophia knikte, terwijl ze zwijgend Elsa's handen opzij legde en haar jurk omhoog trok.

'Ga even weg, Henry,' beval ze. Haar toon duldde geen tegenspraak. Achteruit lopend ging hij de kamer uit, zijn gezicht vertrokken in een grimas van angst. 'Gaat ze dood?' vroeg hij met verstikte stem.

'Voorlopig niet,' zei Sophia met meer kalmte dan ze voelde. Vreemde gevoelens overvielen haar toen ze Elsa's bolle buik zag. 'Hoever ben je?'

'In de zevende mand.'

'Je hebt het goed verborgen.'

'Net als jij.'

Onwillekeurig gingen Sophia's blikken naar haar eigen buik, toen lachte ze een beetje teleurgesteld. 'Is het al zo goed te zien?'

'Nee, alleen als je weet waar je op moet letten.' Elsa hoestte. 'De laatste tijd ben ik zeer bedreven in die dingen.'

Sophia legde haar hand op Elsa's buik. De welving kwam al bijna tot aan de ribben. 'Heb je je ingesnoerd?'

'Ja, de laatste drie weken.'

'Dat kun je beter niet meer doen.'

'Dan kan iedereen het zien.'

'Dat zal bij mij ook gebeuren, maar ik ben niet van plan me in te snoeren om het te verbergen.'

Elsa keek naar de smalle, gouden ring aan Sophia's rechterhand. 'Je bent getrouwd, hè? Is het de Duitse officier? Heb je het daarom verborgen gehouden? Omdat je bang bent voor overvallen van de *Resistenza?*'

Sophia kon niet anders dan Elsa's scherpzinnigheid bewonderen. Toch zei ze norser dan de bedoeling was: 'Daar gaat het nu niet om. Ik weet dat je baby niet van je man is, maar van mijn vader. Je zult de moeder van mijn broertje of zusje worden.'

Elsa trok een gezicht. 'Ik zal niemands moeder worden als het zo doorgaat.' Ze kromp in elkaar en kreunde.

'Heb je weeën?'

'Nee, het zijn mijn darmen. Het... is heel erg, Sophia.'

Ze sprak niet uit wat ze vermoedde, maar Sophia wist meteen wat ze bedoelde. Er trok een verlammende angst door haar heen.

Drie dagen geleden waren er twee krijgsgevangenen in de polikliniek aangekomen die uit Duitse gevangenschap waren gevlucht, een Serviër en een Indiër. Ze hadden allebei vreselijk diarree en gaven constant over. Elsa had hen opgenomen en verpleegd en ten slotte, toen haar verdenkingen in zekerheid overgingen, met Sophia besproken dat het ziektebeeld op cholera leek. Ze hadden de twee mannen meteen in quarantaine gelegd. Hun bedden waren in de achterste kamer gezet, waar de medicijnen en verbandmiddelen werden bewaard.

'Heb je ook overgegeven?' vroeg Sophia met een klein stemmetje.

'Vaak.'

Sophia schrok. 'Het was een goede beslissing van je om hier te blijven. Je had alleen Henry weg moeten sturen.'

'Dat heb ik gedaan. Maar hij is een stijfkop en wilde niet.'

'Ik weet het.' Sophia lachte gespannen, terwijl ze opstond. 'Ik zal wat spullen laten brengen. De komende dagen blijf ik hier.'

'Dat kan ik niet goedvinden. Je bent zelf zwanger. Je vader zou...'

'... willen dat ik voor je zorgde,' viel Sophia haar in de rede. Toen ze Henry riep, viel hij meteen de kamer binnen, een bewijs dat hij de hele tijd aan de deur had staan luisteren, hoewel hij nauwelijks iets verstaan kon hebben. Sophia liep naar Salvatores werkkamer en schreef een briefje voor Josefa, dat ze aan Henry gaf. Hij struikelde over zijn grote voeten, zoveel haast had hij om te doen wat hem gevraagd werd. De deur viel met een knal achter hem dicht. Sophia wendde zich tot Elsa die met onzekere bewegingen de deken weer tot haar kin optrok.

'Je hebt veel vocht nodig,' verklaarde ze.

'Dat weet ik,' antwoordde Elsa met zwakke stem. 'Ik heb geprobeerd wat te drinken, maar ik kan niets binnenhouden.'

'Ik zal ervoor zorgen dat dat goed komt.'

De volgende drie dagen en nachten week ze niet van Elsa's zijde. Ze gaf voorzichtig kleine beetjes water en hield Elsa's hoofd vast als het er weer uit kwam. Elsa was te zwak om op te staan en naar het toilet te gaan, en dus legde Sophia lakens onder haar die ze bijna elk uur moest verschonen.

Elke avond spoelde ze de vuile was in de keuken uit en kookte alles daarna in een grote ketel op het fornuis uit. Ze hing de handdoeken en lakens voor het fornuis te drogen, waarna ze ze met een strijkbout bewerkte om ze zo steriel mogelijk te krijgen. Ze had Donata gevraagd de zieken in de polikliniek te verzorgen. De twee soldaten, zo luidden haar aanwijzingen, mocht ze alleen verzorgen met een gezichtsmasker op en handschoenen aan, en de vuile was moest met dezelfde voorzorgsmaatregelen uitgekookt en gestreken worden.

Henry bracht drie keer per dag eten naar de *Fattoria*, maar Sophia nam het blad bij de deur aan en verbood hem binnen te komen. Om zijn vragen te ontlopen, zei ze dat het al wat beter ging met Elsa.

Het tegendeel was het geval. Elsa werd steeds zwakker. Haar huid zag er verschrompeld uit. Alles wat naar binnen ging, kwam er ook weer uit en ze had nog steeds vreselijke darmkrampen.

Sophia waste haar 's morgens en 's avonds van boven tot onder. Een keer toen ze met het washandje over Elsa's buik ging, voelde ze een zachte duw onder haar vingers. Ze deed haar hand opzij en keek naar Elsa's ronde buik. Opeens zag ze het heel duidelijk: er verscheen een kleine bult en toen zakte hij weer weg.

'Hij beweegt,' zei ze verrast.

Elsa's gezicht ontspande zich. Ze lachte naar Sophia en zei: 'Hij is erg levendig.'

'Sinds wanneer... Ik bedoel, hoe lang voel je dat al?'

'Je bent in de vijfde maand, hè? Dan moet het bij jou ook binnenkort gebeuren.' Ze hoestte en liet zich uitgeput achterover zakken.

'Je moet wat drinken!' Sophia haalde schoon water, maar werd vervuld van de angst dat het allemaal vergeefs was.

'Kom, probeer het nog eens!'

'Liever niet,' weerde Elsa af, 'het heeft toch geen zin.'

'Als je het niet voor jezelf wilt doen, doe het dan tenminste voor het kind van mijn vader!'

Elsa liet zich omhoog trekken en nam gehoorzaam een slokje, alleen om alles even later weer uit te spugen. Haar huid zag er vaal en groenig uit en haar ogen waren zo diep weggezonken dat haar schedel eruitzag als een doodshoofd.

Sophia zette het kopje weg en stond op. Haar rug deed pijn en afwezig masseerde ze haar wervelkolom, terwijl ze met slepende passen naar de werkkamer liep. Daar was het zo koud dat haar adem in stoomwolken condenseerde. Alleen in de woonkamer en de keuken zorgde ze voor constante warmte.

Ze zal doodgaan, dacht ze met angstige zekerheid. Ze is toch al te oud voor een zwangerschap en nu heeft de ziekte haar van haar laatste krachten beroofd!

Sophia ging voor het raam staan en staarde de grijze kou in. Er doken twee mannen uit de sneeuwbui op. Het waren Vascari en Henry, die tegen de wind in liepen en snel dichterbij kwamen.

Sophia holde naar de deur.

Vascari nam zijn hoed in zijn handen en keek haar ernstig aan. 'We hebben geen goed nieuws, Signora.'

Wat ze te zeggen hadden, was snel verteld. De twee soldaten waren die middag kort na elkaar aan hun ziekte bezweken. Sophia onderdrukte de paniek die haar overviel en haalde diep adem.

'Er moeten bijzondere maatregelen genomen worden voor hun begrafenis, Signor Vascari.'

Ze beschreef hem in detail wat hij moest doen tegen het besmettingsgevaar.

Vascari luisterde ingespannen. Voordat hij wegging, zei hij aarzelend: 'Ik zou in de kapel een korte dienst kunnen houden.'

'Dat is erg vriendelijk van u.' Vermoeid draaide ze zich om.

Toen zei Henry: 'Mag ik alstublieft naar haar toe?'

Sophia schudde haar hoofd. 'Nee, dat kan echt niet, Henry.'

Hij slikte en wipte van de ene voet op de andere. 'Als het om de cholera gaat – ik weet hoe gevaarlijk dat is. Ik heb er al eerder mannen aan zien sterven.'

Sophia, die op het punt had gestaan de deur dicht te doen, keek hem aan. 'Wat weet je van cholera?'

'Genoeg. Ik heb mannen verpleegd die dat hadden.'

Sophia bekeek hem twijfelend. 'Hoezo?'

'Ik heb bij de geneeskundige troepen gezeten.'

Sophia keek hem verrast aan. Dat ze daar zelf niet op was gekomen! Hoe was het anders te verklaren dat Henry zich zo op zijn gemak voelde in de polikliniek? En dat hij, sinds hij zijn arm weer kon gebruiken, zo handig was in het verschonen van verband en het legen van po's?

'Je zou zelf ziek kunnen worden. Het is erg besmettelijk.'

Henry fronste. 'Wat kan mij dat nou schelen!'

'Nou, goed dan.' Sophia deed de deur verder open.

'Bedankt.' Met een streng gezicht wees hij naar haar. 'En u gaat eerst een poosje rusten. Nu meteen. Ik duld geen tegenspraak.'

'Maar Henry,' lachte Sophia. 'Wat zeg je nou?'

Maar zijn gezichtsuitdrukking bleef ernstig.

'Ik ben geen klein kind meer, ook al zou u dat graag geloven. Ik ben een man en weet wat er gedaan moet worden. Ik zal nu voor Elsa zorgen. Gaat u naar bed en rust wat uit.'

Verbluft merkte Sophia dat ze al onderweg was naar een van de slaapkamers. Toen zijn grote, magere lichaam in de richting van de woonkamer verdween, voelde ze zich plotseling zo vrolijk en opgelucht dat ze zich aan de deurpost vast moest houden omdat haar benen slap aanvoelden.

Hij is maar een jongen, vermande ze zich. Wat kan hij nou doen! Maar hij had al iets gedaan, besefte ze. Ze begreep opeens waarom ze zich zo licht voelde. Hij had een deel van de zware last, die ze tot nu toe alleen had moeten dragen, van haar schouders genomen.

22

De dag daarna leek het erop dat Elsa het ergste had gehad. Sophia, die meer dan twintig uur had geslapen, kwam volledig geradbraakt 's morgens om vijf uur de woonkamer in gestrompeld, waar ze Henry vond die haar beduidde stil te zijn.

'Ze slaapt,' zei hij fluisterend. Hij zag er vreselijk uit. Zijn magere gezicht was erg bleek en er lagen diepe schaduwen onder zijn ogen. Sophia kreeg een vaag idee wat de afgelopen dagen met haar eigen uiterlijk hadden gedaan. Geen wonder dat Henry erop had gestaan dat hij haar wilde aflossen.

'Waarom heb je me niet eerder wakker gemaakt?' vroeg ze verwijtend.

'Waarvoor?' Op hetzelfde moment verscheen er een brede lach op zijn gezicht, waardoor de uitputting minder erg leek.

'Het gaat beter met haar. Ze heeft drie volle kopjes water binnengehouden. De diarree is over en ze heeft sinds gisteravond niet meer overgegeven.'

Sophia deed haar ogen dicht. 'Godzijdank,' mompelde ze emotioneel. 'Henry, wat ben je een geweldige jongen.'

'Ik ben achttien,' protesteerde hij.

'Sorry. Natuurlijk ben je een man.'

Sophia trok haar neus op. De misselijkmakende stank van diarree en braaksel benamen haar de adem. Ze rende naar het raam en gooide het open. Diep ademde ze de frisse lucht in tot de verlammende slapte wegtrok.

Buiten was het nog pikdonker. Sophia geeuwde en rekte zich uit, toen was ze helemaal wakker. Ze ging naar de keuken om sterke koffie te zetten. Intussen waste Henry zich in de badkamer en voerde zijn onontbeerlijke scheerbeurt uit. Hij wees Sophia's voorstel om te gaan slapen vriendelijk maar beslist af. In plaats daarvan goot hij een geweldige hoeveelheid verse koffie naar binnen. Toen trok hij zijn leren jack aan en ging ervandoor om een ontbijt te halen.

Elsa werd wakker door de geur van koffie. Sophia haastte zich naar haar toe en liet haar wat water drinken.

'Die koffie ruikt heerlijk,' fluisterde Elsa met gesprongen lippen. 'Ik zou wel een kopje lusten.'

Sophia ondersteunde Elsa's hoofd terwijl ze dronk. Met tranen in haar ogen zei ze lachend: 'Daar is het een beetje te vroeg voor. Maar het ziet ernaar uit dat je het binnenkort weer mag hebben.'

'Pff, dat smaakt vies zoutig.'

'Er zit ook echt zout in. Daar heb je heel wat van nodig tot je vochthuishouding weer op peil is.'

'Ik heb het gehaald, hè?'

'Klopt.'

'Bedankt.'

'Je moet mij niet bedanken, maar God. En Henry natuurlijk.'

'Dan heb ik het niet gedroomd.'

'Nee, hij heeft de hele nacht bij je gezeten.'

Elsa's lippen vertrokken in een moeizaam lachje. 'Ik geloof dat hij me een standje heeft gegeven.'

'Dat is echt iets voor hem.'

Ze kromp ineen doordat er op de deur werd gebonsd.

'Ontbijt,' brulde Henry van buiten.

Sophia en Henry waren gelukkig niet besmet. Twee dagen voor Kerstmis wisten ze zeker dat de cholera was bedwongen. Elsa kon alweer opstaan en kleine karweitjes in huis doen, maar Sophia lette erop dat ze genoeg rust nam. Haar voedsel bestond voorlopig nog uit beschuit en dunne havermoutpap, die met water was aangemaakt en waar veel zout in zat.

Sophia en Henry waren nog drie dagen bij Elsa in quarantaine gebleven. In die tijd had Sophia nog één keer alle lakens en handdoeken uitgekookt en alle meubels met een desinfecterend middel afgeschrobd. Ernesto, de schoenmaker, hakte de bank waar Elsa op had gelegen tot brandhout.

Sophia bedankte hem en vroeg hem hoe het met zijn jongste zoontjes ging.

Ernesto straalde van trots. Carla, zijn vrouw, had in de zomer een tweeling gekregen, twee stevige kereltjes met grote, donkere ogen en een stralende lach. Fabio, zijn oudste zoon, was niet onder de indruk van die dubbele gezinsuitbreiding. Tot ongenoegen van zijn ouders zwierf hij meer dan ooit buiten in de bossen en velden rond. Ernesto en zijn vrouw leefden in constante angst dat Fabio slachtoffer zou worden van plunderende soldaten of moordlustige partizanen, maar hij verklaarde met de onverstoorbaarheid van een tienjarige dat hij dat nog liever had dan van vroeg tot laat op een stel kwijlende baby's te moeten passen.

Op deze drieëntwintigste december was Fabio weer eens op verkenningstocht. Met een dikke, wollen jas en een muts die hem veel te groot was, stapte hij door de kale velden boven de weg. Onderweg kwam hij de twee mannen tegen die Vascari als wachtposten had aangesteld.

'Hé, Fabio, pas op dat je niet in je muts verdrinkt,' riep de één hem plagend toe. De ander lachte schallend.

Fabio rende dwars door het veld bergafwaarts en hield met twee handen zijn muts vast, die over zijn ogen dreigde te zakken. Het liefst had hij hem weggegooid, maar hij wist dat hij dan een pak slaag van zijn vader zou krijgen. Er was bijna geen warme kleding meer, omdat er steeds bedelende vluchtelingen langskwamen. Een van die uitgemergelde vreemdelingen uit de stad zou met plezier zijn muts hebben aangepakt als hij hem had gegeven, dan was hij er tenminste vanaf. Maar dat zouden ze thuis niet leuk hebben gevonden. Zijn moeder was sinds de geboorte van de tweeling om het minste of geringste in tranen. Misschien kwam dat ook doordat ze de laatste tijd vaak honger hadden. Er waren bijna geen vlees, worst en eieren meer. Meestal moesten ze genoegen nemen met die muffe wintergroenten, kool en aardappels in allerlei variaties.

Bij de gedachte aan eten liep het water Fabio in de mond. Hij droomde van een gigantische kippenbout, zo uit de oven, zoals zijn overgrootmoeder hem altijd klaarmaakte. Met een kruidig,

301

knapperig velletje dat kraakte als je erin beet, waarna dan het hete vleesvocht in je mond liep.

Zijn mond vulde zich met speeksel en zijn maag knorde. Misschien kregen ze overmorgen wel iets lekkers te eten. Tenslotte was het dan Kerstmis.

De landeigenaresse kwam aanrijden. Toen ze bij hem was, hield ze haar paard in.

Hij nam beleefd zijn muts af en groette haar met een buiging, zoals zijn moeder hem geleerd had. De oude landeigenaresse had hij ook altijd op die manier begroet.

Sophia lachte naar hem. 'Ben je aan het wandelen?'

Hij knikte en verslond haar met zijn ogen. Ze was de mooiste vrouw die hij ooit had gezien. Als ze reed, wapperden haar haren als een zwarte sluier achter haar aan, en haar huid was als melk en honing. In de bijbel werd zoiets een keer gezegd. Zijn overgrootmoeder had het hem voorgelezen.

Als hij groot was, beloofde hij zichzelf, zou hij trouwen met een vrouw die eruitzag als de dochter van de Marchese.

Haar hand ging naar de zak van haar rijkostuum en kwam met een stuk suiker weer tevoorschijn. Ze gooide het naar Fabio die het handig opving. In een fractie van een seconde was het in zijn mond verdwenen, voordat ze van gedachten kon veranderen.

'Dank u wel,' mompelde hij, sabbelend op die heerlijke zoetigheid. Hij wist zeker dat hij nog nooit zoiets lekkers geproefd had. Ze had het vast voor haar paard meegenomen. Ze haalde het paard soms van de boerderij waar het in verband met de Duitsers was ondergebracht, en dan reed ze over de heuvels en door de velden alsof er niets veranderd was sinds de zomer.

'Ik ga vandaag naar de stad,' zei ze geheimzinnig.

Hij kreeg het absurde idee dat ze haar paard een kerstcadeau wilde geven.

'Zal ik iets voor je meebrengen?'

Hij verstijfde, niet zeker of hij het goed had gehoord. Aarzelend zei hij: 'Misschien een boek voor mijn moeder. Vroeger las ze altijd graag. De laatste tijd huilt ze zo vaak.'

Sophia zwaaide haar been over het zadel en sprong met een vloeiende beweging op de grond. Ze ging gehurkt voor hem zitten en trok hem naar zich toe.

'Je bent een lieve jongen, Fabio.'

'Waarom?' vroeg hij dwaas.

Ze lachte en gaf hem een zoen, wat hij gênant vond. Toen steeg ze weer op en klakte met haar tong om haar paard aan te sporen. 'Kom op, Sancho Pansa,' zei ze. Haar mooie gezicht stond plotseling erg droevig: 'ons laatste ritje!'

Fabio keek haar na tot ze om de bocht was verdwenen.

Zijn maag knorde nog steeds. Het stuk suiker had zijn honger eerder opgewekt dan verminderd. Hij had nu zelfs een heel bord koolsoep kunnen wegwerken, zo'n honger had hij.

In de stille hoop dat de kerstman, de goede Driekoningenfee Befana of misschien ook een vreemde tovenaar hem een lekkere kerstmaaltijd cadeau zou doen, brak Fabio een tak van een moerbeiboom af en hakte daarmee in op de grond onder zijn voeten. De modder spatte hoog op en maakte zijn broekspijpen vuil, maar hij lette er niet op, want plotseling was er uit het niets een man voor hem opgedoken.

Fabio liet de stok zakken en staarde de man met grote ogen aan.

'Fabio,' zei de man.

Fabio's mond viel open. Hij had de man nog nooit gezien, en even vroeg hij zich af of hij misschien de geheimzinnige tovenaar was waar hij net nog aan had gedacht. Misschien had hij hem wel opgeroepen door aan hem te denken! Maar toen besefte Fabio dat de vreemdeling er voor een machtige tovenaar veel te haveloos uitzag. Hij droeg versleten kleren met gaten erin. Zijn jas was te dun en hing flodderig om zijn schouders.

De man was niet erg lang, en broodmager. Zijn haar was grijs, net als de baard die over zijn hele gezicht groeide en alleen zijn roodomrande, tranende ogen vrijliet, die hem met een vreemd afwezige blik aankeken.

Fabio aarzelde niet langer. Hij herinnerde zich wat hem was ingeprent voor het geval er vreemden opdoken. Hij draaide zich op zijn hielen om en rende zo snel hij kon naar huis.

'Papa, er komt een grijze man aan!' brulde hij, toen hij even later met zwaaiende armen bij Ernesto aankwam, die voor de *Fattoria* de resten van de bank opstapelde.

'Een grijze man? Bedoel je iemand in een grijs uniform?'

Fabio fronste en dacht na. Nee, een uniform had de man niet aangehad. Hij had er gewoon grijs uitgezien. Grijs en heel oud.

Ernesto kwam langzaam overeind toen hij de man zag aankomen. Bij het lopen sleepte hij met zijn linkerbeen. Hij liep met gebogen hoofd en zijn warrige haar hing voor zijn gezicht.

Toen hief hij zijn hoofd op en keek Ernesto aan.

Die bekeek de vreemdeling en mompelde: 'Hij is teruggekomen. Hij is er weer. Hij is terug.'

'Papa?' vroeg Fabio ontdaan.

Maar zijn vader was al in beweging gekomen. 'Salvatore!' schreeuwde hij uit volle borst. 'Salvatore is er weer! Hij is teruggekomen!'

De deur van de *Fattoria* vloog open en Elsa kwam naar buiten, terwijl ze haar handen afdroogde aan het schort dat zich over haar uitpuilende buik spande.

Ernesto slikte en knipperde verbaasd met zijn ogen. Hij wist helemaal niet dat ze in verwachting was! De laatste tijd had hij haar alleen maar met dikke kleren gezien! Ze had wat dikker geleken, dat wel. Maar dit... Ze had hoogstens nog twee of drie maanden te gaan!

Het zag ernaar uit dat Salvatore precies op tijd was thuisgekomen! Als Ernesto in God had geloofd, dan zou hij er nu van overtuigd zijn geweest dat dit een goddelijke beschikking was!

Elsa verloor haar man niet uit het oog. Nee, dacht ze steeds weer verdoofd. Dit kan niet waar zijn. Dat is hij niet.

Maar toch was het zo. Hij kwam dichterbij, met die vreselijk slepende tred, zijn gezicht een masker van angst en pijn. Hij keek haar onafgebroken aan.

Elsa voelde hoe de tranen in haar ogen sprongen. Ze kon geen woord uitbrengen.

Wat had ze hem toch aangedaan!

Salvatores gezicht vertrok. Toen stond hij voor haar, zonder haar aan te raken.

'Elsa,' zei hij met gekwelde, hese stem.

Toen ze haar naam uit zijn mond hoorde, braken alle dammen door. Ze stootte een langgerekte, hese schreeuw uit, waar alle angst en eenzaamheid van de afgelopen maanden in lagen. Alles brak opeens naar buiten, en daar waar ze steeds leegte en kalmte had gevoeld, zaten nu allerlei gevoelens die haar innerlijk tot nu toe verdrongen had. Het was als een gebruis in haar binnenste dat alle verdoving oploste. Daar was de pijn van haar schuld, de eenzaamheid, die haar als een scherp mes had uitgehold. Daar was de angst, die haar met klauwen had gepakt en niet meer had losgelaten. Maar er was ook een klein beetje aarzelende hoop, die in haar gekiemd was sinds Sophia haar uit haar isolement had gehaald. En ze begreep met een onomstotelijke zekerheid dat het zo moest zijn.

O ja, de bijbelse wijsheid had betekenis. Alle dingen op aarde hadden hun eigen tijd, schuld en boetedoening, angst en hoop.

Roberto had het de wegen van het lot genoemd die ze moesten volgen.

Ach, Roberto, mijn liefste! Heb je daaraan gedacht toen je afscheid van me nam? Dat hij op een dag terug zou komen?

Ja, hij had het zo gewild. Opeens leek het haar toe alsof een eindeloze cirkel zich had gesloten.

'Elsa?' vroeg Salvatore onzeker.

Ze stak haar hand uit en legde hem tegen de koude wang van haar man. Haar vingers trilden, maar haar stem was helder en vast.

'Kom binnen, Salvatore.'

Op de dag voor kerst had Sophia het druk met het inpakken van de kerstcadeaus voor de kinderen. Al uren zat ze in de salon en pakte de kleinigheden in die ze in Chiusi gekocht had in glanzend, gekleurd cadeaupapier. Fernanda en Renata hielpen haar, terwijl Rosalia en Margherita om de beurt met Renata's baby rondliepen. Ook Henry had zich bij hen gevoegd. Hij wierp Fernanda schuchtere blikken toe en de rest van de tijd struikelde hij over zijn eigen, grote voeten.

Buiten in de tuin hakte Vascari een boompje om dat ze later in de salon zouden neerzetten en optuigen.

Josefa was naar de zolder geklommen om de kerstversieringen te zoeken.

Sophia had Elsa, Salvatore en Henry uitgenodigd het kerstfeest met haar en haar huisgenoten te vieren, maar Elsa had het aanbod vriendelijk afgeslagen. Ze zou Henry sturen, maar voor haarzelf en Salvatore was het nog te vroeg. Ze hadden nog wat meer tijd voor zichzelf nodig.

Toen had Sophia besloten Henry in de laatste, onbezette slaapkamer op de bovenverdieping onder te brengen, om Elsa en Salvatore wat meer privacy te gunnen. Henry zou het in de villa ook best naar zijn zin hebben. Alleen als er Duitsers kwamen, zouden ze nog waakzamer moeten zijn.

Die middag had ze haar plan uitgevoerd en was Henry met zijn spaarzame bezittingen bij hen ingetrokken.

Sinds Salvatores terugkeer straalde Elsa een stille rust uit. Ze zag er niet bepaald overgelukkig uit, maar ze scheen vrede te hebben met zichzelf en het verleden.

Sophia was blij dat Salvatore eindelijk vrij was, hoewel de korte ontmoeting haar een schok had bezorgd. Hij was te uitgeput geweest om een gesprek te kunnen voeren; het bleef voorlopig alleen bij een korte begroeting. Hij had geen emoties getoond, maar het kon niemand ontgaan zijn hoeveel hij was veranderd. In de paar maanden dat hij gevangen had gezeten, was hij jaren ouder geworden. Zijn uiterlijk vertoonde zware sporen van honger en mishandeling. Het was duidelijk dat zijn lichaam en ziel getekend waren. Sophia twijfelde er geen moment aan dat hij gemarteld was. De mensen hadden het vaak over de *Villa triste*, zoals het gebouw in de buurt van de San-Gallokerk in Florence werd genoemd, waar de republikeinse SS hun ondervragingscentrum hadden. Daar was hij in de laatste vier maanden vastgehouden, nadat hij eerst in Chiusi en daarna in Montepulciano had vastgezeten. Acht dagen geleden was hij zonder enige opgaaf van redenen vrijgelaten, en toen was hij te voet naar La Befana gekomen. Meer informatie had Sophia niet gekregen.

Ze zou zich er later nog wel mee bezighouden, maar nu had ze het te druk met de kerstvoorbereidingen.

Bij haar inkopen had ze aan alle kinderen gedacht, aan die van haar pachters maar ook aan de kinderen van de vluchtelingen. Zelfs voor de baby's had ze iets gekocht, meestal iets nuttigs als een paar luiers of een warm vestje.

Voor de kleine Fabio had ze een bijzonder cadeau: een boek voor zijn moeder, zoals hij graag wilde. Het was een kleine dichtbundel, waarvan ze dacht dat hij Carla wel zou aanspreken.

Natuurlijk had ze voor de kleine jongen ook iets gekocht. Ze hoopte dat hij de vlotte muts die ze voor hem had opgescharreld mooi zou vinden. Bij hun ontmoeting was duidelijk gebleken dat

hij de hoofdbedekking die zijn moeder hem gegeven had, haatte.
Josefa had gepikeerd gereageerd toen ze hoorde wat Sophia had gedaan.

'Hij was een Arabische volbloed! Hoe kon je dat nou doen! Nu zal de een of andere ellendige paardenslager hem slachten en in stukken hakken!'

'Hou op! Ik heb hem in goede handen achtergelaten!'

'Hoe weet je dat nou?'

'Omdat ik het weet.'

'Maar je ouders... er moet toch veel geld op de bank staan!'

'Dat geld is niet meer waard dan het papier waarop het gedrukt is. Voor Sancho Pansa heb ik gouden munten gekregen, als je het per se wilt weten. Dat is op het ogenblik het enige wat nog waarde heeft en waar je alles voor kunt kopen. En hou nu op met je kritiek! Wat is er nou belangrijker? Dat ik af en toe kan paardrijden of dat we allemaal te eten hebben?'

Daarmee had ze Josefa overtuigd, vooral omdat haar argumenten gepaard gingen met de grootste levering van vlees sinds lange tijd. In Chiusi was bijna alles te koop – maar wel op de zwarte markt en tegen buitensporig hoge prijzen. Ze was er met Vascari heen geweest en had het geld dat ze voor haar paard had gekregen, omgezet in voedingsmiddelen en kerstcadeaus. Daarna was er nog genoeg over geweest om dekens, geneesmiddelen en conserven te kopen.

Zoals te verwachten viel, had een Duitse patrouille hun volgeladen koets op de terugweg aangehouden, maar deze keer had Sophia voorzorgsmaatregelen genomen. Ze had zichzelf moed ingesproken en was voor de terugreis bij het Duitse garnizoen langsgegaan. Na een paar problemen met de taal lukte het haar toch de jonge onderofficier te vinden die haar het laatste briefje van Richard had gebracht. Ze smeekte hem haar een vrijgeleide te geven, zodat ze haar inkopen veilig op La Befana zou krijgen.

Hij beloofde zijn best te zullen doen, maar voor Sophia was de tijd die ze vervolgens moest wachten een verschrikking. Transpirerend wachtte ze zijn terugkeer af, terwijl Vascari op de achtergrond stond met het onverstoorbare, broodmagere paard aan de teugel. Toen keerde de onderofficier eindelijk met een pasje terug en Sophia draaide zich juichend om naar Vascari en zwaaide met het papiertje.

Ze bedankte hem hartelijk. Voor ze wegging, vroeg ze naar Richard, maar de jonge soldaat had niets van hem gehoord. Zijn spijtige hoofdschudden veroorzaakte een leeg gevoel in haar binnenste, maar al tijdens de terugweg kwam de blijdschap dat haar plan was gelukt weer boven. Haar moeite was niet voor niets geweest. De mensen van La Befana zouden met Kerstmis geen honger hoeven te lijden. En morgen na de mis zou iedereen een pakje mee naar huis kunnen nemen.

Ze had gehuild toen ze afscheid had genomen van Sancho Pansa, maar ze had er geen moment aan getwijfeld dat ze een goede beslissing had genomen. Ze wist dat haar vader net zo gehandeld zou hebben.

Voor elke pachtersfamilie was er niet alleen een flink stuk braadvlees en twee blikken met fruit, maar ook chocola en koffie.

Ook aan de bewoners en logés van de villa was gedacht.

Josefa was weer helemaal in haar element toen ze uren in de keuken had gestaan om voor hen allemaal te koken en te bakken. Iedereen op het landgoed zou zich vol kunnen eten.

Sophia deed een strik om het laatste pakje, stond op, rekte zich uit en liep naar het raam. Buiten werd het al schemerig. Vascari was klaar met het omhakken van de kerstboom.

Een ijzige wind waaide om de muren van het huis en bewoog de rozenstruiken in de verlaten tuin. Maar de sfeer in de salon was ontspannen en gezellig. Het gesprek van de vrouwen kabbelde rustig verder en de baby was in Rosalia's armen in slaap gevallen. Voorzichtig hield de oude vrouw hem tegen zich aangedrukt. Onophoudelijk mompelde ze liefkozende woordjes tegen hem, terwijl ze heen en weer bleef lopen.

Fernanda verzamelde de papiersnippers en wikkelde de overgebleven linten op een rol. Ze neuriede zachtjes, wat duidelijk aangaf hoe prettig ze zich voelde. Af en toe wierp ze heimelijk een zijdelingse blik op de jonge Engelsman, wiens aanwezigheid haar niet ontgaan was.

Henry zat gehurkt voor de open haard en pookte het vuur op. Zijn blonde haar lichtte op in het schijnsel van de vlammen, een beeld dat Sophia pijnlijk aan Richard herinnerde.

O, wat verlangde ze naar hem! Hoe eenzaam zou dit kerstfeest zonder hem worden!

Henry pakte een achtergebleven lint op en bond een strik om Fernanda's dikke vlecht. Hij kreeg een half angstige, half toestemmende blik van haar. Toen richtte ze zich op en trok haar vlecht naar voren. Terwijl ze de versiering bekeek, plooide zich een lachje om haar lippen.

Sophia keek toe hoe de twee jonge mensen schuchter toenadering tot elkaar zochten, en bedacht hoe alles zich in het leven op allerlei manieren herhaalde. Was het echt pas vijf maanden geleden dat ze Richard voor het eerst had gezien?

Ze legde haar handen op de ronding onder haar jurk. De laatste keer dat ze inkopen was gaan doen, had ze ook kleding voor zichzelf mee moeten nemen, want er paste bijna niets meer. Ze had drie positiejurken en een paar wijde blouses gekocht. Verder een rok waarvan de band versteld kon worden en ten slotte nog wat ondergoed. Ze was niet veel aangekomen, maar ze kon haar zwangerschap niet langer verbergen.

Al een paar keer had ze gemerkt dat de oude dames haar onderzoekend bekeken, en ook Henry had haar twee of drie keer vreemde blikken toegeworpen. Fernanda zou het nooit wagen haar opvallend aan te kijken, maar zelfs van haar merkte Sophia af en toe onderzoekende blikken.

Renata was nog te verdrietig om haar vermoorde man om veel aandacht aan haar omgeving te schenken. Het grootste deel van de dag staarde ze zwijgend voor zich uit of was met haar baby bezig.

Josefa en Vascari – en nu Elsa natuurlijk ook – wisten al van haar zwangerschap. Over een paar weken zou iedereen het weten. Dan kon ze haar uitdijende buik zelfs niet meer onder een winterjas verbergen.

Trots bekeek ze haar ring. Er was niets waar ze zich over hoefde te schamen. Ze had een wettige echtgenoot en de dag zou gauw aanbreken dat ze iedereen over hem kon vertellen, zonder zichzelf en haar kind in gevaar te brengen. Ooit zou de oorlog eindigen. Dan zouden er geen vijandelijke soldaten, wraakzuchtige partizanen of fascistische landgenoten meer zijn waar ze bang voor moest zijn.

Plotseling stond ze doodstil. Eerst dacht ze dat het gewoon het borrelen van haar ingewanden was, omdat ze te veel olijven had gegeten, maar toen voelde ze het zachte gefladder weer, het zachte, nauwelijks merkbare gewriemel diep binnenin haar.

Hier ben ik, scheen het schuchtere gefladder te zeggen.

Hij beweegt! dacht Sophia opgewonden. Ze duwde haar vingertoppen tegen de plek onder haar navel, maar er gebeurde niets meer.

Toen, na een poosje, voelde ze het weer.

Rosalia was met de baby in haar armen naast haar blijven staan.

'Het nieuwe leven voelen is heerlijk, hè?'

Sophia keek haar blozend aan, maar de oude vrouw lachte haar welwillend en vol genegenheid toe. Haar kunstgebit glom mat in het schijnsel van de olielampen die de kamer verlichtten.

'Wees gelukkig, mijn kind. Er is in deze tijd zo weinig reden om gelukkig te zijn.'

Met die woorden liep ze weer verder met de slapende baby.

Sophia draaide zich om. Van buiten klonk een geluid dat maar één ding kon betekenen. Tegenwoordig waren de Duitsers de enigen in de wijde omtrek die gemotoriseerd waren, en wat ze net had gehoord, was zonder twijfel het geluid van een motor.

'Henry,' riep ze luid, om de gesprekken in de kamer te overstemmen. 'Trek je jas aan en ga het bos in. Verstop je in het hol dat ik je vorige week heb laten zien.'

Hij werd spierwit en gehoorzaamde zwijgend.

Fernanda barstte in een zacht gesnik uit. De baby werd wakker en begon meteen te huilen. Geïrriteerd scheurde Sophia een van de pakjes open en haalde de fopspeen eruit die ze voor de baby gekocht had. 'Hier. Dit zou hij eigenlijk morgen pas krijgen, maar hij heeft hem nu al nodig.'

Ze wendde zich tot de vrouwen. 'Blijf rustig. Als er gevraagd wordt wat jullie hier doen: jullie zijn allemaal gasten van me. Blijf gewoon in de salon, wat er ook gebeurt. Ik regel het wel.'

Ze trok haar schouders recht, pakte een van de olielampen en liep snel naar de hal. Vascari kwam uit de personeelsvleugel en liep naar haar toe. Hij had een sjofele ochtendjas over zijn pyjama.

'Duitsers?' vroeg hij bezorgd.

Sophia knikte zwijgend, terwijl ze de deur opendeed.

'Eén auto of meer?'

Ze keek naar de oprit. Voor haar schenen de koplampen van een auto door de duisternis. Hij kwam snel dichterbij en zette doelbewust koers naar de villa.

'Maar één als ik het goed zie.'

De wagen ging langzamer en kwam met stotterende motor tot stilstand.

Sophia balde haar handen tot vuisten. Ik laat niet toe dat ze ons eten en onze cadeaus afpakken, zwoer ze vol kille woede.

'Zal ik het woord doen?' vroeg Vascari.

'Nee. Haal snel de vergunning die we in Chiusi hebben gekregen. Hij ligt in de bibliotheek op het bureau.'

Hij knikte en haastte zich weg, terwijl Sophia onbeweeglijk toekeek hoe de koplampen van de auto uitgingen en het gebrom van de motor wegstierf. Er sprong een man uit de auto. De deur viel met een klap dicht. De man was alleen. Behalve hij, stapte er niemand uit.

Met grote stappen kwam hij naar de deur toe en het licht van de lamp in Sophia's hand viel op zijn gezicht. Het volgende moment werd het helemaal donker, want ze had de lamp laten vallen.

'Richard!' schreeuwde ze. 'Je bent gekomen!' Ze was buiten zichzelf van blijdschap, terwijl ze koortsachtig zijn lichaam betastte en zijn mond zocht, alsof ze zich ervan wilde vergewissen dat hij geen droombeeld was.

'Ja, ik ben er.' Richard lachte gelukkig. Hij hield haar stevig vast en streek over haar verwarde haren. 'O, wat ben ik blij dat ik je weer zie!'

Hij vond haar lippen en kuste haar zacht. 'Ik heb je zo verschrikkelijk gemist, kleintje!'

Van ergens achter hen kwam een lichtschijnsel. Vascari, die een olielamp droeg, kwam voorzichtig dichterbij. In zijn andere hand hield hij de vergunning als een kostbaar relikwie vast.

Toen hij zag wie er zo onverwacht op bezoek was gekomen, haalde hij opgelucht adem. 'Goedenavond, Capitano.'

'Goedenavond, Signor Vascari.'

Sophia lag in de armen van haar man en had het gevoel dat haar leven opnieuw was begonnen. Ze kon niet ophouden met huilen.

'Wat is er, lieverd?' vroeg Richard bezorgd.

Vascari schraapte zijn keel. 'Dat komt door haar toestand, Capitano.'

Sophia hief verontwaardigd haar hoofd op. 'Wat nou toestand? Mag een vrouw niet blij zijn als haar man na weken van onzekerheid uit de oorlog naar huis komt?'

311

Vascari grijnsde breed. Zijn naar voren staande tanden deden hem sterk op een knaagdier lijken.

'Met permissie, Capitano, ik zie uw vrouw voor de eerste keer huilen. Anders is ze altijd, en dat zeg ik niet alleen als grapje, zelfs in de moeilijkste situaties net een kranige kerel.'

Sophia pakte Richards hand en trok hem naar de salon. 'Kom mee, je moet de anderen leren kennen!'

'Wacht even.' Hij hield haar vast. 'Eerst wil ik je fatsoenlijk begroeten.'

Als bij toverslag was Vascari verdwenen. De lamp had hij laten staan. Als een zwijgende uitnodiging stond hij aan de voet van de trap.

Richard liep ernaartoe en pakte hem op. Toen hij zich weer naar Sophia omdraaide, lag er een heldere glans in zijn ogen. Zijn haar zat in de war en zijn wangen waren rood van de kou. Hij was in uitgaanstenue, een teken dat hij vakantie had gekregen. Sophia dacht dat hij nog magerder was geworden, maar zijn schouders waren net zo breed als eerst en zijn lachje had dezelfde fascinerende charme.

Hij hield de lamp hoger. 'Je bent nog mooier geworden, wist je dat?'

Ze liet een geluid horen dat het midden hield tussen gelach en gesnuif. 'Ik ben een lelijke, vette vogelverschrikker!'

'Kom mee naar boven, dan laat ik je zien wat ik het liefst met vette vogelverschrikkers doe!'

Zijn humor was in elk geval hetzelfde gebleven. Wat hij ook in de tussentijd had meegemaakt – het had hem niet veranderd!

Ze pakte zijn hand en ging met hem mee naar boven, maar halverwege de trap bleef ze opeens staan. Verschrikt keek ze Richard aan. 'O, we zijn Henry vergeten!'

'Nou, wie dat ook is – kan hij niet wachten?'

'Niet in deze kou.' Sophia was alweer op weg naar beneden. 'Weet je, hij zit in het bos,' riep ze over haar schouder.

'Wat doet hij daar?'

'Dat is een lang verhaal. Ik vertel het wel als ik weer terug ben.

23

Ze beminden elkaar teder, onderbroken door periodes van innige, ontspannen vertrouwelijkheid, waarin ze praatten en hun band versterkten. Hij vertelde hoe afmattend de oorlog voor hem was geworden. Er waren al weken harde gevechten om de Monte Cassino. In de nacht van 15 op 16 december hadden de Amerikanen de Monte Lungo ingenomen en op de 17e de Monte Sammucro, van waaruit men Cassino al kon zien.

'Het is een kwestie van tijd voor Rome uiteindelijk valt,' zei Richard. 'De geallieerden zullen naar het noorden doorbreken. Dan zal er om de Apennijnen worden gevochten.'

Drie weken geleden was hij op zijn eigen verzoek overgeplaatst en hield hij zich weer bezig met zijn oorspronkelijke opdracht – de ontwikkeling van een nieuwe frontlinie. Momenteel coördineerde hij Kroatische troepen, die in het achterland ten noorden van de Gustavlinie aan een volgende blokkade werkten, de zogenoemde Senger-verdedigingslinie.

'De nieuwe linie zal waarschijnlijk niet meer afkomen,' zei hij somber. 'Maar in elk geval geeft hij mij de mogelijkheid dichter bij je in de buurt te zijn.'

'Ga je daarna steeds weer nieuwe linies aanleggen?' vroeg ze half plagend.

'Er zijn plannen voor ten minste een stuk of zes,' zei hij ernstig. Hij had zelfs de namen kunnen noemen die het opperbevel voor de toekomstige linies in gedachten had.

Maar hij was niet hier gekomen om over de oorlog te praten.

'Hoe gaat het met onze baby?'

'Nou, het werd tijd dat je daar eens naar vroeg.' Ze pakte zijn hand en legde hem op haar buik.

'Hij groeit en maakt het goed,' zei ze trots.

'Wacht eens, dat is...' Hij hield stil en voelde vol verrukking dat de baby bewoog.

'Hoe lang voel je dat al?'

'Pas sinds vandaag,' zei ze met ademloze blijdschap. 'Ik heb er al zo lang op gewacht.'

'Bij de een gebeurt het eerder, bij de ander later. Waarschijnlijk heb je gewoon te veel zorgen om erop te letten.'

Er kwam plotseling een gedachte in haar op die in zekerheid veranderde toen ze de verdrietige trek om zijn mond zag.

'Je hebt al een kind.'

'Ik had een zoon. Hij is dood.'

Sophia keek hem ontsteld aan. 'Wat is er gebeurd?'

'Op de dag van zijn zesde verjaardag heeft hij een ongeluk gehad.'

'Wanneer was dat?'

'Bijna vijf jaar geleden.'

'En je... vrouw?'

'Ze heeft een zelfmoordpoging gedaan,' zei hij. Verder niets.

'O nee,' fluisterde ze.

'Het is lang geleden.'

Door zijn gereserveerde toon werd haar duidelijk dat hij zich innerlijk had teruggetrokken. Ze merkte dat hij er niet over wilde praten. Nu niet.

Hij stond op en wikkelde een laken om zijn heupen. In het licht van de kaars leek zijn gespierde bovenlichaam wel uit steen gehouwen.

'Kom mee.'

'Waar naartoe?' vroeg ze verbluft.

'Een bad nemen.'

Ze richtte zich op en trok haar knieën tegen zich aan. Haar haren golfden over haar borsten en heupen. 'Dat kan niet.'

'Waarom niet?' Zijn stem klonk ongewoon kortaf en Sophia kreeg de indruk dat ze er ook een spoortje angst in hoorde.

'We hebben al weken geen stroom meer,' zei ze zacht. 'Als we in bad willen, moeten we water op het fornuis warm maken. De warmwatervoorziening voor de badkamer kan ook op kolen werken, maar dat is een lastig karwei. De kolen moeten uit de kelder gehaald worden. Meestal was ik me alleen maar. Of ik neem een bad in een teil in de keuken, net als de andere vrouwen.'

'Zeg maar waar ik die kolen kan vinden. Dan ga ik ze halen.'

'Je kunt ze vast niet vinden,' zei Sophia zwakjes. 'Onze kelder is een doolhof en het is er nu ook pikdonker.'

'Ga dan mee.' Hij stak zijn hand naar haar uit. Zijn toon duldde geen tegenspraak. Zijn ogen vlamden; hij zag er erg ongerust uit. Sophia haalde de ochtendjas van haar broer voor hem en trok zelf ook iets aan.

In de kelder was het donker, koud en tochtig, maar Richard liet zich niet van zijn besluit afbrengen. Hij was pas tevreden toen de geiser luid zoemde en het warme water even later in de badkuip stroomde.

Hij liet zich weer wegzakken in die bijzondere wereld die door mythische zeewezens werd bevolkt. Na een poosje merkte hij dat hij helemaal los was van de realiteit. Pas toen Sophia hem bij zijn schouder pakte en lachend vroeg of hij wilde verdrinken, kwam hij weer tot zichzelf.

'Ik geloof dat ik in slaap was gevallen.'

'Daarvoor kunnen we beter naar bed gaan.' Ze draaide zich in zijn armen tot het water tussen hun lichamen borrelde. Haar buik wreef tegen zijn heupen en zuchtend greep hij naar haar om haar lichaam te verkennen. Het leek hem alsof ze hem hier op een bijzondere manier heel na was, alsof hun liefde hier volmaakt was, iets wat ergens anders niet op die manier bereikt kon worden.

'Verlaat me nooit,' mompelde hij.

'Waarom zou ik? Je bent mijn man.'

Hij boog zijn hoofd en kuste haar. Beneden sloeg de staande klok twaalf uur.

Sophia lachte naar hem. 'Vrolijk kerstfeest.'

Richard kon maar twee dagen blijven. Na een afscheid vol tranen keek Sophia wanhopig de wegrijdende auto na, tot hij tussen de cipressen van de laan die naar het dal voerde, was verdwenen.

De dagen tussen kerst en oudjaar waren saai en grijs. Begin januari zorgde de eerste flinke sneeuwval ervoor dat La Befana volledig van de buitenwereld werd afgesloten. Er was nog steeds geen stroom en hun voorraden verminderden snel. Toch kwamen er steeds meer vluchtelingen, in de hoop wat voedsel en een veilig onderdak te vinden.

Op een keer vonden de bosarbeiders een gezin dat maar een paar honderd meter van hen vandaan in een schuilplaats was bevroren; een man, een vrouw en twee kleine meisjes. Volgens hun papieren waren het joden.

Sophia gaf Vascari opdracht hen alle vier op de begraafplaats van het landgoed te begraven. Uit oude lakens naaide Donata doodshemden voor de overledenen. De armoedige kleren die ze aanhadden, werden verdeeld onder de mensen die ze dringender nodig hadden.

Sophia zelf las in de kapel van La Befana de mis voor de overledenen, met stijve, blauwe lippen van de kou en tranen van machteloze woede in haar ogen. Ze kon hun niets beters geven dan een christelijke begrafenis, maar ze vond dat altijd nog beter dan dat ze in een ongewijd gat in de grond of in een naamloos massagraf werden begraven.

De kou en honger waren alomtegenwoordig. Het heerlijke kersteten was allang niets anders meer dan een vage herinnering. Als ze de kinderen zag, met ogen die veel te groot waren voor hun smalle, afgetobde gezichtjes, kon Sophia wel huilen. Hield dit dan nooit op?

Het einde van de oorlog leek mijlenver weg. Het front van de Duitsers voor Cassino was ondanks herhaalde pogingen niet te doorbreken, en het terreurregime van de fascisten en nazi's woedde nog steeds met grote wreedheid. Op 12 januari werden van de negentien leden van de kantonnale raad die in juli voor de afzetting van Mussolini hadden gestemd, er achttien ter dood veroordeeld. Na een absurde rechtszitting in Verona werden vijf van deze mannen doodgeschoten. Onder hen was Ciano, die kort daarvoor nog op zijn vrijlating had gerekend.

Op 22 januari landden er geallieerde troepen in Nettuno, vijftig kilometer ten zuiden van Rome, en ook in de dagen daarna gingen de landingsoperaties gestaag door. De mensen op La Befana kregen weer hoop op een snelle opmars van de geallieerden, die echter in de grond werd geboord toen er eind januari een Duitse majoor en een aantal onderofficieren bij de villa voorreden. De wachtposten hadden door het slechte weer de colonne pas laat gezien. Henry vluchtte ogenblikkelijk, maar hij kon het bos niet meer op tijd bereiken. Haastig verstopte hij zich achter een stapel brandhout in het schuurtje naast de paardenstal.

Heel beleefd zei de majoor via zijn tolk tegen Josefa dat hij onderdak zocht. Ze kon hem alleen maar aanstaren en vroeg zich verbaasd af hoe iemand in deze tijd zo goed gevoed kon zijn. Zijn uniform spande zich over een uitpuilende buik, en zijn dikke, rode gezicht toonde geen enkel teken van ontberingen. Toen ze eindelijk haar spraakvermogen terugvond, verklaarde ze stotterend dat haar meesteres niet aanwezig was. De majoor, die dat helemaal niet erg vond, liep langs haar heen de hal in. Toen wenkte hij zijn mannen. De groep zwermde naar binnen en bekeek het huis van dak tot kelder. Renata, Rosalia en Margherita, die angstig in de salon bij elkaar zaten, werden door de mannen genegeerd. Maar toen de baby opeens begon te huilen, haalde een van hen een chocoladereep tevoorschijn en gaf hem met een vriendelijke grijns aan Renata.

De majoor deelde Josefa kort en krachtig mee dat het gebouw in beslag was genomen. Een van zijn onderofficieren spijkerde een bordje met het besluit op de voordeur. De bewoners hadden een week de tijd het huis te verlaten. Ze mochten alleen hun persoonlijke bezittingen meenemen, geen spullen van de inrichting.

Sophia en Vascari, die met de koets naar een van de boerderijen waren gegaan om naar een kind te kijken dat roodvonk had, kwamen terug op het moment dat ook Henry uit zijn schuilplaats tevoorschijn kwam. Hij was halfbevroren, omdat hij bij zijn overhaaste vlucht geen jas mee had kunnen nemen. Met grote sprongen kwam hij aanrennen, toen Vascari Sophia van de koets hielp.

'Ze zijn weg!' riep Henry opgewonden.

Sophia draaide zich naar hem om. 'Wie zijn weg?'

Hij blies in zijn handen en sloeg bibberend zijn armen om zijn tengere bovenlichaam. 'De Duitsers. Ze zijn net weggereden.'

Sophia keek over zijn schouder naar de deur, zag het bordje en bleef als aan de grond genageld staan.

Josefa kwam naar hen toe, haar grijze haar stond alle kanten op.

Zenuwachtig friemelde ze aan haar schort. 'Ik kon er niets tegen doen! Hij gaf gewoon het bevel!'

Sophia liep zwijgend langs haar heen naar haar kamer.

Zonder haar dikke jas of haar drijfnatte laarzen uit te doen, ging ze voor de spiegel staan en keek naar haar bleke, vermoeide gezicht. 'Waarom?' fluisterde ze. 'Waarom dat nu ook nog? God, als je er bent, waarom doe je er niets tegen? Waarom neem je me zoveel af? De mensen waar ik van hou, en nu ook nog mijn huis!' Huilend drukte ze haar voorhoofd tegen het koude glas. Haar hele lichaam schokte van het snikken. Wat had ze verkeerd gedaan dat ze zoveel ellende te verduren kreeg? Binnen een jaar had ze eerst haar moeder en toen haar vader verloren, haar broer werd vermist, en Richard kwam misschien wel nooit bij haar terug.

'Ik ga dood als hij niet terugkomt!' Ze snikte hardop. 'Hoor je? Als hij niet terugkomt, dan wil ik ook niet meer. Neem dan mijn armzalige leven ook maar!' Plotseling werd ze gegrepen door een razende woede. Ze balde haar vuisten en bonkte op de spiegel. 'Waarom nu ook nog mijn thuis?' schreeuwde ze. 'Waar moet ik mijn mensen naartoe brengen? Wat verwacht je van me? Hoe kan ik nu sterk zijn als je niets voor me overlaat? Hoe kan ik lachend optimisme tonen, terwijl ik liever dood wil zijn? Wat voor God ben je als je dat allemaal van me verlangt?'

Het glas van de spiegel barstte onder haar volgende klap. Er kwamen sterren in het glas en het volgende moment vielen er glasscherven op de grond, waar ze versplinterden.

Sophia deed een stap achteruit, eerder geërgerd dan geschrokken. Ze zoog op haar vinger op de plek waar ze zich had gesneden. De smaak van vers bloed en de verwoesting aan haar voeten gaven haar een primitief gevoel van bevrediging, dat maar even duurde.

Op de gang hoorde ze haastige voetstappen en toen werd de deur opengegooid. Josefa verscheen, verhit van het lopen, haar ogen verschrikt opengesperd. Toen ze de gebroken spiegel zag, sloeg ze haar handen voor haar mond.

'Zeg niets!' schreeuwde Sophia haar toe.

Josefa deinsde geschrokken achteruit.

Sophia liep stampend door het glas en vermaalde een deel van de scherven onder haar hakken.

'Ik kan er niet meer tegen!' riep ze met een stem die trilde van woede. 'Ik ben het helemaal zat! Wat heb ik nog voor leven over? Wie is er nog die voor mij zorgt? Nog niet zo lang geleden had ik een moeder, een vader en een broer! Nu ben ik helemaal alleen! En toch verlangt iedereen van me dat ik me om hen bekommer! Het is bitterkoud en we hebben niets te eten! Ons huis wordt ons afgenomen! We zullen allemaal omkomen in deze oorlog! Waarom neem ik eigenlijk de moeite me met jullie bezig te houden? In het voorjaar komt mijn baby! Waarom ga ik er niet vandoor, naar het zuiden en vandaar naar het buitenland? Ik heb geld genoeg! Ik hoef niet hier te blijven om met jullie te verhongeren of in een bommenregen te sterven!'

Josefa stond als aan de grond genageld bij de deur. Ze wrong haar handen. Haar mond ging in een onverstaanbaar gestamel open en dicht.

Sophia keek haar met gloeiende ogen aan.

'Ga weg,' zei ze. 'Hoepel op, verdwijn naar de keuken.'

Josefa sloeg een kruis, gooide de deur dicht en rende de gang door. Haar luide gejammer verscheurde de stilte.

Sophia's woede verdween net zo snel als die gekomen was. Moe liep ze naar haar bed en liet zich er languit op vallen. Ze begon bitter te huilen.

Ongeveer een uur later werd er geklopt en kwam Elsa binnen. Ze legde haar hand op Sophia's schouder. Haar stem was zacht.

'Als we een beetje inschikken, is er in de *Fattoria* wel plaats. En er kunnen er ook bij Carla en Ernesto of bij Donata terecht.'

'Laat me met rust,' zei Sophia dof, met haar gezicht in het kussen.

'Henry moet zich natuurlijk in het bos verstoppen.'

'Ik wil niets anders dan rust,' viel Sophia woedend uit. 'Maar dat is blijkbaar te veel gevraagd.'

'Een woedeaanval, hè? Dat is normaal in jouw toestand.'

'Je weet niets over mijn toestand. Niemand weet wat ik denk, wat ik voel, hoe ik me voel. Laat me met rust.'

Elsa zweeg, maar maakte geen aanstalten weg te gaan.

Sophia sloeg geïrriteerd met haar vuist op haar kussen. 'Wat wil je nou nog?'

'Ik heb een verrassing voor je.'

Sophia hief haar hoofd op, haar ogen rood van het huilen, haar wangen met tranen besmeurd.

'Er wacht beneden iemand op je.'

Ondanks haar logge lichaam sprong Sophia uit bed. De inbeslagneming was meteen vergeten. 'Is het Richard? O, hij is teruggekomen!' Ze stootte een juichkreet uit en zonder op antwoord te wachten, vloog ze de kamer uit, de gang door en de trap af. Toen ze beneden kwam, was haar eerste indruk die van een grote chaos. Fernanda, Henry, Vascari, Josefa en de twee oude dames stonden in de hal. Ze kwetterden allemaal door elkaar, de baby krijste. En er was nog iemand, die blijkbaar de reden van alle opwinding was. 'Benedetta!' riep Sophia verrast uit. De mateloze blijdschap die ze net nog had gevoeld, zakte weg en liet een gevoel van bittere teleurstelling achter.

Haar beste vriendin keek haar lachend aan. Toen veranderde haar gezichtsuitdrukking in een verblufte grijns. 'Je krijgt een baby! Lieve hemel, hoe kan dat nou?'

Fernanda begon te giechelen, en even vertrokken Benedetta's lippen zich geërgerd. Toen moest ze ook lachen. Met open armen liep ze naar Sophia toe.

'Laat me je omhelzen!'

Ook bij haar waren de afgelopen maanden niet zonder sporen voorbijgegaan. Haar eens zo ronde figuur was mager geworden en onder haar ogen lagen grote kringen. Haar haren hadden alle glans verloren; ze had ze in een slordige vlecht bij elkaar gebonden. Ze droeg een armoedige, bij de schouder gescheurde jas, en het leer van haar laarzen was kapot en doorweekt door modder en sneeuw. 'Hoe ben je hier gekomen?' wilde Sophia weten.

'Te voet. Goh, wat hebben we het koud gehad! Mijn voeten zijn gewoon ijsklompen. Is er hier ergens een vuur?'

'We?' Sophia keek zoekend rond en toen ontdekte ze iemand die haar nog niet eerder was opgevallen. En op hetzelfde moment begreep Sophia dat niet Benedetta had gezorgd voor al die opwinding, maar de man die achter de groep snaterende vrouwen tegen de muur leunde en zijn gezicht naar haar toe had gekeerd. Al was hij vreselijk veranderd, ze herkende hem meteen. Hij was niet blond, maar donker, net zo donker als zij. Nee, hij was niet de man op wiens aankomst ze een ogenblik eerder zo gehoopt had, en toch voelde ze zich onuitsprekelijk opgelucht hem te zien. Lieve hemel, wat had ze ernaar verlangd hem weer te zien!

'Gelukkig,' fluisterde ze zo zacht dat niemand het kon horen. 'Je bent thuisgekomen.'

Hij was lang, zoals haar vader was geweest, maar hij was haast onherkenbaar geworden doordat hij zo mager was. Zijn haar zat in de war en was aan de rechterkant bijna helemaal afgeschoren; een grote plek op zijn slaap was met een vies, nat verband afgedekt. Daaronder kwam een gekarteld, dieprood litteken tevoorschijn dat over zijn halfverminkte oor tot in zijn hals liep. Zijn ogen lagen diep in hun kassen en hij had een baard van enkele weken. Hij was in burger; een slecht zittende jas en een veel te wijde broek hingen om zijn gebogen gestalte. Er zaten gaten in de punten van zijn laarzen.

Dat alles nam Sophia in zich op, terwijl ze haar broer een fractie van een seconde aanstaarde.

Het volgende moment kwam ze in beweging. Ze rende door de hal. In haar haast om bij hem te komen, botste ze tegen een paar mensen aan.

'Francesco!' schreeuwde ze. Ze bereikte hem en wierp zich in zijn armen. Hij bewoog zich niet. Zijn lichaam bleef stijf en afwerend, terwijl ze zich tegen hem aandrukte en haar gezicht tegen zijn borst legde.

'Francesco?' vroeg Sophia onzeker.

Benedetta trok haar zachtjes van hem weg. 'Wees voorzichtig met hem. Het is te veel voor hem, begrijp je?'

Sophia keek verward van haar vriendin naar haar broer. Hij staarde naar een punt over haar rechterschouder. Een van zijn oogleden hing half naar beneden en terwijl ze naar hem keek, liep er een dun straaltje speeksel uit zijn mondhoek.

Een ijzig afgrijzen stroomde door Sophia heen.

Elsa kwam bij haar staan. 'Wat heeft hij?'

Francesco draaide zijn ogen naar boven tot alleen het wit nog maar te zien was. Toen trokken er plotseling een paar schokken door hem heen. Benedetta legde haar armen om hem heen. 'Rustig maar, mijn jongen. Rustig maar.'

Tegen Sophia zei ze: 'Hij heeft een aanval. Hij heeft zwaar hersenletsel.'

Achter haar brak Josefa uit in een doordringend gejammer.

'Wat hebben ze hem aangedaan? Wat hebben die moordenaars

mijn kleine jongen aangedaan! O, Heer in de hemel, laat het niet waar zijn!'

Fernanda gaf een schreeuw van schrik en sloeg een kruis. Elsa deinsde terug, plotseling spierwit. Ze draaide zich om naar Sophia en stamelde: 'Ik wist niet... Alsjeblieft, geloof me dat... Ik zou het je toch meteen gezegd hebben!'

Maar Sophia luisterde niet. Ze legde haar hand op de schokkende schouder van haar broer. 'Hoe vaak heeft hij dat?'

Benedetta haalde haar schouders op. 'Drie, vier keer per dag. Op goede dagen minder, op slechte meer. Daartussen is hij erg vreedzaam.'

'Wat bedoel je daarmee?' Haar stem werd luider. 'Wat bedoel je met vréédzaam?'

'Dan is hij rustig,' zei Benedetta, alsof dat woord voldoende was.

Sophia beheerste zich met moeite. 'Elsa, zou jij mijn broer alsjeblieft naar bed willen brengen? Signor Vascari, kunt u haar daarbij helpen? Fernanda, maak jij voor ons bezoek een bed en kruiken klaar. Josefa, jij kijkt in de keuken of er iets te eten is voor de Marchese. Hij wil vast ook wel iets warms drinken.'

Fernanda maakte onwillekeurig een buiginkje toen ze die titel hoorde.

'Ik kan ook wel iets warms gebruiken,' zei Benedetta hoopvol.

'Jij krijgt ook wat,' antwoordde Sophia snijdend.

Benedetta kromp in elkaar en keek haar met grote ogen aan, maar zei niks.

Josefa verdween zachtjes huilend in de keuken, terwijl ze angstige blikken over haar schouder wierp.

Sophia wendde zich tot Henry. 'Wil je in de bibliotheek alsjeblieft een vuur aansteken?' vroeg ze hem in het Engels. Hij knikte gedienstig, terwijl hij de nieuwaangekomene met schuwe, medelijdende blikken bekeek.

Francesco's ogen waren leeg. Slap en zonder zichtbare gevoelens liet hij zich door Elsa en Vascari ondersteunen en mee naar boven nemen. Fernanda volgde hen, haar hoofd gebogen.

Margherita maakte een hulpeloos gebaar. 'Sophia, mijn kind, als ik iets kan doen...'

'Bedankt, op het moment niet.' Sophia wendde zich tot Benedetta.

'Kom mee naar de bibliotheek.' Tegen de anderen zei ze: 'Ik wil een poosje niet gestoord worden.'

Ze ging voor.

'Ga zitten.' Ze wees Benedetta een stoel dicht bij de open haard.

'Maak snel een vuur,' zei ze tegen Henry, die hen gevolgd was. Henry stak snel een klein vuur aan en verdween toen zonder dat hem dat gevraagd werd.

'Is hij een Engelsman?' vroeg Benedetta nieuwsgierig.

Sophia knikte met samengeperste lippen, toen zei ze op bevelende toon: 'Vertel.'

Benedetta bekeek haar met verbazing. 'Je bent... veranderd. Ik bedoel, niet alleen omdat je een baby krijgt... Hoewel dat op zich al heel vreemd is, omdat je een paar maanden geleden nog helemaal niet...' Ze hield stil en maakte haar lippen vochtig voordat ze slikte. Toen gooide ze eruit: 'Heb je ook een man?' Haar blikken gingen naar Sophia's trouwring.

'Ja, maar daar wil ik het nu niet over hebben. Ik wil alles over mijn broer horen.'

Benedetta haalde haar schouders op. 'Dat is snel verteld. Ik heb hem in het militaire ziekenhuis van Siena gevonden.'

'In Siena? Waarom was jij in Siena?'

'Daar werk ik sinds november. De hele stad is haast één groot ziekenhuis. De gewonden worden met drommen tegelijk binnengebracht.' Benedetta schudde haar hoofd. 'Je kunt je niet voorstellen hoe erg die arme zielen zijn toegetakeld.'

Ze zweeg even, toen ging ze moeizaam verder: 'Je broer – hij zag er vreselijk uit. Nog veel erger dan nu, maar ik herkende hem meteen toen hij met een gewondentransport meekwam.'

Het was haar gelukt zijn lijdensweg in grote trekken te reconstrueren. Hij was al in de zomer op Sicilië gewond geraakt en had daar wekenlang in een ziekenhuis van de geallieerden gelegen. Daarna werd hij steeds weer overgeplaatst, tot hij ten slotte in Siena was beland.

'Het probleem was dat hij geen papieren meer had. Geen kenmerken, geen uniform – niets waaruit men zijn identiteit had kunnen afleiden. En praten kan hij niet meer. Je moet het gat in zijn hoofd eens zien, het is zo groot dat je er drie vingers in kunt leggen.'

Sophia staarde in het knetterende vuur. Ze had geen tranen meer.

Haar ogen waren helder, net als haar verstand, dat zonder enige moeite en messcherp werkte. Het noodlot had haar weer op een afgrijselijke manier getroffen. Haar broer had net zo goed dood kunnen zijn.

'Ik heb er steeds over lopen tobben wat er gebeurd is,' kletste Benedetta verder. 'Eerst dacht ik dat hij was gedeserteerd, en daarom zonder uniform en papieren onderweg was.'

'Nee, nooit,' zei Sophia mechanisch.

Benedetta knikte ijverig. 'Dat had ik ook bedacht. Je kunt veel van jullie Scarlatti's zeggen, maar lafheid komt niet in jullie familie voor.' Ze boog zich voorover en strekte haar bevroren voeten naar het vuur.

Er werd geklopt en Fernanda kwam met een blad binnen, waarop twee dampende bekers punch stonden.

'Zet het hier maar neer, Fernanda.' Sophia wees naar het tafeltje naast haar.

Het meisje zette het blad snel neer en verdween weer.

Benedetta nipte voorzichtig aan de hete drank.

'Toen dacht ik dat hij door de Duitsers gepakt was en geïnterneerd was geweest, misschien in zo'n vreselijk werkkamp. Van daar heeft hij misschien weten te vluchten. Natuurlijk moest hij zonder uniform en papieren vluchten, omdat hij anders was opgevallen. Daarna is hij tijdens zijn vlucht of bij een gevecht gewond geraakt.' Vragend keek ze Sophia aan. 'Zou het zo niet gegaan kunnen zijn?'

'Ja, zo was het vast,' zei Sophia beslist. Ze twijfelde er niet aan dat het zo gebeurd was.

'Ik heb met een arts gesproken,' zei Benedetta bedroefd. 'Die heeft me verteld dat die aanvallen misschien wel verminderen. Maar wat de rest betreft, het verstand van je broer...' Ze aarzelde. 'Het is moeilijk te zeggen. Niemand kan er een voorspelling over doen. Als je het mij vraagt, zal het zo blijven. Nou ja, ik was er niet bij... Maar na alles wat ik gehoord heb, is het al een hele tijd zo, al maanden. De verwonding was te zwaar. Het schedelbot werd vreselijk vermorzeld. Het is een wonder dat hij nog leeft, weet je.'

'Ik ben je dankbaar dat je hem naar huis hebt gebracht,' zei Sophia formeel.

Benedetta gebaarde verlegen met de beker. 'In het ziekenhuis konden ze niets meer voor hem doen. Ze wisten niet meer wat ze met

hem aan moesten. Het was toeval dat ik hem zag. Ik heb eerst ge-probeerd je oom een bericht te sturen, maar ik kon hem niet berei-ken. En toen... Toen moest ik toch weg. Ik wilde naar jou toe. En dus dacht ik dat ik je broer ook meteen mee kon nemen.'
'Hoezo moest je weg?'
Benedetta boog haar hoofd. 'De militie zit achter me aan.'
Toen kwam het hele verhaal eruit. Benedetta's vader was na de val van Mussolini aanhanger geworden van de regering Badoglio en had zijn oude kameraden aangebracht. Een omschakeling die hem duur was komen te staan toen de fascisten weer aan de macht kwamen.
Hij was een van de eersten die door de fascistische militie werd ge-arresteerd.
'Het was vreselijk,' zei Benedetta terneergeslagen. 'Ik kon me ner-gens meer vertonen. De mensen wezen mijn moeder en mij na. De militie kwam regelmatig naar ons huis. Ze lieten ons niet met rust, we werden steeds weer verhoord, mijn moeder en ik. Toen het zo erg werd dat we het niet meer uithielden, zijn we naar mijn moe-ders zus in Siena gegaan. Daar heb ik ook meteen werk gevonden in het ziekenhuis. En toen – toen doken ze ook in Siena op. De fascisten arresteren bijna iedereen die iets met Badoglio te maken heeft gehad. We waren gewoon niet meer veilig.'
'Waar is je moeder? Waarom is ze niet meegekomen?'
'Ze kon niet reizen. Ze heeft pas longontsteking gehad.' Benedetta legde haar handen om de beker en ademde diep de kruidige geur van de punch in. Ze zuchtte vol welbehagen. 'Ah, dat doet me goed! Jullie hebben hier nog niet veel van de oorlog gemerkt, hè?'
'We hebben geen bomaanvallen en overvallen van soldaten gehad, als je dat bedoelt,' antwoordde Sophia beleefd. 'Maar we moeten wel volgende week ons huis uit.'
'Wat?' riep Benedetta uit. Met een opgewonden beweging zette ze haar beker neer. Haar mond stond open van louter verbijstering. Het zag er zo komisch uit dat Sophia bijna in een hysterisch gegie-chel uitbarstte.
'Ons huis is in beslag genomen,' vertelde ze.
'Mijn hemel, wanneer?' riep Benedetta ontzet uit.
'Vlak voor je kwam.'
Benedetta keek bedremmeld naar de grond. 'Als ik dat had geweten...'

'We vinden wel een plekje voor je.' Sophia wierp haar vriendin een half sarcastische, half verzoenende blik toe. 'Bovendien kun je je hier erg nuttig maken. We hebben veel zieken en oude mensen te verzorgen.'

'Ik zal wel voor Francesco zorgen.' Benedetta's antwoord kwam zo snel dat het Sophia opviel.

'Ik verzorg hem graag,' voegde Benedetta eraan toe. Er trok een rode gloed over haar gezicht en Sophia vroeg zich af wat haar broer voor dit meisje betekende.

Later ging ze naar hem kijken. Fernanda had hem zijn oude kamer gegeven, de kamer waar Henry in had gewoond. De jonge Engelsman had zijn rugzak al gepakt en was weer naar Elsa vertrokken. De komende week moesten ze toch allemaal hun kamers verlaten. Sophia weigerde er op dit moment aan te denken.

Er is nog genoeg tijd om me daarmee bezig te houden, zei ze bij zichzelf.

Ze boog zich over haar broer. 'Fijn dat je weer thuis bent.'

Ze ging op de rand van het bed zitten en streelde zijn schouder. Hij lag bewegingloos, met neergeslagen ogen. Zijn mond stond open en in zijn regelmatige ademhaling klonk een zwak gerochel. Een mens met normale reflexen zou zijn keel hebben geschraapt om het slijm kwijt te raken, maar Francesco was blijkbaar niet meer in staat tot zulke willekeurige, lichamelijke reacties.

Benedetta had verteld dat hij kon lopen en zindelijk was – vooropgesteld dat men hem regelmatig naar het toilet bracht. Hij moest gevoerd worden, wat volgens Benedetta probleemloos ging. Hij at wat men hem gaf tot hij vol zat.

Francesco Ignatio Attilio di Scarlatti, Marchese van La Befana, was als een klein kind naar huis teruggekeerd. Hij zou nooit meer iets anders kunnen zijn.

Sophia had het doorweekte verband weggehaald. Benedetta had niet overdreven. Haar broer had niet zoveel geluk gehad als haar man. De kogel die Francesco had getroffen, had een behoorlijk stuk van zijn schedel weggeslagen. Vlak naast zijn slaap zat een vreselijk diepe inham vol littekens. Iemand die er verstand van had, moest de wond schoongemaakt en dichtgenaaid hebben. Aan de rand van het litteken waren nog de puntjes van de hechtingen te

zien. Hij zou een vulling moeten dragen om het blootliggende deel van zijn hersenen te beschermen. Over het hersenweefsel lag alleen maar huid. Sophia raakte zacht de gewonde kant van zijn hoofd aan, toen boog ze zich over hem heen en kuste hem op zijn lippen.
'Ik heb je gemist, Francesco.'
Ze pakte zijn hand en legde die op haar buik.
'Voel je de bewegingen?' fluisterde ze. 'Dat is je neefje of nichtje. En stel je eens voor, je krijgt binnenkort ook nog een broertje of zusje!'
De vingers van haar broer stonden lichtjes naar binnen gekromd, iets wat typisch hoort bij een hersenbeschadiging. Na een tijdje zouden zijn vingers tot klauwen vergroeien als de spieren niet regelmatig getraind werden.
'Morgen gaan we misschien wel naar de begraafplaats,' zei ze. 'Je moet nog afscheid nemen van papa.'
Door plotselinge vermoeidheid overmand, ging Sophia naast haar broer op bed liggen. Ze hield zijn slappe hand vast, luisterde naar het zachte gereutel en dacht aan haar ouders. In veel opzichten was het maar goed dat ze niet meer leefden. Haar moeder zou het niet hebben verdragen haar zoon zo te zien, als hulpeloze invalide, haar vader ook niet. Hij had al zijn hoop op Francesco gevestigd. La Befana, het Driekoningenland, was al zoveel generaties van vader op zoon overgegaan.
Sophia kon niets doen tegen de tranen die onder haar gesloten oogleden uit rolden en in haar haren drupten.
In haar buik begon de baby weer te trappelen, alsof hij haar duidelijk wilde maken dat ze voor nog iemand moest zorgen die hulpeloos was.
Zou Richard terugkomen om samen met haar voor hun kind te zorgen?
Ze wilde het zo graag, meer dan wat ook ter wereld, maar op dit soort momenten werden de wanhoop en de angst voor de toekomst zo groot dat ze nauwelijks meer durfde geloven dat ze ooit weer een gelukkig leven zou leiden.
Ze huilde geluidloos, terwijl ze de hand van haar broer steviger vasthield. De wind rukte aan de luiken en vulde de hele kamer met zijn naargeestige gefluit.

24

De verhuizing verliep zonder problemen. Op advies van Vascari maakte Sophia een lijst met alle waardevolle meubels, die ze door de Duitsers wilde laten ondertekenen.

'Anders nemen ze misschien alles mee als ze weer vertrekken,' zei hij.

Sophia was bang dat ze dat toch wel zouden doen. Ze pakte haar kleren en persoonlijke bezittingen in en deed ze in kisten die ze in de kelder van de *Fattoria* neerzette. Hetzelfde deed ze met de spullen van haar ouders en broer. Ze was blij dat ze het zilver en de overige waardevolle spullen allang in veiligheid had gebracht. Daar konden de Duitsers tenminste niet aankomen, net zomin als aan hun voedsel, waar ze geen kruimel van in de villa achterliet. Na even nadenken liet ze Fernanda en Henry de waardevolste tapijten oprollen en in de verste hoek van de zolder opbergen, waar ze met oude spullen bedekt werden.

De radio's en grammofoons nam ze mee, net als een paar elektrische lampen, want sinds een paar dagen hadden ze weer stroom en ook de telefoonverbinding werkte weer. Waarschijnlijk hing dat samen met de aankomende inkwartiering.

Sophia, Josefa en Fernanda trokken in de twee leegstaande zolderkamers van de *Fattoria*. Francesco kreeg een kamer voor zich alleen. De gast die daar was ondergebracht, een oude man uit Rome wiens halve voet was weggeslagen door een mijn, werd door Vascari op een van de boerderijen ondergebracht.

Henry sliep in het bos, waar twee landgenoten al sinds weken verbleven. Overdag maakte hij zich nuttig in de *Fattoria* of de polikliniek, waar hij maar nodig was. Tussen hem en Fernanda ontspon zich een voorzichtige romance, die alleen nog maar bestond uit vluchtige aanrakingen in het voorbijlopen of schuchtere blikken. Vaak stonden ze ieder aan een kant van de kamer en keken smachtend naar elkaar.

Josefa registreerde het met een zwak gesnuif. 'Hij is een uilskuiken,' zei ze tegen Elsa. 'Als hij niet oplet, grijpen de Duitsers hem voor hij ook maar doorheeft dat ze er zijn.'

Margherita, Rosalia, Renata en de baby werden bij Donata ondergebracht, die zonder klagen een van haar slaapkamers voor de vier logés afstond.

Vascari trok in bij Ernesto, waar hij de slaapkamer van Fabio kreeg. Die moest tot zijn grote verdriet voortaan een kamer delen met zijn tweelingbroertjes, die minstens drie keer per nacht wakker werden en zo hard – eenstemmig – brulden dat de muren ervan trilden.

De Duitsers kwamen punctueel aan het einde van de gestelde termijn. Ze verschenen met twaalf man, onder wie vijf officieren. Ze brachten in een volgeladen legervrachtwagen hun eigen levensmiddelen mee en namen de villa zonder pardon in bezit. 's Avonds kon Sophia vanuit de woonkamer van de *Fattoria* zien dat daar in de salon en de slaapkamers de lampen brandden.

'Ze zullen met hun laarzen het hele parket ruïneren,' jammerde Josefa.

'Ik had ook de tapijten kunnen laten liggen,' bromde Sophia nijdig.

Josefa keek haar ontstemd aan. 'Je brutale mond ben je in elk geval nog niet kwijt!'

De Duitsers bleven erg op zichzelf. Ze schonken weinig aandacht aan de bewoners van de omliggende huizen. Overdag was het een gestaag komen en gaan. Constant kwamen er legervoertuigen aan om wapens, springstoffen, werktuigen en gebruiksgoederen voor de troepen te brengen.

De Duitse soldaten gingen met twee tegelijk op patrouille en controleerden de omgeving. Met z'n drieën of vieren gingen ze ook het bos in, op krachtige, goed verzorgde paarden die ze in de stallen hadden ondergebracht.

Het was al snel bekend dat de Duitsers de omgeving onder controle hadden, want sindsdien kwamen er geen vluchtelingen meer op het landgoed, en de mensen die onderdak gevonden hadden op de boerderijen trokken zonder uitzondering verder.

Op een avond half februari, tien dagen na hun verhuizing, verscheen er een jonge luitenant in de *Fattoria* die in vreselijk Italiaans de eigenaresse van de villa te spreken vroeg. Elsa bracht hem naar de woonkamer waar Sophia in de schommelstoel zat, haar benen op een krukje en haar handen over haar pijnlijke buik.

De jonge man maakte een stramme buiging en stelde zich voor als luitenant May.

Zijn blikken gingen verlegen over Elsa's reusachtige lichaam, dwaalden af en bleven toen op Sophia's nauwelijks minder omvangrijke gestalte rusten. Hij schraapte zijn keel, begon te praten en verstomde weer toen hij Salvatore in de hoek van de kamer zag zitten.

Elsa's man had zijn ogen dicht en scheen te slapen. De luitenant bekeek hem onzeker.

'Spreekt u maar vrijuit,' moedigde Sophia hem aan.

De jonge Duitser richtte zijn blik op een punt boven haar rechterschouder en zei met onzekere stem: 'Ik wilde alleen maar vragen of mevrouw er bezwaar tegen heeft dat we de vleugel gebruiken.'

Mevrouw staarde hem verbluft aan. 'Kan er dan iemand van u pianospelen?'

Hij werd knalrood en schudde zijn hoofd. Hij deed vreselijk zijn best haar niet aan te kijken, omdat hij dan misschien haar buik weer in beeld zou krijgen. 'Misschien wilt u een keer iets voor ons spelen,' fluisterde hij.

Sophia moest opeens denken aan de jonge onderofficier die Richards briefje had gebracht, en aan wie ze het te danken had dat de kinderen van La Befana een kerstfeest zonder honger hadden gehad. Hij had niets zo erg gemist als muziek...

Ze bekeek de luitenant peinzend. May had roodbruin haar, dat ondanks zijn jeugdige leeftijd bij de slapen al dun werd. Zijn schouders waren een beetje gebogen, alsof de last van de oorlog hem te veel was geworden. Om zijn mond lag een bittere trek en zijn ogen stonden dof, doordat ze veel te veel hadden gezien.

Toen Sophia niet meteen antwoordde, kwam er een uitdrukking

van diepe teleurstelling op zijn smalle gezicht en hij bewoog zich al naar de deur.

'Wacht even. Ik wil wel voor u spelen. Vanavond? Om acht uur?' Zijn oren werden vuurrood en hij knikte haastig met een ongelovig lachje, voordat hij ten afscheid een buiging maakte.

'En wat was dat?' wilde Elsa op spottende toon weten. 'Verbroedering met de vijand?'

Sophia keek uit het raam. Het sneeuwde hard. Fabio en twee van Donata's spruiten speelden bij de schuur. Gillend en juichend bekogelden ze elkaar met sneeuwballen.

Afwezig masseerde Sophia haar rug. 'Het is nog maar een jongen.'

'Het waren allemaal jongens,' antwoordde Elsa scherp. 'Toen werden het mannen die andere mannen doden en martelen.'

Sophia volgde haar blik en het deed haar weer pijn de vroegere rentmeester en vriend van haar vader in die toestand te zien.

Als hij niet in bed lag, zat Salvatore de hele dag in zijn stoel in de woonkamer te doezelen. Hij at samen met de anderen in de keuken, maar hij zei bijna geen woord. Hij ging nooit het huis uit en als er een bezoeker kwam, deed hij vaak of hij sliep. Als hij werd aangesproken, drongen de woorden vaak niet tot hem door; op z'n best gaf hij een beleefd mompelend, nietszeggend antwoord. Hij was niet in staat tot oogcontact.

Een paar dagen na zijn terugkeer had Sophia op verzoek van Elsa naar zijn verwondingen gekeken.

Zijn rechterbeen was op meerdere plaatsen gebroken geweest en weer scheef aan elkaar gegroeid. Zijn kniegewricht was kapotgeslagen en slecht genezen. Hij zou er altijd pijn aan hebben. De opgezwollen, blauwzwarte verkleuringen op zijn rug bewezen dat hij nog kortgeleden hard was geslagen. Hij had moeite met plassen, wat op een onbehandelde blaasontsteking wees of – wat Sophia eerder dacht – op een nierbeschadiging door martelingen.

Elsa behandelde hem zo voorzichtig als een rauw ei. Ze ging vaak bij hem zitten, dan streelde ze zijn hand of zijn haar. Haar tederheid ontroerde Sophia diep. De eerste tijd had ze grimmig geloofd dat Elsa zo handelde uit schuldgevoel en een slecht geweten, maar nu twijfelde ze er niet meer aan dat er tussen die twee een diepe, onvoorwaardelijke genegenheid bestond. Eén keer had ze gezien dat Salvatore aarzelend zijn hand op de welving van Elsa's buik legde. Elsa stond naast zijn stoel en had zich naar hem toegebogen met een uitdrukking van pure, onzelfzuchtige liefde op haar gezicht.

Er had een bijzondere betovering in dat moment gelegen, en Sophia had Richard zo hevig gemist dat ze het bijna als lichamelijke pijn had gevoeld hem niet om zich heen te hebben.

Voor de pianoavond in de villa trok Sophia haar mooiste positiejurk aan. Ze had hem alleen nog maar bij het kerstfeest gedragen. Toen was ze voor de laatste keer gelukkig geweest, en ze vroeg zich af of ze het ooit weer zou zijn.

Nadat ze zich voor de uitnodiging in haar eigen huis had omgekleed, ging ze naar haar broer.

Hij lag op bed, netjes aangekleed met een pyjamabroek en een trui. Te lang wakker zijn, was te vermoeiend voor hem. Ze hadden gemerkt dat hij minder aanvallen kreeg als hij vaak rustte.

'Hoe gaat het met hem?' vroeg Sophia.

'Goed,' zei Benedetta opgewekt. Ze zat op een stoel naast Francesco's bed en breide een blauwgrijs iets. Voortdurend haalde ze oude wollen kledingstukken uit elkaar en breide er warme kleren van.

Sophia lachte. 'Weer een nieuwe trui? Of wordt het deze keer een das?'

'Hij kan er niet genoeg van hebben,' verdedigde Benedetta haar ijver. 'Hij heeft het zo gauw koud.' Ze legde haar breiwerk opzij en veegde het speeksel uit Francesco's mondhoek. Toen streek ze voorzichtig zijn haar naar achteren.

'Ik zal het weer moeten knippen,' mompelde ze verstrooid.

Sophia bekeek haar vriendin. 'Waarom doe je dat?' wilde ze weten.

'Wat?'

'Voor hem zorgen.'

Benedetta keek haar aan, verbaasd dat zij, Sophia, zoiets kon vragen.

Haar antwoord was zowel simpel als allesomvattend. 'Omdat hij me nodig heeft.'

Met een stormlamp gewapend, liep Sophia door het duister naar de villa. De ramen aan de kant van de helling waren uitnodigend verlicht. Blijkbaar had haar publiek zich al verzameld. Op haar kloppen deed de jonge luitenant open. Hij hielp haar uit haar jas en bekeek haar verlegen.

'U ziet er prachtig uit,' zei hij in zijn grappige Italiaans.

Hij wist blijkbaar niet zo goed of híj vooruit moest gaan of Sophia. Tenslotte was het huis van haar, en de huidige bewoners speelden de rol van gastheren maar tijdelijk.

Na een paar pijnlijke seconden had hij een compromis gevonden. Hij nam haar arm en begeleidde haar naar de salon.

'Komt u maar,' zei hij beleefd, terwijl hij haar door de hal leidde.

In de salon bevonden zich vier officieren. Onder hen was ook de dikke majoor aan wie ze de inbeslagneming te danken had.

De mannen sprongen op toen Sophia binnenkwam. De een na de ander begroette haar met een beleefde buiging. De majoor liet haar via de jonge luitenant weten hoe blij hij en zijn mannen waren dat ze iets voor hen wilde spelen.

'Het spijt hem erg dat we elkaar onder deze omstandigheden moesten leren kennen,' vertaalde de luitenant. 'Ook spijt het hem dat u uw huis is afgenomen.'

Hij luisterde naar nog een paar Duitse zinnen, knikte toen en wendde zich tot Sophia. 'We blijven niet lang meer. Misschien nog een week, hooguit twee.'

Sophia's stralende lach was niet gespeeld toen ze tegen de jonge luitenant zei: 'Zegt u alstublieft tegen de majoor dat ik daar erg blij om ben. En nu zal ik iets voor u spelen.'

Ze ging naar de vleugel, die opengeklapt voor de terrasdeuren stond. Iemand had al een muziekblad klaargelegd – vermoedelijk de jonge man die haar gevraagd had te komen. De keus wees erop dat hij verstand van muziek had.

'Ik heb al lang niet meer gespeeld,' zei Sophia, terwijl ze onhandig op de kruk ging zitten en een houding zocht waarin haar dikke buik niet in de weg zat.

'Ik weet zeker dat uw spel geweldig zal zijn,' antwoordde luitenant May galant.

De mannen praatten zachtjes op de achtergrond, terwijl ze de eerste noten van een sonate van Beethoven aansloeg, een concessie aan haar vreemde gastheer en ook aan de grote componist die een landgenoot van deze mensen was geweest.

Het gesprek verstomde, terwijl Sophia met gesloten ogen doorspeelde. Dit stuk zat niet tussen de klaargelegde bladmuziek, maar ze had er als kind al erg van gehouden, het was zo treurig en daarbij ook van een verheven schoonheid. In het begin had ze haar pianolessen gehaat, maar later toen de eindeloze oefeningen eindelijk vruchten afwierpen en haar vingervlugheid was toegenomen, had ze er plezier in gekregen. Ontelbare keren had ze het gezang van haar moeder begeleid. Francesco, die vrij behoorlijk viool speelde, had in de stoel gezeten waar nu de dikke majoor in zat. Haar vader stond bij het raam in die typische houding van hem, zijn duimen in de lussen van zijn broek en zijn blik peinzend gericht op de zuidelijke heuvels.

Toen had hij niet aan Elsa gedacht, peinsde Sophia. Ze was nog steeds verbitterd als ze dacht aan de affaire van haar vader met de vrouw van een ander. Maar hoewel ze zich vaak heen en weer geslingerd voelde, moest ze toegeven dat ze Elsa inmiddels was gaan respecteren. Als ze aan de op handen zijnde bevalling dacht, sloeg de angst haar om het hart. Elsa had al meer kinderen, en het was op La Befana niet ongewoon dat vrouwen van boven de veertig een kind kregen, maar Elsa was ondanks haar vergevorderde zwangerschap mager en zwak. Ze had niet alleen cholera gehad, maar ook in de laatste maanden te veel van zichzelf gevergd en zelden genoeg gegeten om goed op krachten te blijven.

In gedachten verzonken beëindigde Sophia haar spel. De Duitsers klapten en maakten geen geheim van hun enthousiasme. Een van de oudere officieren sprong op en riep hard: 'Bravo!'

De jonge luitenant kwam naar haar toe. Hij keek haar aan en zijn lippen trilden.

'Ik heb lange tijd niet meer zulke mooie muziek gehoord. U speelt prachtig, Marchesa.'

Sophia verbeterde hem niet. Met een zwak lachje trok ze een blad muziek naar zich toe.

Ze ging met haar vinger over de vertrouwde noten. 'Iets opgewekts zie ik.'

'Ik hou erg van Mozart,' zei luitenant May. Zijn ogen keken smekend. 'Speelt u het voor ons?'

Hij zij óns, maar het leed geen twijfel dat hij alleen zichzelf bedoelde. Het leek alsof haar spel voor hem een lichtbaken was op een stormachtig zee, als wilde hij met deze avond alle intriges trotseren die hem hier hadden gebracht, midden in verwoesting en bloedbaden, in een wereld zonder vrolijkheid en zonder muziek.

Sophia beantwoordde zijn blik, en terwijl haar vingertoppen de vertrouwde vormen van de toetsen beroerden, zag ze zijn tranen.

Een paar dagen later, op 14 februari 1944, werd door een doelgerichte luchtaanval van de geallieerden het 1400 jaar oude klooster van Monte Cassino verwoest. Sophia huilde toen ze het bericht op de radio hoorde. Elsa en Salvatore zaten met versteende gezichten samen met haar in de woonkamer van de *Fattoria* waar ze 's avonds gezamenlijk de radioberichten beluisterden.

De berichten die de BBC en de officiële Italiaanse radio brachten over de verwoesting van een van de oudste cultuurgoederen van het land, hadden niet verschillender kunnen zijn. De geallieerden beweerden dat ze het klooster alleen maar gebombardeerd hadden, omdat de Duitsers het als een militaire vesting gebruikten. De Duitsers bestreden dat fel; er waren alleen monniken en vluchtelingen, onder wie veel vrouwen en kinderen, in het klooster aanwezig geweest.

Drie dagen later verlieten de Duitsers La Befana. Ze pakten hun bezittingen op en verdwenen bij het ochtendgloren in hun legervoertuigen. Josefa, die eerder dan de anderen was opgestaan, hing op een afstand om de Duitsers heen en bekeek de exodus van begin tot einde. Tussendoor wierp ze steeds argwanende blikken achterom naar de stal, waar hun enige melkkoe en de twee laatste geiten waren ondergebracht. Later vertelde ze aan iedereen dat het door haar oplettendheid kwam, dat die kerels de laatste melkbron van de arme kinderen niet hadden meegenomen.

In elk geval was er na het vertrek van de Duitsers nog steeds stroom en ook de telefoon deed het nog, zodat het leven iets dragelijker werd, al knorden hun magen door het aanhoudende voedseltekort. Sophia telefoneerde regelmatig met Anna en Giovanni en hield hen op de hoogte van alle gebeurtenissen in haar omgeving. Toen Giovanni van Francesco's terugkeer hoorde, haalde hij een pasje en waagde het ondanks de gevaarlijke reis om naar La Befana te komen, om zijn neef te onderzoeken. Toen hij Sophia ten slotte aankeek, worstelde hij met zijn tranen en schudde zijn hoofd. Sophia, die gehoopt had op een opbeurend woord, voelde hoe er iets in haar binnenste stierf.

'Is er geen hoop op verbetering?'

'Niet naar medische maatstaven. Hoogstens als God het wil...'
Sophia stak haar kin naar voren. 'Praat me niet van God.'
Hij wierp haar een verraste blik toe en knikte toen vermoeid. 'Ik begrijp het.' Hij legde een hand op Francesco's schouder. 'Ik kan hem meenemen naar mijn huis. Anna zal graag voor hem zorgen. Je hebt toch al zoveel monden te voeden. De hemel weet wie al die mensen zijn die in dit huis wonen.'
Sophia, die sinds het vertrek van de Duitsers met haar broer, Benedetta en de overige logés weer in de villa woonde, wees zijn aanbod vriendelijk af.
'Nee, hij blijft hier. Hij is de Marchese en hoort op La Befana.'
Haar oom accepteerde haar besluit. Nadat hij zijn instrumenten weer in zijn koffer had gestopt, bekeek hij zijn nicht rustig.
'Je bent erg sterk, veel sterker dan ik verwacht had. Je bent in elk opzicht de dochter van je ouders. Jij redt het wel. Als iemand dit hier allemaal aankan, dan ben jij het wel, mijn kind.'
Sophia fronste en wilde protesteren. Ze wilde zeggen dat ze zich zwak en alleen gelaten voelde, ze wilde zeggen hoe groot haar eenzaamheid was en haar angst dat Richard niet terug zou komen. Ze wilde wel uitschreeuwen hoe vreselijk ze zich voelde bij al die ellende om haar heen.
Maar ze zweeg, want plotseling merkte ze hoe slecht haar oom eruitzag. Zijn gezicht stond uitgeput. De rimpels op zijn voorhoofd vertelden over het vele werk zonder pauzes, en in zijn haren zaten grijze strepen die er bij hun vorige ontmoeting niet waren geweest. Het ziekenhuis van Montepulciano zat stampvol met gewonden – een gestage stroom, waardoor het werk in de operatiekamer nooit klaar was. Van Anna had Sophia gehoord dat haar oom dag en nacht opereerde en zich nauwelijks een vrij uurtje gunde.
'Als de geallieerden de stad maar eens innamen, dan waren we tenminste van die eeuwige onzekerheid af!' had Anna aan de telefoon geklaagd.
Maar de oorlog leek in Midden-Italië vastgelopen te zijn. Al maanden lukte het de geallieerden niet om flink vooruit te komen. Aan het Anziofront gingen de pogingen om door te breken onverminderd voort, maar de Duitsers weken slechts aarzelend en onder verbitterde gevechten terug; intussen hadden ze daar hun derde zware tegenaanval gedaan.

Constant klonk het zware gedreun van militaire vliegtuigen die over het dal vlogen. Her en der werden de landwegen door machinegeweervuur bestookt als er zich een verdacht voertuig op bevond. Omdat ten noorden van het Anziofront bijna alleen de Duitsers over auto's beschikten, schoten de geallieerden automatisch op elk gemotoriseerd voertuig dat ze zagen. Maar ook onschuldige voertuigen werden het slachtoffer. Zelfs Vascari werd bij een van zijn bevoorradingstochten op de terugweg beschoten. Gelukkig kon hij op tijd van de bok van de koets springen en zich in een greppel laten vallen, zodat hem niets ernstigs overkwam. Ook het paard bleef als door een wonder gespaard. Tijdens de hele aanval bleef het trillend staan, veel te vermagerd en uitgeput om ervandoor te gaan.

Vascari kroop daarna uit de greppel en zei constant Ave Maria's op, toen hij merkte dat ze allebei ongedeerd waren gebleven.

Maar de hele lading was met kogels doorzeefd. Twee vaten olie waren tot de laatste druppel leeggelopen en een zak meel was opengesprongen.

De salami had het ook zwaar te verduren gehad, maar sommige stukken waren nog eetbaar, en ook de twee hammen die Vascari op de kop had kunnen tikken, waren nog te redden. Elsa, Donata, Benedetta en de andere vrouwen verzamelden met stoïcijnse omzichtigheid alle nog eetbare spullen, en repareerden ook met veel geduld de banen stof die tot de lading hadden behoord. Ze konden het zich niet veroorloven ook maar iets van de dingen die ze dagelijks nodig hadden, te verspillen.

Voor de Italiaanse burgerbevolking betekende de oorlog in veel opzichten een onmenselijk lijden. De mensen leden niet alleen onder de onophoudelijke luchtaanvallen van de geallieerden en de onderdrukking van de Duitsers, maar ook nog onder de fascisten van hun eigen regering.

De regering-Salò had alle jonge mannen voor militaire dienst opgeroepen. Op het ontduiken van de dienstplicht stonden vreselijke straffen, tot aan het vuurpeloton toe. Ook de mannen van de pachtboerderijen van La Befana werden opgeroepen. Geen van hen ging. Een paar doken onder, maar de meesten sloten zich aan bij de af en toe langstrekkende partizanen, die nu veel beter georganiseerd waren dan de roversbendes van het begin. Intussen waren ze niet alleen duizenden mannen sterk, maar stonden ze ook onder bevel van Italiaanse en geallieerde officieren die veel ervaring hadden.

Intussen was de Duitse oorlogsmachine met mensonterende grondigheid bezig het 'materiaal' dat ze nodig hadden voor de werkkampen in Duitsland bij elkaar te brengen. Troepen van de SS sloten in Florence en Rome hele straten af en doorzochten ze op mannen die in staat waren te werken. Zonder waarschuwing werden ze gewoon opgepakt en op transport gesteld.

Op La Befana waren de effecten van de oorlog niet op die drastische manier te merken. Net als vroeger waren ze in elk geval zeker van hun leven en hun vrijheid. Het landgoed was ver van de steden, waar de dreiging duidelijker en dus erger was.

Maar die schijnbare zekerheid, die toch al niet toereikend was vanwege de vele ontberingen en angst, zou al snel bedrieglijk blijken te zijn.

De nachtmerrie begon op 10 maart 1944.

Op die eerste zachte voorjaarsdag kwam de verloskundige naar La Befana. Sophia had haar gevraagd te komen, omdat Elsa al twee weken over tijd was.

Sophia was bij het onderzoek in de polikliniek aanwezig.

De verloskundige keek Elsa aan. 'De baby lijkt het goed te maken. Maar je zult het wel moeilijk krijgen, omdat je nogal verzwakt bent.'

'Ik heb al drie kinderen.'

De verloskundige, een oudere vrouw met een rood gezicht en sterke armen, lachte. 'Wat je zegt. Ik ben vaak genoeg op La Befana geweest en ken je kinderen. Maar je laatste – dat is meer dan twintig jaar geleden! Het zal net zo zijn als bij de eerste, maar dan veel erger. Deze baby ligt verkeerd.'

Elsa schrok zichtbaar. 'Wat bedoel je daarmee?'

'Het hoofdje ligt boven, niet onder. Als ik het eerder had ontdekt, hadden we nog kunnen proberen het te draaien, maar daar is het nu te laat voor.'

'Waarom?' wilde Elsa weten. Haar bleke gezicht stak scherp af tegen de donkere jurk die ze droeg.

'Omdat de baby al veel te groot is.' De verloskundige stak haar hand uit en streek kalmerend over Elsa's buik. 'Ik heb al meer stuitliggingen gedaan dan ik kan tellen, en er is er nog geen een fout gegaan. Het zal ons wel lukken, dat zul je zien.'

Elsa leek gerustgesteld. Ze lachte aarzelend. 'Als het maar eens wilde komen! Misschien moet ik het met wonderolie proberen.'

'Dat helpt niks,' zei de verloskundige beslist. 'Neem een warm bad en loop wat trappen op en af, dat zal helpen.' Ze wendde zich tot Sophia. 'En nu jij. Hoe lang moet je nog?'

Sophia haalde haar schouders op. 'Volgens mijn berekeningen ongeveer vier weken.'

De verloskundige voelde onderzoekend aan Sophia's buik. 'Dat kan wel kloppen. Beweegt het veel?'

'Heel veel.'

De verloskundige knikte tevreden toen ze het getrappel voelde. Toen zette ze haar stethoscoop boven Sophia's navel en luisterde naar de harttonen van de baby.

'Hij ligt goed.'

Sophia probeerde haar opluchting niet al te veel te laten merken, maar de scherpe ogen van de verloskundige ontgingen niets.

'Dat betekent niet dat het voor jou makkelijker wordt,' zei ze met een sardonische grijns. 'Het is een heel groot kind.'

Deze keer lukte het Sophia haar gezicht in de plooi te houden. Trots hief ze haar kin op. 'Ik ben ook groot, en mijn ouders waren het ook. Het zit in de familie.'

De verloskundige giechelde. 'De vader van je kind is ook erg groot, hè? Waar is hij eigenlijk?'

Sophia gunde haar geen blik meer waardig en ging zonder commentaar naar buiten.

Elsa volgde haar met haar ogen. Voor de mensen van La Befana was Sophia heel makkelijk in de rol van haar ouders gegleden, alsof ze sinds haar jeugd op niets anders had gewacht. Maar Elsa wist wel beter; het was haar duidelijk dat Sophia zich haar leven heel anders had voorgesteld, en niet dat ze dit werk zou moeten doen. Als ze zich al iets had voorgesteld dan was het dat ze geneeskunde wilde studeren, net als haar oom.

En toch had Sophia niet alleen het werk van de Marchesa overgenomen, maar ook zonder aarzelen alle dingen gedaan die Roberto vroeger deed.

Elsa kon niet anders dan Sophia heel erg bewonderen. Het meisje was hoogzwanger en getrouwd met een man die misschien wel nooit meer terug zou komen. Ze had in korte tijd haar beide ouders verloren. Haar broer was als een kwijlende invalide uit de oorlog teruggekomen, en zou zijn hele leven zo blijven.

En toch scheen Roberto's dochter bij elke slag van het noodlot te groeien. Ze had zonder aarzelen de verantwoordelijkheid voor heel veel mensen op zich genomen.

Sinds die middag dat Francesco was thuisgekomen, kon Elsa alleen maar raden wat Sophia's gevoelens waren.

Het meisje scheen zich te hebben voorgenomen geen zwakte meer te tonen. De neerslachtigheid en moedeloosheid die ze op die dag voor de laatste keer had getoond, schenen bij het verleden te horen.

Elsa voelde dat de tranen haar in de ogen sprongen.

Je kunt trots op haar zijn, Roberto. Ze is helemaal je dochter! O, ik hoop zo dat ons kind op haar zal lijken!

'Hoogmoed komt voor de val,' zei de verloskundige wrevelig. 'Madame zal binnenkort niet meer zo uit de hoogte doen, wedden?'

'Ze is de meesteres van La Befana,' zei Elsa scherp. 'Vergeet dat niet. Vergeet dat nóóit.'

De verloskundige keek haar verbaasd aan, zocht schouderophalend haar spullen bij elkaar en ging naar Vascari om zich terug te laten brengen.

25

Diezelfde middag ging Sophia nog een keer naar de *Fattoria* om Elsa het gebruik van de badkamer in de villa aan te bieden. In de *Fattoria* was het nemen van een bad nauwelijks mogelijk, omdat er dan een grote teil gebracht moest worden en ze een heel grote hoeveelheid water op het fornuis moest verwarmen.

'Ik weet wel dat Salvatore en Henry je graag geholpen zouden hebben met het aanslepen van warm water,' voorkwam ze mogelijke bezwaren van Elsa, 'maar bij ons gaat het veel sneller en makkelijker. Bovendien...' – ze lachte ingehouden – ... zijn er bij ons grotere trappen.'

Elsa liet zich graag overhalen en kwam even later naar de villa. Ze begroette Benedetta, die samen met Francesco in de salon zat. De jonge verpleegster had haar stoel dicht naast de zijne geschoven. Ze zagen er onwankelbaar eensgezind uit; zelfs de versufte, zielloze blik van de nieuwe Marchese van La Befana kon niets aan die indruk veranderen.

Verrast stelde Elsa vast dat Benedetta van de jongen hield.

Ze ging naar de keuken om Josefa, Renata en Fernanda te begroeten, die daar met het avondeten bezig waren. Naar de geur te oordelen, werd het, zoals zo vaak de laatste tijd, ook deze keer weer koolsoep.

Ze vroeg naar Sophia en Josefa vertelde haar dat ze samen met Henry naar de polikliniek was gegaan, omdat er iemand met een kogel in zijn been was aangekomen.

'Een partizaan,' snoof Josefa woedend. 'Die schurken gedragen zich alsof het landgoed van hen is. Ze zijn bijna net zo erg als de Duitsers.'

Rosalia kwam de keuken binnen en toen Elsa het haar vroeg, wilde ze haar graag uitleggen hoe de badgeiser werkte.

Terwijl Elsa moeizaam de trap opging, voelde ze de meelevende blikken van de oude vrouw op zich rusten.

'Ben je bang?'

Elsa aarzelde, maar toen knikte ze. Ja, ze was bang. Niet zozeer voor de bevalling als wel voor wat daarna kwam. Het was meer dan gewone angst. Ze kon het gevoel slecht omschrijven omdat het zo ongrijpbaar was. Het leek Elsa of er een zwarte muur voor haar opdoemde, die alles wat daarachter zat, verborg.

In het warme water ontspande ze zich een beetje. Haar blikken gingen over de vloeiende vormen van de mozaïeken, die de ruimte om haar heen met lichtende beelden schenen te vullen. En na een poosje voelde ze zich in slaap gesust, alsof een onzichtbare macht haar het rijk van Neptunus binnen had getrokken, waar ze niets anders was dan een visje in een grote zwerm.

Half soezend en dromend streek ze met haar handen over haar buik, om daar waar de huid dun en gespannen was het zachte geduw van haar baby te voelen.

Toen hoorde ze opeens tumult buiten de badkamer. Er klonk geschreeuw vanuit de hal. Mannenstemmen waren te horen en toen klonk de klagende gil van een vrouw. Ongerust kwam Elsa uit het bad en greep naar een handdoek. In de beslagen spiegel zag haar lichaam er niet uit als een visje, maar als een enorme zeekoe. Iets wat Elsa ondanks haar ongerustheid met een zekere hilariteit opmerkte.

Op de gang kwamen haastige voetstappen dichterbij en even later werd er geklopt.

'Elsa!' riep Henry dringend. 'Kom!'

'Wat is er?' vroeg ze gealarmeerd, maar er kwam geen antwoord. Haastig droogde ze zich af en kleedde zich aan. Met één hand ondersteunde ze haar zware buik, terwijl ze zo snel mogelijk naar beneden ging.

Onder aan de trap stond Henry op haar te wachten. Hij pakte haar arm stevig vast, alsof hij haar voor omvallen moest behoeden.

De oploop die in de hal ontstaan was, herinnerde Elsa aan de dag dat Francesco was teruggekomen.

Toen had ze alleen gehoord dat de vermiste zoon weer terug was, en vol blijdschap was ze meteen naar Sophia gerend om haar met het heerlijke nieuws uit haar kamer te lokken – zonder te vermoeden dat de Francesco van vroeger er niet meer was. Had ze toen nog maar even gewacht en hem beter bekeken! Dan had ze Sophia tenminste de ergste schok kunnen besparen! Elsa verweet zich dat nog steeds, en toen ze die mensenmassa zag, wist ze opeens zeker dat zíj deze keer degene was die een slag van het noodlot te verwerken zou krijgen. Waarom had Henry haar anders uit bad gehaald? De jonge Engelsman pakte haar nog steviger vast en schoof met zijn vrije hand Fernanda en Renata opzij, om Elsa een blik te gunnen op de vrouw die door Rosalia en Margherita ondersteund werd en met bloeddoorlopen ogen naar Elsa keek.

Ik ken haar niet, was de eerste gedachte die Elsa vol opluchting door het hoofd schoot. Ik heb haar nog nooit gezien!

De vreemdelinge was jong, misschien van Sophia's leeftijd. Haar haren hingen vies en plakkerig om haar gezicht en bedekten gedeeltelijk een lelijke bloeduitstorting op haar linkerwang. Onder haar oog had ze een grote snijwond. Toen het meisje haar mond opendeed, zag Elsa dat een van haar voortanden eruit geslagen was. Haar jurk was over haar borst gescheurd en tussen haar benen was de stof nat en donkergekleurd. Ontzetting en medelijden knepen Elsa's keel dicht.

'Wie heeft dat gedaan?' bracht ze er moeizaam uit.

'De Duitsers,' zei het meisje onduidelijk.

'Zien jullie niet wat er met haar aan de hand is?' riep Elsa uit. 'Iemand moet...'

Renata onderbrak haar zacht. 'Vascari is Sophia al gaan halen.'

Elsa staarde het meisje hulpeloos aan. Ze was vreselijk toegetakeld. Ze was verkracht en mishandeld, dat was duidelijk. Waarom stond ze dan nog hier? Waarom had niemand haar op een bed gelegd of haar naar de polikliniek gebracht?

Margherita pakte de schouders van het meisje. 'Ze wil met je praten. Ze wil je iets vertellen.'

'Ik ben Luciana,' begon het meisje. 'Ik ken je zoon heel goed. We zijn... Ach, dat maakt nu niets meer uit.' Ze hief haar hand op en veegde bloed, zweet en tranen van haar gezicht, tot de snijwond weer openging en er vers bloed uitstroomde. Toen deed het meisje haar jurk open en trok een bloederig verband van haar rechterborst.

De twee oude vrouwen kreunden ontzet en Fernanda liet een onderdrukte snik horen. Degene die het meisje had overweldigd, was ongelofelijk wreed geweest. Haar rechterborst was gewoon afgesneden.

'Dat hebben de Duitsers gedaan toen ik voor Antonio kwam pleiten.'

Ze moest het meisje zijn dat een kind van Antonio had gekregen, ging het door Elsa heen, voordat de betekenis van de woorden helemaal tot haar doordrong.

'Hoezo... voor hem pleiten?' Ze voelde het bloed uit haar hoofd wegtrekken en naar haar hart stromen. Als Henry haar niet stevig vast had gehad, zou ze zijn gevallen.

Luciana's lippen trilden en er stroomden tranen over haar geschonden gezicht. 'Weet je niet dat hij al maanden in de gevangenis zit?' Elsa schudde haar hoofd en staarde vol afgrijzen naar het bloedige gat in het bovenlichaam van het meisje.

'Ze hebben je man pas laten gaan toen ze Antonio hadden.' Haar blik werd donker van haat toen ze Elsa's ronde buik zag.

'En die twee laten je toch helemaal koud, hè? Antonio heeft me alles verteld.'

Haar ogen flitsten woedend. Op dat moment kwam Sophia haastig de hal in. Het operatieschort dat ze droeg, zat helemaal onder het bloed en haar handen en onderarmen waren bruingekleurd door het desinfecterende middel.

'Luciana, mijn god, wat...'

'Hij zit in de gevangenis, omdat hij op die Duitser heeft geschoten.' Luciana trok zich los van Margherita en Rosalia en wees met uitgestrekte arm naar Sophia. 'Op jóuw Duitse man! Die is de schuld van alles! Was hij maar nooit hier naartoe gekomen!' Luciana's energie was op, ze zakte uitgeput tegen de muur.

'Wat is er met Antonio?' riep Elsa uit. Ze had een vreselijk voorgevoel.

Luciana staarde haar aan met een mengsel van uitdagendheid en onnoemelijk verdriet. 'Morgenvroeg wordt hij opgehangen.'

Sophia verzorgde het meisje zo goed ze kon. Luciana was op een erg brute manier verkracht. Het was niet de eerste keer dat Sophia dit soort verwondingen zag. De laatste maanden waren er af en toe vrouwen naar La Befana gekomen die iets dergelijks hadden, maar geen van hen was op deze mensonterende manier verminkt geweest. 'Hoeveel waren het er?' vroeg Sophia, terwijl ze voorzichtig de wonden bij de schaamlippen en anus van het meisje schoonmaakte en desinfecteerde.

'Vijf. Of zes. Ik weet het niet meer. Tussendoor was ik steeds weer bewusteloos.' Luciana hield haar gezicht afgewend. Ze huilde. 'Een van hen... Hij was het ergste. Hij keek alleen maar toe, terwijl de anderen steeds en steeds weer...' Luciana's stem stokte, toen ging ze moeizaam verder: 'En de hele tijd lachte hij. Daarna...' Luciana snikte en stopte.

Sophia pakte bemoedigend haar hand. 'Ga verder.'

'Hij pakte een mes en heeft...' Luciana trok haar hand los en streek trillend over haar buik en naar boven tot onder haar verminkte borst. 'Hij heeft dit hier gedaan.'

'Weet je zijn naam?'

Luciana schudde haar hoofd. 'Ik heb alleen zijn gezicht gezien. Hij zag er zo vriendelijk uit, zo betrouwbaar, haast als een jongen. Dat lachje... Hij is een duivel.'

'En daarna ben je de hele weg hier naar boven gelopen?'

'Wat moest ik dan doen? Ik moest Antonio toch helpen! Behalve mij heeft hij niemand meer!'

'Je houdt veel van hem, hè? Hadden jullie contact voordat hij gearresteerd werd? Hebben jullie elkaar vaker gezien?'

Luciana knikte zwijgend, hetzelfde antwoord op alle drie de vragen. Toen ze Sophia weer aankeek, was de smekende vraag al in haar ogen te lezen voor ze hem uitsprak.

'Wilt u hem helpen?'

Sophia zuchtte. 'Natuurlijk zal ik het proberen, maar...'

'Als u met die mensen wilt gaan praten,' viel Luciana haar in de rede. Ze kreunde zacht toen Sophia een verband over haar borst aanbracht.

'Als ik maar niet zwanger ben...'

'Dan kom je naar mij. Ik zal je helpen.'

'Ik ga liever dood dan een kind van dat monster te krijgen.'

345

'Dat hoeft niet.' Sophia had sinds Kerstmis al twee vrouwen naar een dokter in Florence gestuurd, wiens adres ze van Giovanni had gekregen.

Luciana deed haar ogen dicht. 'Toen... mijn zoon, die dood geboren werd... van hem hield ik.'

Net als van zijn vader, voegde Sophia er in gedachten aan toe. Ze dacht terug aan het lieve, jonge meisje dat bijna twee jaar geleden op haar hoge hakken de cipressenlaan op kwam om haar liefste op te zoeken.

'Je zou een goede moeder zijn geworden,' zei ze zacht.

'Ik moet u nog bedanken.'

'Waarvoor?'

'U heeft er toen voor gezorgd dat mijn zoon een christelijke begrafenis kreeg.'

'Dat was geen enkel probleem. Monsignore Petruccio is een goede priester. Hij had er geen bezwaar tegen.'

'Maar toch. U heeft er moeite voor gedaan. Dat is al meer dan veel anderen gedaan zouden hebben. Bedankt.' Luciana haalde diep adem en ging verder: 'Het spijt me trouwens wat ik over uw man heb gezegd.'

'Het is al goed.'

Luciana stak haar hand uit en raakte voorzichtig Sophia's buik aan. 'Verheugt u zich op de baby?'

'Ja, heel erg.' Het was eruit voor Sophia erover had nagedacht. Verrast besefte ze dat het waar was. Ja, ze verheugde zich meer dan ooit op haar baby! Ondanks alle angst en zorgen kon ze nauwelijks wachten tot ze haar baby in haar armen kon houden! Plotseling welde er een golf hoop in haar op, en toen het kind precies op dat moment zijn aanwezigheid kenbaar maakte door een flinke schop, kon ze wel juichen.

Maar tegelijkertijd moest ze erkennen hoe onverbiddelijk en onrechtvaardig het noodlot kon zijn. Terwijl zij zich dolgelukkig voelde bij de gedachte een baby te krijgen, bracht diezelfde gedachte Luciana tot wanhoop.

'Je krijgt vast wel andere kinderen waar je van zult houden.'

Luciana's schouderophalen zei dat ze zich niet getroost voelde.

Sophia gaf Luciana iets tegen de pijn en zei dat ze uit moest rusten. Ze had het meisje in de kamer van de twee oude zusters ondergebracht. De polikliniek was overvol, hoofdzakelijk met gewonde mannen. Het was Sophia niet ontgaan dat Luciana voor elk mannelijk wezen terugdeinsde. Ze had zich ook niet door Vascari willen laten aanraken, toen hij haar naar boven wilde dragen.

Sophia zag haar tocht naar Chiusi vol zorgen tegemoet. Natuurlijk zou ze proberen iets voor Antonio te doen, dat was wel zeker. Ze kon het meisje onmogelijk uitleggen waarom. Het hing ermee samen dat ze Antonio al vanaf haar kinderjaren kende. Hij was de jongen met wie ze op de fiets naar het dal was gesuisd. En hij was de zoon van twee mensen die ze had leren respecteren en waar ze van hield.

In eerste instantie echter was hij een bewoner van La Befana. Hij was een man die tot het Driekoningenland behoorde en erop kon vertrouwen dat de eigenaar of eigenaresse van hèt landgoed voor hem zou zorgen.

De terechtstelling was om negen uur de volgende ochtend. Om nog iets te kunnen doen, moest ze vandaag nog voor het donker werd naar Chiusi rijden. Ze had Vascari opgedragen om vijf uur klaar te staan met de koets. Hoewel het duidelijk aan hem te zien was hoezeer het hem tegenstond, had hij geen bezwaar gemaakt. Dat was anders met Josefa. De kokkin beschreef Sophia met sombere stem wat er allemaal onderweg naar en in Chiusi kon gebeuren. Ze begon met bombardementen onderweg en eindigde met wat Luciana was overkomen.

Ook Benedetta maakte zich zorgen. 'Het is erg gevaarlijk. Al die vliegtuigen... Je weet toch dat ze schieten op alles wat beweegt.'

'Ik moet het toch proberen.'

Benedetta bekeek haar vriendin, die voor deze officiële gelegenheid haar beste positiejurk had aangetrokken. 'Ben je niet bang?'

'Jawel. Heel erg zelfs.' Het kwam er schertsend uit, maar Benedetta zag dat ze het meende.

'Je kunt het nauwelijks aan je zien.'

'Dat is ook de bedoeling.' Sophia greep haar hoed en maakte hem met twee spelden vast. 'Zo, nu zie ik er deugdzaam uit, hè? Dat zou Signora Bartolini vast bevallen. Weet je nog dat ze altijd schold op onze zijden kousen?'

Benedetta bekeek haar peinzend. 'Dat is iets wat je niet op een kloosterschool leert, hè?'

'Er deugdzaam uitzien?' Sophia grijnsde. 'Waarom hebben wij tweeën ons anders al die jaren op het lyceum door de nonnen laten koeioneren, als we niet in elk geval de schijn van deugdzaamheid kunnen wekken?'

'Dat bedoel ik niet, en dat weet je best. Ik heb het over hoe je dit alles hier leidt.' Benedetta maakte een gebaar waarmee ze het landgoed en alle mensen die erop woonden, bedoelde. 'Je bent zo... moedig. Zo sterk. Zo onzelfzuchtig.'

Sophia's lachje verdween. 'Dat lijkt misschien zo voor jou en de anderen, maar ik word door dezelfde zorgen en angsten geplaagd als jullie.'

'Dat kan ik haast niet geloven.'

'Geloof het of niet, maar het is zo dat ik heel vaak weg zou willen lopen naar een plek waar ik voor niemand verantwoordelijk ben.'

'We maken het je wel moeilijk, hè?'

'Nee,' zei Sophia heftig. 'Integendeel! Jullie helpen me allemaal zoveel jullie kunnen. Iedereen geeft alles wat hij heeft. Neem Henry. Hij is eigenlijk nog maar een jongen, en toch werkt hij dag en nacht in de polikliniek. In zijn vrije tijd helpt hij Elsa, en dat alles ondanks de angst dat hij door de militie of de Duitsers ontdekt en gearresteerd zal worden. Of Vascari. Ik ken bijna niemand die moediger en onbaatzuchtiger is dan hij. Elke tocht kan hij gedood worden, en toch trekt hij er elke week weer op uit om eten en andere dingen die we nodig hebben, te gaan halen. Hij hóéft het, net als ik, niet te doen. Maar hij doet het wel. En dan Josefa. Ze is een oude draak, maar ze staat van vroeg tot laat in de keuken, hoewel ze al bijna zeventig is en een slechte rug heeft. Je hoort haar over alles en iedereen klagen, maar nooit over haar rug. En dat is het enige waar ze echt last van heeft. Maar daar zegt ze niks over, omdat ze haar werk heel serieus neemt. Ze zou zonder aarzelen haar leven voor me geven als ze me daarmee kon helpen. Of denk eens aan Rosalia en Margherita. Die hebben nooit in hun leven lichamelijke arbeid hoeven doen, maar nu zitten ze elke dag in de keuken rapen en kool schoon te maken. Ze hebben alle reden om woedend en verdrietig te zijn, maar ze pakken elke gelegenheid aan om anderen op te monteren en te helpen waar ze kunnen. En jij dan, Benedetta. Wat zou er van Francesco worden als jij niet elke dag voor hem zorgde!'

'Dat doe ik toch alleen, omdat ik...' Benedetta zweeg en kreeg een kleur.

Sophia knikte. 'We doen het allemaal om dezelfde reden, Benedetta. Omdat het het enige is wat ons overeind houdt. Hoe zouden we anders verder moeten? Hoe konden we het anders doorstaan? Met onbaatzuchtigheid heeft het niets te maken, hè?'

Benedetta fronste peinzend. 'Als je het zo zegt, zou je wel eens gelijk kunnen hebben. We doen het uit liefde, en liefde is... Ze kan niet onbaatzuchtig zijn, want we houden van iemand om onszelf.'

'Ja, dat doen we,' antwoordde Sophia rustig. 'En daarom kunnen we overleven. Want alleen waar liefde is, is ook hoop. En alleen als er hoop is, willen we verder leven.'

Elsa kleedde zich met dezelfde zorg als Sophia. Ze koos haar mooiste positiejurk, een marineblauw, tentachtig gewaad met een witte kraag en zacht golvende plooien. Ze had hem tijdens haar laatste zwangerschap gedragen en om onverklaarbare redenen bewaard, net als alle andere kleren die ze gedragen had toen ze haar kinderen verwachtte.

'Ga je weg?' vroeg Salvatore. Zijn stem klonk zwak, doordat hij bijna niet meer praatte. Het was meestal ook niet nodig dat hij iets zei, want Elsa begreep hem zo ook wel. Kleine gebaren, veelzeggende blikken, zijn hoofd in een bepaalde richting gedraaid – hij kon op veel manieren met haar communiceren.

Ze boog zich over hem heen. 'Ik ga met Vascari naar Chiusi, boodschappen doen.'

'Is dat niet gevaarlijk?'

'Niet meer dan anders. Hij gaat elke week en er gebeurt nooit iets.'

'Hij is een goede rentmeester, hè?'

'Ja, dat is hij. Maar in de verste verte niet zo goed als jij.'

'Als ik me weer wat beter voel, moet ik weer gaan werken. Roberto begrijpt vast niet dat ik maar steeds op mijn stoel zit. Hij is vast al ongeduldig.'

Elsa wendde haar gezicht af om haar tranen te verbergen. De laatste weken was zijn verwardheid erger geworden.

Salvatore schraapte zijn keel en haalde diep adem na de ongewone inspanning van het praten, en Elsa merkte dat hij nog meer wilde zeggen.

'Ik wil niet zo lang nietsdoen. Het is alleen, omdat...' De schommel-stoel waar hij in zat bewoog heftig. Salvatores hand ging naar zijn pijnlijke rug, gleed toen weer terug en ging over zijn gewonde been. 'Maak je maar geen zorgen, lieverd,' zei Elsa kalmerend. Ze drukte een kus op zijn schedel. 'Ik ben gauw weer terug.'
Hij hield haar hand vast. 'Elsa?'
'Ja, Salvatore?'
Hij slikte krampachtig. 'Niks. Alleen...'
'Wat dan?'
'Ik hou zoveel van je.'
Elsa boog zich weer voorover en kuste hem op zijn mond.
'Ik ook van jou, Salvatore.'
'Heb je me vergeven, Elsa?'
Ze schrok. 'Wat dan, in 's hemelsnaam?'
'Dat ik... dat ik jullie in de weg zat.'
'Maar, Salvatore...'
'Misschien zou hij... hij zou er misschien nog zijn, als niet... Als ik niet... Weet je, ik kon niet anders. Ik hou meer van je dan van mijn leven.'
Ontzet besefte Elsa dat Salvatore zichzelf verwijten maakte.
'Alsjeblieft, ik... Je mag toch niet...' Haar hulpeloze gestamel hield op. Ze wist niet wat ze moest zeggen. Hoe kon ze verwoorden wat toch voor iedereen heel duidelijk was?
Als er iemand schuld heeft, dan alleen ik.
Als iemand zich moet verantwoorden over wat jou en ons allemaal is overkomen, dan ben ik dat.
Als er iemand straf verdient, dan alleen ik.
Die woorden wilden eruit, maar ze kon ze niet over haar lippen krijgen. Het was veel te laat. Voor alles te laat. Ze kon hem niet eens meer om vergeving vragen.
In plaats daarvan begon ze te huilen en legde haar armen om haar man.
Onbeholpen streelde hij met zijn hand over haar haren.
'Verlaat me niet, Elsa. Als je me verlaat, ben ik voor altijd verloren.'
Er steeg een snik op uit haar keel. 'God, ik...'
'Beloof het me.'
Dat was tenminste iets wat ze met een licht hart kon doen.
'Ik verlaat je niet.'

Toen Sophia op de afgesproken tijd uit het huis kwam, wachtte Vascari naast de koets – en Elsa zat bleek, maar kalm op de bok en omklemde haar handtas.

De rentmeester hield het paard bij de teugel en keek ongelukkig. 'Ik kon het niet uit haar hoofd praten.'

Sophia keek Elsa aan en zei: 'Als dat zo is, kan ik het ook niet, denk ik. Laten we maar gaan.'

Al kwamen er steeds vliegtuigen over, Sophia, Elsa en Vascari bereikten ongedeerd hun doel.

Chiusi, ooit onder de naam *Chamars* een van de machtigste Etruskische stadstaten, maar nu een dorp aan de zuidelijke rand van Toscane, was niet meer het slaperige dorpje dat Sophia kende. Overal zagen ze militaire activiteiten. Er reden legervrachtwagens door de smalle straten en op de pleinen en in de stegen waren bijna net zoveel soldaten en leden van de militie te zien als burgers.

Bij de ingang van het dorp werden ze tegengehouden door een patrouille van Italiaanse zwarthemden. Sophia toonde, na het barse bevel van een van de militieleden, het Duitse pasje waarmee Vascari wekenlang hun levensmiddelen naar La Befana had getransporteerd.

De man bekeek het pasje en maakte toen een sarcastische buiging. 'Het pasje geldt niet voor Chiusi, *Madonna*.'

Sophia bekeek hooghartig het pafferige gezicht en het dikke, in een veel te strak uniform zittende lichaam van de man.

'Mijn naam is Sophia, Lucia Carlotta di Scarlatti. Ik ben de zus van de nieuwe Marchese van La Befana.'

De militieman kneep zijn ogen samen, terwijl de man naast hem iets in zijn oor fluisterde. Toen ging de dikke onbewust in de houding staan. 'U bent Francesco's zus!' riep hij vol bewondering uit. 'We hebben gehoord wat er met uw broer is gebeurd.' Hij ging overdreven rechtop staan. 'Geen man heeft dapperder voor ons land gevochten dan hij! Breng hem alstublieft ons diepgevoelde medeleven over!' Tegen zijn kameraden zei hij: 'Laat hen passeren!'

Zo hadden dus de geruchten die door Benedetta sinds Francesco's terugkeer waren verspreid ook hun goede kanten. Inmiddels wisten alle zwarthemden dat de nieuwe Marchese bij zijn poging een onneembare machinegeweerstelling van de geallieerden in zijn eentje te overmeesteren, gewond was geraakt. Nu moest hij eerst op zijn landgoed genezen van zijn vreselijke hoofdwond, voordat hij zich weer in de strijd zou storten. De vergelijkbare versie voor het andere kamp luidde dat Francesco's heldhaftige aanval gericht was geweest tegen een luchtafweerbatterij van de Duitsers.

Die karaktertrek van Benedetta had, wat Francesco betrof, heel nieuwe dimensies gekregen. Op dat punt was ze blijkbaar vastbesloten voorzorgen te treffen voor elke denkbare afloop van de oorlog.

Sophia vroeg Vascari en Elsa voor het bureau van de commandant te wachten, maar Elsa stond erop mee te gaan. Dus bleef Vascari alleen buiten bij de koets. Het paard liet zijn hoofd hangen en brieste.

'Hij klinkt als een blaasbalg die binnenkort de geest geeft,' zei Sophia in een krampachtige poging een grapje te maken.

Elsa ging er niet op in. Ze was onnatuurlijk bleek. Er stonden kleine zweetdruppels op haar voorhoofd, maar ze hield haar hoofd opgeheven toen ze samen het lelijke, stenen gebouw in gingen, waarin zich niet alleen het politiebureau maar ook de arrestantencellen bevonden.

Achter een bureau zat een dikke, slecht geschoren *Carabiniere* te dutten. Sophia kende hem van kerkdiensten. Toen de twee vrouwen binnenkwamen, richtte hij zich op en streek door zijn haar. Hij herkende Sophia, sprong op en knalde zijn hakken tegen elkaar.

'Signorina Scarlatti!' Met een blik op haar dikke buik verbeterde hij zich snel. 'Signora.' Daarna knikte hij naar Elsa. Zijn gezicht kreeg een gekwelde uitdrukking. 'Signora Farnesi.'

'We willen mijn zoon graag zien.'

De *Carabiniere* antwoordde: 'Hij is niet hier.'

'Waar kunnen we hem dan vinden?'

'Dat kan ik niet zeggen. U moet eerst naar de commandopost van de Duitsers en daar om toestemming vragen voor een bezoek.'

'Kunt u ons zeggen waar dat is?

De kleine politieagent keek hen bedrukt aan. Hij was in de dertig, maar door zijn zorgelijke, angstige gezicht leek hij ouder. Hij zag eruit als een ongelukkige buldog.

'U moet daar niet naartoe gaan.'

'We moeten wel,' zei Elsa rustig.

Iets in haar blik bracht hem ertoe diep adem te halen en te zeggen: 'Als u wilt, breng ik u erheen.'

Hij ging hen haastig voor, een kleine, dikke gestalte met kromme benen.

Sophia knikte tegen Vascari, terwijl zij en Elsa de politieman volgden. Vascari pakte het paard bij de teugel en volgde hen in een rustig tempo.

De *Carabiniere* draaide zich tijdens het lopen naar hen om. Ademloos bracht hij uit: 'Gelooft u me, Signora, we vinden het allemaal vreselijk wat ze met Antonio van plan zijn. Monsignore Petruccio heeft al een goed woordje voor hem gedaan, maar die SS'er is koud als ijs. Hij heeft gezegd dat hij een voorbeeld moet stellen. Ze willen hem samen met twee anderen, die gisteren gepakt zijn, ophangen. Een partizanenexecutie. Dat doen ze nu overal als ze hen te pakken kunnen krijgen. Ze hangen hen op of schieten hen dood, net waar ze zin in hebben.' Hij sloeg een kruis. 'Er wordt gezegd dat ze de mensen vreselijke dingen aandoen. Mannen en vrouwen. Die Duitsers zijn slechte mensen.'

Hij keek opeens angstig. 'Dat heeft u niet gehoord, hè?'

'Wat?' Sophia hield zich van den domme en de dikke man snoof opgelucht. Hij trok een enorme, geruite zakdoek tevoorschijn en veegde zijn voorhoofd af. Met zijn andere hand wees hij naar een gele, zandstenen villa midden in een verwilderde rozentuin. 'Hier zijn de Duitse officieren ingetrokken.' Achteruitlopend ging hij een paar stappen terug, toen draaide hij zich plotseling om en ging dezelfde weg terug die ze gekomen waren. 'Ik heb helaas geen tijd op u te wachten,' riep hij over zijn schouder. Hij was daarbij bijna tegen Vascari aangebotst, die net de hoek om kwam. Hij ging langzamer lopen en zei tegen Vascari: 'Pas goed op die twee.' Toen ging hij er als een haas vandoor. Het volgende moment was hij om een bocht verdwenen.

26

Op hun kloppen deed een onderofficier van de SS de deur zo snel open dat het leek of hij al op hen stond te wachten.

Sophia stelde zich beleefd voor en vroeg of hij Italiaans sprak. Hij bekeek haar dikke buik met opgetrokken wenkbrauwen en schudde zijn hoofd. Toen riep hij op barse toon iets over zijn schouder en er verscheen een mollige jongeman in een bezweet uniform. Hij droeg ook het insigne van de SS en toen hij Elsa zag, klapte hij verbaasd zijn mond dicht.

Sophia zag verschrikt dat Elsa, voorzover dat mogelijk was, nog bleker werd.

'Ken je hem?' vroeg ze zacht.

Elsa zweeg.

'Met permissie, ik ben de tolk,' zei de jongeman. Zijn Italiaans was erg goed, maar lang niet zo perfect als dat van Richard.

'We willen iemand spreken over de op handen zijnde terechtstelling. Dit is de moeder van Antonio Farnesi.'

'Nou, ik denk niet...'

'Misschien wilt u het denken overlaten aan uw meerdere,' viel Sophia hem koeltjes in de rede. Haar toon miste zijn uitwerking niet.

De jonge tolk hoestte even, toen wierp hij Elsa een schuine blik toe. 'Dan wilt u zeker naar Obersturmbannführer Schlehdorff. Wacht u maar even in de hal.'

Ze volgden hem de hal in. Het koele, grijze marmer van de tegels galmde onder hun voetstappen. De tolk opende een deur en ging naar binnen. Terwijl hij daar gedempt met iemand in het Duits sprak, fluisterde Sophia: 'Ken je hem? Wie was dat?'

'Gewoon iemand die toevallig Italiaans spreekt,' zei ze toonloos. Toen verscheen de tolk weer en hij gebaarde hen binnen te komen. De salon waar ze zich in bevonden was duur ingericht, met oude gobelins aan de muren, kostbare, Perzische tapijten en donker glanzende, mahoniehouten meubels. Er stond een man op uit de leunstoel voor de open haard en kwam op hen toe.

'Dames,' zei hij in gebroken Italiaans. Hij boog zich over Sophia's hand en maakte een soort buiging. Zijn brede lach deed Sophia om onverklaarbare redenen huiveren.

De tolk stelde hen aan elkaar voor.

'Obersturmbannführer Schlehdorff. Mevrouw Farnesi en mevrouw... hmm...

'Kroner,' zei Sophia weloverwogen. 'Ik ben met een Duitse kapitein getrouwd.'

De tolk vertaalde het bijna gelijktijdig.

'Echt waar?' Schlehdorffs lach ging over in een starre, duivelse grijns. Zijn blik gleed over haar buik en toen over haar ringvinger. 'Nee maar. Die dekselse kerel.'

De tolk vertaalde het mompelend met een onverstaanbaar woord, zodat Sophia er niet op in kon gaan. Ze kwam meteen ter zake. Rustig sprak ze tegen de Duitser over de op handen zijnde terechtstelling.

Schlehdorff hoorde haar pleidooi met een vriendelijk gezicht aan. Hij knikte veelbetekenend. 'Ja, ja, wat een vreselijke zaak. Ik moet zeggen dat we machteloos zijn tegen de hardheid van deze oorlog.'

'Als ik goed geïnformeerd ben, heeft u de terechtstelling bevolen, meneer Schlehdorff.'

Schlehdorff deed verontwaardigd. 'Ik? Hoezo dan? Zie ik eruit als een monster? Nee, ik volg alleen de bevelen van de generale staf, net als alle soldaten.'

'In naam van mijn man en de familie Farnesi wil ik u dringend verzoeken om u in te zetten voor Antonio. Het is toch haast nog een jongen, en wat hij heeft gedaan, kan toch niet zo erg zijn dat hij ervoor moet sterven!'

Sophia kon niet verhinderen dat haar stem steeds harder werd. Ze kreeg de indruk dat er hier iets vreselijk fout ging. Deze slanke, elegante officier met die kaarsrechte scheiding in zijn haar en zijn perfect zittende uniform maakte op het eerste gezicht een indruk van integriteit en correctheid, maar zijn doordringende blik deed haar denken aan de starre, dode ogen van een reptiel.

Elsa deed een stap naar hem toe. 'Ik ben zijn moeder.' Haar stem trilde. Ze nam haar hoed af en haar donkerblonde haar viel naar voren toen ze op haar knieën zakte. 'Ik smeek u om zijn leven te sparen.'

Sophia greep haar schouders. 'Elsa, niet...'

'Alstublieft,' fluisterde Elsa. 'Alstublieft, heb medelijden. In godsnaam, dood mijn jongen niet.'

De tolk vertaalde het met een stoïcijns gezicht.

Schlehdorff schudde verbijsterd zijn hoofd. 'Maar mevrouwtje, hoe kunt u zoiets van me denken! Ik ben toch ook maar een mens! En windt u zich alstublieft niet zo op. Denk aan uw precaire toestand. Staat u toch in 's hemelsnaam weer op. Kom.'

Terwijl de tolk het vertaalde, stak Schlehdorff zijn hand uit om Elsa omhoog te helpen. Maar ze ontweek hem en kwam zelf overeind.

Schlehdorff keek haar vol medelijden aan. 'Natuurlijk zal ik proberen te helpen. Ik zal zien wat ik kan doen. Misschien kan ik voor morgenochtend nog iets voor elkaar krijgen.'

Nadat de tolk het met een gewichtig gezicht had vertaald, stortte Elsa in. Haar gestamelde dankbetuigingen kwamen er onder hevig gesnik uit.

'God zij met u. De Heer zegene u daarvoor.'

'Vast niet,' zei Schlehdorff.

Iets aan zijn houding en toon maakte Sophia wantrouwig. 'Wat gaat u nu doen?'

'Met de verantwoordelijken over de zaak praten en me sterk maken voor gratie.'

'Wanneer kunt u ons er iets over zeggen?'

'Helaas niet voor morgenochtend. Laten we zeggen – om halfnegen? Komt u dan terug, dan hoort u of het me gelukt is.'

Er kroop een koude rilling over Sophia's rug. Een halfuur voor de terechtstelling!

'Mogen we vandaag nog naar hem toe?'

'Natuurlijk,' zei Schlehdorff vriendelijk. Hij beval de tolk de dames naar de veroordeelde te brengen.

'Tot ziens,' zei Sophia.

'Arrivederci,' antwoordde hij.

Sophia voelde zijn ogen op haar rug toen de tolk haar en Elsa naar buiten begeleidde. De onderofficier die de voordeur voor hen had opengedaan, ging ook met hen mee.

Elsa huilde nog stilletjes en mompelde fragmenten van gebeden. Ze hield haar handtas omklemd en drukte haar vrije hand tegen haar buik. Sophia voelde zich, ondanks de belofte van de officier, vervuld van een knagende angst.

De cellen waren ondergebracht in een klein, triest gebouw twee straten verderop. De ruimte voor de cellen was karig gemeubileerd met twee stoelen en een tafel vol houtworm. Tegen de muur stond een gammele bank, waarop een paar verfomfaaide militaire tijdschriften lagen. De bewaking bestond uit één enkele, grimmig kijkende zwarthemd met een SS-embleem op zijn overhemd. Hij salueerde stram met de Hitlergroet toen de onderofficier binnenkwam.

'Bezoek voor de veroordeelde Farnesi,' zei de tolk verveeld.

De militieman deed omslachtig de deur van het slot en ze kwamen in een kleine, vensterloze cel van nauwelijks twee bij twee meter. De cel werd gebrekkig verlicht door de elektrische lamp uit de gang.

Sophia staarde naar de man die moeizaam van het metalen bed opstond. Als ze niet had geweten dat het Antonio was, had ze hem niet herkend. Zijn hoofd was kaalgeschoren. Bloedige sneden bedekten zijn handen en ook zijn gezicht zat vol nieuwe en slecht genezen zweren. Zijn ogen lagen diep in hun kassen en hij was zo vermagerd dat hij onherkenbaar was. De gevangeniskleding slobberde om zijn lichaam en hij moest zijn veel te wijde broek met twee handen vasthouden, toen hij naar Elsa toe slofte.

Hij zei maar één woord.

'Mama.'

Het kwam er krakend uit, bijna onhoorbaar.

Elsa sloeg krachtig haar armen om hem heen, alsof ze hem zo kon beschermen tegen alle kwaad. Al haar angst, haar eenzaamheid en wanhoop kwamen in die omarming tot uitdrukking. Praten kon ze niet. Ze huilde nu ongeremd en ook Sophia kon niet verhinderen dat de tranen over haar wangen stroomden.

'Antonio,' stamelde ze. 'Hoe gaat het?'

Maar hij reageerde niet op haar vraag. Hij had zijn armen om zijn moeder geslagen en huilde.

Sophia bedacht dat ze beter kon gaan en ze trok zich uit de cel terug om Elsa met haar zoon alleen te laten. Door het kleine, getraliede raam in de deur was het gemompel en onderdrukte snikken van Elsa te horen en tussendoor het rauwe huilen van Antonio.

'Wat hebben jullie met hem gedaan?' vroeg Sophia verbitterd aan de militieman.

Die haalde alleen zijn schouders op. 'Niks. Hij heeft vlooien, daarom ziet hij er zo slecht uit. Maar ja, we hebben ze allemaal.'

Als bewijs krabde hij zich grijnzend onder zijn rechterarm. Sophia draaide zich woedend om.

De onderofficier was op de bank gaan zitten en bladerde in een tijdschrift. Hij hief zijn hoofd op en zei iets. De tolk, die tegen de muur leunde, knikte en keek op zijn horloge.

'Nog vijf minuten,' zei hij tegen Sophia. 'Dan moet u weer gaan. Dat zijn de regels.'

'Wat gaat er nu gebeuren?' wilde Sophia weten. 'Tot wie moet de Obersturmbannführer zich wenden voor gratie?'

'Tot zijn meerdere, denk ik,' zei de tolk effen.

Na afloop van de toegestane bezoektijd beval hij Elsa de cel te verlaten. Ze zat naast Antonio op de brits en hield zijn hand vast. 'Het komt wel goed,' zei ze sussend. 'Je komt vrij.'

'Ik wil graag een priester spreken. Laat niet toe dat ze me zonder sacramenten ophangen.'

'Je wordt niet opgehangen,' riep Elsa uit. Moeizaam kwam ze overeind en legde haar hand op zijn schouder. 'Je komt weer thuis.'

De onderofficier blafte een bevel.

'De tijd is om,' maande de tolk met groeiend ongeduld.

'Morgen neem ik je mee naar huis,' fluisterde Elsa haar zoon bij het afscheid toe.

Sophia gaf Antonio een hand en keek hem aan. 'Tot ziens, mijn vriend.'

Hij keek haar nadrukkelijk aan en draaide zich toen om, waarbij hij zijn krachteloze, koude hand uit de hare trok. 'Denk aan de priester.'

'Hij komt vandaag nog.'
Hij staarde naar de raamloze muur. 'Beloof je dat?'
'Ik beloof het.'
Omdat Elsa nauwelijks meer op haar benen kon staan, nam Vascari op verzoek van Sophia twee kamers in een pension in het dorp, terwijl zijzelf naar de pastorie ging om met Monsignore Petruccio te praten. Hij was een kleine man van rond de zeventig met een sneeuwwitte krans haar om een kale schedel. Zo had hij er al uitgezien toen ze nog een kind was, alleen was de krans haar toen donker geweest.

Hij zei rustig dat hij al naar de drie veroordeelden toe was geweest, maar dat men hem niet toestond hun de biecht af te nemen.
'Wie stond dat niet toe?'
'Die SS-man met die vreselijke ogen.'
'Schlehdorff?'
'Dat is zijn naam.'
Sophia stond erop dat hij meteen met haar meeging. Die militieman zou ze wel zover krijgen. Met haar hand tastte ze onder de kraag van haar jas tot ze de ketting voelde die ze om haar hals had. De fascist bekeek het sieraad van haar moeder begerig. Ze wilde het hem geven als hij de priester bij Antonio liet.

Hij hield de robijnen tegen het licht en wreef er met zijn vingers over. Toen liet hij de ketting snel in zijn broekzak verdwijnen en wenkte de Monsignore kortaf naar de cel. Sophia wachtte op straat tot de priester weer naar buiten kwam, zijn ogen neergeslagen, zijn mond tot een bittere streep samengeknepen.
'Heeft hij...' Sophia stopte, omdat ze niet goed wist hoe ze de vraag moest formuleren.
'Een beetje vrede gevonden?' De priester haalde zijn schouders op en sloeg toen zijn armen over elkaar, terwijl hij met golvende soutane naast haar liep. 'Ik hoop het.'
Zijn hakken klikten op de stenen. Hij had zichtbaar moeite zijn zelfbeheersing te bewaren. Zijn gezicht vertrok. 'Het is moeilijk vergeving te oefenen, hè?'
'Ik probeer het niet eens meer,' bekende Sophia grimmig. 'Ik zie alleen dat drie jonge mannen opgehangen zullen worden. En dat zonder proces. Op grond van absurde Duitse oorlogswetten, die alle denkbare gruwelijkheden toestaan.'

Monsignore Petruccio knikte heftig. Hij was het helemaal met haar eens. 'Ik verlang zo naar vergelding! Maar hoe is dat met mijn christelijke geloof te verenigen?' Hij stompte met zijn vuist in de palm van zijn andere hand. 'Mij is de wraak, Ik wil vergelden, zo spreekt de Heer.' Hij draaide zijn ontdane gezicht naar Sophia. 'Moge Hij zijn toorn spoedig over hen heen laten komen!' Hij gaf haar ten afscheid een hand. 'Ik wens je al het goede, mijn kind.'

'Wilt u voor de doop naar het landgoed komen?'

'Voor niets ter wereld zou ik dat willen missen. Het zal de derde generatie zijn die ik op La Befana doop.' Plotseling lachte hij dromerig. 'De Marchese en zijn broer – de tweeling was pas mijn tweede doop. Ik weet nog hoe vreselijk zenuwachtig ik toen was. Ik kon er haast niet tegen die arme wurmpjes te horen huilen. Ik dacht dat het mijn schuld was. Nu is het het mooist wat ik maar kan bedenken. Een luide schreeuw, ter ere van de schepper – het is als een prachtige begroeting.'

'Zo zie ik het ook,' lachte Sophia.

Ze keek hem na toen hij met gebogen hoofd in de richting van de pastorie liep, een kleine, oude man die de wraak Gods over zijn vijanden afriep.

Vascari wachtte in de gastenkamer van het kleine pension op Sophia.

'Hoe gaat het met Elsa?' vroeg ze hem.

'Het heeft haar erg aangegrepen. Ze is gaan rusten.'

'Hoe zijn de kamers?'

Hij haalde zijn schouders op. 'Schoon.'

Sophia liet zich in een van de versleten stoelen vallen. Ze was ook uitgeput. De pensionhoudster, een zwijgzame, magere vrouw van ondefinieerbare leeftijd, bracht hun een fles wijn, ingemaakte olijven en een paar sneden oudbakken brood. Sophia bedankte haar beleefd en wenste haar welterusten.

'Wat denkt u van de hele zaak?' vroeg Vascari, terwijl hij twee glazen wijn inschonk.

Sophia sloeg haar benen over elkaar en masseerde haar pijnlijke onderbenen. 'Ik vrees het ergste. Ik vertrouw die SS'er niet. Ik vermoed dat hij een spelletje met ons speelt.'

Vascari knikte zorgelijk. Hij kauwde op een olijf en spoelde hem met een slok wijn weg. 'We moeten bedenken wat we zullen doen als...' Hij stopte, niet in staat het onvoorstelbare uit te spreken.

Sophia schudde haar hoofd. 'Wat er ook gebeurt – ze zal hier niet weg willen.'

'Daar was ik ook al bang voor.' Vascari gaf haar glas wijn aan. 'Hij is een beetje muf, maar wel lekker. Drink wat, dan kunt u beter slapen.'

Maar 's nachts werd Sophia steeds weer wakker. Ze luisterde naar de ongewone geluiden, het kraken van de balken van de zolderkamer waarin zij en Elsa waren ondergebracht, het doffe geluid van een losse plank, het onderdrukte gekreun dat af en toe uit Elsa's richting kwam.

Haar baby was druk en wilde niet rustig worden. Ze legde haar vlakke hand op haar buik en vroeg zich af waar Richard op dat moment zou zijn. Zou hij ook aan haar denken?

In de duisternis zei Sophia tegen zichzelf dat ze zich vergist had, dat haar wantrouwen tegen de SS'er niet terecht was. Elsa was zo vol hoop en dankbaarheid en geloofde dat alles goed zou komen. Sophia had het niet over haar hart kunnen krijgen over haar twijfels te praten.

De volgende morgen waren ze allemaal te zenuwachtig om te kunnen ontbijten. Ze lieten het brood en de droog uitziende kaas staan en dronken alleen een paar koppen gerstekoffie.

Elsa had zich net zo zorgvuldig aangekleed en gekapt als de dag ervoor, hoewel ze slechts aangewezen was op de paar spullen die in haar handtas zaten. In de kleine slaapkamer was geen spiegel, maar ze had op een ontroerende manier haar best gedaan haar haren glad te strijken en in een knot in haar nek te leggen. Toen Sophia toekeek, was ze bijna in tranen uitgebarsten.

Om halfacht zei Elsa: 'Het wordt tijd.'

'Hij zei dat hij ons niet voor halfnegen iets kon vertellen.'

Elsa besteedde geen aandacht aan Sophia's opmerking. 'Ik ga mijn jas en tas halen.'

Vascari wachtte tot ze weg was, voordat hij bedrukt zei: 'Ik wilde dat deze dag al voorbij was.'

Precies om acht uur stonden ze met z'n drieën voor de villa. De pensionhoudster had hun verteld dat het huis van een joodse zakenman was, die al maanden geleden naar het buitenland was vertrokken – een van de weinigen die het gelukt was zich op tijd in veiligheid te brengen.

Ze klopten, maar er deed niemand open. Elsa bonkte met groeiende nervositeit op de deur.

'Hij heeft het beloofd,' fluisterde ze met bleke lippen. 'Hij heeft het beloofd!'

Eindelijk hoorden ze voetstappen en de tolk deed open. Hij had ongekamde haren en het zag ernaar uit dat hij zich haastig had aangekleed. Zijn uniformjasje was scheef dichtgeknoopt en zijn kraag zat gekreukt.

'U bent vroeg.'

'Het gaat om het leven van mijn zoon,' riep Elsa uit.

'De Obersturmbannführer vraagt of u buiten wilt wachten,' zei de tolk met een effen gezicht. 'Hij is nog bezig en zal u straks ontvangen.'

Sophia en Vascari wisselden heimelijke blikken.

Elsa liep heen en weer op straat. Af en toe kreunde ze ingehouden. Ze was net zo wit als de kraag van haar jurk. Onder haar ogen lagen diepe schaduwen en er stond zweet op haar voorhoofd.

Na tien minuten hield ze het niet meer uit. Ze bleef abrupt staan. 'Hij heeft het beloofd,' zei ze toonloos. 'Hij heeft het beloofd.'

'Ja, dat is zo,' zei Sophia vol onbehagen.

'Maar hoe kan ik hem geloven als ik met eigen ogen heb gezien wat hij mensen kan aandoen?'

'Wat bedoel je daarmee?' vroeg Sophia verschrikt.

Elsa veegde haar bezwete handpalmen aan haar jas af en begon weer te ijsberen.

'Hij was op La Befana. Toen je vader... Toen hij die hartaanval kreeg.'

'Bedoel je dat Schlehdorff de leiding had bij de huiszoeking op het landgoed? Was híj dat?'

'Hij heeft Salvatore gearresteerd. Hij heeft Roberto als een zak zand op die vrachtwagen laten gooien.'

Sophia voelde zich verdoofd. Ze draaide zich om naar Vascari, die

362

haar sprakeloos aanstaarde. Hulpeloos en met afhangende schouders stond hij daar, terwijl Sophia zich weer naar Elsa omdraaide.

'En je gelóófde hem?'

Elsa keek haar met lege ogen aan en Sophia begreep onmiddellijk de verschrikkelijke waarheid. Elsa had die man nog minder geloofd dan zijzelf. Maar ze had zich vastgeklampt aan het enige wat in haar situatie nog over was: aan een nietig, irrationeel spoortje hoop dat hij na haar smeekbede toch nog medelijden zou krijgen. Maar wanneer had de duivel ooit medelijden getoond?

Opeens wist Sophia zonder enige twijfel dat Schlehdorff ook degene was geweest die Luciana met het mes had verwond. *Hij zag er zo vriendelijk uit, zo betrouwbaar, haast als een jongen. Dat lachje... Hij is een duivel!* Zonder erbij na te denken, liep Sophia terug naar de deur en bonkte erop tot haar hand pijn deed. Maar er deed niemand open. Toen ze zich omdraaide, zag ze in Vascari's ogen dezelfde troosteloze zekerheid die ze ook voelde.

'Elsa,' stamelde ze.

Elsa sloeg haar handen voor haar gezicht en stootte een hoge gil uit. Toen liet ze haar handtas vallen en begon moeizaam de straat uit te lopen. Sophia en Vascari volgden haar. Ze probeerden haar niet tegen te houden. Ze wisten waar ze naartoe ging.

Een paar minuten laten hadden ze het dorpsplein bereikt, waar hun een nachtmerrieachtig schouwspel wachtte.

In het midden was een galgconstructie opgericht, waar zwijgende, bleke mensen omheen stonden. Onder hen was Monsignore Petruccio. Hij kwam hen tegemoet, zijn gezicht vertrokken van bittere woede. Op de achtergrond stond Schlehdorff met twee andere SS'ers en een groep zwarthemden. Alsof hij Sophia's aanwezigheid voelde, draaide hij zich naar haar om en wierp haar een speculatieve blik toe.

Sophia lette niet op hem. Haar ogen waren gericht op de drie gestaltes die aan stroppen aan een dwarsbalk hingen en op een obscene manier heen en weer zwaaiden. De veroordeelden hadden een doek om hun ogen. Het waren alledrie jonge mannen, maar Sophia herkende Antonio meteen. Hij hing in het midden. Een van zijn schoenen was afgevallen. Zijn broek was half afgezakt en liet een bleke heup vol blauwe plekken zien. Zijn hoofd hing in een onnatuurlijke hoek opzij en zijn handen, die op zijn rug waren gebonden, waren tot klauwen verstard.

'O mijn god,' riep Vascari uit.

Sophia draaide zich om en gaf over op de stenen. Uit haar ooghoeken zag ze dat Elsa bewusteloos op de grond viel. Haar lichaam zakte vreemd geluidloos in elkaar en haar hoofd botste tegen Vascari's knie. Hij probeerde haar op het laatste moment nog op te vangen.

Monsignore Petruccio sprong op hen af en hielp Vascari haar rechtop te zetten.

Haar gezicht was spierwit; haar hoofd rolde heen en weer.

'Elsa?' riep Vascari. 'Elsa!'

Sophia richtte zich op. Haar ogen keken Monsignore Petruccio vragend aan.

'Ze hebben de terechtstelling een uur vervroegd,' zei hij zacht. 'Met opzet, neem ik aan.'

Zijn blik volgde Schlehdorff die op dat moment samen met zijn mannen dichterbij kwam, en zonder te laten merken dat hij hen zag met verende tred verder liep.

Sophia spuugde naar hem en veegde toen haar mond af. De tranen liepen over haar wangen, toen ze naar Antonio's armzalige, bungelende lichaam keek.

Ik heb je niet geholpen, dacht ze versuft. Ik heb je niet geholpen! Snikkend wankelde ze naar de muur van een huis en leunde tegen het ruwe pleisterwerk. Elsa kwam kreunend weer bij. Haar handen gingen omhoog en omklemden haar lichaam.

'O nee,' zei Vascari ontzet. 'Ik geloof dat de baby komt.'

'Nog niet,' zei Elsa met een koude, toonloze stem. 'Ik breng hem eerst naar huis. Dat heb ik hem beloofd.'

Monsignore Petruccio schudde bedroefd zijn hoofd. 'De verordening luidt dat de doden vierentwintig uur moeten blijven hangen. Ter afschrikking.'

'Pater, vertel me hoe God dat kan toelaten,' fluisterde Sophia met koude lippen. Ze verwachtte half dat hij een nietszeggende opmerking zou maken, dat de wegen van God ondoorgrondelijk zijn of zoiets. Maar hij zei alleen hulpeloos: 'Ik weet het niet, kind. Ik weet het niet.'

Elsa kreeg die dag geen weeën meer en de volgende nacht ook niet. Zwijgend en met opgetrokken benen lag ze in bed in het pension en weigerde iets te eten of te drinken. Ze staarde met lege ogen voor zich uit en zei tegen niemand iets. Niet tegen Sophia, die haar vroeg mee naar huis te gaan, en ook niet tegen Vascari, die haar hand pakte en met verstikte stem beloofde dat hij Antonio naar La Befana zou brengen.

De volgende morgen spande hij het paard in en haalde het in een laken gewikkelde lichaam van Antonio op. Elsa zat stijf en met een strak gezicht naast Sophia op de bok, terwijl Vascari het paard bij de teugel voerde.

Sophia probeerde haar oren te sluiten voor het geluid dat het heen en weer rollende lichaam maakte als een wiel door een gat in de weg bonkte. Uiteindelijk hield ze het niet meer uit. Ze vroeg Vascari te stoppen, trok haar jas uit en stopte hem om de dode heen, zodat hij niet meer van zijn plaats kon.

Het weer was die dag voorjaarsachtig, maar de wind was nog fris. Sophia had het koud in haar jurk, maar het kon haar niets schelen. Opeens verbrak Elsa haar zwijgen.

'Weet je, hij heeft ons gezien,' zei ze zacht.

'Wie?' vroeg Sophia onbehaaglijk.

'Antonio. Hij heeft mij en Roberto samen gezien. Net zoals jij ons toen gezien hebt.'

Sophia bedacht terneergeslagen dat toen de hele ellende begonnen was.

'Wat maakt dat nu nog uit?' vroeg ze schouderophalend.

'In de cel hebben we erover gepraat,' zei Elsa toonloos. 'Hij haatte me daarvoor. Net als jij. Maar hij heeft het me vergeven.'

'Daar heeft hij goed aan gedaan,' zei Vascari rustig. 'In vergeving ligt kracht en waardigheid.'

Sophia wierp hem een verraste blik toe, maar hij staarde in gedachten voor zich uit, zonder het ritme van zijn stappen te veranderen. Sophia vroeg zich af of zijn laatste opmerking op haar sloeg. Ze was van Elsa gaan houden, maar de herinnering aan die nacht dat ze Elsa met haar vader in de olijfboomgaard had betrapt, deed nog steeds pijn. Ze wilde er niet aan denken, laat staan erover praten.

Elsa zweeg weer. Ze zei niets meer, maar toen ze halverwege waren, begon ze te kreunen. Eerst zachtjes, maar toen diep vanuit haar keel. Ze gooide haar hoofd achterover en beet op haar lippen. Sophia stak haar hand uit en legde hem op Elsa's gespannen lichaam.

'Het is zover, hè?'

Elsa knikte.

Sophia fronste. 'Dat was niet de eerste wee! Wanneer is het begonnen?'

'Vanmorgen na het opstaan zijn de vliezen gebroken.'

'Waarom heb je niets gezegd?' zei Sophia.

Elsa keek achterom naar haar dode zoon, het enige antwoord dat ze Sophia op die vraag wilde geven.

'We moeten ons haasten!' riep Sophia naar Vascari.

Die ging meteen sneller lopen en spoorde het oude paard tot een soort draf aan. Struikelend en met zwoegende flanken legde het op die manier een paar honderd meter af. Zijn astmatische gesnuif zorgde samen met het gebonk van het dode lichaam voor een vreselijke symfonie. Sophia's jas was losgegaan en hing half uit de koets. Er was een arm naar beneden gevallen die nu door het stof sleepte.

Ze hoorden het gebrom nog voor ze het vliegtuig konden zien. Toen was de duikbommenwerper boven hen en kwam in duikvlucht zo dichtbij dat ze de silhouetten van de piloten achter het raam konden zien.

'In dekking!' brulde Vascari.

Zijn schreeuw viel samen met de inslag van het eerste salvo, dat een spoor van op elkaar volgende explosies om de koets achterliet. Het paard werd meerdere keren in hoofd en lichaam geraakt en viel in een regen van opspattend bloed neer. Een wiel van de koets brak. De koets brak open, het lichaam viel eruit en stuiterde over de weg, waarna het bleef liggen.

Toen de bok opzij zakte, voelde Sophia dat ze door Elsa's gewicht naar beneden werd geduwd en ze probeerde haar tegen te houden. Elsa schreeuwde van de pijn en Sophia sloeg haar armen om haar logge lichaam en trok haar van de koets voor ze helemaal omvielen.

'Vito!' schreeuwde ze.

'Ik kom eraan,' antwoordde Vascari.

Hij pakte Elsa onder haar armen en probeerde haar in een greppel te trekken, toen de Engelse machine na een korte draai weer op hen afkwam en weer een salvo afvuurde. De kogels sisten in een dodelijke regen om hen heen. Sophia voelde een verzengende tocht langs haar wang en rechterarm. Ze wankelde achter Vascari aan en botste toen tegen zijn rug, omdat hij niet verderging. Voor haar ogen zakte hij langzaam door de knieën. Elsa gleed uit zijn armen en jammerde zachtjes.

Sophia struikelde en pakte Vascari's rug om haar evenwicht te bewaren. Toen ze haar handen terugtrok, zaten ze vol bloed.

'Vito?' riep ze angstig.

Zijn hoofd viel achterover en nu zag ze dat zijn halve gezicht weg was. Onder de bloederige massa zag ze het witte bot. Vol ontzetting schreeuwde Sophia het uit.

'Nee! Alsjeblieft, nee!'

Snikkend pakte ze zijn schouders en schudde hem door elkaar, alsof ze hem door pure wilskracht kon dwingen weer levend te worden. Toen ze hem weer losliet, zakte hij languit op de grond en bleef bewegingloos liggen.

Elsa schreeuwde nu zonder ophouden.

Sophia kroop om Vascari heen en greep haar hand.

'Elsa?'

Het vliegtuig krijste en bromde nog steeds als een kwaadaardig reuzeninsect boven hun hoofd. Hij draaide weer en dook op hen af. Sophia pakte Elsa en trok haar met grof geweld met zich mee. Half kruipend, half lopend bereikten ze uiteindelijk de greppel langs de weg. Sophia duwde Elsa's slappe lichaam erin, vlak naast de dikke stam van een pijnboom, en liet vervolgens zichzelf in de greppel rollen.

Ze drukte zich tegen de gebarsten boomschors en hield haar oren dicht. Huilend en schreeuwend wiegde ze heen en weer. 'Ga weg! Ga weg! Laat ons met rust!'

Het volgende salvo liet een regen van naalden, takken en schors op hen neerkomen. Toen draaide het vliegtuig dreunend weg en verdween in de verte.

27

Sophia richtte zich op en betastte haar lichaam. Op haar wangen voelde ze bloed, evenals op haar bovenarm. Ze had geen pijn, alleen een verdoofd en branderig gevoel. Ze keek naar Elsa.
'Elsa?'
Er kwam geen antwoord. Elsa bewoog zich niet. Sophia schoof het lange haar dat over Elsa's gezicht was gevallen opzij, en ademde opgelucht uit toen ze haar lippen en oogleden zag trillen. Maar toen zag ze het vele bloed op Elsa's jurk en toen ze de jurk omhoog deed, gaf ze een gil. Een helrode straal spoot schoksgewijs uit een gapende wond aan de binnenkant van Elsa's bovenbeen. Haar grote beenslagader was getroffen.
'Nee,' stamelde ze, 'nee, niet jij ook nog!'
Sophia worstelde zich zo snel ze kon uit de greppel, strompelde naar Vascari's lichaam en trok met afgewend gezicht zijn riem los. Haastig kroop ze terug en bond Elsa's been af.
Elsa zei niets. Ze gaf geen enkel teken dat ze pijn had, maar Sophia kon aan haar buik voelen hoe sterk de weeën waren. Ze stroopte de met bloed doordrenkte jurk tot haar middel omhoog, trok haar ondergoed uit en zag vol ontzetting dat er al voetjes naar buiten staken.
'Het is er al!' riep ze uit. 'Elsa, voel je dat de baby komt?'
Elsa's blik was dof, maar ze knikte zwakjes.
'Vascari?' mompelde ze nauwelijks hoorbaar.
Sophia gaf geen antwoord. Ze probeerde zich koortsachtig te her-

inneren wat er bij een stuitligging gedaan moest worden. Haar eigen lichaam gaf even een kramp, kort maar heftig, en ontspande zich toen weer. Sophia hijgde; ze voelde het getrappel van haar baby tegen haar ribben, zo hard dat haar adem stokte. 'Rustig,' mompelde ze. 'Rustig blijven. Wij zijn nog niet aan de beurt.'

Elsa kreunde, maar Sophia schudde haar hoofd.

'Je mag niet persen in verband met de wond.'

Ze hijgde en snikte en vocht voor twee levens, en daarbij wist ze best dat het ene haar zou ontglippen.

De kleine beentjes strekten zich, toen kwam het lijfje tevoorschijn en ten slotte het ronde hoofdje. De baby gleed in een golf van bloed in Sophia's handen, een vochtige, glibberige bundel met zwaaiende, kleine ledematen.

'Elsa!' Een golf van geluk en ontzetting sloeg door haar heen. 'Je hebt een dochter! Een gezond, prachtig meisje!'

Elsa kon zich niet bewegen, maar haar ogen zochten de baby, wiens vuistjes zich openden en sloten. Er klonk een zachte schreeuw door de stilte. Elsa zuchtte, het was eerder te zien dan te horen. Sophia kon bijna niets meer zien, omdat de tranen uit haar ogen stroomden. Ze legde de baby behoedzaam op de borst van de stervende vrouw. 'Kijk eens hoe mooi ze is! Net zo mooi als jij!'

Elsa boog haar hoofd en beroerde met haar mond het ronde, met donker donshaar bedekte hoofdje. Haar kin trilde van inspanning. Ze keek naar Sophia op. Haar ogen waren als doffe spiegels tussen verleden en toekomst, waarachter de ziel al weg was.

Sophia snikte en ging dichter naar Elsa toe.

'Alsjeblieft,' zei ze. Ze wist niet waarom ze het zei, maar het was het enige woord dat in haar opkwam.

Elsa voelde zich helemaal koud, maar van ergens kwam een kleine vlaag warmte en bevrediging, als een zonnestraal.

Mijn kleine meisje, dacht ze. Nu ben je er! Je lijkt op je vader. Ik hou zo van je!

En even leek het haar dat Roberto van ergens zijn hand uitstak om haar aan te raken. Toen wist ze dat ze spoedig bij hem zou zijn. En bij Antonio, haar arme geliefde jongen. Ze dacht eraan hoe hij aan haar borst had gelegen, warm en klein en vol vertrouwen, een wonderbaarlijk bundeltje, net zoals dit hier, haar jongste kind.

Ze voelde dat ze een onzichtbare grens naderde. Als door fluisterende vleugels gedragen, zweefde ze steeds verder. De wereld die op haar wachtte was licht en vol beloftes.

Ja, dacht ze dankbaar.

Ze was blij dat ze de duisternis, de pijn en de ontzetting achter zich zou laten. In gedachten nam ze afscheid van de baby, die ze nu niet zou zien opgroeien.

Maar daarvoor in de plaats zou ze bij Roberto zijn, haar laatste en enige, grote liefde.

Maar er was nog iets wat ze moest doen. Het was erg moeilijk, maar ze kon niet gaan zonder het tenminste geprobeerd te hebben. Elsa's lippen bewogen zich en Sophia boog zich naar haar toe om haar te kunnen verstaan.

Elsa's woorden kwamen eruit als een ademtocht. 'Vergeef me.'

'Lieve god, ja ik vergeef je!' Snikkend drukte Sophia Elsa's slappe hand. 'Als je mij ook vergeeft!'

Er lag een wanhopige blik in Elsa's ogen en Sophia begreep dat ze nog iets van haar wilde horen. En dus zei ze alles wat ze maar kon bedenken om haar het afscheid lichter te maken.

'Ik zal van de baby houden en voor haar zorgen alsof ze van mezelf was! Ik zweer het bij het graf van mijn ouders! Ik zal zus en moeder tegelijk voor haar zijn en haar met mijn leven beschermen!' Ze praatte sneller toen ze zag dat Elsa's ogen dichtgingen. 'Ik zal ook voor Salvatore zorgen zolang hij leeft. Ik zal Antonio op La Befana laten begraven en regelmatig missen voor hem laten lezen.'

Elsa's hoofd viel opzij, haar borst ging nog een laatste keer op en neer, toen was het voorbij.

Een tijdlang kon Sophia niets anders doen dan zachtjes heen en weer wiegen. Ze staarde naar het gras naast Elsa's bleke, stille gezicht en zei tegen zichzelf dat ze moest opstaan en verdergaan. Maar ze was niet in staat deze plek te verlaten. Het leek alsof de doden haar vasthielden, omdat ze bang waren alleen te blijven. Daar op de weg lagen nog steeds Antonio en Vascari, daar waar ze neergevallen waren. Hier voor haar lag Elsa, de vrouw die haar vader boven alles had liefgehad en bij wie hij een dochter had verwekt.

Sophia drukte zich dichter tegen de boom en voelde met haar vingertoppen aan de wond op haar wang. Het bloeden was opgehouden, de huid was licht geschaafd. Ze had ongelofelijk veel geluk gehad, het was maar een schampschot geweest. Haar arm was iets erger, maar ook daar was niets wat een verband niet weer in orde kon brengen. Een klein, bloederig spoor, nauwelijks meer dan een schram.

Sophia deed haar ogen dicht en sloot de werkelijkheid buiten. Daar, waar net nog de blauwe voorjaarslucht te zien was geweest, was nu alleen welkome duisternis. Ze sloeg haar armen om de grote, ronde bol van haar lichaam en werd een met de stilte.

Op een gegeven moment begon de baby te jammeren en herinnerde haar eraan dat ze niet alleen was.

Sophia pakte het kleine meisje van de borst van de dode en bekeek haar eens goed. Vol verbazing betastte ze het perfecte gezichtje, de kleine handjes, de voetjes en de gekromde beentjes.

Lachend en huilend tegelijk ging ze met haar vingers over het natte hoofdje. 'Je bent echt een kleine schoonheid!' fluisterde ze ontroerd.

De ronde buik van de baby was nog via de navelstreng met de placenta verbonden.

Sophia beet de navelstreng door, maar liet genoeg over om er een knoop in te kunnen leggen. De rest zou er vanzelf afvallen.

Daarna drukte ze het kind tegen zich aan om het warm te houden. Ze worstelde zich omhoog, strompelde terug de weg op en wikkelde de baby in haar stoffige jas.

'Ik breng je naar huis,' zei ze zachtjes tegen de nieuwgeborene. Ze luisterde naar de zachte, smakkende geluidjes die onder haar jas vandaan kwamen. Toen ging haar blik naar de drie doden. Ieder van hen was haar op zijn eigen manier erg na geweest. Vito Vascari, de trouwste vriend en beste rentmeester die je je maar kon voorstellen. Zonder aarzelen had hij voor Elsa zijn leven gegeven.

Antonio, die gekke, lichtzinnige, charmante jongen, die altijd zijn zin wilde doordrijven en aan het einde vreselijk bang was geweest zonder sacramenten van de stervenden te worden opgehangen. Hij en Elsa hadden zich nog voor zijn dood met elkaar verzoend. Die wetenschap was een troost voor Sophia, al zou het beeld van zijn bungelende lichaam voor altijd in haar ziel gebrand blijven.

En Elsa! Elsa met haar zachte lachje en haar madonnascheiding, de resolute toewijding waarmee ze Henry onder haar hoede had genomen! Ze was voor haar kinderen gestorven, voor haar jongste zoon en haar jongste dochter.

Sophia sloot even haar ogen en onderdrukte het opkomende snikken. 'Wees maar niet bang, mijn vrienden. Ik haal jullie later naar huis. Ik zal voor jullie zorgen. Dat beloof ik.'

Toen ging ze op weg naar huis.

De uren werden dagen en toen de verdoving en de schok na de luchtaanval langzamerhand overgingen in gevoelens van verdriet en neerslachtigheid, besefte Sophia opnieuw dat het leven ondanks alles verderging – een ervaring die ze al eerder had gehad, maar die daar niet minder bitter om was. Ze was nauwelijks met de baby naar La Befana teruggekeerd of ze moest zich alweer met allerlei praktische zaken bezighouden. De onverbiddelijke eisen van alledag lieten haar geen tijd het gebeurde te verwerken of uit te rusten. Ze zorgde ervoor dat de baby genoeg moedermelk kreeg, omdat ze uit ervaring wist dat baby's die vanaf het begin koeien- of geitenmelk kregen, niet zo gezond waren. Kant-en-klare babyvoeding was schaars en bewaarde ze voor noodgevallen; wat Elsa's baby betreft was het geen probleem, want Renata en Carla gaven allebei nog borstvoeding en wilden graag om de beurt de kleine de borst geven. Zodra Sophia bevallen was, wilde ze het zelf gaan doen.

Elsa en Antonio werden op de begraafplaats van La Befana bijgezet, net als Vito Vascari. Sophia liet Monsignore Petruccio komen, die de mis leidde en woorden van troost voor de mensen had. Bijna alle pachtersfamilies van La Befana waren verschenen om de doden de laatste eer te bewijzen.

Luciana bleef in de kapel achteraan. Ze lag op haar knieën en huilde toen de geestelijke over Antonio sprak. Monsignore Petruccio beschreef hem als de jongen die ze allemaal gekend hadden: aardig, een beetje brutaal, maar altijd een goede vriend die het niet had verdiend op deze vreselijke manier te sterven. Met geen woord ging de priester in op Antonio's activiteiten als partizaan.

Van Elsa's karaktereigenschappen prees hij haar goedheid en menselijkheid en ook voor Vascari had hij vele lovende woorden, al was de rentmeester pas kort op La Befana en was hij nooit in de kerk geweest.

Salvatore luisterde bewegingloos naar de woorden van de geestelijke. Zijn gezicht drukte verbijstering en onbegrip uit. Er was hem verteld dat zijn vrouw en zoon niet meer leefden, maar hij scheen het niet goed te kunnen begrijpen.

Antonio's broer en zus waren ook naar de begrafenis gekomen. Zijn zus Rosa, een jonge vrouw die erg op Antonio leek, was ondanks de slechte treinverbinding samen met Elsa's neef uit Milaan gekomen. Ze steunde snikkend op haar broer toen de kist in het graf werd neergelaten. Vincenzo, Antonio's oudere broer, die met zijn stevige bouw en hoekige gezicht meer op Salvatore leek, luisterde met een verbeten gezicht naar de priester.

Hij was in uitgaansuniform. Hij had drie dagen verlof gekregen voor de begrafenis van zijn moeder. Sophia had zich opeens herinnerd dat Elsa haar verteld had dat hij in dienst was gegaan; toen had ze Monsignore Petruccio gevraagd zijn eenheid op te sporen. Vincenzo had na de begrafenis haast om weer weg te komen; hij voelde zich blijkbaar niet zo op zijn gemak tussen al die mensen. Voordat hij ging, praatte hij nog even met Sophia. 'Mijn vader denkt dat mijn moeder weer terug zal komen.' Zijn vragende blik vertelde Sophia wat hij wilde weten.

'Ik zal voor hem zorgen,' verzekerde ze hem.

'Hoe zit het met de baby?'

Sophia vroeg zich af of de geruchten ook tot hem waren doorgedrongen. Sommige mensen vermoedden de waarheid, bijvoorbeeld de twee oude zusters en natuurlijk Henry. Anderen, onder wie Josefa en Luciana, wisten ervan. Niemand had het tot nu toe gewaagd er hardop over te praten.

'Het meisje blijft bij mij. Ik ben van plan haar te adopteren.'

Hij bekeek haar uitpuilende buik. Tot haar bevalling was het volgens haar eigen berekeningen nog bijna drie weken, maar door de kramperige pijn die ze vooral 's nachts voelde, dacht ze dat het misschien ook wel eerder zover kon zijn.

Sophia raadde zijn gedachten. 'Ik ben getrouwd,' zei ze koel. 'Je hoeft je geen zorgen te maken dat je zusje in onfatsoenlijke omstandigheden zal opgroeien.'

'Dat weet ik.' Er klonk onderdrukte woede in zijn stem.

Intussen had het de ronde gedaan dat ze met een Duitser was getrouwd. De mensen dachten er het hunne van en bekeken Sophia met scheve blikken, maar tot nu toe had nog niemand haar openlijk vijandig bejegend, omdat ze allemaal min of meer van haar afhankelijk waren.

Vincenzo had daar geen last van. Hij zag eruit alsof hij haar het liefst in haar gezicht had gespuugd. Duitsers hadden zijn vader gemarteld en zijn broer opgehangen. Indirect waren ze er ook verantwoordelijk voor dat zijn moeder niet meer leefde.

Toch scheen hij blij te zijn dat hij de verantwoording voor zijn verwarde vader en pasgeboren zusje niet op zich hoefde te nemen. Hetzelfde gold voor Antonio's zus Rosa, die ook haast had weer weg te gaan. Ze was er helemaal niet in geïnteresseerd hoe het jongste kind van haar moeder eruitzag en of het goed met haar ging.

Sophia was allang blij dat niemand haar de baby betwistte. Salvatore was overigens de laatste die dat geprobeerd zou hebben. Zijn geest was reddeloos verward. De meeste tijd wist hij niet eens dat Elsa dood was. Des te erger was het voor hem als hij het zich in zijn zeldzame heldere momenten weer herinnerde. Een keer vond Henry hem bij het graf van zijn vrouw, terwijl hij de gedenksteen omklemde, omdat hij niet begreep hoe Elsa daar gekomen was.

Henry was veranderd na Elsa's dood. Van zijn vroeger zo zonnige humeur was niets meer over. Hij was in een doffe neerslachtigheid verzonken. Hij kampeerde weer in het bos, samen met andere vluchtelingen. In de villa kwam hij bijna nooit meer. Soms hing hij wat verloren in de buurt van de *Fattoria* rond, of hij ging naar de begraafplaats en zat urenlang voor Elsa's graf.

Fernanda stopte hem, ondanks Josefa's getier, af en toe wat extra brood of fruit toe om hem op te vrolijken, en een voorwendsel te hebben naar hem toe te gaan.

Hij nam haar liefdesgaven beleefd dankend aan en deelde alles in het bos met zijn vrienden. Behalve Henry hielden zich nog drie voortvluchtige soldaten op het landgoed schuil, twee Engelsen en, vreemd genoeg, een Duitser. Hij heette Franz Keller, kwam uit München en was een uitgemergeld, klein mannetje met rotte tanden, wat hem er niet van weerhield iedereen die hij ontmoette met een innemende grijns te begroeten.

Terwijl de Engelsen, inclusief Henry, uit Duitse gevangenschap waren gevlucht, wilde de Duitser niets anders dan eindelijk ongehinderd naar huis gaan. Hij was uit zijn eenheid gedeserteerd en wist niet waar hij heen moest. Het liefst had hij zich overgegeven aan de geallieerden, maar het front was nog steeds te ver weg.

In plaats daarvan had Keller – al was het maar symbolisch – voor de Engelsen, met wie hij samen in het gat in de grond woonde, gecapituleerd. Zodra het front, en daarmee de bevrijding, dichterbij kwam, zou hij zich in krijgsgevangenschap begeven. Hij verlangde net zo naar die dag als zijn geallieerde vrienden. Af en toe speelde hij met de kinderen. Hij was erg geliefd bij de kleintjes, omdat hij de gekste bekken kon trekken. Hij was vooral dol op Fabio en de tweeling. Voor de twee baby's sneed hij een houten rammelaar, en Fabio leerde hij hoe hij van papier een boot of een muts kon vouwen. Toen Fabio hem vroeg of hij zelf ook kinderen had, knikte hij stralend. Ja, drie, ongeveer zo oud als Fabio en zijn broertjes. Hij miste ze – hier huilde hij in pantomime dikke tranen – heel erg.

Van de andere vluchtelingen waren alleen Renata met haar baby en de twee oude dames nog op het landgoed. Luciana was er niet meer. Ze was een dag na de begrafenis zonder afscheid te nemen vertrokken.

Op de verafgelegen boerderijen verstopten zich, zo had Sophia gehoord, nog een handjevol joden en een paar soldaten. De meeste anderen waren in verband met de vele Duitse patrouilles verder getrokken, om te proberen de geallieerden in het zuiden te bereiken. Na een tijdje was er weer zoiets als een dagritme ontstaan. Het eten was nog steeds schaars, vooral omdat er na Vascari's dood niemand meer was die de bevoorradingstochten kon voortzetten. Ernesto had aangeboden naar het dorp te lopen voor levensmiddelen, maar hij bleek erg blij te zijn toen Sophia dat ronduit weigerde. In plaats daarvan stuurde ze hem en Fabio regelmatig met de ezelkar naar de pachters om om levensmiddelen te vragen, maar de buit was meestal schamel. Maar op de een of andere manier zouden ze het wel redden.

Ze konden zich weliswaar niet vol eten, maar verhongeren zouden ze ook niet.

Ze had haar hele hoop gevestigd op de oogsttijd. Met een lege maag dacht ze minder aan een snel einde van de oorlog dan aan het ongestoord oogsten van de tarwe. Tarwe betekende meel en daarmee brood – en brood betekende leven.

Tot dan zou Josefa haar best doen van het weinige wat ze hadden het beste te maken. De kokkin was met de aankomst van de baby zichtbaar opgebloeid. Ze kirde en lachte met haar en hield argwanend in de gaten of ze wel vaak genoeg gevoed werd. Tot verrassing van Carla en Renata zorgde ze er ook voor dat ze af en toe iets extra's kregen om de borstvoeding op gang te houden.

Toen het, eind maart, warmer werd, stommelde ze net zolang op zolder rond tot ze de oude kinderwagen had gevonden, waarin Sophia en Francesco door de Marchesa waren rondgereden. En dus wandelde Fernanda, op bevel van Josefa, regelmatig met de baby, omdat ze vond dat zuigelingen naast moedermelk ook frisse lucht nodig hadden.

Na een aantal dagen verscheen Henry ook weer vaker op het toneel. Hij sjokte met zwaaiende armen naast Fernanda en rekte zijn hals om een blik te kunnen werpen op de baby, die dik ingepakt in de kinderwagen lag te slapen.

Op een avond nam Sophia het meisje stiekem mee naar de begraafplaats om haar de grafsteen van haar vader te laten zien.

'Hij hield al veel van je, kleintje,' fluisterde ze. 'Hij was ook mijn vader, weet je.'

Ze bracht de baby ook naar Francesco. Ze pakte zijn hand en ging daarmee zacht over het babyhoofdje. 'Je zusje,' zei ze zacht. Hij liet het zonder merkbare reactie toe, maar zijn hoofd was op zo'n manier gebogen dat Sophia dacht dat hij toch emotie toonde.

In haar binnenste was ze er sinds lang van overtuigd dat hij op een bepaald niveau ook blijdschap of tevredenheid voelde. Ze stelde zich voor dat zijn geest diep in zijn invalide lichaam gevangen zat, op een donkere plek waar geen licht was. Benedetta had zoiets gezegd en Sophia was gefascineerd door dat idee.

'Stel je voor dat je levend begraven bent. Om je heen zijn dikke muren die je van de buitenwereld afschermen. Niemand hoort of ziet je. Je kunt er niet voor zorgen dat je opgemerkt wordt. Is dat niet vreselijk?' Bij die woorden had ze Francesco's hand gegrepen en zacht zijn vingertoppen gestreeld. Hij had zijn hoofd opzij gelegd en zijn lippen hadden zich in een nauwelijks merkbaar lachje geplooid. Benedetta had zich met een gelukkige blik in haar ogen naar Sophia omgedraaid. 'Zie je? Er zijn wegen naar binnen. Je moet ze alleen zien te vinden. Je mag nooit ophouden naar die wegen te zoeken!'

Op een dag zei Josefa tijdens het gezamenlijke avondeten beslist: 'Het wordt tijd voor de doop.'

Sophia had eigenlijk nog een poosje willen wachten, omdat ze allemaal nog zo verdrietig waren door de sterfgevallen, maar Benedetta was enthousiast. 'Een feest!' riep ze verrukt uit. 'O ja, laten we een doopfeest houden!'

'Hoe gaat de baby eigenlijk heten?' wilde Renata weten.

Die vraag vond Sophia vervelend. Tot nu toe had ze het kind steeds kleintje, popje of schatje genoemd, of haar een ander koosnaampje gegeven.

Ze had er al vaak over nagedacht, maar ze vond het op een bepaalde manier arrogant om een naam uit te zoeken, al had ze steeds gezegd dat zij verantwoordelijk was voor dit mensje.

'Ik heb nog geen naam kunnen bedenken,' zei ze zwakjes.

De vrouwen kwamen meteen met allerlei namen, maar er was er niet een die Sophia beviel.

Ze merkte dat Fernanda iets wilde zeggen. Ze zag eruit alsof ze een idee had.

'Fernanda, heb jij misschien een voorstel?'

Het meisje kreeg een kleur. 'Ik niet. Maar Henry.'

'Henry?'

Ze knikte. 'Hij zei dat ze iets van haar moeder moest hebben.'

'Je bedoelt dat we haar Elsa moeten noemen?'

Fernanda schudde haar hoofd. 'Nee, hij bedoelde haar tweede voornaam. Hij vond dat die naam erg goed bij de baby past.' Ze haalde diep adem en gooide er toen uit: 'Dat vind ik zelf ook!'

Sophia wist nog precies dat de Monsignore bij de begrafenis Elsa's hele naam had genoemd, inclusief haar voornamen. Ze probeerde zich te herinneren wat die waren en knikte toen langzaam. Er kwam een lachje op haar gezicht.

'Een goede keus,' zei ze bedachtzaam.

'Stel onze nieuwsgierigheid nou niet langer op de proef,' pruttelde Benedetta.

'Ja, wat is die naam!' riep Margherita uit. Ze klapte van opwinding in haar handen. Haar ogen in haar ronde gezicht glommen nieuwsgierig.

Haar zus Rosalia lachte. 'Als je goed had geluisterd, zou je de naam nu weten. Maar bij begrafenissen let je nooit goed op.'

'Ik weet het weer,' riep Josefa stralend uit. 'Het schoot me opeens te binnen wat de tweede voornaam van Elsa is!'

Sophia schraapte haar keel. 'Dan is de beslissing gevallen. De baby gaat Luisa heten.'

Ze ging meteen aan de slag met de voorbereidingen voor de doop. Het zou een klein feestje met maar een paar mensen worden. Een feestmaal als met Kerstmis, met cadeaus voor alle kinderen van het landgoed, zou het deze keer niet worden. Sophia had weliswaar sieraden, tafelzilver of een bontjas van haar moeder kunnen verkopen, maar ze wilde de spullen die in het bos waren begraven voor slechtere tijden bewaren. Haar gevoel zei haar dat de oorlog nog lang zou kunnen duren. Op een dag zou ze misschien blij zijn dat ze die reserves had. Ze hadden weliswaar de afgelopen winter vaak honger gehad, maar echt honger geleden hadden ze tot nu toe niet. Sophia kende het verschil niet uit eigen ervaring, maar ze had genoeg uitgemergelde vluchtelingen met uitstekende ribben gezien om te weten dat het ergste hun tot nu toe bespaard was gebleven. Maar de dag dat de mensen op La Befana voor het eerst niets te eten zouden hebben, kon nog komen.

Afgezien daarvan wist ze niet hoe ze deze keer een ruilactie op poten zou moeten zetten. Na de laatste tocht met de koets naar Chiusi, die met bloed en dood was geëindigd, wilde ze niemand meer aan zo'n gevaar blootstellen. Maar ook zonder die tochten werd Vito Vascari erg gemist op het landgoed. Sophia had Ernesto gevraagd een paar van zijn taken over te nemen. De schoenmaker was van alle werknemers het langst op La Befana; hij was intelligent, ijverig en leergierig, en hij kende het werk op het veld en in de stallen. De overige werkzaamheden van de rentmeester had Sophia noodgedwongen zelf overgenomen. Er ging geen avond voorbij dat ze niet naar Vascari's lijsten en aantekeningen keek om een overzicht te krijgen.

De pachtboerderijen zouden na de oogst de helft van hun opbrengst afstaan, dat was gebruikelijk. Tarwe, klaver, druiven, olijven – daarmee zou ze zelfs bij een slechte afzetmogelijkheid genoeg inkomsten krijgen om het landgoed er althans voor de rest van het jaar en misschien zelfs tot het volgende voorjaar door te slepen.

Daar stond tegenover dat ze in ruil voor hun deel van de oogst voor de boeren de nodige investeringen moest doen. Na deze oorlogs-winter zouden die behoorlijk groot zijn, want na de beslagleggin-gen van de Duitsers was er overal een tekort aan vee, voertuigen en machines. En de oliepersen hadden dringend nieuwe onderdelen nodig, die ze alleen in Florence kon kopen. Dat was op het ogen-blik bijna onmogelijk, omdat ze geen auto of koets meer had. In de melkfabriek was een centrifuge kapot, maar met die ene koe die ze hadden, was dat nog geen probleem. De schaarste aan zaaigoed daarentegen was een bron van grotere zorg.

De situatie werd nog moeilijker doordat de partizanen de controle over een steeds groter deel van het dal hadden gekregen. Sophia kon niet beweren dat ze die kerels graag in de buurt had. Ze stamp-ten over de pas omgeploegde wijnbergen en liepen dwars door het koren. Ze zaten goedbewapend in hinderlaag in de bossen en langs de wegen om langskomende fascistische milities te overvallen – waarmee ze onvermijdelijke strafacties van de zwarthemden en SS uitlokten. Wat ze nodig hadden om in leven te blijven, stalen ze bij de boeren in de omgeving.

Na de begrafenis in de afgelopen week waren een paar boeren daar-over met Sophia komen praten. De situatie was allesbehalve roos-kleurig.

Sophia bekeek deze avond de nieuwe lijst die ze gemaakt had na de opgave van haar pachters.

Toen de telefoon ging, zuchtte ze en wreef met haar handpalmen over haar pijnlijke rug. Haar lichaam was de laatste weken nog ron-der geworden. Ze had gedacht dat ze onmogelijk nog dikker kon worden, maar toch was haar omvang toegenomen. De verloskun-dige had blijkbaar gelijk, de baby moest erg groot zijn. Sophia maakte zich zorgen om de bevalling. Ze was niet bang voor de pijn, maar wel voor complicaties.

Giovanni had haar gevraagd naar Montepulciano te komen om in het ziekenhuis te bevallen. De gynaecoloog was een goede vriend van hem en stond bekend als een uitstekend arts. Ook Anna zei Sophia in hun wekelijkse telefoongesprekken steeds weer dat ze naar hen toe moest komen.

Maar Sophia was niet van plan het landgoed te verlaten. De verlos-kundige kon in een uur bij haar zijn, als ze tenminste niet ergens onderweg was. In dat geval zou ze dokter Rossi bellen. Hij had een oude motor in zijn garage verstopt; in noodgevallen, had hij haar beloofd, zou hij er meteen opspringen en naar haar toe komen.

Sophia had haar beslissing zonder aarzelen genomen. Behalve zij was er niemand op La Befana die de leiding kon nemen. Het zou een puinhoop worden als niemand wist wat er gedaan moest worden.

Met de gedachte dat ze niet gemist kon worden, ging ze elke avond naar bed en stond ze 's morgens weer op. Ze was de meesteres van La Befana, en ze was vastbesloten die taak zo goed mogelijk te volbrengen.

Af en toe vroeg ze zich af of ze zichzelf niet veel te belangrijk vond, maar daar moest ze maar mee leren leven.

De telefoon rinkelde voor de derde keer. Sophia stak haar hand uit en pakte de hoorn. Voor een telefoontje van haar oom was het eigenlijk al te laat. Het was bijna halfelf.

'Ja?'

'Sophia?'

Ze omklemde de hoorn met beide handen, omdat ze bang was dat het een zinsbegoocheling was. Haar lippen vormden zijn naam, maar er kwam geen geluid uit haar mond.

'Sophia, ben jij dat?'

'Richard,' fluisterde ze, deze keer zo hard dat hij het kon horen.

Zijn stem klonk een beetje krakend door de slechte verbinding.

'Lieverd, hoe gaat het?'

Ze had moeite haar zelfbeheersing te bewaren. Ze probeerde het wel, maar het lukte haar niet de tranen tegen te houden. Ze snikte en lachte en stamelde onsamenhangende woorden. Het enige waar ze aan kon denken, was dat hij nog leefde. Dat hij met haar sprak. Dat het goed met hem ging.

Eindelijk lukte het haar een hele zin uit te brengen. 'Waar ben je?'

'In Florence. Ik heb hier iemand ontmoet die me verteld heeft dat jullie telefoon het weer doet. Is alles goed?'

Nee, dacht ze bekommerd, niets is goed, niet na wat er de vorige week is gebeurd! Maar ze zei hardop: 'Met mij gaat het goed.'

'En de baby?'

'Hij komt binnenkort.' Half lachend en half huilend voegde ze eraan toe: 'Ik wilde dat je naar huis kon komen!'

'Naar huis,' echode hij. Zijn stem klonk een beetje verloren en het was even stil. 'Dat zou ik ook willen,' zei hij toen.

'Ik heb zolang niks van je gehoord!' Sophia kon niets doen aan de verwijtende toon in haar stem. Ze had zoveel angsten om hem uitgestaan.

'Ik ben dag en nacht in actie geweest.' Er klonk uitputting uit zijn woorden. 'Als ik een mogelijkheid had gehad, was ik gekomen, Sophia. Dat moet je geloven. Maar op het moment is alles heel moeilijk.'

Sophia wist dat dat nog zacht uitgedrukt was. Door de radioberichten was iedereen op de hoogte van de verschrikkingen van de oorlog in het zuiden. De winter had helemaal in het teken gestaan van de verdedigende veldslagen in Cassino, de afgrendeling van de weg naar Rome en de Gustav-linie, die nog altijd in Duitse handen was. Met parachutisten, artillerie-eenheden en regimenten met granaatwerpers blokkeerden ze nog steeds de opmars van de geallieerden naar Rome.

Sophia veegde de tranen van haar wangen. Sinds maanden was dit het eerste levensteken van haar man en ze begroette hem met verwijten! 'Het spijt me! Het is alleen... ik heb me zoveel zorgen om je gemaakt!'

'Dat weet ik toch!' Het klonk gekweld. 'Geloof je soms dat het met mij anders is? Je kunt je niet voorstellen hoeveel angsten ik al die weken om jou heb uitgestaan!'

'Wie heeft je dat eigenlijk verteld, dat onze telefoon het weer doet?'

'Ik heb een jonge luitenant ontmoet die op La Befana was toen...' Hij stopte en zocht naar woorden.

'Toen we bezet waren,' hielp ze hem droogjes.

'Het spijt me heel erg,' zei Richard bedremmeld. 'Als ik het geweten had...'

'... had je er ook niet veel tegen kunnen doen. Bovendien had het ook zijn goede kanten. Ze hebben daarom onze telefoon en elektriciteitsleidingen gerepareerd.'

'Je krijgt trouwens de hartelijke groeten van luitenant May. Hij was verrukt over je pianospel. Wil je voor mij ook een keer spelen?'

'Zodra je weer thuis bent.' Ze pakte de hoorn steviger vast. 'Wanneer kom je, Richard?'

'Ik hoop dat het in de komende twee weken lukt.' Zijn stem klonk dringend. 'Sophia, ik wil je daar weghalen. Rome zal snel vallen, en het front zal daarna ook jullie dal overspoelen. Ik wil niet dat je dan nog daar bent!'

'Daar hebben we het wel over als je komt.' Ze straalde. 'Ik kan nauwelijks wachten om weer met je in bad te gaan. We hebben nu weer stroom en dus werkt de badgeiser weer zonder kolen!'

Hij lachte, toen fluisterde hij met gespeelde wellust: 'Wil je weten wat ik met je zal gaan doen als we in de badkuip zitten?'

'Dat zou ik inderdaad graag horen. Vooral omdat je je waarschijnlijk nauwelijks kunt bewegen als we er samen in zitten.'

'Wil je daarmee zeggen dat je nog meer bent aangekomen?' vroeg hij plagend.

'Ik ben zo onvoorstelbaar dik dat je er van schrik vandoor zult gaan,' klaagde ze.

'Onzin. Hoe gaat het trouwens met Elsa? Is haar baby al geboren?' Sophia haalde diep adem. 'Ja,' antwoordde ze effen. 'Het is een meisje. Volgende week wordt ze gedoopt.'

'Wat leuk,' riep Richard blij uit.

'Ja, we verheugen ons erop.'

Nu pas viel hem haar veranderde toon op. 'Is er iets niet goed?' Sophia slikte. Ze wilde er niet over praten. Niet aan de telefoon. Niet zolang zijn stem zo gelukkig klonk. Ze wilde dit heerlijke moment niet bederven. Op deze avond moesten zijn gedachten alleen bij haar zijn.

'Ik verlang zo naar je.' Haar stem trilde. 'Ik wil je aanraken, je kussen, in je verzinken. Ik wil nooit meer zonder je zijn.'

'Gauw,' antwoordde hij zacht. 'We zullen gauw weer samen zijn. En deze keer misschien wel voor altijd.'

28

De doop, die voor eind maart was geregeld, moest uitgesteld worden, omdat op een van de boerderijen de gevreesde Spaanse griep was uitgebroken, die met zware longontsteking gepaard ging. Vijf van de ergste gevallen werden in de polikliniek opgenomen, onder wie ook de oma van Ernesto.

Als Sophia had gedacht dat ze onmisbaar was, dan merkte ze nu dat het anders was. Josefa, Benedetta en de andere vrouwen hielden Sophia met vereende krachten tegen om als verpleegster aan het werk te gaan.

'Je krijgt het nog voor elkaar om zelf ziek te worden en je baby ook te besmetten als hij over een paar dagen ter wereld komt,' maakte Josefa zich kwaad.

'Maar ik voel me toch goed,' wierp Sophia tegen.

'Ja, tot je longontsteking krijgt,' voorspelde Josefa.

Margherita was het ermee eens. 'Verantwoordelijkheid mag je niet te licht nemen. Een mens heeft veel plichten, mijn kind, maar niet altijd is wat je zelf denkt het belangrijkst.'

Benedetta maakte een eind aan de discussie. 'Ik ben ook verpleegster, en een goede. Ik neem jouw taak in de polikliniek over, en daarmee uit. Je hebt daar niks te zoeken.'

De zieken waren na een paar dagen genezen en konden naar hun familie terug, behalve de oma van Ernesto die overleed.

Fabio, die ook ziek was maar al aan de beterende hand, was ontroostbaar. Hij huilde veel, en ook na de begrafenis, een paar dagen later, bleef hij in zichzelf gekeerd en was nauwelijks aanspreekbaar. Sophia, wier beurt het was de kleine Luisa voor haar voeding naar Carla te brengen, vond de jongen een paar dagen later op de stoep voor zijn huis, waar hij stilletjes voor zich uit zat te staren.

'Wat is er, Fabio?' Sophia boog zich naar hem toe. 'Ben je nog steeds verdrietig om je overgrootmoeder? Ze was al erg oud, weet je.'

'Drieënnegentig,' mompelde hij. 'Maar ze was nog goed ter been. En ze had kracht in haar armen. Ze kon ze allebei vasthouden. Tegelijk.'

'Allebei? Wie?'

Sophia hoorde binnen een van de tweeling huilen. Een fractie van een seconde later begon de ander ook.

'Ja, ja, kleine booswichten,' liet Carla zich horen. Toen riep ze gebiedend. 'Fabio!'

De jongen kromp in elkaar en stond toen op. Zijn hele houding drukte ellende uit. 'Ik moet naar binnen.'

'Wacht even.' Sophia keek de sproetige jongen opmerkzaam aan. 'Ben je daarom soms zo treurig? Omdat je je moeder met de tweeling moet helpen?'

Fabio trok zijn hoofd tussen zijn schouders. 'Ze brullen constant. Alle twee. Altijd tegelijk. Ook 's nachts. Mama zegt dat ze darmkrampen hebben. Maar ik denk dat ze het doen omdat ze me haten.'

'Waarom zouden ze je haten?' vroeg Sophia verbluft.

'Omdat ik er het eerst was,' zei hij.

Sophia streek hem liefdevol over zijn haar. 'Dat was je ook. Ik zal eens zien wat ik voor je kan doen, goed?'

Er blonk een vleugje hoop in zijn ogen en hij knikte. Toen rende hij naar binnen, precies op het moment dat Carla hem nog een keer riep, begeleid door het oorverdovende gebrul van de tweeling. Sophia ging ook naar binnen.

Fabio, met in iedere arm een baby, liep in de keuken heen en weer. Zijn gezicht vertoonde een grappig mengsel van wanhoop en hoop, toen Sophia binnenkwam.

Ze knipoogde samenzweerderig naar hem.

Carla stond bij het aanrecht en waste haar handen en haar ontblote borst. Hoewel ze de tweeling ook nog borstvoeding gaf, had ze volop melk. Meer dan Renata, die steeds klaagde dat haar zoon niet genoeg kreeg, omdat ze nog een tweede zuigeling moest voeden. 'Ik zal je voortaan overdag Fernanda voor een paar uur sturen. Dan kan ze je een beetje met de tweeling helpen.'

Carla keek haar verrast aan, toen wierp ze haar oudste met opgetrokken wenkbrauwen een zijdelingse blik toe. Schouderophalend zei ze: 'Daar heb ik niets op tegen. Ik heb werk genoeg. Nou, geef haar maar.'

'Goed.' Sophia keek naar het tere gezichtje van de baby die ze in haar armen had. De fijngesneden wenkbrauwen onder het geborduurde mutsje hadden dezelfde kastanjebruine kleur als het haar op het hoofdje. De roze lippen vormden een perfecte boog, en de betweterige kin daaronder gaf het fijne gezichtje een vleugje eigenzinnigheid. Luisa was een stille, rustige baby die zelden huilde. Misschien kwam dat wel doordat ze door iedereen zo vreselijk verwend werd.

Het kleintje beantwoordde Sophia's blik opmerkzaam, met wijdopen, mosgroene ogen. Sophia bekeek haar liefdevol. Haar gevoelens voor dit kind hadden niets van Josefa's verliefdheid of de genegenheid die de andere vrouwen voor haar voelden. Sophia hield van haar halfzusje met een nooit eerder gekende vurigheid, op net zo'n onverzettelijke manier als ze binnenkort ook van haar eigen kind zou houden. De laatste weken was haar duidelijk geworden dat er geen ander gevoel bestond dat maar in de buurt kwam van deze liefde.

Ze gaf Carla de baby aan en keek verlangend toe hoe ze het kleintje aanlegde. Het mondje zocht even, hapte toen toe en zoog zich aan de tepel vast.

Carla lachte. 'Slim meisje. Ze kan het veel beter dan al mijn jongens.'

Ze gaf een zacht, liefkozend tikje tegen haar luier. 'Daar zal iets bijzonders uit groeien, Sophia.'

14 april 1944 was een stralende dag. De hemel spande zich in een voorjaarsachtig blauw boven het dal. De bloeiende bomen in de boomgaard van La Befana vormden een schuimende zee van wit en roze, en het weiland tussen de paardenstallen en het bos stond vol met helderrode klaprozen, die als onkruid woekerden.

Het zonlicht kwam stralend door de smalle ramen van de kapel naar binnen en liet de boeketten voorjaarsbloemen in heldere kleuren oplichten.

Monsignore Petruccio stond voor het altaar en keek neer op de mensen die voor de doop waren gekomen. Sophia als peettante en pleegmoeder van de baby zat vooraan. Ze had hem verteld dat ze nu elke dag het begin van haar bevalling verwachtte, en hij had zich afgevraagd of het klopte wat men over haar man vertelde. Er werd gezegd dat ze getrouwd was met de Duitse officier waar Antonio op had geschoten. Monsignore Petruccio had geduld. Op een dag zou hij de waarheid wel horen. Tot dan moest hij zich met geruchten tevreden stellen.

Sophia's trekken hadden veel van de kinderlijke frisheid verloren die ze een jaar eerder nog had gehad, maar de rustige kracht die ze nu uitstraalde, gaf haar een bijzondere, tragische bekoorlijkheid. Naast haar zat haar broer Francesco. Bij de aanblik van die arme jongen moest Monsignore Petruccio een zucht onderdrukken. God had in Zijn oneindige wijsheid beslist dat deze veelbelovende jongeman, die een jaar geleden nog net zo knap was geweest als zijn zus, zielloos en invalide zou worden.

De geestelijke overwon de opstandigheid, waarmee hij de laatste tijd steeds vaker de wegen van de Heer in twijfel trok.

De jonge vrouw naast Francesco trok zijn aandacht. Ze hield de hand van de jongen vast en streelde hem in een rustig, kalmerend ritme, en even leek het of Francesco zich onbewust naar het meisje toeboog om dichter bij haar te zijn.

Dan waren er nog de vele vrouwen uit Sophia's huishouden; de kokkin, een dienstmeisje, twee oude vrouwen die als vluchteling bij haar woonden, en een jonge vrouw met een baby, wier man door de fascisten was doodgeschoten.

Op de volgende rij zat de weduwe Donata met haar kinderen en naast haar Carla, de vrouw van de schoenmaker, samen met haar zoon Fabio, ieder met een van de tweeling op hun arm. De Monsignore rekte zijn hals om te zien of Ernesto er ook was – maar tevergeefs. Hij had Ernesto sinds zijn jeugdjaren niet meer in de kerk gezien, beter gezegd, sinds de schoenmaker een duivelsverbond was aangegaan met dat tuig dat zich communisten noemde.

Op de rijen daarachter zaten de families die in de gebouwen rond de villa woonden en op het landgoed werkzaam waren. Een half dozijn mannen die alle voorkomende werkzaamheden deden, of het nu op het veld of in het bos, in de graanschuur, de werkplaatsen of de stallen was. Ze waren allemaal in hun zondagse kleren verschenen.

De Monsignore betreurde het erg dat Salvatore niet aanwezig was. Tenslotte was hij de vader, en als zodanig had hij bij het eerste en belangrijkste feest van zijn dochter aanwezig moeten zijn. Maar Sophia had gezegd dat Salvatore veel te ziek was om aan het doopfeest deel te nemen. Monsignore Petruccio had de arme man in de *Fattoria* bezocht om zelf een beeld te vormen, en tot zijn ontsteltenis moest hij toegeven dat Sophia gelijk had. Salvatore was zo in de war dat hij begon te huilen, toen de geestelijke hem vroeg hoe het met hem ging na de dood van zijn vrouw. Salvatore had wanhopig volgehouden dat Elsa alleen maar voor een dag naar Chiusi was gereden om boodschappen te doen. Ze zou gauw weer thuis zijn.

Monsignore Petruccio voelde zich nog steeds onbehaaglijk bij de gedachte aan de stelligheid die op Salvatores gezicht stond te lezen. Toen hij over zijn dochtertje begon, had hij hem vol onbegrip aangekeken en was toen weer gaan huilen. De geestelijke had zich bezorgd afgevraagd of er van het andere – veel ergere – gerucht misschien iets waar was. Terloops had een schaapje van zijn gemeente tijdens de biecht iets laten vallen, waar hij erg van geschrokken was. Hij had die afschuwelijke verdachtmaking zo verwerpelijk gevonden, dat hij het niet wilde geloven. Maar toch... Waarom anders hield Sophia de baby in haar armen en keek ze zo liefdevol naar haar alsof het haar eigen kind was, of in elk geval van haar eigen vlees en bloed?

In dat geval vond Monsignore Petruccio het niet nodig Salvatore met het doopfeest lastig te vallen.

Zijn blik ging naar de achterste rij en hij kromp in elkaar toen hij de vier haveloze gestalten zag zitten. Dat moesten de soldaten zijn die zich in het bos verscholen. Ze hadden afgedankte kleren van de boeren aan, maar het was goed te zien dat ze sinds weken geen bad of scheerbeurt hadden gehad. De jongste van hen, een blonde jongen van nauwelijks twintig jaar, zag er nog het best uit, waarschijnlijk omdat hij zijn haren netjes gekamd had.

Monsignore Petruccio schraapte zijn keel. Het was tijd om te beginnen.

'We zijn in het aangezicht des Heren samengekomen...'
Hij zou die zin nooit afmaken. Zijn stem stierf weg toen buiten het geluid van automotoren te horen was. Het werd even stil en vervolgens gingen er deuren open en dicht. Er waren mannenstemmen te horen die snel dichterbij kwamen. Ze spraken Duits!
Sophia draaide zich in paniek om en wisselde een ontstelde blik met Henry.
Monsignore Petruccio wenkte de mannen in de laatste rij haastig naar voren te komen, naar de sacristie, waar een achteruitgang was.
De Engelsen en de Duitser sprongen op, maar op hetzelfde moment vloog de deur open en een stuk of zes mannen in SS-uniform kwamen binnen. Ze hielden hun machinegeweren in de aanslag en sloten meteen de ramen en het voorste deel van de kerk af.
'Iedereen op de grond!' brulde een van hen in nauwelijks verstaanbaar Italiaans.
De tweeling begon uit volle borst te brullen. Ook de andere kinderen huilden en snikten van angst.
Sophia drukte Josefa de baby in de armen. 'Ga met haar op de grond liggen,' beval ze met luide stem om boven het angstige geschreeuw van de vrouwen om haar heen uit te komen.
Ze stond vastbesloten op en stapte uit de bank. Maar voor ze iets kon zeggen, vuurde een van de SS'ers een salvo af tegen het plafond. Een regen van pleister en houtsplinters kwam op hen neer. In de kapel brak paniek uit. Gevloek, geschreeuw en gesnik vermengden zich tot een onvoorstelbare herrie. Een paar kinderen probeerden blindelings naar buiten te vluchten, maar de soldaten versperden hun de weg.
Weer klonk er een salvo.
'Waar zijn die vervloekte Engelsen?' brulde de SS'er die geschoten had met overslaande stem.
Henry en de andere krijgsgevangenen hurkten met ingetrokken hoofden tussen de anderen in de banken op de stenen vloer. Geen van hen gaf een kik.
'Vervloekt tuig, jullie verstoppen joden en Tommy's! Waar zijn ze? Hier met ze, anders zullen jullie allemaal sterven!' De SS'er zwaaide met zijn machinegeweer in het rond en zette toen de loop op het voorhoofd van een van de kinderen. Het was Fabio.
'Kom op, zeg eens wat, jongen!'

Fabio stond bewegingloos. Hij hield zijn broertje in zijn armen geklemd. Zijn ogen waren dicht, zijn wimpers trillende halve maantjes op zijn lijkbleke wangen. Zijn lippen gingen open, maar er kwam alleen maar wat onduidelijk gestamel uit dat in het gebrul van zijn broertje verloren ging.

'Hou je je mond, kleine bastaard?' schreeuwde de Duitser woedend. Zijn geweer ging opzij en hij zette de loop op de slaap van de baby. 'En? Wil je nu wel praten?'

Franz Keller, de kleine Duitser, sprong met een roofdierachtig gebrul uit zijn dekking en met een snoekduik wierp hij zich op de soldaat. Het schot ging met een woedend staccatogeluid af. Fabio zakte met de baby op de grond, maar ze waren niet gewond, want Keller had de SS'er opzij geduwd. De schoten maakten een rij donkere gaten in de stenen zijmuur. Een van de kogels trof een arbeider in de schouder. Hij kromp schreeuwend in elkaar en viel op de grond. Zijn vrouw krijste van ontzetting en zakte naast hem op haar knieën, waar ze door bleef gillen.

De SS'er hief het geweer en liet de kolf op het voorhoofd van Franz Keller neerkomen. De kleine Duitser viel als door de bliksem getroffen neer en bleef rochelend liggen. De soldaat hief het geweer opnieuw, richtte het met hoongelach op het hoofd van de man die op de grond lag en schoot.

Toen keek hij rond. 'En, nog iemand?'

Monsignore Petruccio kwam met opgeheven armen op hem af.

'Mijn zoon, we verstaan uw taal nauwelijks, maar we kunnen er toch rustig over praten waarom u hier bent. U moet toch weten dat in dit huis van God...'

Met een onverschillige beweging hief de Duitser zijn wapen en schoot. Op de zwarte soutane van de geestelijke verschenen ter hoogte van zijn hart drie gaten, en toen hij in slowmotion op zijn knieën zakte, kwam er een verbaasde uitdrukking op zijn gezicht. Zijn ogen werden troebel en toen hij op de grond viel, was hij al dood.

De mensen in de kapel waren verstijfd van afgrijzen. Sophia durfde bijna niet te ademen. Ze zat trillend naast Josefa op de grond. Haar plan om met de Duitsers te praten, was al mislukt voor ze ook maar iets had kunnen zeggen. De SS'ers richtten voor haar ogen een bloedbad aan. Het maakte hen niets uit of ze een kind of een priester neerschoten. Het waren net dieren die alleen nog maar wilden doden.

'Naar buiten!' brulde een van de mannen. 'Allemaal naar buiten, zodat we jullie beter kunnen zien!'

Als vee werden ze uit de kapel gedreven. De SS'ers gebruikten zonder pardon de kolven van hun geweren om hen tot spoed aan te zetten.

Sophia, die samen met de snikkende, huilende vrouwen naar buiten strompelde, had het gevoel dat ze in een nachtmerrie was beland.

Dat kunnen ze niet doen, dacht ze steeds weer mechanisch.

Maar ze konden het wel. Deze mensen wisten hoe ze de wil en waardigheid van anderen konden breken. Een leven telde niet voor hen.

Sophia wankelde het plein voor de kapel op. Voor haar liep Josefa met de baby tegen haar borst gedrukt. Ze maakte geen geluid, maar haar ogen vlamden van haat en angst. Fernanda en Renata huilden zachtjes in zichzelf. Donata snikte hartverscheurend, haar drie kinderen dromden om haar heen als angstige lammetjes. De twee oude zusters klampten zich aan elkaar vast, hun gezichten in berusting verstard.

De SS'ers dreven de vrouwen en kinderen naar één kant en de mannen naar de andere. Met een paar salvo's in de lucht benadrukten ze hun bevelen.

Sophia zag dat ze met twee auto's waren gekomen. Tegen de ene leunde een man die zich niet met het ruwe spektakel in de kapel had bemoeid. Zijn gepoetste laarzen glommen in de zon. Zijn uniform zat perfect als altijd en was onberispelijk schoon. Hij had zijn armen over elkaar geslagen, alsof wat er voor zijn ogen gebeurde hem niets aanging. Maar Sophia wist wel beter.

'Kijk nou eens,' zei hij joviaal. Hij maakte en lichte buiging. 'Mevrouw de gravin! Wat heerlijk u weer te zien. En nog steeds in verwachting, zie ik. En uw heer echtgenoot? Niet aanwezig?'

Hij wendde zich naar de tolk die ook naast de auto stond. De jongeman vertaalde snel en geroutineerd Schlehdorffs algemene opmerkingen.

Zonder verder naar Sophia om te kijken, riep Schlehdorff bars naar zijn mannen: 'Verdergaan!'

'Wat bent u van plan?' riep Sophia uit. Wankelend liep ze op Schlehdorff af. Opeens werd ze zo duizelig dat ze omgevallen zou zijn als de tolk niet naar haar toe was gesprongen om haar vast te houden. 'U zou moeten gaan liggen, jongedame,' zei Schlehdorff lachend. 'Om uw vraag te beantwoorden: we nemen de Engelsen over die hier de hele tijd hebben rondgehangen.'

Hij wees met uitgestrekte arm naar de mannen die naast een kastanjeboom stonden. Met een innemend lachje legde hij Sophia uit hoe hij de booswichten dacht te ontdekken.

'Ze beweren natuurlijk allemaal dat ze Italiaan zijn. Daarom laten we ze om de beurt naar voren komen en iets zeggen. U kunt zich vast wel voorstellen hoe snel we dan het kaf van het koren hebben gescheiden.'

'Nee, alstublieft, doe dat niet,' smeekte Sophia. 'Er zijn toch vrouwen en kinderen bij!'

Schlehdorff bekeek haar alsof ze een zeldzaam, hoogst interessant insect was. 'Met u houden we ons later wel bezig. Iedereen komt aan de beurt. We vergeten niemand. Eerst de Engelsen, dan de joden, dan de partizanen. En tot slot de verraders, de mensen die met de vijand heulen. Voor allemaal hebben we zo onze speciale methodes.'

Hij gaf zijn mensen een teken. Een van de SS'ers duwde zijn geweer in de zij van een man en beval hem naar voren te komen.

De tolk beval hem zijn naam en geboorteplaats te noemen en te vertellen wat zijn beroep was. De arbeider gehoorzaamde met trillende stem en mocht aan de zijkant gaan staan, waar hij als een hoopje ellende in elkaar zakte.

Zijn vrouw huilde luid van opluchting. Een van de SS'ers maakte een dreigend gebaar met zijn wapen, waarna ze meteen stil werd.

De volgende die een wapen in zijn zij geramd kreeg, was een Engelsman. Hij probeerde niet eens zich voor een Italiaan uit te geven. Met een geweldige sprong zocht hij dekking achter de boom. Vandaar sloeg hij zigzaggend op de vlucht. Hij kwam geen twintig meter ver. De SS'er nam de tijd goed te richten en doodde de vluchteling met een enkel schot in de rug.

De wachtende mensen kreunden als uit één mond.

'Volgende,' zei Schlehdorff.

Het was Francesco.

'Nee!' riep Sophia verschrikt uit. 'Dat is mijn broer!'

'Nee toch,' zei Schlehdorff met schitterende ogen, en toen: 'Verdergaan!'

Verlamd van ontzetting moest ze toekijken hoe haar broer door een SS'er naar voren werd geduwd, toen bleef staan en verward naar de grond keek. Benedetta slaakte een hese gil en wilde naar hem toe gaan, maar twee vrouwen hielden haar tegen.

'Naam,' zei de tolk.

Sophia ontwaakte uit haar verdoving. 'Hij is mijn broer! Hij heeft aan jullie kant gevochten, op Sicilië! Daar heeft hij een hersenbeschadiging opgelopen door een kogel in zijn hoofd!'

Terwijl de tolk vertaalde, deed Sophia een paar stappen naar voren, maar toen kon ze niet meer verder door een snijdende pijn in haar lichaam.

'Op wat voor interessante ideeën de mensen tegenwoordig toch komen,' merkte Schlehdorff vriendelijk op, terwijl de SS'er zijn wapen al ophief.

Sophia voelde hoe er diep van binnen iets scheurde. Warm vocht liep langs haar benen naar beneden.

Mijn vruchtwater is gebroken, dacht ze vreemd ongeïnteresseerd. Vandaag krijg ik mijn baby.

'Francesco!' schreeuwde ze. 'Francesco!'

'Francesco,' stamelde Benedetta. 'Zeg je naam! Je naam, lieverd! Zeg hun hoe je heet! Alsjeblieft, doe het voor mij!' Haar woorden welden in een wanhopige stroom op, terwijl ze haar armen smekend naar hem uitstrekte.

Francesco hief langzaam zijn hoofd op en staarde in de loop van het geweer dat op zijn gezicht was gericht. 'Ik... Ik he-eet F-Francesco.' Zijn stem was nauwelijks meer dan een gegorgel. Zijn ogen rolden en zijn adamsappel ging op en neer. Hij wiegde zijn hoofd heen en weer van inspanning. 'Ik be-en...'

'God, wat zielig,' zei Schlehdorff vol walging.

Sophia's hoofd ging omhoog. 'Ik waarschuw u!' Haar stem was zacht, maar duidelijk te horen. De tolk vertaalde meteen wat ze zei. 'Mijn vader was een persoonlijke vriend van Mussolini. Mijn broer is het petekind van de Duce.' Ze was verbaasd hoe makkelijk die leugens over haar lippen kwamen. 'En mijn man heeft goede contacten met de Duitse legerleiding.'

'En nu?' wilde de SS'er weten, terwijl hij met zijn wapen nog steeds naar Francesco wees.

'Laat maar. Hij heeft een hersenbeschadiging, dat kan iedereen zien. Neem de volgende maar.' Zijn ogen schitterden toen hij zich naar Sophia wendde en het vocht op haar jurk ontdekte. 'Is er een ongelukje gebeurd, liefje? Dan wil ik wel eens zien hoe je reageert als ik je het een en ander over je echtgenoot vertel.' Hij bevochtigde zijn lippen met het puntje van zijn tong, die als de staart van een hagedis verscheen en weer verdween. 'Later. Nadat we...' – hij keek in het rond – '... met dit hier klaar zijn. Dan zijn we onder ons. Alleen wij tweetjes. U en ik. Dan gaan we een gezellig praatje maken in uw mooie salon. Die beviel me eerder al zo. Trouwens, dit hele landgoed – het heeft iets. Ik kom graag hier naartoe, al zou ik normaal gesproken belangrijker dingen te doen hebben. Dingen die bij mijn rang passen.' Hij rekte zich trots uit. Er flitste iets in zijn ogen. Als Sophia het niet al had geweten, dan was haar nu duidelijk geworden dat er voor zijn gedrag maar één verklaring was: hij was krankzinnig, een van de gevaarlijkste psychopaten die deze oorlog had voortgebracht.

De tolk vertaalde vloeiend, toen zei hij tegen de volgende man die naar voren werd geduwd: 'Naam, geboorteplaats, beroep.'

Sophia kreunde, maar het kwam maar gedeeltelijk door de krampgolven die langs haar rug trokken.

De SS'er had Henry in het vizier.

'Enrico Manzini,' zei Henry moedig en bijna zonder accent. 'Chiusi. *Fattoria.*'

'Die kerel is nogal blond voor een Italiaan,' vond Schlehdorff. 'Laat hem nog eens iets zeggen.'

'Vertel me eens hoe oud je bent, wanneer je jarig bent en waarom je zo blond bent,' beval de tolk op goed geluk.

Dat was het dan, dacht Sophia volkomen verstard. Henry kende een paar woordjes Italiaans, maar niet genoeg om de tolk om de tuin te leiden.

Fernanda begon angstig te jammeren. Als op bevel viel de tweeling met een oorverdovend gebrul in, en zelfs de kleine Luisa en Renata's zoon deden mee.

Henry zei iets, maar het ging volkomen verloren in het gebrul van de kinderen.

'Laat die snotapen ophouden,' krijste Schlehdorff plotseling. Zijn mannen keken elkaar een beetje onbehaaglijk aan, maar toen kwam er een, die blijkbaar minder gewetensbezwaren had dan de andere, met opgeheven geweer in beweging. Uit zijn ogen straalde de bereidheid om elk bevel op te volgen.

Sophia beet tot bloedens toe op haar lippen en probeerde de felle pijn onder in haar rug te negeren, terwijl ze naar de groep vrouwen en kinderen toe wankelde. Nee, nooit zou ze toelaten dat iemand hen ook maar een haar zou krenken! Ze zou nog liever zelf sterven! Ze bereikte de anderen en ging beschermend voor Josefa staan, die nog steeds de baby vasthield. Trillend deed ze haar ogen dicht, bereid haar laatste adem uit te blazen.

Twee of drie mannen van het landgoed bewogen zich mompelend in hun richting, maar werden meteen tegengehouden.

Donata begon hardop een Ave Maria te bidden. Eerst viel een van de anderen in, maar geleidelijk deden ze allemaal mee. De SS'er bleef onzeker staan. De baby's brulden zonder ophouden en de vrouwen baden steeds luider.

Schlehdorff snoof verachtelijk, griste de naast hem staande SS'er het pistool uit de hand en richtte.

'Stilte, of ik schiet!'

'God, help ons,' fluisterde Sophia met haar laatste krachten.

En toen brak opeens de hel los. Vlakbij klonk een dof gedreun, gevolgd door een doordringend gehuil dat uitmondde in een enorme explosie. De grond trilde onder hun voeten, en de stenen voorgevel van de kerk begon te schudden. Er verschenen scheuren in de muren en de dakpannen gleden naar beneden en sloegen te pletter op de grond. Nauwelijks dertig meter van de kerk was een rokende krater ontstaan, waar omheen een dichte regen van stukken aarde neerdaalde. De takken van de kastanje waar de mannen naast stonden, begonnen aan de kant van de krater te branden. Een regen van smeulende stukjes hout kwam naar beneden, en de mannen, waaronder twee SS'ers, sprongen schreeuwend opzij en zochten naar dekking.

'Een bombardement!' schreeuwde Henry. In het tumult dat was ontstaan, viel het niemand op dat hij in het Engels schreeuwde.

De SS'ers waren druk bezig een goede schuilplaats te zoeken, omdat ze het geluid van laagvliegende vliegtuigen hoorden, die na de aanval over het dal vlogen.

Er kwamen twee of drie vliegtuigen aan die op zoek waren naar doelen. Een van de duikbommenwerpers draaide opzij en opende het vuur op de auto's van de Duitsers. Het krijsende geluid van scheurend metaal vermengde zich met het doffe plop-plop-plop van de inslaande kogels.

De mensen van La Befana, mannen, vrouwen en kinderen, liepen in paniek door elkaar en stoven toen weg in alle richtingen.

'Het bos in,' riep Sophia naar de vrouwen. 'Breng de kinderen weg! Josefa, jij weet waar naartoe!'

Josefa's blikken gingen wanhopig tussen de baby in haar armen, het bos met de reddende schuilplaatsen en haar meesteres heen en weer.

'Ik ga niet zonder jou.'

'Schiet op, breng de baby in veiligheid. Dat is een bevel.'

'Nee, ik laat je niet in de steek!'

Henry verscheen achter Sophia en pakte haar onder haar oksels. 'Ik zorg wel voor haar. Lopen! Schiet op!'

De kokkin snikte wanhopig, en rende toen weg zo snel haar benen haar konden dragen, gevolgd door Fernanda, Renata en de twee oude zusters.

Henry sleepte Sophia hijgend achter de kapel in dekking.

Sophia zag nog net dat Benedetta Francesco achter zich aan trok en met hem samen een helling afgleed. Het gezicht van haar vriendin had een uitdrukking van wilde triomf, samen met overweldigend geluk. Een fractie van een seconde deelde Sophia die gevoelens.

Haar broer had iets gezegd! Ze begreep dat Benedetta gelijk had gehad. Je mocht nooit opgeven een weg naar het hart van een mens te zoeken! Vandaag was het hun eindelijk gelukt een deel van de muur neer te halen!

Toen voelde ze weer een wee aankomen. Ze pakte de zoom van haar jurk en duwde een prop tussen haar tanden om erin te kunnen bijten, zodat de Duitsers haar schreeuw niet konden horen.

Maar haar angst dat de SS'ers haar zouden zoeken, was ongegrond. Er kwam een tweede laagvlieger huilend dichterbij.

'Weg hier!' Schlehdorff kwam met een sprong uit zijn dekking. 'Snel, voor ze terugkomen! Onder de bomen! Daar bij de laan! Sneller, verdorie! We zijn een schietschijf op deze plek!'

Hij sprong in een van de auto's en startte. Zijn mannen kwamen uit hun dekking en sprongen er ook in. In een regen van opspattend steengruis gingen de twee auto's er vandoor, gevolgd door de bommenwerper.

'Schiet ze dood!' kraakte Henry vlak naast Sophia's oor. Hij zat achter haar geknield en ondersteunde haar. Met zijn ene arm hield hij een pistoolmitrailleur omklemd die een SS'er had laten vallen. 'Schiet ze allemaal dood, alsjeblieft! Als jullie het niet doen, zal ik het wel doen!'

Het lukte de Duitsers om voor de volgende aanval de laan te bereiken. De boordschutter van de laagvlieger vuurde meerdere salvo's af op de bomenrij, maar de aanvlieghoek was ongunstig en het zicht beperkt en dus draaide de piloot na korte tijd af en sloot zich weer bij zijn eskader aan.

Even later was het motorgeluid van de auto's weer te horen. Ze vertrokken.

Sophia hijgde van opluchting. 'Ze gaan weg!'

'Ja, ze gaan er vandoor, die laffe honden,' zei Henry grimmig. Het klonk alsof het hem erg speet. Sinds hij een wapen had, scheen hij ongeveer twintig centimeter te zijn gegroeid.

'Henry,' bracht Sophia tussen op elkaar geklemde tanden uit. 'Je bent een goede verpleger, dat weet ik, omdat ik je vaak genoeg heb zien werken. Je weet alles van cholera, breuken en schotwonden.'

'Ik kan ook erg goed verbanden aanleggen,' antwoordde Henry trots.

'Dat is zo,' beaamde Sophia kreunend. De volgende wee liet niet op zich wachten. Ze had het idee dat het kind wel snel zou komen. 'Henry?'

'Ja?'

'Hoe staat het met je bekwaamheid als verloskundige?'

29

Met Henry's kennis op dat gebied stond het niet zo best. Bij de aanblik van het ondergoed dat doordrenkt was met bloed en vruchtwater, viel hij bijna flauw. Sophia had hem gevraagd te kijken of hij het hoofdje al kon zien.

'Ga snel Benedetta zoeken,' beval Sophia, die te oordelen naar de pijn er volkomen zeker van was dat de geboorte binnen enkele minuten zou plaatsvinden.

Henry beet geschrokken op zijn lippen, knikte en rende weg. Zijn lange armen en benen zwaaiden als een vogelverschrikker in de wind. Twintig minuten later kwam hij met Benedetta terug. Sophia ontving hem met een woedende scheldkanonnade, waardoor hij angstig terugdeinsde.

'Waar bleef je zolang, jij ondankbare, slecht opgevoede vlegel, jij petieterige, onbeholpen lomperd van een Engelsman, jij... jij... oooh!'

'Kom op, we zullen eens voor je zorgen,' zei Benedetta. Ze klopte wat aarde van haar jurk en vroeg Henry om haar te helpen Sophia naar de polikliniek te brengen. Het gebouw stond leeg; ze hadden de dag ervoor de laatste patiënt ontslagen.

Benedetta waste en desinfecteerde haar handen en daarna onderzocht ze Sophia. 'Het spijt me wel, maar het ziet ernaar uit dat je nog heel wat zult moeten werken,' verklaarde ze. 'Lieve help, en je hebt me niet eens de tijd gegeven mijn jas aan te trekken, omdat je dacht dat het al kwam!'

'Hoeveel ontsluiting heb ik dan?'

'Net twee vingers breed.'

Sophia, die met gespreide benen op een schoon bed lag, gaf een kreet van verontwaardiging. 'Dat kan niet!'

Benedetta haalde haar schouders op. 'Het is zoals het is. Ik zal de verloskundige bellen, misschien valt haar oordeel anders uit.'

'Vast,' zei Sophia.

Benedetta liep schouderophalend naar de telefoon, terwijl Sophia weer een wee kreeg.

'Dat kan toch geen mens uithouden,' fluisterde ze daarna.

Benedetta trok haar wenkbrauwen op. 'Miljoenen vrouwen, dat kan ik je verzekeren.'

'Wat weet jij er nou van.'

Benedetta zakte op een stoel neer en deed haar ogen dicht. Haar gezicht was net zo vies als haar jurk. 'Heb je gehoord hoe hij zijn naam uitsprak?' vroeg ze ontroerd. 'Dat was het mooiste moment in mijn leven, Sophia.' Ze boog zich voorover en keek Sophia met fonkelende ogen aan. 'We hebben ons in de olijfboomgaard verstopt, en weet je wat hij daar heeft gezegd?'

Sophia schudde haar hoofd. Ze hield vol spanning haar adem in.

'Mijn naam,' fluisterde Benedetta.

'Heb je het voorgezegd?'

'Natuurlijk,' antwoordde Benedetta gepikeerd. 'Wat dacht je dan? Dat hij opeens alles weer kan?'

'Nee, natuurlijk niet. Het spijt me. Heb je de verloskundige kunnen bereiken?'

'Ze komt zo snel mogelijk.' Benedetta bekeek zichzelf. 'Ik moet me even wassen en omkleden. Kun je tien minuutjes alleen blijven?'

Sophia knikte en Benedetta ging naar de villa om zich om te kleden. De aangekondigde tien minuten werden er vijftien, toen twintig.

Sophia leed intussen vreselijk veel pijn, en ze was er vast van overtuigd dat er niemand meer zou komen om haar bij te staan. Pas dertig minuten later kwam Benedetta, tijdens een pauze in de weeën, terug.

'Ik dacht al dat je niet meer kwam.' Sophia keek woedend en opgelucht tegelijk. 'Wat heb je al die tijd gedaan?'

'Een van je werknemers verbonden. Hij heeft een gewonde schouder. Ik heb een kompres aangelegd, maar hij moet geopereerd worden. Daarom heb ik ook dokter Rossi gebeld. Hij komt zo snel mogelijk. Maar hij moet te voet komen, omdat zijn motor kapot is. Het zal dus wel minstens een uur duren voor hij hier is.'

'Hoe is het met de anderen?'

'Verder is er niemand gewond geraakt.' Benedetta gaf een korte samenvatting van de gebeurtenissen.

'De kinderen zijn gezond. Ze zijn allemaal met de vrouwen in de villa. Henry bewaakt de weg. Hij heeft nog drie wachtposten aangesteld. Een deel van de mannen verzorgt de doden.'

Sophia wendde haar gezicht af toen ze aan het bloedbad dacht, aan de doodsangst die ze allemaal hadden uitgestaan. Vascari zou vast niet hebben vergeten wachtposten op te stellen. Hij was vast niet zo goed van vertrouwen geweest als zij. Ze was niet meer zo waakzaam, omdat er de afgelopen weken geen Duitse patrouilles meer op La Befana waren geweest. De enige bezoekers die ze de laatste tijd hadden gehad, waren partizanen geweest, en die hadden hooguit wat te eten willen hebben.

Ze dacht aan Schlehdorff en er liep een rilling over haar rug. Op een onverklaarbare manier wist ze dat ze hem vandaag niet voor het laatst had gezien.

Toen gingen haar gedachten naar dringender zaken.

'Er komt er weer een,' bracht ze moeizaam uit.

'Kom, ik zal je helpen je jurk uit te trekken,' zei Benedetta een pijnlijke minuut later. 'Hij is helemaal nat en vies.'

De dokter kwam nog voor de verloskundige. Hij onderzocht Sophia en verklaarde tot haar grote spijt dat het nog uren kon duren.

Toen gaf hij Benedetta opdracht het bed in een hoek te schuiven en er een scherm voor te zetten.

'De operatie kan niet wachten,' zei hij verontschuldigend.

Sophia hoorde achter het scherm hoe Benedetta en de dokter de nodige voorbereidingen troffen. De gewonde man moest binnengebracht zijn toen ze weer een wee had, want het volgende dat ze hoorde was dat Benedetta en dokter Rossi bespraken of er wel genoeg ether was.

'In het ergste geval moet die jonge Engelsman hem maar vasthouden,' besloot de dokter.

Sophia rolde heen en weer en beet in een stuk verband, zoals ze zelf al vaak aan vrouwen had aangeraden tijdens de weeën. Ze zou het wel uit willen schreeuwen, maar op het moment was er niemand die zich met haar kon bezighouden. Ze kreeg een kind, een volkomen normale gebeurtenis die de natuur voor het grootste deel zelf wel kon afhandelen. Zijzelf kon voorlopig niets anders doen dan de pijn verdragen. En die was veel erger dan ze zich in haar ergste dromen had kunnen voorstellen. De pijn trok als een scherp mes door haar lichaam en rug, om dan op het hoogtepunt van een wee met de kracht van een inslaande granaat diep onderin bij haar stuitje te exploderen, tot ze het gevoel had in tweeën gescheurd te worden. Toen de verloskundige eindelijk kwam, was Sophia zover om nederig om een pijnstiller te vragen.

De verloskundige lachte alleen maar, terwijl ze Sophia onderzocht. 'Je krijgt nu nog niks. En later misschien ook niet, als je goed meewerkt en doet wat ik zeg.'

'Hoever is het?'

'Je bent al over de helft.'

Wat betekende dat ze het moeilijkste nog voor zich had.

Terwijl ze de volgende weeën over zich heen liet komen, verlangde ze vreselijk naar haar moeder. De Marchesa was degene die ze nu het ergst miste. Haar moeder zou hebben geweten hoe ze haar kon helpen. De pijn was vast maar half zo erg geweest als zij naast haar had gezeten.

Ze begon hulpeloos te huilen.

'Nou, nou,' zei de verloskundige kalmerend. 'Je verheugt je toch op je baby?'

Dat zei ze tegen alle vrouwen die tijdens de bevalling de moed verloren – wat bij de meesten wel een keer gebeurde. Sophia had het zelf vaak genoeg meegemaakt.

Maar bij haar was het anders. Ze had niemand bij zich waar ze van hield. Opeens besefte ze hoe verschrikkelijk Luciana zich gevoeld moest hebben. Helemaal alleen, ongetrouwd, en dan nog met de ergste wetenschap die je als vrouw in die situatie kon hebben: haar baby was dood.

Opeens werd Sophia door een vreselijke angst overvallen.

'Nee!' schreeuwde ze, terwijl de volgende wee haar lichaam uit elkaar scheurde.

'Wat is er?' De verloskundige boog zich over haar heen en wreef met haar hand over haar rug, op de plek waar er gloeiende speren in werden gestoken.

'Ik wil weten of hij nog leeft,' stamelde ze, toen de wee wegzakte.

'Nu meteen!'

Zonder een spier te vertrekken, zette de verloskundige haar stethoscoop op Sophia's buik. Ze luisterde zelf niet, maar hield het uiteinde naar Sophia toe.

'Buig je een beetje naar voren,' beval ze.

Sophia gehoorzaamde.

'En nu stil zijn.'

Sophia hield haar adem in en luisterde tot ze de snelle hartslag van haar baby hoorde.

'Hij leeft en wil eruit,' zei de verloskundige. 'Alles gaat goed.'

Zorgzaam veegde ze het zweet van Sophia's gezicht en legde een vochtige doek tegen haar voorhoofd. Ze deed dat ook bij volgende weeën en was er steeds als Sophia haar nodig had. Tijdens de ergste pijn duwde ze haar duimen in de kuiltjes links en rechts van haar stuitje, om Sophia een beetje verlichting te geven.

Toen de schaduwen buiten dieper werden, liet ze Sophia voor een poosje alleen om met de dokter te praten.

De geopereerde man was in de zijkamer gezet, waar hij nog steeds niet uit zijn narcose was ontwaakt.

'Wat een geluk dat de broer van de Marchese niet kon komen voor de doop,' zei de verloskundige. 'De Duitsers hadden hem vast doodgeschoten, omdat hij zo op de Marchese lijkt.'

De arts maakte een geluid waaruit bleek dat de samenhang van die argumenten hem niet helemaal duidelijk was.

'Waarom zou hij eigenlijk wel gekomen zijn?'

'Geen idee,' antwoordde de verloskundige. 'Josefa heeft me verteld dat hij van plan was om erbij te zijn, maar toen gelukkig niet kon.'

'Had hij geen tijd?'

'Nee, hij heeft de Spaanse griep.'

'Die heb ik ook gehad,' zei dokter Rossi mistroostig.

'Eigenlijk heeft iedereen hier enorm veel geluk gehad,' zei de verloskundige. 'Moet je je eens voorstellen wat er gebeurd zou zijn als ze tijdens het bombardement in huis waren geweest! Josefa heeft me verteld dat ze de laatste tijd met z'n allen in de keuken aten, precies daar waar het huis het ergst is getroffen.'

Sophia kwam moeizaam op een elleboog overeind. Blijkbaar had Benedetta haar lang niet alles verteld!

'Wat is er gebeurd?' riep ze argwanend uit. Door de vele onderdrukte kreten klonk haar stem hees.

Het verblufte gezicht van de verloskundige kwam naast het scherm tevoorschijn.

'Is er behalve bij de kapel nog ergens een bom gevallen?' De verloskundige keek haar bezorgd aan. Dokter Rossi verscheen naast haar, zijn gezicht rood van verlegenheid. 'Het is niets wat niet kan wachten.'

'Dat is belachelijk,' zei Sophia scherp. 'Wat is er gebeurd? Ik wil het weten! Nu meteen!'

Haar bevelende toon miste zijn uitwerking niet. De arts hief kalmerend zijn handen op. 'Er waren nog twee treffers. De ene in de oliepers. De andere...'

Hij schraapte zijn keel en ging toen snel door: 'Een van de bommen heeft de villa getroffen. De loggia is verwoest, een deel van de personeelsvleugel en de keuken. En er zijn nogal wat ramen gebroken

Hij boog zijn hoofd. 'Het spijt me.'

Sophia liet zich terugvallen, vreemd onaangedaan door dit bericht. Ze waren in de kapel geweest op een tijd dat ze anders precies daar zouden zijn geweest waar de bom was gevallen. Hoe vaak hadden de baby's niet in de loggia liggen slapen, terwijl Benedetta en Francesco bij hen zaten. Francesco gevangen in de gevangenis van zijn ziel en Benedetta bezig met breien. Vaak was ook Sophia bij hen gaan zitten. Om die tijd waren Josefa en de twee oude zusters meestal in de keuken met het avondeten bezig.

Het bombardement was zo onverwachts gekomen dat ze zich nooit in de kelder in veiligheid hadden kunnen brengen.

Sophia staarde omhoog naar het witgekalkte plafond. Er waren drie mannen dood, en één zwaargewond. Maar de anderen hadden het allemaal overleefd.

Sophia deed haar ogen dicht. Er kwamen tranen onder haar oogleden vandaan. Ze dacht aan de koude verachting in het gezicht van de SS'er, toen hij met opgeheven geweer op de vrouwen en kinderen afkwam. En de uitdrukking in Schlehdorffs ogen, toen hij het wapen had gegrepen, vastbesloten iedereen tot zwijgen te

brengen. En hij zou echt hebben geschoten, daar was ze van overtuigd. Ze waren maar seconden verwijderd geweest van de dood.
Ze herinnerde zich de woorden die ze in doodsangst had uitge-
bracht heel goed.

God, help ons!

En bijna op hetzelfde moment was de bom gevallen.

Sophia voelde dat ze begon te trillen, van pijn en angst en woede.
Ze kon met de beste wil van de wereld geen dankbaarheid voelen
tegenover een God die het bloed en dood liet regenen, die een kleine, vriendelijke man liet sterven, nadat hij een kind van een zekere
dood had gered.

Ook Monsignore Petruccio was dood, een offer van iemand die de
wraak van de Heer had afgeroepen. God had hem tot Zich genomen en zijn moordenaar gespaard.

Ja, je hebt ons laten leven, dacht Sophia verbitterd, maar Elsa en
Vascari en de priester moesten sterven! Je neemt en neemt en
neemt!

Sophia staarde naar het houten crucifix dat boven het hoofdeinde
van het bed hing – de lijdende gestalte van de Verlosser.

Onder het geweld van de volgende wee wendde ze haar hoofd af en
drukte haar gezicht in het kussen.

Toen ze weer opkeek, keek ze in de ogen van haar man.

Drie uur later zei de verloskundige vastbesloten: 'Het is zover. Nog
twee, hooguit drie keer persen. Je man kan beter buiten wachten.'
'Nee,' hijgde Sophia in paniek. 'Nee, niet weggaan, Richard. Laat
me niet alleen. Ga niet weg. Ik wil dat je bij me blijft! Alsjeblieft,
laat je niet wegsturen!'

Hij legde kalmerend zijn hand op haar hoofd. De andere was al een
tijdje gevoelloos, gevangen in de klemmende greep van Sophia's
handen, die hem tijdens de persweeën geen seconde hadden losgelaten. 'Wees maar niet bang,' zei hij met meer optimisme dan hij
voelde. 'Ik blijf bij je.'

Hij stond aan het hoofdeinde van het bed om de dokter en verloskundige zo weinig mogelijk te hinderen. Hij kon nauwelijks meer
helder denken. Sinds zijn aankomst was alles in het honderd gelopen. Hij wist zelf niet wat hij verwacht had, toen hij hier naartoe
gekomen was. Hij had er in elk geval geen rekening mee gehouden

dat hij bij aankomst in handen zou vallen van een jonge Engelsman die tot alles in staat was. Dat hij nog leefde had hij niet te danken aan Henry's omzichtigheid, maar aan het feit dat hij in burger was. Net als bij zijn bruiloft had hij bij Giovanni Scarlatti kleren geleend om niet op te vallen. Bovendien was hij te voet. Alleen in een auto rijden, was, gezien de partizanen in de omgeving, erg gevaarlijk; een rit met gewapende begeleiding was niet aan de orde, want hij wilde niet dat iemand wist waar hij naartoe ging.

Hij had alles zo goed uitgedacht.

Natuurlijk kon hij niet weten dat Henry het landgoed bewaakte. De jongen had samen met een andere man onder aan de cipressenlaan in een hinderlaag gelegen. Hij had niet meteen op Richard geschoten, omdat hij zijn munitie wilde sparen voor het geval de Duitsers van het bloedbad terug zouden komen. Hij had bedacht dat hij de onbekende beter kon neerslaan.

Richard had het alleen te danken aan zijn door frontgevechten getrainde reflexen, dat hij de geweerkolf in een fractie van een seconde had weten te ontwijken. Hij had het geweer bij de loop gepakt en Henry in zijn verblufte ogen gekeken. 'Wat ben jij nou van plan!'

Henry had hem meteen herkend, wat een geluk was, want op hetzelfde moment kwam ook de andere kerel met een grote knuppel uit het struikgewas gestormd om Henry te helpen. Henry kon zich er nog net tussen gooien, toen de Italiaan zich op Richard wilde storten.

'Het is de kapitein!' Toen draaide hij zich stralend naar Richard om. 'U komt precies op tijd. Uw vrouw heeft weeën!'

Na deze mededeling, waar hij eerder van schrok dan blij om was, kostte het Richard moeite zijn ontsteltenis onder controle te houden als hij dacht aan wat er hier kort tevoren was gebeurd. Henry's uitvoerige beschrijving had zijn bloed doen stollen. Als de geallieerden niet toevallig op deze dag het dal hadden gebombardeerd – vermoedelijk omdat ze dachten dat het landgoed nog steeds als Duitse commandopost werd gebruikt – dan was er van de mensen die die middag in de kapel waren niemand meer in leven geweest. Het was niet Schlehdorffs aard om ongewenste getuigen te sparen. Maar Richard had nu geen tijd om zich bezig te houden met de vraag wat hij met Schlehdorff zou doen als hij hem weer zag.

Sophia stond op het punt zijn kind te krijgen!

Er klonk een gekreun diep uit haar borst.

'Ik ga dood,' jammerde ze op het hoogtepunt van de wee.

'Heb het lef niet!' riep Richard uit, om haar op te vrolijken.

Sinds hij hier was hield de angst hem stevig in zijn klauwen. Hij had een visioen waarin Sophia bleek en besmeurd met bloed in een greppel lag, haar huid klam en koud, een teken van de naderende dood. Tussen de weeën door had ze hem verteld hoe Elsa gestorven was.

Steeds weer ging hij met zijn vrije hand over Sophia's schouder om zich ervan te vergewissen dat ze warm aanvoelde, en ondertussen luisterde hij naar de stemmen van de verloskundige en de dokter, zonder te horen wat ze zeiden; alleen hun aanwezigheid was belangrijk voor hem.

Zijn vrouw lag niet stervend in een greppel; zijn kind kwam in een schoon bed ter wereld. Hij zou in de armen van zijn moeder liggen zodra hij geboren was, en haar lach zou het eerste zijn wat hij zag.

'Bij de volgende wee komt het,' zei de verloskundige.

'Het is ongepast,' zei dokter Rossi nog eens koppig. 'Mannen hebben niets te zoeken bij een geboorte!'

'Nou, u bent er toch ook een?' Richards koppigheid was minstens zo groot als die van de arts.

'Het hoort nou eenmaal niet,' mopperde dokter Rossi. 'Als de Marchese nog had geleefd...'

'Persen, Sophia,' maande de verloskundige.

'Het gaat niet,' zei Sophia zwakjes. 'Ik kan niet meer.'

Richard boog zich voorover tot zijn mond naast haar oorschelp was.

'En dat zegt het meisje dat de moed had een zestal moordzuchtige SS-schoften voor te liegen dat haar broer het petekind van de Duce is?'

Sophia keek hem aan, maar had al haar adem nodig om nog een keer uit alle macht te persen. De aders in haar hals zwollen op tot dikke kabels. Haar buik trok zich samen, tot haar huid zich als glanzende zijde over de spieren spande. Het weefsel tussen haar dijbenen werd tot het uiterste opgerekt en de verloskundige masseerde en duwde en trok uit alle macht. Haar gezicht was knalrood geworden van de inspanning. Haar knotje begon los te raken en er hingen haarslierten voor haar gezicht. Ze duwde ze weg, hief haar hoofd op en blafte tegen Sophia: 'Langzaam. Nu ophouden met persen.'

'Pas op, het kan scheuren,' zei dokter Rossi bezorgd. 'Misschien moeten we...'

'Als u me een knip geeft, vermoord ik u!' siste Sophia.

Hij deed onwillekeurig een stapje achteruit. 'Nou...'

Sophia gaf een hijgende schreeuw.

'Het gaat al,' zei de verloskundige. 'Loslaten. De volgende wee komt zo.'

Nog een schreeuw van Sophia, deze keer zo hard dat het galmde in Richards oren.

'Daar komt het hoofdje,' zei de verloskundige. 'Nog één keer. Ja, nu!'

Sophia richtte zich op en pakte zich steviger vast. Richards hand, die al aanvoelde of hij urenlang op hete kolen had gelegen, scheen nu in losse delen uit elkaar te vallen. Hij kreunde eerst ingehouden, toen luider. Het was onmogelijk te zeggen of de geluiden van haar of van hem kwamen.

'Ja,' riep de verloskundige. 'Mijn hemel, wat is dat kind lelijk. Ik hoop maar dat het geen meisje is!'

Richard was geschokt en boog zich voorover om een blik te werpen op het vermeende monstertje, maar toen dokter Rossi grinnikte, werd het hem duidelijk dat dat tussen hen beiden een soort ritueel was.

Of niet?

Hij werd opeens duizelig en kon niet goed meer zien. Het ruiste in zijn oren en er klonk gedonder als van een naderend onweer.

'Nu niet meer persen.' De verloskundige maakte een vakkundige, draaiende beweging en het volgende moment had ze een glibberige, met wit huidsmeer bedekte baby in haar handen.

Als door een sluier zag Richard het ronde hoofdje, de gedraaide navelstreng, de zwaaiende armpjes en beentjes; toen werd het helemaal zwart en gebeurde er iets wat hem nog nooit was overkomen: hij viel flauw.

Het eerste wat hij zag toen hij bijkwam, was het gezicht van de dokter. Er stond bezorgdheid op te lezen, maar ook een flinke portie leedvermaak.

'Ik heb het u gezegd. Een paar keer zelfs. Ik wist precies waar ik het over had. Dacht u soms dat ik u alleen maar wilde dwarszitten? Dit gebeurt wel vaker, vriend. Maar ja, u wilde niet luisteren.'

Richard wreef over zijn pijnlijke schedel. Te oordelen naar de grootte en vorm van de bult moest hij met zijn voorhoofd tegen de rand van het bed zijn gevallen.

Daarna moest iemand hem opzij hebben geduwd, zodat hij niet in de weg lag. Hij lag minstens drie meter van het bed vandaan.

Hij richtte zich op en kreunde toen hij daarbij op zijn toegetakelde hand steunde. Op de achtergrond was de verloskundige bezig de baby te wassen en aan te kleden.

'Gaat het weer?' vroeg Sophia bezorgd vanaf het bed.

Richard ging staan en wankelde de paar stappen naar haar toe. Ze leefde nog! En nog beter: het zag ernaar uit dat ze het goed maakte! Ze straalde hem toe, nog bleek van inspanning, maar zó mooi.

Hij viel op zijn knieën naast het bed, legde zijn hoofd op haar benen en begon te huilen.

Ze schoof een hand in zijn haar en streelde hem zacht. 'Wil je niet weten hoe het met onze baby gaat?'

Hij hief verward zijn hoofd op. Sophia, de dokter en de verloskundige lachten, en nadat Richard een beetje bevend adem had gehaald, vroeg hij: 'Wat is het?'

'Je hebt een zoon,' zei Sophia.

Richards plannen om Sophia nog voor de bevalling weg te halen, waren door de gebeurtenissen op niets uitgelopen. Ze zou minstens een paar weken nodig hebben om te herstellen van de zware bevalling. Hij kon hooguit drie dagen wegblijven, meer vakantie had hij niet kunnen krijgen.

Sinds hun eerste telefoongesprek twee weken geleden, had hij Sophia nog twee keer opgebeld. Beide gesprekken waren erg kort geweest, omdat hij de staftelefoon moest gebruiken en er nooit zeker van kon zijn dat er niet iemand meeluisterde. Sophia had, behalve haar lichaamsomvang, nooit over tekenen van een ophanden zijnde bevalling gepraat, en daarom had hij gedacht dat het misschien nog wel een paar weken kon duren, omdat ze zich verrekend had of zoiets. Een fatale domheid van hemzelf, moest hij nu toegeven.

Hij werd bijna gek van angst als hij bedacht dat zij en hun kind in de vluchtlinie van de terugtrekkende Duitse troepen zaten. Op zijn laatst in mei of juni zou Rome vallen, en dan zouden de geallieerden doorstoten naar Toscane.

Ook waren er berichten van de geheime diensten dat er een aanval was te verwachten op de Duitse stellingen tussen Gaeta en Cassino, en ook dat er een invasie van de geallieerden in Frankrijk zou plaatsvinden.

Richard maakte zichzelf niets wijs. Hij begreep genoeg van krijgskunde om de waarheid te vermoeden, en hij was bij lange na niet de enige. Bij de staf van de legerleiding Zuid geloofde lang niet iedereen meer in de overwinning van de Duitsers. Er werd weliswaar gemompeld over geheime massavernietigingswapens waarmee de vijand in één klap bedwongen kon worden, maar Richard geloofde niets van die hersenschimmen. In zijn ogen hadden de Duitsers de oorlog verloren. Ze zouden de geallieerden nog een poosje kunnen tegenhouden, maar de uitkomst was duidelijk. Het was alleen maar een kwestie van tijd tot de grondoorlog de grenzen van het Rijk bereikt zou hebben.

Eigenlijk was het de komende tijd nergens volkomen veilig, behalve in de al door de geallieerden veroverde gebieden.

Steeds weer maakte hij nieuwe plannen en bedacht hij verschillende scenario's hoe hij Sophia en de kinderen het best door de vijandelijke linies naar het zuiden kon krijgen, waar ze beschermd zouden worden door de geallieerden. Hij overwoog zelfs te deserteren en zijn diensten aan te bieden aan de tegenpartij. Hij sprak uitstekend Italiaans en goed Engels. Zijn verdiensten als communicatieofficier waren de legerleiding blijkbaar opgevallen, want een van Vietinghoffs adjudanten had hem verteld dat hij hem aan de ambassadesecretaris in Florence wilde voorstellen, omdat hij nog vakkundige mannen voor speciale opdrachten nodig had.

Hij was toch al niet van plan ooit nog in Duitsland te gaan wonen. Hoe zou hij dat kunnen, na wat hij gedaan had?

Zijn maag kromp samen als hij aan Johanna dacht. Ze was voor hem nog net zo aanwezig als vroeger, een knappe, blonde vrouw met een lachje dat hem betoverd had. Een vrouw met wie hij zeven heerlijke jaren had doorgebracht. Een tijd die hij nooit zou vergeten. Ze hadden een goed huwelijk gehad.

Maar Johanna bestond alleen nog in zijn herinnering. In werkelijkheid was ze er al jaren niet meer. Het lichaam dat in Duitsland in coma lag, was niet de vrouw waar hij van had gehouden. Die zou nooit meer terugkomen.

Toch was hij een bigamist. Daar stond gevangenisstraf op. Vroeg of laat zou iemand het ontdekken en hem verraden.

Het liefst was hij gewoon hier gebleven, bij Sophia en zijn zoon, om het einde van de oorlog af te wachten. Maar hoe aanlokkelijk die gedachte ook was – Richard verwierp hem meteen weer. Het zou betekenen dat hij vogelvrij zou zijn, net als Henry.

Daarbij had Henry nog het voordeel dat hij Engelsman was. Zodra de geallieerden hier kwamen, was hij een vrij man. Richard daarentegen zou krijgsgevangene worden, of, als de Duitsers hem het eerst vonden, voor het vuurpeloton komen.

Nee, hij moest een oplossing vinden waarbij Sophia en de baby het veiligst waren. Nadat hij alles nog eens op een rijtje had gezet, nam hij een beslissing.

30

Al op de dag na de bevalling voelde Sophia zich sterk genoeg om naar de villa terug te gaan. Ze liep nog een beetje wankelend, maar ze hield het geen minuut langer uit in de polikliniek. De verloskundige was de nacht bij haar gebleven en had de baby twee keer aan de borst gelegd om de melktoevoer op gang te brengen. 's Morgens was ze weer naar het dorp teruggegaan, maar niet zonder Sophia te zeggen dat ze zich niet door haar zoon moest laten terroriseren.

Al hadden de vrouwen de grootste rommel opgeruimd, de terugkeer naar de villa bezorgde Sophia toch een schok. De verwoesting was groter dan ze had verwacht. De inslagkrater en de zwarte muurresten die als monolieten oprezen, boden een vreselijk schouwspel. Een groot deel van de ommuurde moestuin was verwoest, inclusief de rijen bessenstruiken die Josefa's trots waren geweest.

De fontein was met puin, aarde en plantenresten gevuld; niemand was er nog toe gekomen dat op te ruimen.

De ramen van de salon waren gebroken, maar in de eetkamer en bibliotheek waren ze heel gebleven. De keuken was bijna helemaal verdwenen. Daar waar het fornuis had gestaan, was nu een drie meter brede trechter. De buitenmuur van de keuken en twee personeelskamers waren volledig ingestort, en de inrichting bestond alleen nog uit puin. De naast de keuken gelegen ruimte was nauwelijks beschadigd, zodat ze in elk geval nog een plek hadden om te kunnen koken.

Josefa herinnerde zich dat er ergens in de kelder nog een oud fornuis moest staan, een model uit het jaar nul waar ze dertig jaar geleden op kookte. Richard, Henry en Ernesto sleepten hem met z'n drieën onder veel gevloek en gesteun naar boven. Met Ernesto's hulp maakte Richard een afvoer naar buiten en na wat beginproblemen werkte het antieke ding zo goed dat Josefa het avondeten erop kon klaarmaken. Ze kregen brood, olijven en maïspap met ingemaakt fruit. Een eenvoudig maar smaakvol maal, waar Richard niet veel van at, omdat hij het te druk had met het bewonderen van zijn zoon.

Voor een pasgeborene was hij ongewoon groot en zwaar, bijna negen pond. En op het eerste gezicht maakte hij inderdaad een lelijke indruk – een plomp dwergje met kale schedel, een gekreukeld, rood gezichtje en stijf dichtgeknepen ogen. Hij had niets van Luisa's tere, doorschijnende schoonheid. Zelfs zijn gehuil klonk anders, rauw en hard als van een boze kikker. Maar de bewoners van de villa zaten bij de aanblik van de nieuwe wereldburger niet om lovende woorden verlegen – het waren geen woorden als schattig, beeldig of betoverend, maar wel beschrijvingen als levendig, krachtig en kerngezond.

Renata zei zelfs op haar rechtstreekse manier: 'Wacht maar af. Over een paar dagen ziet hij er vast knap uit.'

Maar Richard vond zijn zoontje nu al geweldig. Wat dat betreft was Sophia het helemaal met hem eens. Na de eerste, sprakeloze blik op haar zoon had ze hem met een allesomvattende, vergevende liefde in haar hart gesloten. Ze kon haar ogen bijna niet van hem afhouden, en bijna elke minuut ontdekte ze nieuwe, interessante dingen aan hem, bijvoorbeeld dat hij soms in zijn slaap onbewust lachte. De verloskundige had gezegd dat alle pasgeborenen dat deden, maar Sophia was van mening dat hij haar liefde voelde en zijn blijdschap daarover met een lachje tot uitdrukking bracht. Ze genoot ervan hem in haar armen te houden, een warm, zwaar gewicht op haar borst. Ze kuste zijn zachte voorhoofd en zijn ronde vuistjes en duwde haar neus in de plooien van zijn hals, waar ze de bijzondere geur die pasgeborenen hebben diep inademde. Ze had het gevoel van binnen uit te gloeien als ze haar zoon aanraakte en tegen zich aan drukte. Luisa had haar al een indruk gegeven van hoe sterk de band tussen moeder en kind kon zijn, maar niets had haar op deze wild bruisende, haar helemaal verterende liefde voorbereid.

Die middag bracht Benedetta Francesco naar Sophia's bed, en Sophia stelde hem zijn neefje voor, net zoals ze het een paar weken eerder met Luisa had gedaan. Ze legde zijn hand op het zachte hoofdje en liet zijn vingers de zachte babyhuid voelen.

'Sophia's zoon,' zei Benedetta, en toen Francesco het stamelend en met afgewend hoofd herhaalde, stootte ze een juichkreet uit en kuste hem op de mond. 'Dat heb je goed gedaan, lieverd!' Daarna werd ze knalrood en wierp Sophia een verlegen blik toe.

Sophia lachte haar verlegenheid snel weg. Ze begon er al aan te wennen. Ze wist allang wat Benedetta voor haar broer voelde. Haar vriendin zag iets in hem, iets unieks, dat haar in staat stelde zich steeds weer vol geestdrift en goedheid voor hem in te zetten en te proberen tot hem door te dringen.

De gevoelens die ze daarbij uitstraalde, waren voor iedereen zichtbaar en zonder twijfel echt. Dat verbaasde Sophia des te meer, omdat ze Benedetta al zoveel jaren kende en die kant van haar nog niet eerder had meegemaakt. Haar vriendin was een goed mens, maar Sophia had ook vaak genoeg haar snibbige, grillige karakter leren kennen. Met de meeste patiënten was Benedetta geduldig, maar soms had ze ook achter hun rug een gezicht getrokken. Maar daar was niets van te merken als ze bij Francesco was. Opeens wenste Sophia vurig dat ze bij hem zou blijven. Benedetta was goed voor hem, waarschijnlijk veel beter dan Sophia zelf zou kunnen zijn.

Later kwam ook Henry kijken. Hij bleef verlegen in de deuropening staan en durfde niet dichterbij te komen.

Zijn blik ging naar de wieg die bij het raam stond. Het was de houten wieg, waar Sophia en Francesco ook de eerste maanden van hun leven in hadden gelegen. Josefa en de oude dames hadden hem schoongemaakt en liefdevol bekleed, met een geborduurde rand en een zachte deken die ze van gekleurde resten wol hadden gehaakt.

'Je mag best bij hem gaan kijken,' zei Sophia opgewekt.

Henry draaide zijn muts in zijn handen rond en kwam stuntelig dichterbij. Het leek altijd weer of hij over zijn grote voeten zou struikelen. Voorzichtig gluurde hij over de rand van de deken.

'Hij is nogal klein, hè?' zei hij onbeholpen.

Sophia grijnsde. 'Je bent de eerste die dat zegt.'
Geschrokken keek hij haar aan. 'Ik wilde niet...'
'Het geeft niet,' Sophia lachte naar hem. 'Henry, ik wil je nog bedanken.'
Hij fronste. 'Waarvoor?'
'Moet je dat nog vragen? Wie heeft me achter de kerk gesleept toen de vliegtuigen kwamen?'
Hij haalde zijn schouders op. Zijn roodblonde haar viel over zijn voorhoofd en hij streek het onhandig weg. 'Dat was toch niks bijzonders. Had ik u daar dan gewoon moeten laten liggen?'
Sophia had graag zijn hand gepakt of zijn haar gestreeld, dat er net zo donsachtig uitzag als van een kind. Eigenlijk was hij ook nog een kind, een grote jongen die op de een of andere manier in deze oorlog was beland, hoewel hij eigenlijk thuis bij zijn moeder hoorde te zijn. Elsa had dat gelijk gemerkt en hem in haar grote hart gesloten.
Sophia vroeg zich af of hij veel om haar had gehuild. Waarschijnlijk wel. Hij zag er nog altijd erg verward uit als er over haar werd gepraat. Een keer had ze hem van de begraafplaats zien komen, met rode ogen en een lopende neus.
'Hoe gaat hij heten?'
'Wie?' vroeg ze, uit haar gedachten opgeschrikt.
'Nou, uw zoon. Heeft u al een naam voor hem?'
Sophia haalde onthutst haar schouders op. 'Nee, nog niet.'
'Bij ons is het de gewoonte om al voor de geboorte een naam voor de baby te bedenken,' zei hij plechtig.
Sophia lachte. 'Bij ons ook. Maar op de een of andere manier schijnt het bij mij anders te zijn.'
Eigenlijk was dat niet waar. Het kwam gewoon doordat ze, wat dat betreft, bijgelovig was. Ze had tijdens de zwangerschap niet over een naam willen nadenken. Een naam betekende identiteit, in Sophia's ogen was dat vooruitlopen op toekomstige gebeurtenissen, wat iets aanmatigends had. Om diezelfde reden had ze Josefa ook verboden om voor de bevalling de wieg al op te zoeken of de babykleertjes klaar te leggen.
'Heb jij dan een idee voor een leuke naam?' vroeg ze vriendelijk.
Hij sloeg zijn ogen neer. 'Ik weet niet.'
'Je hebt al een naam bedacht, ik zie het aan je.'

Ze wilde hem alleen plagen, maar opeens hief hij zijn hoofd op en knikte heftig.

'Wil je hem dan tegen me zeggen?'

Hij slikte. 'Bij ons is er een oud gezegde: *De een komt, de ander gaat.* Op de dag dat hij gekomen is...' – hij wees met zijn duimen naar de wieg – '... is er iemand anders gegaan. En daarom dacht ik...' Hij stopte en wreef over zijn kinderlijk gladde wang, die hij nog elke morgen zorgvuldig schoor.

Sophia was verbaasd en ontroerd. 'Dacht je aan Monsignore Petruccio?'

Hij schudde zijn hoofd. 'Nee, aan de Duitser. Hij was een lieve man. Hij lachte altijd en met de kinderen was hij zó.' Henry stak zijn duimen op om aan te geven hoe goed Franz Keller met de kinderen van La Befana kon opschieten. 'Die beschermde hij altijd. En hij was helemaal gek op de tweeling. Had zelf van die kleine sprinkhanen thuis. Hij heeft vaak gezegd dat hij voor ze zou willen sterven.'

Henry stopte om adem te halen na zijn kleine toespraak. Sophia keek naar haar handen op de deken die opeens waren gaan trillen. Hij was echt voor ze gestorven. Had zich zonder aarzelen tussen een kind en de geweerloop van zijn moordenaar geworpen.

'Franz,' zei ze langzaam, 'is in het Italiaans Francesco. Het is een mooie naam. Mijn broer heet ook zo. Naar Francesco van Assisi, een heilige.'

'Die met die dieren, hè?' liet Henry opeens zijn kennis blijken.

Sophia knikte lachend. 'Die bedoel ik, ja. Henry, ik wil je voor je goede voorstel bedanken. Ik moet er natuurlijk nog met mijn man over praten, maar ik denk dat hij er niets op tegen heeft als we onze zoon als tweede naam de naam Francesco geven. Voor zijn eerste naam kunnen we beter iets anders kiezen, in verband met de naam van mijn broer.'

Henry knikte ernstig en draaide zich toen om om weg te gaan. Bij de deur bleef hij staan en draaide zich weer om naar Sophia. 'Ik wilde u nog iets zeggen,' weifelde hij.

Hij bleef stokstijf staan zonder iets te zeggen.

'Nou, zeg het maar,' moedigde Sophia hem aan.

'Ik wil u ook bedanken,' gooide hij er opeens uit. 'Voor alles wat u voor me hebt gedaan. Dat u mijn arm hebt gered en mijn leven en dat u me eten en kleding hebt gegeven en een schuilplaats en scheerzeep en dat ik bij u mocht slapen en met Fernanda wandelen en alles.' Ademloos stopte hij met zijn ietwat onoverzichtelijke opsomming van haar weldaden. Zwakjes voegde hij eraan toe: 'Ik wil u gewoon voor alles bedanken. Omdat ik dat bij Elsa niet meer heb kunnen doen.'

'Kom eens hier, Henry,' zei Sophia zacht.

Met een rood gezicht kwam hij naar haar toe en ze pakte zijn hand en trok hem naar zich toe. Zijn haar voelde net zo zacht aan als het eruitzag. Ze kuste hem op zijn wangen en streelde over zijn achterhoofd, zoals sinds duizenden generaties moeders met hun grote zonen doen.

'Alles wat ik voor je gedaan heb, heb je me al lang in duizendvoud terugbetaald.'

Hij richtte zich weer op en keek haar aan, toen kwam er een lachje op zijn gezicht.

Wat heeft hij mooie, witte tanden, dacht ze. Hij lachte veel te weinig.

Hij struikelde weer naar de deur.

'Kom op tijd voor het eten!' riep ze hem na.

's Avonds stond ze op en met Richards hulp ging ze naar beneden om met de anderen te eten. De vrouwen hadden de grote tafel in de eetkamer gedekt, en Richard kreeg natuurlijk de plek aan het hoofdeinde van de ovale tafel. Aan zijn rechterkant zat Sophia, die om de beurt een van de baby's in haar armen hield, Luisa en zijn zoon.

Sinds de bevalling hadden ze nog geen gelegenheid gehad om ongestoord te praten. Sophia had de hele dag geslapen of was met haar zoon bezig geweest, maar de liefdevolle blikken die ze hem tijdens het eten toewierp, lieten er geen twijfel over bestaan hoe ze ernaar verlangde eindelijk met hem alleen te zijn.

Na het eten lieten ze de zorg voor de kinderen aan Renata en Fernanda over en trokken zich terug in Sophia's slaapkamer.

'Hier heb ik de hele dag al op gewacht!' Richard nam Sophia in zijn armen, tilde haar op en legde haar met een zwaai op het bed. Tijdens die actie hijgde hij hoorbaar, waar ze vol leedvermaak om lachte.

'Ik had ook zelf kunnen gaan liggen,' zei ze, terwijl ze haar schoenen uitdeed. 'Dat was beter geweest voor je rug. Heb ik je niet steeds gezegd wat voor een ton ik ben geworden?'

'Wat maakt het uit. Over twee weken ben je weer zo slank als een den.'

Hij trok ook zijn schoenen uit, ging naast haar liggen en nam haar in zijn armen. De kamer was aangenaam warm; het vuur in de open haard vulde de hele ruimte met dansende lichttongen. Eigenlijk was het niet meer nodig om 's avonds te stoken, de tijd van de winterkou was al lang voorbij. Maar Sophia wist dat Richard van haardvuur hield en ze had ervoor gezorgd dat er voldoende brandhout lag.

Sophia drukte haar gezicht tegen zijn borst en ademde zijn geur in, een geur van warme wol, zeep en mannelijkheid. 'Was het bij je vrouw ook zo?'

Hij verstijfde. 'Wat bedoel je?'

'Werd ze na de bevalling ook snel weer slank?'

Zijn stijve houding vertelde haar dat hij dit onderwerp niet leuk vond. Sophia zuchtte. 'We moeten er toch een keer over praten. Ik weet dat je het moeilijk vindt. Maar je moet mij ook begrijpen. Ik weet zo weinig over jou en je verleden.' Ze zweeg even, toen ging ze behoedzaam verder: 'Ik heb er moeite mee, Richard. Ik bedoel, zo weinig van je te weten.'

'Ik heb toch urenlang over mezelf verteld,' protesteerde hij.

'Ja, over je tijd als docent, over je tijd in Italië, over een paar dingen uit de oorlog. Ik weet wie je ouders zijn, wat je gestudeerd hebt, waar je naar school bent geweest. Maar er ontbreekt een stuk. Je had al eens een gezin, en daar weet ik niks over.'

'Wat wil je dan weten?'

'Geen idee,' zei Sophia hulpeloos. 'Hoe ze eruitzagen, hoe ze heetten... zo veel mogelijk. Dingen uit jullie leven.'

'Mijn zoon heette Peter,' begon Richard met een uitdrukkingsloze stem. 'Hij was blond, net als ik. En hij had kuiltjes in zijn wangen als hij lachte. Die had hij van mijn vrouw. Hij leek erg veel op haar. Johanna was klein en tenger, een vrolijke vrouw. Ze las graag en probeerde vaak kookrecepten uit. Ze kon goed naaien. De meeste kleren voor ons kind maakte ze zelf. Soms kwam ze met onze zoon naar de universiteit om me af te halen. We gingen vaak met z'n allen naar een museum. Ze interesseerde zich niet bijzonder voor mijn werk, maar ze hield ervan als ik bepaalde schilderijen uitlegde. Ze hield het meest van de oude meesters. In mijn werkkamer thuis had ik veel fotoboeken over renaissanceschilders, waar ze vaak in keek. Ze was vooral gek op het madonnabeeld van Fra Filippo Lippi. Ken je het, dat met die kleine, ondeugende engel die het Christuskind ondersteunt? Johanna lachte daarom. De kleine Christus strekt zijn armpjes uit naar Maria, maar die kan hem niet pakken, omdat ze de handen in gebed heeft gevouwen. Daarom heeft Lippi er twee cherubijntjes bij geschilderd, die het heilige kind vasthouden. Johanna zei altijd dat de engel op de voorgrond op Peter leek. Dat was ook wel zo.'

Zijn stem brak, en hij haalde diep adem tegen de scherpe pijn in zijn keel.

Sophia liet vanaf zijn borst een verstikt geluid horen, toen hief ze haar hoofd op. Er stonden tranen in haar ogen. 'Het spijt me, ik wist niet dat het je nog zoveel pijn deed.'

'Ik had hem zes jaar lang,' zei hij eenvoudig. 'Hij was alles voor me. En toen was hij er van de ene op de andere dag niet meer. Ik ging bijna dood van verdriet.'

Sophia voelde zijn verdriet haast lichamelijk en tegelijk steeg er een scherpe, bijtende jaloezie in haar op. Ze zwegen langdurig. Na een poosje, die haar een eeuwigheid leek, maakte ze een onschuldige opmerking.

'Op een dag kun je er misschien over praten zonder dat het zoveel pijn doet.'

Daar gaf hij geen antwoord op. Opeens besefte hij iets wat hij de hele tijd onderdrukt had. Het verleden kon je verdringen en ook voor een tijdje vergeten, maar je kon het nooit uitwissen. Johanna en Peter waren delen van zijn vroegere, maar ook van zijn huidige leven. En hij kon niemand wijsmaken dat ze er niet waren geweest, zichzelf al helemaal niet.

Verleden, heden en toekomst lieten zich niet scheiden, ze waren er altijd, versmolten in een ondeelbaar geheel. Er waren niet twee levens, maar één, en alles wat er tot nu toe in dat leven was gebeurd, hoorde onlosmakelijk ook bij zijn tegenwoordige bestaan.

Later, toen Sophia sliep, trok hij de ochtendjas aan die hij bij zijn vorige bezoeken ook had gedragen, en die daardoor al iets vertrouwds had. Het was een duur kledingstuk van fijne, nachtblauwe zijde, met een borduursel op de rug. De stijl was Chinees. Er stond een mythologische figuur op, iets draakachtigs, een kronkelend wezen dat vuur naar een onzichtbare tegenstander spuwde.

Op weg naar de badkamer kwam hij Margherita, een van de oude zusters, tegen. Zij droeg ook een ochtendjas van dure zijde, een van de weinige overblijfselen van een vroeger leven. Sophia had hem verteld dat ze uit een van de rijkste families van het land kwam. Maar hier in Italië was het op het moment niet anders dan in de rest van Europa: de joden werd elk recht op bestaan afgenomen. Ze werden onteigend, rechteloos gemaakt, gedeporteerd, vermoord. Richard had op een discrete manier inlichtingen ingewonnen, nadat hij zelf in Rome had gezien hoe de SS met joodse gezinnen omsprong. Wat hij toen uit goedingelichte bron had vernomen, was erger geweest dan zijn ergste nachtmerries. Iemand had hem verteld over enorme vernietigingskampen in het oosten, en daarbij details genoemd die te verschrikkelijk waren om als normaal mens te kunnen bevatten. En toch vermoedde hij dat elk woord waar was. Misschien stond hij op het punt gek te worden, net zo gek als de mensen die bij hun volle verstand deze zinloze oorlog aan de gang hielden.

Margherita groette Richard in het voorbijgaan met een schuchter, tandeloos lachje, waardoor haar gezicht een fijn net van perkamentachtige rimpels liet zien.

Richard ging de badkamer in en deed de deur achter zich op slot. Bij de gedachte welke schade de bommen hier hadden kunnen aanrichten, kromp zijn maag in elkaar. Hij liet zijn wijsvinger over de perfecte lijnen van de mozaïeken glijden, die de kunstenaar met zoveel fantasie had gemaakt. De voegen tussen de tegels waren zo dun, dat ze met het blote oog nauwelijks zichtbaar waren. Als je een stap terug deed, was de illusie perfect, en de muur zag eruit alsof hij beschilderd was. De glanzende kleuren deden het nodige om die indruk te versterken.

Richard keek opzij naar Neptunus, die hoogmoedig zijn drietand naar hem toe stak, alsof de koning van de zee hem wilde waarschuwen het niet met hem aan de stok te krijgen.

'Jij hebt het goed, kerel. Jij mag altijd hier blijven.'

Hij trok zijn ochtendjas uit en liet het bad vollopen. Zonder Sophia was het niet hetzelfde, maar altijd beter dan niets. Het was niet zijn behoefte zich te wassen, die hem steeds weer naar dit bad dreef. Hij deed het, omdat een macht die sterker was dan zijn verstand het hem beval. Het was als een zwijgend, wederkerend reinigingsritueel, dat hij moest uitvoeren als hij hier op La Befana was.

Toen hij er genoeg van had, klom hij uit het bad en kleedde zich weer aan. Hij wachtte tot de damp optrok en op de wanden was neergeslagen, een mooi effect dat de illusie van een onderwaterwereld nog versterkte.

Toen hij bij de slaapkamer aankwam, kwam hij Renata tegen die een boos huilend bundeltje in haar armen had.

'Hij heeft honger,' zei ze verontschuldigend. 'Ik heb hem ook verschoond. Ik zou hem ook... Maar ik heb mijn eigen jongen en Luisa, en toen dacht ik...'

Richard onderbrak haar gestamel en pakte zijn zoon aan. 'Het is al goed. Ik breng hem wel naar mijn vrouw. Bedankt.'

Terwijl ze met een gemompeld 'welterusten' verdween, bekeek Richard de baby in zijn armen nog eens goed.

Het gezichtje begon al te veranderen, zoals te verwachten was. Zijn trekken werden duidelijker, de contouren van voorhoofd, neus, mond en kin waren al duidelijker te zien dan die middag. Morgen of overmorgen zou de stuwing weggetrokken zijn en het gezicht van zijn kleine jongen helemaal duidelijk worden. Hij moest nog groeien, maar de belangrijkste kenmerken zouden toch te zien zijn. Richard kon nu al zien dat het een open, aardig gezicht zou worden, met regelmatige trekken, een fijngesneden neus en een royaal gebogen mond, net als die van Sophia. De kleine schedel was nogal kaal, op een paar donkere donsharen na, die binnenkort toch zouden uitvallen. Het echte haar zou pas over een paar maanden gaan groeien. Het kind zou best blond kunnen worden, net als hijzelf. Naar de kleur van zijn ogen kon je nu alleen nog maar raden. Het kereltje had zijn ogen wel wijdopen, maar de donkerblauwe kleur zou nog veranderen.

Richard voelde een hevige liefde voor hem, terwijl hij de baby tegen zijn gezicht hield en zachte, zinloze woordjes tegen hem fluisterde.

Zijn zoon was niet in zo'n tedere stemming. Hij smakte luid en gaf toen een korte, krakende schreeuw. Het was niet erg hard, maar een seconde later riep Sophia: 'Breng hem maar binnen.'

Dat schreeuwtje was genoeg geweest om haar wakker te maken.

31

Er trok een diep geluksgevoel door Richard heen toen hij zag hoe Sophia het kleintje aanlegde.

Haar borsten waren vol van de melk, hoog opgericht en spits, met een donkerbruine tepelhof. Richard wendde verlegen zijn blik af, omdat hij zich schaamde voor zijn wellustige gedachten, maar toen keek hij weer terug, niet in staat zijn fascinatie te verbergen. Sophia kreunde van pijn toen het kleintje zich vastzoog.

'Doet het pijn?'

Ze knikte, met op elkaar geklemde tanden. 'Erg. Maar dat gaat over. Het duurt hooguit nog twee, drie dagen.'

Richard liet zich geen beweging ontgaan. Dit was nieuw voor hem, net als zijn aanwezigheid bij de geboorte; een aangrijpende, intensieve ervaring. Johanna had Peter niet zelf kunnen voeden, dus had hij deze vorm van tederheid, die hij nu bij Sophia kon zien, niet eerder meegemaakt.

Richard luisterde naar de zachte geluidjes die zijn zoon maakte bij het drinken. Het kleintje zoog fel en onverstoorbaar door, tot Sophia haar vinger in zijn mondhoek duwde en hem van de tepel haalde, om hem aan de andere kant aan te leggen. Haar ogen glansden van bijna onaardse gelukzaligheid, terwijl ze neerkeek op het hoofdje in de kromming van haar elleboog.

'Ik hou van je,' zei Richard zacht, met een haast eerbiedig ontzag. Hij ging naast haar op het bed zitten en legde zijn voorhoofd tegen het hare.

Voor eeuwig, dacht hij. Alstublieft, God, laat het voor eeuwig zijn! Hun ademhaling en hartslag werd één, en ze voelden de kracht die hen met elkaar en met hun kind verbond, als een sterke magneet. Na een poosje werd het kleine lichaampje slapper. Sophia tilde hem voorzichtig op en legde hem in Richards armen. 'Hij heeft genoeg gehad. Leg jij hem in de wieg?'

Hij drukte een kus op het donshaar en ademde diep de betoverende geur van melk in. Toen legde hij hem voorzichtig in de wieg en dekte hem met de bontgekleurde deken toe.

's Nachts lagen Sophia en Richard in elkaars armen en luisterden naar de geluiden, tot ze weggleden in de wereld van slaap en dromen, waar alles donker en goud was en niemand hen kon scheiden. Hun zoon wekte hen vroeg om vijf uur. Sophia voedde hem half slapend, waarna Richard hem snel verschoonde en weer in de wieg teruglegde.

Sophia was dankbaar voor zijn ervaring als vader. Ze kropen weer samen onder de dekens en sliepen tot de baby hen weer wakker maakte – om negen uur.

Richard keek op zijn horloge en schoot overeind. 'Oei, wat is het al laat!'

Sophia rekte zich geeuwend uit. Zonlicht scheen door de spleten van de luiken naar binnen en toverde rode lichtjes in haar donkere haar, dat in verwarde strengen over haar schouders viel. Ze zag er betoverend fris en jong uit. Het moederschap deed haar blijkbaar goed.

'Ah! Dat heeft me goedgedaan! Waarom heb je zoveel haast? Ik dacht dat je pas vanmiddag weg hoefde.'

'Dat is ook zo, maar ik was niet van plan tot dan in bed te blijven liggen.'

Bij het ontbijt vertelde hij haar zijn plannen. Ze waren alleen in de eetkamer, de anderen waren al aan hun dagelijkse werk. Sophia had geweigerd in bed te blijven. Ze voelde zich goed genoeg om voor de maaltijden op te staan.

Richard keek haar over de ontbijttafel aan.

'Ik ben van plan je in de loop van de volgende week naar het zuiden te brengen. Dan ben je een beetje bekomen van de bevalling en kun je wel weer reizen.'

Sophia, die net in een stuk brood wilde bijten, klapte haar mond dicht en keek hem ongelovig aan, omdat ze even dacht het verkeerd gehoord te hebben. 'In het zuiden wordt gevochten,' zei ze. 'Dat is nou net het probleem waar we mee te maken hebben,' antwoordde hij. 'Maar ik weet precies waar het front ligt, tenslotte heb ik eraan meegewerkt de perfecte plaats voor de stellingen te kiezen. Er is natuurlijk geen doorlopende frontlinie met kilometerslange loopgraven, zoals in de vorige oorlog. Dat is ouderwets.'

'Echt waar?' zei Sophia.

Hij negeerde haar licht spottende opmerking.

'Tussen de verschillende stellingen liggen genoeg onbewaakte stukken land. Niet zo groot dat er troepen doorheen zouden kunnen, maar wel geschikt voor een paar mensen om er ongezien doorheen te glippen. Je moet alleen weten waar.'

'En jij weet dat.'

'Natuurlijk.' Hij nam een slok uit zijn kopje en trok een gezicht. 'Mijn hemel, is dat thee?'

Sophia lachte. 'Nee, water met theesmaak. We gebruiken de blaadjes minstens drie keer. Je hebt waarschijnlijk een derde keer getroffen. Als ik je een goede raad mag geven – hou je liever bij melk, zoals ik.' Ze nam een slok en spoelde het laatste stukje brood weg, toen legde ze haar hand op Richards arm. 'Ik weet dat je het beste voor me wilt, en ik vind het lief dat je zoveel plannen voor me maakt, maar ik hoop dat je wilt inzien dat het geen zin heeft.'

Zijn mond viel open. 'Wat?'

Ze giechelde en boog zich voorover om hem een kus te geven. 'Wat zie je er toch schattig uit als je zo verbaasd kijkt.'

'Wat bedoel je dat het geen zin heeft?'

Ze werd weer ernstig. 'Ik kan hier niet weg.'

Hij stoof op, maar probeerde zich toen te beheersen. 'Wat bedoel je, je kunt niet?'

'Hoe had je het je voorgesteld?' pareerde ze met een tegenvraag. 'Dat je me met de kleintjes bij nacht en ontij in een auto stopt en naar Napels of zo brengt?'

'Een deel van de afstand moeten we te voet gaan,' zei hij. 'De wegen bij het front liggen natuurlijk allemaal onder vuur of er liggen mijnen onder. Maar ik heb een kaart met genoeg veilige wegen door vrije gebieden, die kunnen we gebruiken.'

Ze snoof. 'Daar heb ik het toch helemaal niet over. Volgende week ben ik heus wel weer zo sterk dat ik een paar kilometer kan lopen.'

'Dan begrijp ik je probleem niet. Je hebt me zelf verteld dat er in Napels familie van je tante woont. Het zou niet langer zijn dan voor drie of vier maanden. Het front zal binnenkort toch wel in elkaar storten. Waarschijnlijk kun je de komende herfst al weer hier terug zijn.'

'Nee, want ik ga namelijk helemaal niet weg.'

Richard verloor zijn geduld. 'Sophia, wat ter wereld...' Hij brak af en dempte zijn stem. 'Waaróm niet, in 's hemelsnaam? Kan het gevaar je dan niets schelen? Hoe kun je ons kind blootstellen aan dat risico?'

'Ik heb ongeveer tien goede redenen. Misschien moet je er eens even over nadenken, dan kun je ze zelf wel bedenken.'

Uit haar opgewonden toon bleek duidelijk dat zijn jonge vrouw een stijfkop was – afgezien daarvan had ze ook nog een sterk ontwikkeld verantwoordelijkheidsgevoel. Hij hoefde er natuurlijk niet lang over na te denken waarom ze niet weg wilde. Haar strijdlustige blik maakte hem duidelijk dat ze zich niet zou laten ompraten. Bij haar volgende woorden was haar toon vriendelijker. Ze pakte zijn hand en keek hem smekend aan. 'Ik wilde niet onaardig zijn. Het spijt me. Als het hier mis gaat, zal ik me met de kinderen in de holen in het bos verstoppen.' Ze lachte. 'Daar vlakbij hebben we vorige zomer bij onze eerste wandeling op een boomstam gezeten, weet je nog? Lieve hemel, wat verlangde ik er toen naar dat je me kuste!'

'Ik had het ook bijna gedaan,' gaf hij toe.

'En ik was behoorlijk beledigd, omdat je het níét gedaan had.'

Richard werd weer ernstig. 'Vergeet het bos. De geallieerden zullen het als eerste onder vuur nemen, om hinderlagen te voorkomen.' Zijn blik werd indringender. 'Verdorie, Sophia, de Duitsers zullen de villa als commandopost gebruiken!'

'Hoe weet je dat?'

Richard haalde vermoeid zijn schouders op. 'Dat heb ik je toch al eens verteld, weet je nog? Van alle gebouwen hier ligt het huis het gunstigst. Vanaf het terras kun je het hele dal overzien en de heuvels in de omgeving.'

Sophia dacht even na. 'In het oude klooster is een grote kelder,' zei ze toen. 'Als we nergens meer heen kunnen, verstoppen we ons daar.'

Richard gaf geen antwoord; het was te zien dat hij niet erg tevreden was over de uitkomst van hun gesprek. Toch hield hij haar hand nog steeds vast, een goed teken, vond Sophia.

Ze streek met haar vinger langs zijn wang. 'Ik weet hoeveel zorgen je je om ons maakt. Maar je kunt niet van me verlangen dat ik tegen mijn overtuiging in handel. Eén ding moet je weten: ik zorg voor de mijnen. Altijd.'

Richard ademde diep in en uit. Hij kon zijn teleurstelling niet verbergen, maar was wel objectief genoeg om haar beweegredenen te respecteren. Ze had een zusje dat maar een paar weken ouder was dan haar zoon. Haar broer was ook zo hulpeloos als een kind. Richard kon niet van haar verwachten dat ze haar familieleden hier zou laten. Aan de andere kant zou het een niet in te schatten risico met zich meebrengen om met de twee baby's en Francesco 's nachts urenlang door een onherbergzaam gebied te trekken.

En dan waren Henry, Benedetta, Margherita, Rosalia, Josefa, Renata en Fernanda er nog, en al die anderen die Sophia beschermde en natuurlijk niet achter wilde laten. Broedend staarde hij in zijn slappe thee. Hij moest iets anders bedenken. Maar wat?

Er werd geklopt en Benedetta kwam binnen. Ze straalde van blijdschap en trok Francesco achter zich aan.

Sophia lachte, blij met de afleiding.

'Moet je niet in bed liggen?' vroeg Benedetta.

'Ik ga zo weer liggen. Maar ik ben toch niet ziek, ik heb alleen maar een baby gekregen. Wat is er? Je ziet er zo opgewonden uit!'

'Kijk eens.' Benedetta duwde Francesco naar voren, naar de tafel. 'Francesco, daar zit Richard, je zwager. Geef hem eens een hand. Doe maar.'

Francesco bleef staan, zijn hoofd scheef, en keek Benedetta met twijfelende ogen aan.

'Doe maar,' spoorde ze hem aan. Met een zakdoek veegde ze wat speeksel uit zijn mondhoek, toen pakte ze zijn gekromde rechterhand en begon hem van de handpalm tot de vingertoppen te masseren. Francesco's lippen vertrokken en plooiden zich toen in een nauwelijks merkbaar lachje, wat Benedetta opnieuw deed stralen. 'Nu,' zei ze. 'Geef Richard een hand.'

En Francesco stak echt zijn hand uit en hield hem Richard voor, met afgewend gezicht en zijn mond vertrokken in concentratie.

Richard greep zonder aarzelen de uitgestoken hand en drukte hem. De vingers voelden slap en knokig aan en beantwoordden de druk van zijn hand niet. Maar natuurlijk ging het daar niet om. Richard liet Francesco's hand langzaam los.

'Dat heeft hij vandaag geleerd,' zei Benedetta ademloos.

Sophia sprong op. Met tranen in haar ogen omarmde ze eerst haar broer en toen Benedetta. 'Dat hebben jullie geweldig gedaan, jullie tweeën! O, Benedetta, je hebt het ongelofelijke voor elkaar gekregen! Als ik eraan denk hoe hij was toen jullie hier kwamen...' Ze veegde over haar ogen en draaide zich toen om naar Richard. 'Is het geen wonder?'

Richard wendde zich bruusk af. Hij had opeens een ontstellend duidelijk beeld voor ogen van een jonge, blonde vrouw, in elkaar gezakt in een rolstoel, niet in staat met de wereld te communiceren, sinds jaren gevangen in de kerker van haar lichaam, die niemand had die haar hand pakte of tegen haar praatte.

'Neem me niet kwalijk,' zei hij met gespannen stem, terwijl hij opstond en zijn stoel naar achteren schoof.

Benedetta keek hem verbluft na, toen hij met gebogen hoofd de kamer uitging. 'Wat is er met hem aan de hand?'

'We hadden een klein verschil van mening,' zei Sophia luchtig.

Ze verborg haar bezorgdheid over zijn reactie. Hij had eerst niet de indruk gemaakt dat haar weigering om hier weg te gaan hem zo dwarszat. Maar ze had zich blijkbaar vergist; het scheen hem meer te doen dan ze had gedacht.

Richard had behoefte aan frisse lucht. Met zijn hoofd gebogen tegen de wind liep hij de heuvel achter de villa op. Zonder stoppen liep hij over het pad door tot de villa met de omringende gebouwen eruitzag als een zandkleurige hen met haar kuikens, dicht op elkaar in het groen van hun nest. Van hieruit kon hij ook de kapel met de aangrenzende begraafplaats zien. De bomkrater en de verkoolde kastanje vormden een gedenkteken voor de gruwelijkheden, die nog vers in het geheugen lagen. De drie doden lagen opgebaard in de kapel en zouden de volgende dag begraven worden. Er zou een priester uit Montepulciano komen om de dodenmis te leiden. De mannen van het landgoed hadden al doodskisten getimmerd voor de Duitser en de Engelsman. De geestelijke zou in Chiusi begraven worden. Sophia had ervoor gezorgd dat de bisschop van Pienza op de hoogte was gebracht. Het bisdom zou maatregelen treffen om het lichaam te laten ophalen en ook een ambtelijk onderzoek uitvoeren. Richard geloofde niet dat daar iets uit zou komen. Dit soort 'vergissingen' werden meestal met een paar niet-gemeende woorden van spijt uit de wereld geholpen. Schlehdorff en zijn moordenaarsbende hadden, wat deze aangelegenheid betreft, goede vooruitzichten om er ongeschonden vanaf te komen. Het zou duidelijk worden dat er samen met de geestelijke ook een gedeserteerde Duitser en twee ontvluchte Engelsen in de kapel geweest waren. Schlehdorff zou zich er wel uit kunnen praten als hij collaboratie ter sprake bracht.

Richard bereikte een wijnberg, waar een boer aan het werk was. Hij zwaaide zijn houweel boven zijn schouder en sloeg hem toen in de donkere aarde. In de aangrenzende groentetuin stonden twee vrouwen gebukt onkruid te wieden. Toen hij langskwam, stopten ze met hun werk en keken hem half wantrouwend, half angstig aan; afgetobde, bange gezichten onder donkere hoofddoeken.

Een paar honderd meter verder zag hij in een kleine laagte een boerderijtje liggen, een armoedig aandoend huisje met aangebouwde stallen en een omheind stukje land waar twee geiten liepen. Sophia had hem verteld dat er tientallen van zulke boerderijen bij La Befana hoorden, die allemaal door pachters werden bewoond. Elk van die families was een deel van een groter geheel, van het Driekoningenland, een band die al generaties lang bestond en door niemand tenietgedaan kon worden.

Ik zorg voor de mijnen. Altijd.

Hij zag haar voor zich, zoals ze haar invalide broer omarmde, met een liefde die geen eisen stelde en niet op beantwoording kon hopen. En weer kwam de herinnering aan zijn vrouw in hem op, aan zijn eerste, wettige echtgenote. Haar deerniswekkend gekromde gestalte, haar lege ogen. Ook uit haar mondhoek drupte speeksel. En dan hijzelf, samen met Sophia in de kerk van Sant' Agostino, waar hij de ring, waar Giovanni voor gezorgd had, om haar vinger schoof en daarbij beloofde haar te eren en voor haar te zorgen, tot de dood hen zou scheiden. Datzelfde had hij jaren geleden ook tegen Johanna gezegd.

Er welde een snik op uit zijn keel, terwijl hij bleef staan en met beide handen zijn hoofd omklemde. Daar waar de kogel hem vorige zomer had geraakt, klopte en zoemde het als in een horzelnest.

Nee, dacht hij met opkomende paniek, het is te laat, ik kan er niets aan veranderen! Wie heeft er wat aan als ik haar nu ook nog pijn doe? Ik heb nu eenmaal gedaan wat ik heb gedaan, en daar moet ik het bij laten!

Maar in zijn hart wist hij wel beter.

Met slepende tred liep hij terug. Sophia zat op een plekje uit de wind op het terras in een ligstoel. Ze had de baby in haar armen. Luisa lag in de kinderwagen naast haar te slapen.

Sophia keek hem vragend aan toen hij dichterbij kwam. Ze keek bezorgd. 'Waar was je zo lang?'

'Ik moest nadenken.' Hij zakte naast haar op zijn knieën. 'Mag ik hem even vasthouden?'

Zwijgend gaf ze hem het warme bundeltje aan.

Richard sloeg een hoek van de deken opzij. De baby sliep, een vuistje naast zijn gezichtje, het mondje ontspannen. De tere, blauwgeaderde oogleden lagen als trillende vleugels over zijn ogen. Richard verzonk in de aanblik van zijn zoon, en het brak zijn hart bijna.

'Je huilt!' Sophia kwam met enige moeite uit de ligstoel omhoog. Haar hand raakte zijn arm aan.

'Ik moet met je praten,' zei hij zacht. Hij gaf haar de baby en wendde zich af. 'Ik heb je belogen en bedrogen.'

'Wat...'

Heel langzaam draaide hij zich weer om.

'Leg de baby in de wagen en loop een stukje met me door de tuin, goed?'

Verdoofd gehoorzaamde ze en liet toe dat hij haar bij de arm pakte en door de tuin leidde, langs de fontein die nog steeds vol lag met aarde en puin. Toen ze de muur achter de borders bereikt hadden, bleef hij staan. Hij wapende zich tegen datgene wat hij haar moest vertellen, en hij wilde dat hij voor Sophia ook kracht kon verzamelen, zodat het haar niet zo erg zou treffen.

'Johanna is niet dood.'

Sophia deed haar mond open, maar er kwam geen geluid uit.

De geschokte uitdrukking in haar ogen liet zijn hartslag langzamer worden, tot hij het bloed in zijn vingertoppen voelde kloppen. De wind om hem heen scheen opeens kouder te worden.

Richard staarde over de heuvels, die zich in ongerepte schoonheid tot in de verte uitstrekten. Niets wees erop dat maar enige kilometers voorbij die heuvels een van de ergste slachtpartijen ooit aan de gang was. Zijn blik bleef rusten op de cipressen onder aan de heuvel, terwijl hij met een vreemd onverschillige stem verderging.

'Ze heeft na Peters dood een zelfmoordpoging gedaan, die mislukt is. Sindsdien is ze... in een soort coma. Ze woont in een verpleegtehuis.'

Sophia voelde hoe alle kracht uit haar wegvloeide. Het was alsof iemand een mes in haar knieholtes had gestoken. Ze kon niet meer op haar benen staan. Zonder het bewust te merken, zakte ze ruggelings tegen de muur en bleef daar zitten. Een ijzige kou stroomde door haar ledematen en verzamelde zich in haar binnenste.

Richard keek haar recht aan. 'Er zijn geen verontschuldigingen voor wat ik heb gedaan. Behalve dat ik van je hou en je vanaf het begin meer wilde dan mijn leven. Ik vond dat ik het moest doen, om de baby, ik geloofde dat het de enige, eervolle beslissing was die ik kon nemen. Ik maakte mezelf wijs dat ik er niemand pijn mee deed, maar ik heb me vergist. Op zo'n leugen kunnen we geen gezamenlijk leven opbouwen. Als we samen een toekomst willen hebben, moet je de waarheid weten.'

Ze zei maar twee woorden. 'Ga weg.'

'Sophia!' Hij kon niet geloven dat die blik vol haat van haar kwam, dat ze hem aankeek alsof ze hem de keel zou kunnen doorsnijden. 'Alsjeblieft, luister naar me! Niemand behalve wij tweeën hoeft het te weten! Als je achter me staat, hebben we een kans! Tussen ons is er toch niets veranderd!'

'Ga weg,' fluisterde ze nog een keer. Er lag een koude dreiging in haar stem. 'Of moet ik de *Maresciallo* halen en je voor bigamie laten arresteren?' Opeens voelde ze haar krachten weer terugkomen. Ze duwde zich van de muur af en liep naar het huis toe, zo snel ze kon met een lichaam dat nog steeds pijn deed van de bevalling.

'Josefa!' riep ze met overslaande stem, 'bel de politie! Zeg hun dat er hier een misdadiger rondloopt!'

'Sophia, in 's hemelsnaam!' Richard rende wanhopig achter haar

aan. 'Wacht toch even, voordat je een overhaaste beslissing neemt!'
Ze draaide zich om en bekeek hem vol verachting.
'Ik zou je kunnen vermoorden,' fluisterde ze. 'Ja, echt. Hoepel op
of ik doe het ook echt. Ik haat je!'
Maar in haar gezicht was ook nog iets anders te lezen. Richard zag
verwarring en verbijstering in haar ogen, hij zag het vreselijke verdriet dat hij haar had aangedaan, hij zag de ontzetting over zijn verraad. Hij zag dat hij alles verwoest had wat er tussen hen had bestaan.
'Ik pak mijn spullen, dan ben ik weg. Ik ga nu, maar ik kom terug,
dat beloof ik je. Je hebt tijd nodig om het me te vergeven, dat is
duidelijk. Maar ooit zul je...'
'Nooit!' schreeuwde ze. 'Hoor je me? Ik wil je nooit meer zien!'
Met hangende schouders draaide hij zich om en ging door de ter-
rasdeur het huis in.
Ze balde haar handen tot vuisten. 'Ja!' schreeuwde ze hem na. 'Ga
weg en kom nooit meer terug! Voor mij ben je dood, hoor je me?
Net zo dood als je vrouw voor jou was!'
Struikelend liep ze terug naar de ligstoel. Kreunend viel ze naast de
kinderwagen op haar knieën en keek door haar tranen op de slapende kinderen neer.
'God,' fluisterde ze, 'laat het niet waar zijn!'
Maar de waarheid verdween niet zomaar. En God aanroepen was
ook zinloos. Had Hij haar niet weer uit de droom geholpen, en
haar opnieuw belachelijk gemaakt door dat wat ze voor haar
grootste geluk hield in de ergst denkbare ellende te veranderen?
Het begon te motregenen, maar Sophia merkte het niet. Ze bleef
een eeuwigheid zitten, over de slapende zuigelingen gebogen, haar
gebogen hals naar de regen toegekeerd.
Toen ze eindelijk opstond, huilde ze niet meer. Om haar mond lag
een harde trek. Terwijl ze de kinderwagen naar het huis reed, keek
ze over haar schouder naar de cipressenlaan. Daar was hij nog te
zien, een donkere gestalte die met gebogen hoofd en grote stappen
naar het dal liep. Sophia deed haar ogen dicht, maar het lukte haar
niet de aanstormende gevoelens buiten te sluiten. Haar hele
lichaam deed pijn, als na een flink pak slaag. Ze merkte dat ze na
de zware bevalling te veel van zichzelf had gevergd. Afwezig voelde
ze aan haar buik en betastte het slappe, pijnlijke weefsel.

Ik moet gaan rusten, Ik had eigenlijk niet eens op moeten staan. Benedetta had gelijk. Ik ben nog kraamvrouw. Tenslotte is het pas twee dagen geleden dat mijn zoon is geboren. Vreemd, vanmorgen voelde ik me nog zo goed!
Benedetta verscheen op het terras. 'Het regent! Waarom kom je niet binnen?' Ze zag Sophia's gezicht en schrok. 'Wat is er?'
'Niks.'
Behalve dan dat mijn hart net is gebroken.
Afwezig streek ze het vochtige haar uit haar gezicht, toen ging ze met vermoeide bewegingen naar binnen.

De ambassadesecretaris bekeek de kapitein die hem door een bekende van de generale staf Zuid was aanbevolen en door hem naar Florence was gestuurd. Er was hem wel iets over de man verteld, maar dat was niet genoeg om zich een beeld van hem te vormen.
Vandaag zat hij voor de eerste keer voor hem, hoewel hij al wat over hem had gehoord. Hij heette Richard Kroner, en had de vorige week, op 3 mei 1944, zijn zesendertigste verjaardag gevierd.
Nee, verbeterde de secretaris zichzelf, Richard Kroner zag er niet naar uit dat hij iets te vieren had gehad. Gezicht en lichaam van de man waren magerder dan van de meeste andere officieren waar hij mee te maken had. Bijna niemand onder de militairen was in deze dagen nog goed gevoed, maar Kroner zag er haast uitgemergeld uit. Hij zag eruit alsof hij net een zware ziekte achter de rug had, een indruk die door zijn bleekheid en de scherpe vouwen om zijn mond nog werd versterkt.
En die ogen...
Een moment dacht de secretaris dat hij er een vreselijke gekweldheid in zag, maar toen gleed er een gordijn over de trekken van zijn bezoeker en werd zijn gezicht een masker waar niets anders op te lezen was dan beleefde onverschilligheid. Richard Kroner volgde de secretaris de salon van de residentie in, waar hij plaatsnam in de hem aangeboden leunstoel.
De ambassadesecretaris verontschuldigde zich voor een moment. Terwijl hij bij het keukenpersoneel iets te drinken bestelde, bedacht hij wat hij al over Kroner wist.
De man had drie jaar aan het Russische front gediend, en was snel

in rang gestegen. Niet lang na de hel van Stalingrad was hij hierheen overgeplaatst. Bevordering tot kapitein na een verwonding door een aanslag van een partizaan de vorige zomer, waar hij verder niets over had gehoord.

Sindsdien had hij aan verschillende commando-ondernemingen meegewerkt, onder andere de bevrijding van Mussolini, waar hij nauw betrokken was geweest bij de organisatie.

Kroner zou na Stalingrad ongeschikt zijn voor gevechtssituaties. Dat verbaasde de secretaris niets; dat kwam veel vaker voor dan men dacht. De secretaris ontmoette vaak officieren en militaire artsen en had al veel gehoord over de fatale effecten van psychische inzinkingen in de strijdende troepen. Maar niet altijd kwamen die verschijnselen aan het licht; de meeste getroffen soldaten moesten zich noodgedwongen in hun lot schikken. Ontslag uit de dienst was zo goed als onmogelijk, en desertie werd met de dood bestraft. De lagere rangen losten hun probleem op door bij gevechtshandelingen in de lucht te schieten, of zich in een loopgraaf te verstoppen tot de kruitdampen waren opgetrokken. De officieren, wier vaardigheden groter waren dan het gebruik van een wapen, verzochten om overplaatsing. Net als Kroner, wiens ongeschiktheid om te vechten in velerlei opzichten erg nuttig was gebleken.

Zijn voortreffelijke kennis van de geografie, taal en cultuur van dit land was ook de reden dat hij nu hier was. Hij was in elk opzicht de expert die de ambassadesecretaris zocht.

'Ik ben blij dat u vandaag tijd voor me heeft kunnen vrijmaken,' zei hij vriendelijk.

Richard Kroner knikte beleefd. 'Het genoegen is geheel aan mijn kant,' zei hij welopgevoed.

Het verzoek van zijn meerdere om zich hier te melden, was eerder een bevel geweest.

'Het heeft iets met kunst te maken,' had de kolonel opgemerkt. 'Daar ben jij toch een expert in? Nou dan, en geen tegenspraak!'

Ondanks die opmerkingen had Richard er wel onderuit kunnen komen, als hij niet zelf graag de ambassadesecretaris had willen leren kennen. Net als de consul en zijn vervanger stond deze man bekend als erg ontwikkeld en integer. Een bediende bracht een blad met glazen en een kan limonade. Nadat de man de glazen had volgeschonken en zich weer had teruggetrokken, zette de secretaris het gesprek voort.

'In deze oorlog gebeurt veel wat ons niet aanstaat,' begon hij behoedzaam. 'Ik wil u daar iets meer over vertellen. Misschien weet u er gedeeltelijk al van. Laten we met het volgende beginnen: de laatste tijd worden er vaak zogenaamde strafexpedities ondernomen, die zich kenmerken door een onbeschrijfelijke gewelddadigheid. In Stia werd er vanuit een raam op een Duitser geschoten. Daarop heeft de SS alle mannen van het dorp vermoord. Eenheden van de divisie van Herman Göring hebben de dorpen San Paolo in Alpe, Mulino di Bucchio, Serelli, Vallucciole en Croce a Mori met de grond gelijk gemaakt. Mannen, vrouwen en kinderen werden bij elkaar gedreven en bij tientallen neergemaaid. Het jongste kind dat vermoord werd, was drieëneenhalve maand oud.'

Niet veel ouder dan mijn zoon, dacht Richard bitter. Hij had de lijst met gruwelijkheden zo kunnen aanvullen. Het ophangen van eenenvijftig gijzelaars in Triest op 23 april. En vorige week de slachtpartijen van Mommio en Sassalbo, waarbij vijfentwintig mensen stierven, verbrand, neergeschoten of op een andere manier omgebracht.

'Ik ben ervan op de hoogte,' zei hij vermoeid.

'Wat vindt u er van?'

'Wat wilt u van me horen?' Richard boog zich voorover. 'Dat ik de moorden op onschuldige burgers in strijd vind met het volkerenrecht? Nou, dat is zonder twijfel zo. Dat ik wil dat die beesten in mensengedaante verantwoording moeten afleggen? Daar kan ik alleen op hopen. Het wordt hier en daar wel geprobeerd, maar het resultaat is twijfelachtig, ben ik bang.' Zijn kaakgewrichten bewogen heen en weer en er kwam een uitdrukking van grote afschuw op zijn gezicht. 'God, er is nauwelijks iets op de wereld wat ik zo graag wil als het einde van deze oorlog. Dat het zinloze bloedvergieten eindelijk ophoudt.'

'Maar u bent machteloos, niet?' vroeg de secretaris zacht.

Richard nam niet de moeite te antwoorden. Hij keek de ander bedachtzaam aan.

'Niet alleen die beesten zijn ervoor verantwoordelijk dat het bloedvergieten niet ophoudt,' zei de secretaris haast terloops. 'Hoe kunnen we onze ogen sluiten voor die zekerheid?'

'Wat bedoelt u daarmee?'

'Dat wat u allang vermoedt, mijn vriend.' De secretaris zweeg even. Hij nam een slok limonade, zette het glas weer neer en keek Richard doordringend aan. 'Ik weet het, en u ook, nietwaar? Voor ieder van ons zal zijn laatste uur eens slaan, en dan komt het erop aan wat we tot dan gedaan hebben. Ik lijd voortdurend onder het besef niet genoeg gedaan te hebben, of het verkeerde. En hoe zit het met u?'

Richard hield zijn blik vast. In zijn ogen stond een diep leed, dat hij deze keer niet probeerde te verbergen. 'Ik heb niet genoeg gedaan en toch te veel. En heel zeker minstens één keer het verkeerde.'

De secretaris lachte zacht. 'Genoeg reden om het in de toekomst beter te doen, niet?'

'In welk opzicht? Wat kunnen we doen?'

'Weinig,' gaf de secretaris toe, 'maar dat is altijd nog beter dan niets.'

'Er is me verteld dat de opdracht die u voor me heeft iets met kunst te maken heeft.'

'Dat klopt,' zei de secretaris met glanzende ogen. 'Heeft u interesse?'

'In kunst?' Richard vond de wending die het gesprek had genomen een beetje dwaas. 'Natuurlijk. Ik heb er zo te zeggen voor geleerd.'

'Dat weet ik. Daarom wilde ik u leren kennen.'

'Maar waarom dan...' Richard stopte.

'Waarom dan mijn inleiding over de gruweldaden van de SS?' De ambassadesecretaris schraapte zijn keel. 'Ik wilde uw gezicht zien toen ik het vertelde.'

'Waarom?' vroeg Richard rustig.

'Ik wilde gewoon uw houding tegenover die dingen weten, dat is alles. Ik kan niemand gebruiken die...' De secretaris onderbrak zichzelf en zocht naar een andere formulering. 'Ik wilde weten of u van dit land en de mensen hier... houdt. Want dat is belangrijk voor ons plan.'

'Ik deug misschien niet als soldaat, maar als er iets is waar ik me op kan beroemen dan is het wel mijn liefde voor dit land en zijn mensen,' zei Richard ferm.

'Dan bent u mijn man.'

'Wilt u me ook nog vertellen waarvoor?' vroeg Richard met lichte ironie.
'Het zal me een waar genoegen zijn.'

32

Het gesprek met de ambassadesecretaris gaf Richard het troostrijke besef dat het leven verderging. Hij voelde weer iets van nieuwsgierigheid naar de toekomst in zichzelf wakker worden. Na al die weken was dit de eerste gebeurtenis die lang genoeg zijn interesse wekte om hem uit zijn lusteloosheid te halen. Het vooruitzicht op zijn nieuwe taak gaf Richard weer een sprankje hoop.

Hij moest met een bekende deskundige op het gebied van kunst en archeologie samenwerken, die voor de instandhouding van de cultuurgoederen van Toscane verantwoordelijk was. De ambassadesecretaris had Richard verteld met welk een onwankelbaar enthousiasme deze man zich aan zijn taak wijdde. Hij had de grote bronzen deuren van het baptisterium van Florence in veiligheid gebracht en ze op een geheime plek opgeslagen. Het was ook zijn idee geweest Siena tot hospitaalstad uit te roepen, zodat de geallieerden geen bombardementen zouden uitvoeren op de middeleeuwse stad vol kunstschatten. Op het moment was hij bezig met de redding van de fresco's van Piero della Francesca in Arezzo. Bovendien was in Florence het in veiligheid brengen van verschillende, onmetelijk waardevolle, oude schilderijen gepland. Een plan waar zowel goede kennis van de stad als militaire bekwaamheid voor nodig is.

Richard betwijfelde of hij wel de goede man was voor zo'n opdracht, maar op weg naar een ontmoeting met de geleerde in een café dicht bij het domplein, twee dagen na zijn gesprek met de secretaris, zei hij met bijtende ironie tegen zichzelf dat hij van kunst op zijn minst meer verstand had dan van mensen. De nederlaag die hij een maand eerder had geleden, deed pijn als een zwerende wond die niet wilde genezen. Sinds zijn overhaaste vertrek van La Befana waren de dagen op het kantoor van de staf gevuld geweest met stompzinnige karweitjes, en de nachten hadden hem opgewacht als zwarte monsters; met klauwen en verscheurende tanden vielen ze over hem heen, zodra hij zijn ogen dichtdeed. Bloeddorstige droombeelden overweldigden hem en lieten hem aan het eind bezweet en bevend achter, zonder uitzicht op innerlijke rust.

Steeds weer zag hij Sophia voor zich, zoals ze hem had aangekeken met die ijskoude, dodelijke blik. Hij had nachtmerries dat ze de plaats van Antonio innam en vanuit een hinderlaag op hem schoot. Eén keer droomde hij dat zijn naamloze zoon volwassen was en een machinegeweer op hem richtte. Hij zag eruit als de overleden Marchese, maar had zijn – Richards – blonde haar.

Maar dat waren maar bijverschijnselen van zijn ellende.

Ondanks alle onverzoenlijkheid waarmee Sophia hem had weggestuurd, was de zaak voor Richard nog lang niet afgesloten. Ze was zijn vrouw, en ze hadden samen een kind. Hij zou wat ze met elkaar hadden gehad niet zomaar opgeven.

Hij werd niet zozeer gekweld door de angst dat hij haar of zijn zoon nooit meer zou zien, maar veel meer door zijn onzekerheid. Hij wist gewoonweg niet hoe hij haar van mening moest laten veranderen. Onder andere omstandigheden waren zijn vooruitzichten ongetwijfeld beter geweest, maar midden in deze vreselijke oorlog was het erg moeilijk. Tot nu toe had hij geen enkele mogelijkheid gehad bij haar in de buurt te komen.

Hij had twee, drie keer geprobeerd haar op te bellen, maar op La Befana had iedereen blijkbaar het bevel gekregen meteen op te hangen als hij belde.

Hij had erover gedacht haar te schrijven, maar die gedachte weer verworpen. Op de post kon je op het moment niet vertrouwen, en afgezien van het feit dat een brief van hem – ook met een officieel stempel van de Duitse Wehrmacht – makkelijk in verkeerde handen kon vallen, was Richard er zeker van dat Sophia daar toch niet op zou reageren.

In gedachten verzonken liep hij langs de massieve voorgevel van het Palazzo Strozzi en hij schrok op toen hij aangesproken werd.

'Zo ontmoeten we elkaar weer, kapitein.'

Richards hoofd ging omhoog en op hetzelfde moment dat hij Schlehdorff herkende, reageerde hij puur instinctief. Hij greep de kleinere man bij de revers van zijn uniformjasje en duwde hem hard tegen de uit steenblokken bestaande muur van een gebouw. Hij zag niets anders dan dat knappe, gladde koorknapengezicht voor hem, met die geschrokken opengesperde, blauwe ogen en de verrast openstaande mond.

Richards adem kwam sissend tussen zijn lippen door. 'Rotzak! Ik vermoord je!'

Op hetzelfde moment werd hij bij zijn schouder gepakt en omgedraaid. Hij stond oog in oog met een lange SS-sergeant-majoor met brede schouders, die strijdlustig zijn vuisten naar hem ophief. 'Wat moet dat?' brulde hij tegen Richard.

Naast hem stond een andere SS'er, zijn hand aan zijn wapen.

Natuurlijk, dacht Richard woedend. Wat dom van me! Schlehdorff zou het nooit wagen zonder zijn beulsknechten door de straten van Florence te lopen. Intussen kenden te veel mensen hem.

Schlehdorff trok zijn kraag recht. 'Ik kom zo. Ga maar vast.'

Zijn mannen gehoorzaamden, maar wierpen wantrouwige blikken over hun schouder tot ze om de hoek waren. Een paar mensen waren blijven staan en bekeken Richard en Schlehdorff met een mengsel van fascinatie en angst, maar toen ze de blik van de Obersturmbannführer opvingen, haastten ze zich verder.

'Wat was dat voor een aanval?' vroeg Schlehdorff met een onschuldig lachje aan Richard.

Die staarde hem met toegeknepen ogen aan. 'Dat weet je best, rotzak.'

'Maar, maar. Met beledigingen komen we niet verder. Dan weet ik er ook nog wel een paar, Richard. Wat dacht je van... bigamist?'

Richard voelde een ijzige kou naar zijn hart stromen. 'Je bent gek.'

'Ben ik dat?' Schlehdorff lachte boosaardig. 'Dacht je soms dat ik zoiets zou verzinnen? Nee hoor. Ik maak nooit iemand een verwijt als ik dat niet kan bewijzen.' Hij wachtte even. 'Ik heb het trouwregister in de kerk van Sant' Agostino ingekeken. Bovendien heeft je knappe, jonge... verpleegster het me zelf verteld.'

Richard verstijfde innerlijk. Hij probeerde gelaten te klinken en vroeg: 'En wat ben je van plan met die wetenschap te doen?' Verbluft zag hij de wisselende emoties die over Schlehdorffs gezicht gleden, een vleugje verslagenheid, en ook vastbeslotenheid, maar hoofdzakelijk hoop vermengd met een onverholen verlangen.

'Richard,' begon hij met onzekere stem, 'ik had het tegen je vrouw kunnen zeggen, en ik heb bij mijn laatste... bezoek domme toespelingen gemaakt, maar... ik zou het nooit hebben gedaan.' Als vanzelf was hij op het vertrouwelijke je overgegaan. Richard voelde hoe hij van afschuw verkrampte. Schlehdorff scheen er niets van te merken. Geestdriftig ging hij verder: 'Je ziet dat je me kunt vertrouwen.'

'Ze weet het al,' zei Richard koel. 'Ik heb het haar verteld. En als je nog één keer een voet op het landgoed zet, vermoord ik je, zo waar zal God me helpen.'

Schlehdorff zei protesterend: 'Maar ik zou toch nooit...' Hij stopte, fronste en probeerde het toen opnieuw.

'Ik begrijp dat je wel met haar moest trouwen. En dan is er nog dat prachtige landgoed... Bovendien komt ze uit een voorname familie en krijgt ze een kind van je. Het is zeker al geboren? Kan ik je feliciteren? Is het een jongen? Gefeliciteerd!'

Toen zei hij zachter: 'Ik meen het serieus. Ik zal er nooit meer naartoe gaan, als jij dat niet wilt, hoewel er heel wat joden, partizanen en Engelsen rondlopen. Ik heb ze zelf gezien, weet je. Als het niet voor jou was... dan zou ik die zaak niet laten rusten. Nooit. Ik zou die kerels ophalen en de anderen oppakken wegens medeplichtigheid. En je weet, daar staat de galg op. Maar natuurlijk respecteer ik je wens naar discretie. Zeker wat de legerleiding betreft. Het gaat daar niemand iets aan, dat je hier een tweede vrouw hebt.'

Hij kwam dichter naar Richard toe, die bewegingloos voor hem stond, met krachteloos afhangende armen en een bonzend hart. Richard voelde zich als na een eind hardlopen; hij kreeg geen lucht meer en zijn borst zwoegde op en neer als een blaasbalg, terwijl Schlehdorff langzaam zijn hand uitstak en over zijn schouder streelde, vlak boven zijn hart. Richard deinsde terug alsof iemand hem met een gloeiende, ijzeren staaf had aangeraakt.

'Jij voelt het ook,' fluisterde Schlehdorff. Richard voelde zijn hete adem tegen zijn hals. 'Tussen ons... vanaf het begin was er iets, waarvoor we niet veel woorden nodig hebben.'

'Haal je hand weg.' Richards stem klonk hees en ijskoud. 'Raak me niet aan, walgelijke schoft!'

'Je hebt nog wat bedenktijd nodig, hè?' Schlehdorff deed een stap terug, zijn gezicht een masker van welwillende vriendelijkheid. Maar zijn ogen schitterden triomfantelijk. 'We spreken elkaar snel weer. Wat denk je van... morgenavond?' Met een nadrukkelijk lachje voegde hij eraan toe: 'Ik ben trouwens bij de stafbespreking, over drie dagen.' In zijn opmerking klonk een onmiskenbare dreiging door. 'Tot dan logeer ik hier in het Savoy. Daar kun je me elke avond vanaf acht uur in mijn suite vinden.'

Hij klopte wat denkbeeldig stof van zijn uniform en liep toen weg, zonder nog om te kijken.

Richard zei het gesprek met de assistent van de kunstdeskundige telefonisch af en maakte gelijk een nieuwe afspraak. Na een slapeloze nacht zwierf hij de daaropvolgende dag door Florence. Van de Piazza Santa Croce liep hij tenslotte door de Via Guiseppe Verdi en de Via Ghibellina langs het Bargello en van daar naar het Piazza della Signoria. Hij staarde naar het Savoy, toen wendde hij zich af en liep haastig verder, tot hij zwaar ademend onder de zuilengalerij van het Uffizi bleef staan en met een niets ziende blik naar het spel van licht en schaduw tussen de zuilen staarde.

Het was al avond toen hij weer in zijn kamer terugkwam, nog steeds vastbesloten zich niet te laten chanteren. Als een gekooide leeuw liep hij heen en weer en luisterde naar het tikken van de klok. Het was al laat; tergend langzaam kroop de wijzer naar de tien. Van buiten stegen de geluiden van de langsstromende Arno op naar zijn kamer op de derde verdieping. Het hotel waar hij en andere leden van de staf waren ondergebracht op de twee bovenste etages lag dicht bij de Ponte Vecchio, waardoor het vaak wel wat lawaaierig was. Beneden op straat klonk het geruzie van een paar vrouwen en toen het weer stil was, kwam er luid knetterend een vrachtwagen langs, waardoor de muren trilden.

De klok sloeg halfelf. Hij wacht vast niet op me, dacht Richard. Waarom zou ik het nu nog doen? Bovendien wil ze me toch niet meer zien. Ze heeft me uit haar leven gegooid. Niets is het waard dat ik dát op me neem!

Hij begon weer te ijsberen.

Natuurlijk wist hij wel beter. Ze was het wél waard. Ze was alles waard. Wat was een avond vol schande en afschuw vergeleken met wat hij haar daarmee zou kunnen besparen? Hij zou er niet dood van gaan. Anderen hadden het ook uitgehouden. Schlehdorff zou niet ruw zijn, dat was zeker.

Het liefst had Richard hardop geschreeuwd om zijn vreselijke frustratie te uiten, maar in plaats daarvan bleef hij staan en staarde in de beslagen spiegel boven de wastafel. Zijn gezicht was ingevallen, zijn ogen stonden glazig en er lagen schaduwen onder. Een permanente pijn trok van zijn nek naar de achterkant van zijn hoofd, waar hij in een woedend geklop eindigde.

Vijf minuten later hield hij het niet meer uit. Hij kleedde zich aan en liep de kortste weg naar het Savoy.

Hij zweette toen hij op de deur van de kamer klopte, die de nachtportier hem had genoemd.

Toen Schlehdorffs stem 'binnen' riep, werd zijn laatste hoop dat deze kelk aan hem voorbij zou gaan de bodem in geslagen. Schlehdorff was dus niet uitgegaan of gaan slapen, maar wachtte op hem. Vastbesloten duwde hij de deur open. Schlehdorff stond midden in de kamer. Hij droeg een roodzijden, gewatteerde ochtendjas, die paste bij de ouderwetse inrichting van de salon, met de zware fauteuils en de fluwelen gordijnen. Richard registreerde met één blik de open verbindingsdeur naar de slaapkamer, waar een groot bed stond met opengeslagen lakens.

Schlehdorff staarde Richard aan, vol verwachting en een beetje schuchter. 'Kom binnen. Het is al laat, maar dat geeft niet. Ik was al bang dat je niet meer zou komen.'

'Nou, ik ben er.'

Richard bedwong de misselijkheid die hem bij de aanblik van het bed overviel. Hij duwde de deur achter zich in het slot.

'Alleen deze avond,' zei hij. 'En daarna nooit meer.'

Schlehdorff slikte en knikte.

Richard haalde diep adem. 'Geef me je erewoord dat je me na deze avond nooit meer lastigvalt.' Hij haatte zichzelf omdat zijn stem trilde, maar hij kon er niets aan doen. 'Ik... ik kan zulke dingen niet verdragen.'

'Je zult je nog verbazen over wat een mens kan verdragen,' zei Schlehdorff. Zijn ogen glansden en hij zag eruit als een knappe, erg jonge student die zich op een avond vol afwisseling verheugde. 'Ik zal het fijn voor je maken, dat zul je zien.'

'Je erewoord,' hield Richard vol.

'Ik beloof je op mijn woord van eer dat ik je na deze avond nooit meer zal lastigvallen,' zei Schlehdorff vrolijk. 'Ach ja, en je vrouw en haar prachtige landgoed natuurlijk ook niet. En bij de staf blijven mijn lippen verzegeld.' Als bewijs van zijn eerlijke bedoelingen legde hij een vinger tegen zijn lachende lippen.

Toen draaide hij zich om naar het tafeltje waar een karaf met cognac stond. Hij ontkurkte hem en schonk twee glazen vol.

'Ook een slok? Het is een goed, Frans merk.'

'Graag,' zei Richard. Zijn stem klonk krakend. Hij dronk zijn cognac haastig op en liet zich meteen nog een tweede inschenken. Schlehdorff nipte langzaam aan zijn eerste glas en bekeek Richard van onder neergeslagen wimpers. Toen zette hij zijn glas weg en liep langzaam op hem toe.

'Kom,' zei Schlehdorff zacht, pakte zijn hand en trok hem door de verbindingsdeur naar het bed.

Toen Richard in de dagen en nachten daarna aan het nu volgende terugdacht, proefde hij steeds de smaak van de cognac.

Maar de herinnering aan de alcohol kon niet alle andere gevoelens overstemmen die hem overweldigden als hij aan die koele, zachte handen op zijn lichaam dacht. Hoe ze zijn kleren uittrokken, langzaam, een voor een. Hoe ze over zijn lichaam gleden en het met een dromerige zekerheid liefkoosden, alsof ze al jaren niets anders deden. Het hijgende gezucht naast zijn oor, de woorden waarmee zijn stem hem vertelde hoe mooi hij was, hoe heerlijk zijn lichaam en zijn huid. Toen waren er die lippen die hem in bezit namen, hem dringend en zuigend omsloten, tot hij zijn hoofd achteroverwierp en op zijn lippen beet om het niet uit te schreeuwen.

Dát was zijn eigenlijke nederlaag, het besef dat hij zich aan de verleiding van het kwaad had overgegeven. Het besef dat het vuur van de lust onstuitbaar door zijn aderen was geraasd, met een kracht waardoor walging en zelfhaat tot een kleine, onbelangrijke kern in zijn binnenste waren samengesmolten. Enkel en alleen dat besef zou hem tot het einde van zijn leven blijven achtervolgen, niet de eigenlijke uitvoering – waartoe het trouwens toch niet kwam, in elk geval niet op de manier die Schlehdorff het zich waarschijnlijk had voorgesteld.

Al zei Richard later steeds weer dat hij verdere varianten toch niet zou hebben toegelaten, die eenzijdige wilsverklaring kon zijn latere, machteloze bitterheid niet verzachten, en ook niet de omstandigheid dat hij zelf niet actief had meegedaan.

Richard had het kloppen niet gehoord en Schlehdorff ook niet, pas toen het geklop overging in gebons kwam Schlehdorff overeind en sloeg zijn ochtendjas om. Richard trok bleek en bevend het laken om zich heen en zei bij zichzelf dat deze onderbreking op het laatste moment letterlijk een geschenk uit de hemel was.

Schlehdorff liep de salon in zonder de moeite te nemen de verbindingsdeur dicht te doen. Richard zag zich genoodzaakt spiernaakt uit bed te springen om dat alsnog te doen. Terwijl Schlehdorff met een woedende opmerking over de storing de deur opentrok, begon Richard zich haastig aan te kleden. Met één been al in zijn broekspijp bleef hij als een ooievaar staan om naar de opgewonden stemmen te luisteren. Het was de sergeant-majoor die de dag ervoor bij het Palazzo Strozzi zijn vuisten naar hem had opgeheven.

'Het is begonnen,' riep hij uit, buiten zichzelf van opwinding. 'De grote aanval is begonnen! Ze schieten overal vandaan, het front zal het niet houden! De staf komt vannacht nog bij elkaar! Het bericht van het hoofdkwartier is net binnengekomen!'

Richard was aangekleed toen Schlehdorff terugkwam.

'Ik moet helaas weg,' zei de SS-officier teleurgesteld, terwijl hij zijn uniform uit de kast haalde. Zonder enige verlegenheid trok hij zijn ochtendjas uit en draaide Richard zijn naakte rug toe. 'Blijkbaar komt er eindelijk beweging in de zaak,' zei hij over zijn schouder, voordat hij zich weer naar de kast omdraaide.

Richard staarde hem aan en tastte blindelings naar Schlehdorffs wapen dat in een koppel over een stoel hing. Hij beefde over zijn hele lichaam. Er liep zweet van zijn voorhoofd in zijn ogen, waardoor hij moest knipperen tegen het brandende gevoel. De nawerking van de beleefde wellust vermengde zich met afkeer bij de aanblik van de naakte man voor hem die hem dat had gegeven.

'Ik vermoord je,' fluisterde hij. Het wapen gleed als vanzelf in zijn hand, een zwaar, kalmerend, dodelijk gewicht.

Schlehdorff had het gehoord. Hij draaide zich om en toen hij het pistool in Richards hand zag, kwam er een welwillend lachje op zijn gezicht.

'Wat een onaardige jongen ben je toch. Vond je het dan niet fijn, wat ik voor je gedaan heb?'

Hij legde zijn uniformjasje weg en kwam, nog steeds naakt, naar Richard toe.

'Blijf staan!' Richard hief het pistool en haalde de veiligheidspal eraf. Het klikken was luid en duidelijk te horen.

Schlehdorff liet zich niet van zijn stuk brengen. 'Dat kun je toch helemaal niet,' zei hij zacht. 'Ik weet dat je daar niet toe in staat bent. Niet meer. Dacht je soms dat ik je dossier niet ken?'

Richard legde zijn vinger om de trekker en probeerde te drukken. Met bovenmenselijke inspanning probeerde hij door te drukken, maar hij merkte dat hij het niet kon. Het kwam niet door het trillen van zijn handen of door het zweet in zijn ogen. Hij kon het eenvoudigweg niet.

Met een geluid dat leek op een snik, liet hij zich tegen de muur vallen.

Schlehdorff stak met een terloopse beweging zijn hand uit en pakte het wapen af, toen boog hij zich voorover en kuste Richard zacht op zijn lippen.

'Ik hou van je, wist je dat?' Er stond geen spot of kwaadaardigheid op zijn gezicht te lezen, eerder iets als neerslachtigheid. 'Zoiets overkomt je soms,' voegde hij er zacht aan toe. Hij legde het pistool weg en trok Richards jasje recht. 'We kunnen niks doen tegen onze gevoelens. Ze zijn er gewoon. Of het nu gaat om haat of liefde – ze komen en nemen je in bezit, of je het wilt of niet.'

'Ik wil het niet,' bracht Richard moeizaam uit. Hij beefde nog steeds, zelfs nog erger dan eerst. 'Ik wil het nooit meer!'

Schlehdorff knikte treurig. 'Daar was ik al bang voor.'

'Ik wil nu weg.'

Dat ontlokte Schlehdorff een vluchtige grijns. 'Niemand houdt je tegen. Ik moet in elk geval weg, anders winnen de Tommy's die stomme oorlog, alleen omdat ik niet opgelet heb.'

Richard duwde zich van de muur en liep naar de deur. Daar bleef hij staan. 'Ik heb je woord.'

'Je hebt mijn woord.' Schlehdorff draaide zich rustig weer om naar de kast.

Zwijgend verliet Richard de kamer.

De geallieerden waren op die avond van 11 mei 1944 in het Rapidodal begonnen met OPERATIE DIADEEM. Na een betrekkelijk rustig verlopen frontdag begon 's avonds om elf uur na een tijdsignaal van BBC Londen een reusachtige aanval op de Duitse stellingen. Tweeduizend stukken geschut vielen het Duitse front en de artilleriestellingen bijna een uur lang aan met een geweldig spervuur, terwijl tegelijkertijd de hoofdkwartieren van het tiende leger en het XIVe pantserkorps werden gebombardeerd.

De laatste slag om Cassino moest eindelijk de beslissing brengen die beide kanten in deze oorlog hadden verwacht.

Het front raakte in beweging en begon uiteen te vallen.

In de daaropvolgende weken stootten de geallieerden noordwaarts in de richting van Rome door, terwijl de Duitsers onder bloedige terugtochtgevechten hun stellingen opgaven.

In de vroege ochtenduren van 18 mei verlieten de laatste paratroepen onder het mitrailleurvuur van Engelse aanvallers hun stellingen op de Monte Cassino, de symbolische plek van de Duitse standvastigheid.

Door het oprukken van de geallieerden naar het noorden werd de stroom vluchtelingen op het platteland weer groter. De mensen vluchtten uit hun dorpen, die door de bombardementen vaak helemaal in puin waren gelegd.

Bijna dagelijks kwamen nu weer uitgemergelde, door het vluchten uitgeputte mensen naar La Befana en vroegen om onderdak en wat brood. Ze verscholen zich in de stallen van de boerderijen, of sloegen in de bossen van het landgoed een schamel kamp op.

Opnieuw wierpen de geallieerden pamfletten boven het dal af, waarin ze de bevolking opriepen de spoorwegen, telefoon en wegverbindingen te saboteren en zich in geen geval bij het leger aan te melden.

Benedetta kwam met een vuil exemplaar bij Sophia en las het voor. 'Neem contact op met de buitenlanders in de Duitse Wehrmacht. Vorm verzetsgroepen. Het moment van de beslissing staat voor de deur. Wat vind je daarvan?'

Sophia zat aan het bureau in de bibliotheek een brief te schrijven aan de bisschop, waarin ze hem bedankte voor de mooie doopmis van afgelopen zondag, en vroeg of het onderzoek naar de moord op Petruccio iets had opgeleverd. Ze had daar zo haar twijfels over en

445

had er behoefte aan de zaak verder uit te zoeken. Nog steeds schrok ze 's nachts wakker uit nachtmerries, waarin ze Petruccio in de kapel bloedend in elkaar zag zakken.

Op Benedetta's vraag haalde ze haar schouders op. 'Wat zou ik ervan moeten vinden? Het is dezelfde onzin die we ook van de Duitsers horen.' Ze citeerde uit het laatste pamflet van de Wehrmacht: 'Ieder die weet waar een partizanenbende zich schuilhoudt en het niet per omgaande aan de Duitse Wehrmacht meldt, wordt doodgeschoten. Ieder die een bende of een enkele partizaan eten geeft of in huis neemt, wordt doodgeschoten. Enzovoort, enzovoort. We zouden al lang dood zijn als we dat serieus hadden genomen. Hier in het bos houden zich tientallen partizanen schuil, en zover ik weet hebben we hun meer dan één keer eten gegeven. We kunnen van geluk spreken dat onze groenten zo goed groeien en dat Donata's zeug de vorige week biggen heeft gekregen, anders waren we al verhongerd voordat de Duitsers ons kunnen doodschieten.'

'Dat bedoel ik eigenlijk niet,' zei Benedetta voorzichtig. 'Ik dacht eerder aan de eerste zin die ik voorlas.'

'Welke was dat ook al weer?' vroeg Sophia, hoewel ze het nog precies wist.

Benedetta hoestte en gooide toen de woorden er razendsnel uit: 'Neem-contact-op-met-de-buitenlanders-in-de-Duitse-Wehrmacht. Eh, ik bedoel, hij is niet precies een buitenlander, in elk geval niet in de ogen van de Duitsers, maar hij is bij de Wehrmacht, dat moet je toegeven...' Haar stem stierf weg toen ze de gezichtsuitdrukking van haar vriendin zag.

Sophia sloeg woedend met haar vuist op het blad van het bureau. Op dat moment leek ze zo veel op haar vader, dat Benedetta half verbluft, half geschrokken een stap achteruit deed.

'Ik wil er niets meer over horen!'

'Maar hij heeft gezegd dat hij ons door de linies naar het zuiden zou kunnen brengen!' hield Benedetta vol.

Sophia vermoedde dat Benedetta Richard aan de telefoon had gesproken en zei haar dat, waarna het gezicht van haar vriendin vuurrood werd.

'Hij heeft maar één keer opgebeld. Hij bedoelt het toch goed! Je hoeft niet bij hem te blijven! Dat vraagt hij helemaal niet van je. Hij wil alleen...'

'Hou je mond!' gilde Sophia. Dat was haar laatste woord en Benedetta begreep dat meteen, ook zonder die koppige kin of de kloppende ader op Sophia's slaap te zien. De keren dat ze had geprobeerd de reden voor de overhaaste breuk met Richard Kroner te weten te komen, had Sophia geen antwoord gegeven. Ook Kroner had aan de telefoon over dat onderwerp niets willen zeggen.

Ze besloot zich terug te trekken. Terwijl ze naar de deur liep, zei ze terloops: 'Op de radio zeiden ze dat Terracina is ingenomen.'

De deur sloeg achter haar dicht en Sophia stond op en liep naar de openstaande terrasdeuren. Ze keek over de tuin uit, die inmiddels weer opnieuw was aangelegd. De fontein stond aan; vrolijk kletterde het water uit de marmeren waterspuwers en vormde een nevel in de lucht, die door de wind naar haar toe dreef. Aan de andere kant van de tuinmuur strekten de korenvelden zich uit in een golvende pracht, zoals elk jaar als het bijna oogsttijd is. In de tuin bloeiden de rozen, en de weilanden stonden vol klaprozen en bloeiende klaver.

De idylle was bedrieglijk, want op hetzelfde moment klonk het gedreun van een eskader bommenwerpers in de lucht. Zo ging het bijna de hele dag. Grote groepen met tientallen vliegtuigen kwamen donderend over het landgoed, maar bijna net zo vaak waren het eskaders duikbommenwerpers, die bliksemsnel naar beneden doken en in duikvlucht elke auto of koets konden doorzeven. De wegen in de omgeving lagen overdag constant onder vuur, zodat elk ritje met de koets een levensgevaarlijke onderneming was geworden en waardoor ook een wandeling naar het dorp bijna onmogelijk was. De kinderen van de pachters konden niet meer naar school, omdat ze elk moment uit de lucht beschoten konden worden. Rosalia en Margherita, die allebei een goede scholing hadden gehad en ook over veel geduld en didactische vaardigheden beschikten, hadden daarom een kamer in de villa ingericht om twee keer in de week les te geven in rekenen en schrijven. De meeste boerenfamilies maakten graag gebruik van die mogelijkheid. De beide oude dames kweten zich vol ijver van hun taak, en één keer merkte Rosalia schuchter tegen Sophia op dat ze het leven sinds jaren niet zo opwindend had gevonden als nu.

Saai werd het nooit. Het landgoed was in de afgelopen weken twee keer gebombardeerd, maar gelukkig was er geen grotere schade aangericht dan het verlies van een oude geitenbok.

Sophia wist dat het nog een kwestie van dagen was voordat de terugtrekkende troepen het dal zouden bereiken. De geallieerden hadden ten zuiden van Rome behalve Terracina ook Valmontone, Velletri en Anagni ingenomen. In de bergen van Alba waren zware gevechten aan de gang.

Met een zucht draaide Sophia zich om en liep naar de twee opklapbedjes waar de baby's overdag in sliepen.

Eerst boog ze zich over Luisa. Ze was wakker en gaf haar een brede, tandeloze lach. Sophia werd zoals altijd weer overweldigd door de charme van het kind. 'Je bent me er een!' Lachend pakte ze de baby uit het bedje en knuffelde haar. Vol geluk voelde ze daarbij dat Luisa zich instinctief tegen haar aan vlijde.

Ook haar zoon was sinds twee weken bewust naar haar gaan lachen. Een gebeurtenis waarbij Sophia de eerste keer haar adem had ingehouden.

Het kleintje sliep nog. Vluchtig overwoog ze of zijn vader – de duivel hale zijn zwarte ziel – de naam van zijn zoon wel mooi zou vinden, maar eigenlijk kon het haar niets schelen wat hij ervan dacht. Zoals gewoonlijk duwde ze ook nu elke gedachte aan hem weg. Ze stond het gewoon niet toe hem tot onderwerp van haar gedachten te maken. Na de eerste vreselijke dagen had ze vastgesteld dat het makkelijker was als ze hem eenvoudig uit haar gedachten bande. Ze had werk genoeg; ze moest voor de kinderen zorgen, voor haar huisgenoten – en natuurlijk voor haar landgoed. Sophia kreeg vaak de inruk dat er wel duizend dingen tegelijkertijd gedaan moesten worden als ze het goed wilde doen.

Op de ene plek moest een in beslag genomen os worden vervangen, ergens anders moest een gebroken ploeg worden gerepareerd, op een boerderij was er na een bombardement brand uitgebroken, en een keer had ze een vrouw op een afgelegen boerderij bij de geboorte van een tweeling moeten helpen.

In de polikliniek was het ook weer drukker, want veel van de vluchtelingen waren ziek; vaak hadden ze ongedierte, zweren of etterende wonden, die ze tijdens hun vlucht over het platteland hadden opgelopen – de wegen waren door de mijnen en de vele aanvallen van jachtbommenwerpers te gevaarlijk. Sophia ging vaak naar de polikliniek om er een paar uur te helpen. De grootste hoeveelheid werk in de ziekenverzorging hadden Henry en Benedetta overgenomen, terwijl de andere vrouwen om de beurt voor Francesco zorgden, een regeling die zo zou blijven zolang Sophia nog borstvoeding gaf.

Henry had intussen verbazend goed Italiaans geleerd. De hemel mocht weten hoe hij dat had klaargespeeld, maar het was in elk geval goed genoeg om de Duitsers om de tuin te leiden als ze nog eens terug zouden komen.

Fernanda verfde zijn haar regelmatig met een bruine pasta van schoensmeer, pommade en bessensap, zodat hij er als een zuiderling uitzag. Sophia vond dat het er ondanks zijn lichte huid en zomersproeten wel mee door kon.

Henry en Benedetta werkten om beurt in de polikliniek, wat de jonge Engelsman in staat stelde ook zijn andere werk te doen. Want hij liet het zich niet afnemen om in de middagen de toegang naar het landgoed te bewaken, met zijn gezicht in een stoïcijnse plooi en de buitgemaakte mitrailleur onder zijn arm.

Toen Sophia hem had verteld hoe ze haar zoon zou noemen, had hij haar sprakeloos aangekeken en was vuurrood geworden, en het geluid dat hij bij het slikken maakte, was op tien passen afstand te horen geweest. De plaatsvervanger van de bisschop was vorige zondag gekomen en had de twee kinderen in de kapel gedoopt. En deze keer had Sophia er persoonlijk voor gezorgd dat de mis niet onderbroken kon worden. Ze had een zestal haveloos geklede, tot de tanden gewapende mannen uit het bos opgezocht en hun gevraagd de wacht te houden langs de weg, zodat Henry ook aanwezig kon zijn. Ze moest er toch ook wat voordeel van hebben dat die partizanen op haar grondgebied rondhingen! Henry kon niet wegblijven bij de mis. Tenslotte was haar zoon naar hem genoemd.

Enrico Francesco Roberto sliep als een engel in zijn bedje. Sophia verafgoodde hem, en zelfs het feit dat hij sprekend op zijn vader leek, kon haar gevoel voor de baby niet veranderen. Ze zei vaak tegen zichzelf dat baby's nog veranderden, iets wat de andere vrouwen ijverig bevestigden als ze het erover had – en dat gebeurde vaker dan ze in de gaten had. Nadat Margherita er iets over had gezegd, praatte Sophia er nooit meer over.

En daar kwam nog bij dat het geen zin had zich het hoofd te breken over mogelijke gelijkenissen. De markante neus en het lichte haar dat Enrico sinds kort begon te krijgen maakten elk commentaar overbodig.

Afgezien daarvan zag Enrico eruit als een kleine, mollige cherubijn. Hij was blozend, blond en gezond, met bolle wangen en schattige spekrolletjes aan armen en benen. Sophia had het aan zijn reusachtige eetlust te danken dat ze weer net zo slank was als voor haar zwangerschap. Haar lichaam was helemaal hersteld van de bevalling, en als ze zich na het bad in de spiegel bekeek, vond ze dat ze er weer net zo uitzag als vroeger – met één verschil: haar borsten waren duidelijk groter en zwaarder. Ze had melk genoeg, zodat ze ook Luisa nog kon voeden, hoewel het kleintje intussen al uit de fles dronk.

Sophia voelde de hartslag van haar zusje als haar eigen.

Ze neuriede en wiegde de baby, toen ging ze in de schommelstoel zitten om haar te voeden. Ze keek neer op het gezichtje dat haar vol vertrouwen aankeek, keek in de grote, donkergroene ogen die altijd op haar gericht waren als ze dronk.

'Ja,' fluisterde Sophia haar toe, 'je hoeft niet bang te zijn. Ik zal voor je zorgen.'

33

De volgende morgen werd het om acht uur op de radio gemeld: de geallieerden stonden in Rome!

Sophia stond zwijgend van de ontbijttafel op en verliet, onder de bezorgde blikken van de andere vrouwen, de eetkamer om naar buiten te gaan. Met grote stappen liep ze doelloos tussen de bijgebouwen heen en weer. Ze was bijna tegen Donata opgebotst die naar de *Fattoria* onderweg was. Ze had een vers brood bij zich dat ze in een doek had verpakt. Haar jongste zoon sjokte jengelend achter haar aan.

De vrouwen van het landgoed zorgden om de beurt voor Salvatore. Ze kookten voor hem, deden zijn was, maakten zijn huis schoon, en af en toe bleef er iemand een poosje bij hem zitten om hem gezelschap te houden, al zei hij weinig tegen hen. Carla had tegen Sophia geklaagd dat hij net zo spraakzaam was als een vis, als ze naar hem toe ging.

Maar dat weerhield Donata er niet van hem bijna dagelijks te bezoeken. Ze had Josefa toevertrouwd dat ze het wel fijn vond als een man weinig zei. Haar eigen man, God hebbe zijn ziel, maakte haar haast gek met zijn geklets, en ze vond het een voordeel van haar weduwschap dat overbodig mannelijk geklets haar daardoor bespaard bleef. Josefa had niet geaarzeld Sophia van die interessante nieuwe ontwikkeling op de hoogte te brengen.

De laatste tijd zag men Donata's forse gestalte ook in andere kleuren dan zwart. Bij de doop was ze in een gebloemde jurk verschenen, waarin ze er eindelijk uitzag als de persoon die ze was: een nog jonge vrouw van drieëndertig.

Ze bleef voor een kort praatje bij Sophia staan. 'Alles goed met de kleintjes?'

Sophia knikte afwezig.

'Is er iets?' vroeg Donata bezorgd.

'De geallieerden zullen gauw komen.'

'O, wat fijn, dan worden we eindelijk bevrijd,' zei Donata blij. Ze kwam helemaal niet op het idee dat de aankomst van de geallieerden gepaard zou gaan met hevige gevechten.

Sophia staarde haar na, tot Donata's brede rug verdween achter de moerbeibomen die langs het terras van de *Fattoria* stonden.

Ze voelde de verantwoordelijkheid als een steeds zwaarder wordende molensteen om haar nek.

Koppig onderdrukte ze de knagende zelfverwijten die uit haar onderbewuste omhoog kropen als giftige slangen. Het was goed geweest Richards aanbod af te slaan! Wat zou er van de anderen zijn geworden als ze er zomaar vandoor was gegaan? Ze moest voor veel meer mensen zorgen dan er in een overrompelingsactie door de vijandelijke linies konden worden geloodst!

Maar intussen spitste de situatie zich toe. Er moest iets gebeuren, dat voelde Sophia in alle vezels van haar lichaam. Maar wat?

In de daaropvolgende nacht reden er lange colonnes Duitse vrachtwagens langs de weg die langs het landgoed naar het noorden liep. Het geronk van de motoren werd vermengd met het gedreun en gehuil van de luchtaanvallen, die nog steeds doorgingen. Ook bij nacht vielen de geallieerden de wegen aan met bommen en spervuur uit hun jachtvliegtuigen. Sophia deed geen oog dicht. Ze zat in bed, haar knieën opgetrokken tegen haar kin en haar handen tegen haar oren gedrukt om het lawaai van het geschut en de neerkomende bommen niet te hoeven horen.

Haar zoon meldde zich met een hongerig geluid dat geleidelijk overging in het gewone, hees klinkende gehuil. Anders dan Luisa sliep hij 's nachts nog niet door. Sophia glipte uit bed en haalde hem uit de wieg.

Ze nam hem mee in bed, legde hem aan de borst en genoot een paar minuten van het intieme samenzijn.

Een poosje hoorde ze, ondanks het lawaai, niets anders dan het klokken en smakken van haar zoon, en ze voelde hoe haar opgezwollen borst in het ritme van het drinken langzaam leeg en zacht werd. Zijn warme hoofdje rustte in haar handpalm als in een schaal; met haar andere hand streelde ze zacht over zijn donzige wangetjes.

'Ach, wat zou ik zonder jou moeten,' fluisterde ze zuchtend.

De volgende dag kwam in de middag het bericht dat de geallieerde troepen op de kust van Normandië waren geland. De grote bestorming van de vesting Europa was begonnen.

In de daaropvolgende weken kwamen er steeds meer Duitse troepen door het dal op hun terugtocht naar het noorden. Vaak verschenen er soldaten, alleen of in groepjes, op het landgoed en vroegen om iets te eten of te drinken voor ze verder trokken. De meesten van hen waren beleefd, maar sommigen verlangden op barse toon dingen waarvan ze vonden dat ze er recht op hadden. Een paar onbeschofte parachutisten namen drie van Donata's biggen mee en doorzochten vervolgens het huis op zoek naar eten. In de *Fattoria* liepen ze woest brullend rond, namen Salvatore onder schot en pikten ten slotte twee kippen mee.

Eén keer kwam het ten noorden van het bos tot een schietpartij tussen Duitsers en partizanen, waar het ondanks de langstrekkende troepen nog steeds van wemelde in de omgeving. Bij één Duitser ging er een kogel dwars door zijn arm, en hij liet zich door Sophia in de polikliniek behandelen. Toen ze dat aan de telefoon aan haar oom vertelde, reageerde hij erg bezorgd. Het liefst had Giovanni Scarlatti gehad dat Sophia met de kinderen naar Montepulciano was gekomen, maar geen mens kon op dat moment voorspellen welke plek het ergst getroffen zou worden, het gebied om La Befana of de stad.

'Ik speel met de gedachte voor een poosje naar jullie toe te komen,' zei hij.

'Waarom? Wil je een hele dag lopen om hier te gaan zitten wachten tot er betere tijden komen? In het ziekenhuis ben je veel harder nodig. Hier kun je niets doen. Erger dan bij jullie is het op La Befana op het moment niet.'

Op dat punt moest hij haar gelijk geven. Hij vroeg naar zijn nichtje en achterneefje, die hij allebei nog niet had gezien. Sophia had hem verteld dat Luisa veel van Elsa's zachtmoedigheid geërfd had, maar ook een deel van het zelfbewustzijn van de Scarlatti's.

'Je zult van haar houden,' zei ze. 'Zoals wij allemaal.'

'En jouw kleine?'

'Ach, hij is steeds weer een wonder voor me,' zwijmelde ze.

'En op wie lijkt hij?'

'Dat kan ik nog niet zeggen,' beweerde Sophia.

'Anna laat weten dat ze voor jullie bidt. Voor mij geldt hetzelfde.'

'Dank je.'

'Ik wens je veel kracht toe, meisje.'

Een dag later vielen de telefoon en de stroom weer uit, zodat ze volledig van de buitenwereld waren afgesloten.

De geallieerden lieten het opnieuw pamfletten regenen, deze keer aan de Duitse soldaten gericht met de eis zich over te geven. Uitvoerig werden op de achterkant in het Duits de voordelen van het leven in de geallieerde krijgsgevangenenkampen beschreven.

De terugtocht van de Duitsers, begeleid door de opmars van de aanvallende troepen, liet een spoor van verwoesting achter in het zuiden van Toscane. Boerderijen werden met de grond gelijkgemaakt, vrouwen verkracht, vee gedood, waardevolle spullen gestolen en huizen geplunderd. Waar het land niet gebombardeerd of met granaten bestookt werd, werden mijnen gelegd.

De geallieerde troepen hadden intussen meer steden ingenomen. Dagelijks dreunden laagvliegende vliegtuigen over het landgoed, en achter de zuidelijke heuvels was onophoudelijk geschutvuur te horen. Van een officier van de terugtrekkende Duitsers hoorde Sophia dat Viterbo zwaar gebombardeerd was. De geallieerden stonden al vlak voor Chiusi, en het gedreun van de artillerie werd van uur tot uur luider, tot uiteindelijk de eerste granaten op de zuidelijk gelegen pachtboerderijen insloegen.

En toen, op 21 juni 1944, was het front er opeens.

Kort na het ontbijt kwam Henry opgewonden het huis binnen rennen, en vertelde aan Sophia dat er een hele colonne Duitse vrachtwagens de weg naar het landgoed opkwam en er over een paar minuten zou zijn.

Sophia liep naar buiten en hield een hand boven haar ogen tegen de zon om de naderende voertuigen te kunnen tellen. Haar hart begon te bonzen.

'Het zijn er veel meer dan anders. Misschien kun je beter snel naar de schuilplaats gaan en je verstoppen.'

'Nee,' zei Henry rustig. Hij ging het huis binnen naar de anderen. Fernanda liep naar hem toe en pakte zijn hand. Henry hield hem stijf vast.

'Gaan we nu allemaal dood?' zuchtte Fernanda angstig. Het scheen haar niets uit te maken dat zijn hand zo nat was.

'Ik ben er niet bang voor,' beweerde hij.

'Je bent zo moedig!' Ze keek vol bewondering naar hem op.

Hij keek verlangend naar haar lippen. 'Ik ben alleen maar bang dood te gaan zonder je gekust te hebben,' fluisterde hij in haar oor. Fernanda boog haar vuurrode hoofd. Zo vrijpostig was hij nog nooit geweest.

'Het is nu niet de tijd om te tortelen,' blafte Josefa tegen hen. Ze had Luisa op de arm en wiegde haar kalmerend heen en weer, al gaf de baby geen kik.

'Laat ze toch,' zei Rosalia sussend. Ze gluurde vol angstige verwachting over Josefa's stevige schouder naar buiten. Renata, Benedetta en Margherita kwamen naast haar staan om ook een blik op Sophia te kunnen werpen, die bedaard voor de deur was blijven staan terwijl de Duitsers arriveerden.

De colonne bestond uit een zestal vrachtwagens die ongeveer veertig mannen en allerlei gereedschappen transporteerden. Op een bevel van de commandant, een lange, oververmoeid uitziende eerste luitenant, begonnen de niet minder uitgeputte soldaten met het afladen van voorraden, zandzakken, wapens en kisten munitie.

De eerste luitenant kwam naar Sophia toe. Beleefd en in redelijk Engels stelde hij zich voor als Klaus Schönborn, en verklaarde hij dat ze de villa inclusief de bijgebouwen nodig hadden als onderdak en om een versterkte stelling op te richten.

'In de loop van de dag komt er nog meer artillerie,' zei hij, terwijl Sophia hem alleen maar zwijgend kon aanstaren. Met een knokkel van zijn vinger masseerde hij de rimpel tussen zijn wenkbrauwen. Hij zag eruit alsof hij de hele week nog niet had geslapen. 'Het spijt me dat we u eruit moeten zetten, maar zo staan de zaken nu eenmaal.'

Ze wilde protesteren, maar hij wimpelde het af. 'Het spijt me erg, maar ik kan er niets aan veranderen. U kunt het best maar meteen weggaan.'

'Waarom zo snel?' vroeg Sophia wanhopig.

De eerste luitenant haalde zijn schouders op. 'Omdat hier straks de hel losbarst.'

Hij draaide zich om naar een van de voertuigen en gaf een onderofficier een wenk, waarna twee soldaten voorzichtig een gewonde van de vrachtwagen tilden.

'Vijf van mijn mannen zijn gewond,' zei Schönborn. 'Is er hier iemand die hen kan helpen?'

'Ik ben verpleegster,' zei ze mechanisch.

'Mooi. Waar kunnen we ze naartoe brengen?'

'Een ogenblik. Hoe lang hebben we de tijd het huis te ontruimen?'

'Lieve hemel, meisje! Jullie hebben helemáál geen tijd! Op zijn laatst aan het eind van de middag wordt er hier van alle kanten geschoten!' Hij wees met zijn duimen naar de soldaten. 'De mannen beginnen nu meteen mijnen te leggen en geschut op te stellen. Het huis met de kelder zullen we als gevechtsbunker inrichten.' Hij wees om zich heen. 'Verderop in de tuin en in de weilanden komen overal geschutstellingen te staan, en onder de toegangsweg moeten we ook mijnen leggen.'

Sophia's hand ging naar haar mond. Haar blik dwaalde af.

'Het spijt me,' zei hij nogmaals. Hij bekeek haar eens goed. Ze was bijna net zo lang als hij en zag er aantrekkelijk uit in haar felblauwe jurk. Haar haren vielen in een dikke vlecht over haar schouder. Het donkere haar contrasteerde opvallend met de paarlemoerachtige teint van haar gezicht. Ze was erg jong, maar in haar ogen lag een uitdrukking die hem vertelde dat ze al veel ellende meegemaakt had.

Achter haar, in de deuropening van de villa, stond een aantal vrouwen met bange gezichten. Twee van hen hadden een baby op de arm. Twee anderen waren minstens tachtig jaar. Waar zijn mannen de vrachtwagens aflaadden, liepen ook kleine kinderen rond, minstens vijf en zo nieuwsgierig als jonge katten.

Schönborn onderdrukte een zucht. 'Pak een paar spullen in en ga op weg. Maar ga niet langs de wegen. Ga via de velden.'

'Waarheen?' vroeg ze toonloos. 'Vertel me waar het op het moment het veiligst is.'

Hij dacht even na, zijn lange wijsvinger aan zijn neus. 'Tja, dat is moeilijk te zeggen. In Chiusi wordt al gevochten. Montepulciano is te ver als u de baby's en de oude mensen meeneemt. De boerderijen kunt u vergeten, die worden door de Tommy's gewoon platgebombardeerd als ze al niet door ons in brand zijn gestoken. En de meeste hebben ook geen fatsoenlijke kelder.' Spijtig haalde hij zijn schouders op. 'Het is overal onveilig zou ik zeggen.'

Sophia probeerde ondanks haar groeiende paniek zakelijk te blijven. 'Hoe lang zullen de gevechten duren?'

Weer ging zijn vinger naar zijn neus, en de lange, magere gestalte nam een nadenkende houding aan. Het was te zien dat hij moeite deed zijn onvrijwillige gastvrouw te helpen.

'Weet ik veel. Eén, hooguit twee dagen, zeker niet langer. Misschien maar een paar uur.' Hij lachte bitter. 'Ze jagen ons op als hazen.'

'Dan blijven we hier.'

Zijn gezicht kreeg een gespannen uitdrukking. 'Ik zeg toch dat...'

'We gaan naar het klooster.'

Zijn blik volgde die van haar naar een vervallen gebouw dat ongeveer vierhonderd meter verderop achter een kleine kastanjeboomgaard stond. Heuvelopwaarts werd het door een schilderachtige, verwilderde tuin begrensd, en naar het dal strekte zich een open veld uit.

'Vroeger was daar een franciscanenklooster. Onder de eetzaal is een eeuwenoude kelder. Daar zullen we ons verstoppen tot alles voorbij is.'

'Dan wens ik u veel succes,' zei hij eerlijk. 'Ik zal twee mannen aanwijzen om u te helpen wat voorraden en wat u verder nog nodig heeft daar naartoe te brengen.'

'Dat is erg vriendelijk van u.'

'Nee, alleen maar egoïstisch.' Hij lachte en zag er opeens verrassend jong uit. 'U moet namelijk eerst mijn gewonden verzorgen.'

Er restte Sophia niet veel tijd om na te denken. Haar beslissing was genomen. Ze vroeg de eerste luitenant de gewonden naar de polikliniek te brengen. 'Ik kom zo,' riep ze, terwijl ze al naar het huis terugrende. Daar vertelde ze haar verschrikte medebewoners dat ze meteen weg moesten.

Renata's zoon begon te huilen en de vrouwen riepen door elkaar, omdat ze allemaal precies wilden weten wat er nu moest gebeuren. 'Stilte!' brulde Henry, waarop ze zich allemaal omdraaiden en hem verbluft aanstaarden. Hij werd vuurrood en trok zijn schouders op. Sophia's stem klonk luid en duidelijk in de hal. 'Dank je, Henry. We moeten inpakken wat we mee kunnen nemen. Eten, kleding, water, luiers, babyvoeding, lakens, persoonlijke spullen. Het is niet zeker of we hier ooit terugkomen.'

'We worden gedeporteerd,' snikte Margherita.

'Nee hoor. Maar de soldaten bouwen stellingen om het huis en leggen mijnen. Daarom kunnen we hier niet blijven. En als alles voorbij is, kan het zijn dat er hier geen steen meer op de andere staat. Op het moment gaat het er alleen maar om dat we ons leven redden.'

'Waar gaan we dan naartoe?' Josefa's gezicht zag er van angst ingevallen uit. Haar ogen waren donkere knikkers.

'Naar het oude klooster. Daar verstoppen we ons in de kelder.'

'Daar zitten ratten,' fluisterde Fernanda.

Henry drukte sussend haar hand.

'Iemand moet langs de anderen gaan en vragen wat ze willen. Wie zich met ons wil verstoppen, moet zijn spullen bij elkaar zoeken en hierheen komen. Henry, wil jij ervoor zorgen dat Salvatore meekomt? Wij nemen de kinderbedjes, matrassen, dekens, jassen en schoenen mee, zoveel als we dragen kunnen. Begin gauw en breng alles daar naartoe wat je maar mee kunt nemen. Ik ga ondertussen de gewonde soldaten verzorgen.'

De eerste luitenant had de vijf gewonden al naar de polikliniek laten brengen. Twee van hen, die konden zitten, wachtten geduldig in de behandelruimte. De andere drie, waarvan er twee zwaargewond waren, dat zag Sophia in een oogopslag, lagen op brancards in de ziekenkamer.

Ze verzorgde eerst een jongen die eruitzag als een kind, nog jonger dan Henry. Hij had zijn beide onderbenen verloren. Onder de knie eindigden zijn benen in bloederige stompen met een noodverband eromheen. Zijn ogen waren dicht en zijn ademhaling ging zwaar. Het korte, blonde haar zat aan elkaar geplakt van het zweet, zijn lippen waren kapotgebeten van de pijn.

'Wat heeft hij hier te zoeken?' vroeg Sophia scherp aan de sergeant-majoor die had geholpen de gewonden te brengen.

Hij haalde zijn schouders op, ten teken dat hij het niet begreep. Toen probeerde ze het opnieuw, eerst in het Engels en toen in het Frans, maar ook dat had geen resultaat.

De jongen opende zijn ogen en fluisterde in het Frans: 'Het is vanmorgen pas gebeurd. We zijn van ons veldhospitaal afgesneden. Daarom moesten ze me meenemen hier naartoe.'

'Dat bedoel ik niet,' zei Sophia. 'Je bent nog een kind. Wat heb je in deze oorlog te zoeken?'

'Ik ben zestien, madame.'

'Hij had pech,' mengde zich een van de gewonden in het gesprek. 'Is op een van onze eigen mijnen gelopen.'

Sophia haalde voorzichtig het verband eraf. De jongen gilde en huilde en probeerde tegelijkertijd krampachtig zijn tranen te onderdrukken.

'Je hoeft je niet te schamen,' zei Sophia zacht.

'Alstublieft, het doet zo'n pijn,' bracht hij moeizaam uit.

'Je krijgt meteen iets tegen de pijn.' Ze gaf hem een morfine-injectie en hij zakte al gauw weg.

Snel legde ze een nieuw verband aan. Iemand had hem eerste hulp verleend en de vaten netjes afgebonden. Sophia kon niet meer doen dan de wonden tegen vuil en ziektekiemen beschermen. Als hij op tijd in een fatsoenlijk ziekenhuis kwam, waar hij door een bekwaam chirurg kon worden behandeld, had hij goede vooruitzichten erdoor te komen – een zestienjarige jongen zonder onderbenen.

Daarna verzorgde ze de andere zwaargewonde. Hij had een kogel door zijn long gehad. Zijn ademhaling was vlak en haastig. Hij was doodsbang. Ze kon niets anders voor hem doen dan iets tegen de pijn geven. Bij de volgende man, ook een jongen van hooguit achttien jaar, kon ze alleen nog maar vaststellen dat hij al gestorven was. Een kogel had zijn slaapbeen verbrijzeld, wat ze na het verwijderen van het bloederige verband kon zien.

Met tranen in de ogen ging ze naar de behandelkamer om de twee anderen te verzorgen. De ene, een korporaal, had bij een val zijn schouder ontwricht, een erg pijnlijke, maar verder ongevaarlijke verwonding.

Hij hijgde en snoof door zijn neus toen Sophia hem onderzocht. Hij was groot en sterk, met harde spieren en sterke botten, maar nadat Sophia de arm in de goede hoek had gezet, lukte het haar verrassend snel hem weer in de kom te krijgen. Met een luid gekraak sprong het bot weer in de kom en de arm was meteen weer goed beweeglijk. De korporaal bewoog zijn arm heen en weer en keek haar toen verbluft aan. Zijn ronde, rode gezicht vertrok in een ongelovig lachje. 'Grazie,' stamelde hij, 'grazie, madonna!'

Ze kon niet verhinderen dat hij haar hand greep en er een kus op drukte. Zijn vererende blikken bleven op haar rusten toen ze naar de volgende gewonde ging. Een jonge man van midden twintig, die haar verwachtingsvol aankeek. Hij had een schampschot boven zijn linkerheup, maar het was maar een oppervlakkige vleeswond zonder dat er grotere aders waren geraakt. Sophia haalde het vuile verband weg, maakte de wond schoon, desinfecteerde hem en legde een nieuw verband aan. De jonge man stond zwijgend op, boog voor haar en ging naar buiten om bij het mijnenleggen te helpen. De korporaal volgde hem, nadat hij Sophia nog een keer dankbaar had toegelachen.

Waarom? dacht Sophia plotseling woedend. Waarom moesten al deze aardige, normale jongens op andere aardige jongens als Henry of mijn broer schieten? Wat hebben ze elkaar misdaan? Hoe kunnen mensen deze kinderen bevel geven anderen te doden? Wie droeg de verantwoording voor al dat zinloze moorden?

In de villa was de uittocht afgerond. Alleen Josefa wachtte nog op haar, de anderen waren al naar het klooster vertrokken.

Josefa zat op de onderste traptrede met haar schort over haar gezicht. Haar verstikte snikken waren nauwelijks te horen, maar haar schouders schokten verraderlijk. Sophia rende naar haar toe. 'Josefa? Is het zo erg? Ben je zo bang?'

De kokkin hief haar behuilde gezicht op. 'Nee, maar het is zo vreselijk dat we de tapijten niet van de zolder kunnen halen. En de vleugel moet ook hier blijven.'

'Lieve hemel, ik wilde dat ik zulke zorgen had!' Sophia stak haar hand uit en hielp Josefa overeind. 'Kom, we moeten gaan.'

Op weg naar het klooster kwamen ze de eerste luitenant tegen, die onder de villa met grote stappen het terrein opmat en zijn heen en weer rennende mannen bevelen toebrulde. Er was een groep bezig dynamiet aan te brengen. Op de tuinmuur werden zandzakken gestapeld, en verder beneden, aan het begin van de toegangsweg, richtten mannen prikkeldraadversperringen op. Anderen stonden met ontblote bovenlichamen in de brandende zon loopgraven te graven.

Toen Sophia dichterbij kwam, bleef Schönborn staan. Zijn gezicht was nat van het zweet en op zijn toch al niet zo schone uniform zaten grote, donkere zweetplekken. Zijn kraag stond open en liet de gebruinde huid van zijn hals zien. Met een zilverig geschitter werd daar een kettinkje met een kruisje zichtbaar, toen hij zijn magere lichaam in een volmaakte buiging vooroverboog.

'Hartelijk dank voor het verzorgen van mijn mannen.'

Sophia knikte zwijgend. De eerste luitenant wees naar de omliggende heuvels. 'Als alles voorbij is, moet u voorzichtig zijn voor de mijnen. Het hele gebied ligt vol. Let op vers omgewoelde plekken. En laat in 's hemelsnaam de kinderen niet alleen buiten. Stuur mannen met stokken de velden in, als er geen mijnencommando aanwezig is.'

'We zullen erop letten,' zei Sophia.

Hij keek haar na toen ze met Josefa de richting van het klooster insloeg.

'Ga met God,' riep hij haar na. Het gedreun van overtrekkende bommenwerpers overstemde zijn woorden, maar Sophia begreep hem toch.

'God heeft ons al lang geleden verlaten,' mompelde ze.

Het oude franciscanenklooster stamde uit de vroege 15e eeuw, maar was al in de 17e eeuw tijdens de dertigjarige oorlog weer verlaten. In de kruisgang waren verschillende zuilen kapot, en de oude kloosterkapel was op de voorgevel na een ruïne. Maar een groot deel van het gebouw stond er nog, waaronder de eetzaal en een rij monnikencellen, waarin vorig jaar de geallieerde krijgsgevangenen waren ondergebracht. Op Henry na waren ze allemaal verdwenen. Na het bloedbad van de SS in april waren ook de laatsten van hen vertrokken.

De kelder onder de eetzaal was te bereiken via een steile, stenen trap, die bovenaan werd afgesloten door een valluik. Waarschijnlijk was de kelder niet alleen in vroegere eeuwen bij onverwachte overvallen een schuilplaats voor de monniken geweest, maar had hij ook in latere jaren nog als toevluchtsoord dienstgedaan. Het zware, houten valluik was ooit vernieuwd – vermoedelijk begin van de laatste eeuw – wat te zien was aan de metalen scharnieren en de zware, ijzeren grendel.

Sophia hoorde opgewonden stemmen, toen ze achter Josefa de trap naar de kelder afging. Bij het schijnsel van een acetyleenlamp keek ze om zich heen en telde de mensen, die op de meegebrachte matrassen en dekens zaten. Ze zag Carla, Ernesto, Fabio en de tweeling, Donata en haar spruiten, Salvatore en Henry, en de bewoners van de villa: Francesco en Benedetta, Margherita en Rosalia, Josefa, Fernanda, Renata met haar zoon. En de twee baby's die in hun opklapbedjes lagen.

De andere mensen van het landgoed waren met hun gezinnen naar de omliggende dorpen gegaan, om daar bij familie onderdak te zoeken.

Het rook naar stof en gesteente. De koelte was heerlijk vergeleken met de zomerhitte buiten. En al was het plafond van de kelder zo laag dat Sophia niet rechtop kon staan, de ruimte was groot genoeg om niet vol te zijn met al die mensen. Een lichte tocht langs de muren wees erop dat er ergens een luchtgat zat.

Sophia bekeek snel de meegebrachte voorraden. Er waren water en eten voor minstens drie dagen, en als ze zuinig waren zelfs voor vijf. Ze hadden kaarsen en acetyleen voor de lampen, en ook verbandmiddelen voor het geval er iemand gewond raakte.

Als de villa en de andere huizen op het landgoed verwoest werden, zouden ze zich voorlopig moeten behelpen met wat ze hadden meegenomen. Jassen, schoenen en warme kleren waren er genoeg. Al het andere zou wel in orde komen.

Nu konden ze alleen nog maar wachten.

Het was eerder zover dan ze hadden gedacht. Twee uur later sloeg er vlakbij een granaat in. Het klonk als een donderslag die de lucht verscheurde en de muren liet trillen. Terwijl er nog ontzette uitroepen klonken, sloeg de tweede in.

Donata begon hardop te bidden, haar kinderen huilden, en ook de baby's begonnen luid te brullen.

Om hen heen ging de chaos verder, tot het gedreun van het gevecht van alle kanten tegelijk leek te komen. Explosie na explosie deed het plafond boven hun hoofden schudden. Het krakende geluid van inslagen kwam van alle kanten en verenigde zich tot een razende hel. Het artillerievuur zwol aan tot een alles doordringend geluid, waarbij er geen begin of eind was.

Henry en Fernanda vormden een onontwarbare wirwar van in elkaar gestrengelde ledematen. Op Fernanda's gezicht lag een uitdrukking van pure, onvervalste zaligheid. Ze zag eruit alsof ze met plezier wilde sterven, als ze maar in de armen van haar liefste zou liggen. Henry zag er net zo extatisch uit.

Met de anderen ging het niet zo goed. Margherita en Rosalia hadden hun armen stevig om elkaar heen geslagen, hun ogen angstig dichtgeknepen. Benedetta had haar armen om Francesco gelegd en wiegde hem heen en weer, waarbij ze kalmerende woordjes in zijn oor fluisterde. Renata zat dicht naast haar. Ze hield de oren van haar zoon dicht en keek in paniek naar het plafond, waar onophoudelijk steengruis vanaf viel. Josefa had zich naar de muur gedraaid en haar schort over haar gezicht getrokken.

'Heilige Maria, Moeder Gods, vol genade,' stamelde Carla, terwijl ze Fabio en de tweeling tegen haar borst drukte. Ernesto zat naast haar, doodsbleek, zijn lippen op elkaar geperst.

Donata bad het ene onzevader na het andere, hard schreeuwend om boven het geluid van de mortieren uit te komen. Haar drie kinderen brulden uit alle macht.

'Hou toch stil!' riep Sophia woedend uit. 'God hoort je toch niet en je maakt alleen de kinderen maar gek!'

Ze hield Luisa en haar zoon stevig vast. Ze huilden allebei aan een stuk door.

Zo ging het door, een eeuwigheid leek het wel, tot ten slotte het lawaai minder werd. De tijdsduur tussen twee inslagen werd groter en geleidelijk hield ook het geratel van het geschut op, tot het eindelijk stil werd.

'Ze zijn weg,' fluisterde Carla opgewonden.

Henry schudde zijn hoofd. 'Het is alleen maar een gevechtspauze,' zei hij.

Een luid geknars trok hun blikken naar de trap. Het valluik zwaaide open en er werd een gepoetste laars zichtbaar.

Sophia slaakte ontzet een gil toen ze de man herkende die glimlachend de steile trap afkwam.

34

Henry liet Fernanda los en dook naar de muur waar hij de mitrailleur had neergelegd. Maar voor hij hem kon pakken, had Schlehdorff hem bereikt en sloeg met de kolf van zijn pistool tegen zijn hoofd. Henry zakte met een dof geluid in elkaar.

'Nog iemand die de held wil uithangen?' vroeg hij.

Niemand verstond hem, maar ze begrepen allemaal wat hij bedoelde.

In gebroken Engels voegde hij eraan toe: 'Ik haat het een taal te spreken die ik niet goed beheers, maar ik heb geen andere keus omdat mijn tolk er niet is. Helaas is hij door een granaat aan flarden gescheurd, de arme man. Nu ben ik op mezelf aangewezen.'

Niemand die hem kon verstaan, vond zijn humor amusant, maar dat scheen hij ook niet te verwachten. Hij zwaaide het pistool in Sophia's richting.

'Jij daar. Kom mee.'

Ze duwde de kinderen achter zich en stond op. Schlehdorff zag het en kwam nieuwsgierig dichterbij. 'Is dat zijn zoon? Laat hem eens zien.'

Ze ging voor hem staan, klaar om zich op hem te werpen.

'Ik wil hem echt alleen maar even zien.' Als bewijs van zijn vredelievendheid duwde hij zijn pistool in de holster, terwijl hij haar zoon uitvoerig bekeek. 'Jee, wat lijkt hij op hem,' zei hij bewonderend.

Sophia aarzelde niet. Ze stortte zich op hem en gooide hem om, maar hij had het aan zien komen en had meteen zijn wapen weer getrokken. Hij kon hem niet gebruiken, omdat Sophia op hem lag, maar hij was veel sterker dan ze had verwacht. Met een harde duw gooide hij haar van zich af en knielde over haar heen, de loop van het pistool op haar keel.

'Loeder,' hijgde hij.

Sophia keek in zijn wild fonkelende ogen en zag de dood. 'Ik kan jullie misschien niet allemaal vermoorden, maar jou in elk geval wel,' riep hij uit. Toen drukte hij af.

Maar het wapen klikte alleen maar. Schlehdorff schudde ermee om de ladingsstoring te verhelpen, toen hief hij het pistool hoog boven zijn hoofd om het op Sophia neer te laten komen.

Maar zijn pols werd tijdens de neergaande beweging tegengehouden. Tussen haar afwerend uitgestoken handen zag Sophia Salvatore achter Schlehdorff staan. Zijn gezicht was onherkenbaar veranderd; het was vertrokken in een grimas van wraakzucht en haat. 'Dat doe je niet,' stootte hij uit. Er spetterde speeksel van zijn lippen. 'Nooit, hoor je! Ze is maar een meisje! Ik sla je dood! Ik sla je dood!' Hij liet Schlehdorffs arm los en zijn vuisten kwamen meerdere keren hard op het gezicht van de Duitser neer.

Schlehdorff ontweek de volgende klap en rolde zijdelings bij Sophia vandaan. Terwijl hij opsprong, schudde hij verdoofd zijn hoofd en spuugde een mondvol bloed uit. Onder zijn rechteroog zat een diepe snee. Hij betastte hem voorzichtig en duwde met zijn tong een losgeslagen tand naar buiten, die hij in zijn hand liet vallen. Hij staarde er verbaasd naar. Toen hij zag wat het was, begon hij woedend te brullen.

Sophia draaide zich om en greep naar het pistool dat bij het gevecht op de grond was gevallen, maar Schlehdorff was haar voor. Snel als een slang bukte hij zich, hief het wapen en richtte het op Salvatore, die zich op hetzelfde moment met gebalde vuisten op hem stortte.

Weer drukte Schlehdorff af, en deze keer deed het wapen het wel. De kogel trof Salvatore midden in zijn voorhoofd, en hij viel tijdens zijn sprong neer als een slappe baal hooi, zijn gezicht voor Schlehdorffs laarzen.

De Duitser negeerde het ontzette gegil van de mensen om hem heen. Hij stapte elegant over het lijk heen, greep naar Enrico, tilde hem op en zette het pistool tegen zijn slaap.

'Nee!' fluisterde Sophia. 'Alstublieft... Ik zal alles doen!'

'Kom dan maar mee naar buiten.' Hij pakte de mitrailleur, die Henry niet meer had kunnen pakken, en klemde hem onder de arm waarmee hij ook de brullende, spartelende baby vasthield.

Ze ging haastig de trap op. Hij volgde haar naar boven de eetzaal in en trapte het valluik dicht. Met de punt van zijn laars duwde hij de grote grendel dicht.

'Doe mijn zoon alstublieft niets,' fluisterde Sophia. Ze voelde zich alsof alle leven uit haar was weggestroomd. Ze kon niets anders meer zien dan de zwarte mond van het pistool die tegen de zachte slaap van haar baby drukte.

'Hij lijkt echt sprekend op zijn vader, hè?' zei Schlehdorff vreemd teder. Hij bekeek de baby, die plotseling stil werd en hem met wijd opengesperde ogen aankeek.

'Blauwe ogen,' fluisterde Schlehdorff. 'En wat is hij mooi.'

Sophia zei met trillende stem: 'Leg hem neer. Alstublieft.'

'Natuurlijk.' Tot haar verrassing deed hij een paar stappen opzij en legde de baby daar voorzichtig op de stenen vloer, samen met de mitrailleur, waarna hij naar haar terugkwam.

'Tenslotte ben ik hier om me met jóú bezig te houden.'

Zijn net nog vriendelijke gezichtsuitdrukking veranderde, en hij hief zijn hand op om met een woedend gezicht het bloed van de uitgeslagen tand weg te vegen. 'Die smeerlap daar beneden. Ik had hem vorig jaar al moeten neerschieten.'

'Dat heeft u dan nu goedgemaakt,' ze Sophia toonloos.

'Hou je waffel,' viel Schlehdorff uit. 'Het is allemaal jouw schuld. Richard en ik... Hij zou nooit... Als jij niet...' Hij hakkelde hulpeloos, omdat hij de woorden in de andere taal niet kon vinden. Woedend richtte hij het pistool op haar. 'Ellendige slet! Kleed je uit! Ik wil zien wat hij aan je vindt!'

De gedachten tolden door haar hoofd, terwijl ze haar jurk begon open te knopen.

Ik moet hem tot rede brengen, hem rustig maken. Als ik naakt ben, komt hij misschien dichterbij om... In elk geval dicht genoeg bij me om te proberen hem te overmeesteren.

'Hoe wist u eigenlijk dat we in het klooster zaten?' vroeg ze op een neutrale toon.

Hij haalde zijn schouders op. 'Eerste Luitenant Schönborn heeft het me verteld.'

466

Waarom ook niet, dacht Sophia. Welke reden zou hij hebben om Schlehdorff te wantrouwen? Een terloops gestelde vraag, een argeloos antwoord en toen wist Schlehdorff waar het doel van zijn wraak te vinden was.

Sophia's jurk was losgeknoopt en viel ritselend om haar voeten. Schlehdorff zwaaide met het pistool. 'De rest ook. En maak je vlecht los.'

Ze trok haar ondergoed uit, zonder hem uit het oog te verliezen. Ze waagde het niet naar haar zoon te kijken, uit angst daarmee Schlehdorffs opmerkzaamheid op hem te vestigen. Enrico was nog steeds stil. Een smeekbede welde in haar op en zonder nadenken vormden zich de woorden.

Lieve God, laat hem stil blijven. Zorg dat hij niet gaat huilen. Laat niet toe dat er iets met hem gebeurt.

Toen bedwong ze haar paniek. Ze durfde niet te laten merken dat ze bang was, want het was duidelijk dat Schlehdorff wachtte op een teken van zwakte. Met trots opgeheven hoofd en een rechte rug stond ze voor hem, terwijl ze haar haren losmaakte.

Schlehdorff bekeek haar keurend, haar zware borsten, haar smalle taille, haar licht geronde heupen en haar lange, slanke benen. Haar haren vielen als een waterval over haar schouders en speelden om haar armen.

Schlehdorff maakte zijn droge lippen vochtig. 'Draai je om.'

Ze deed het.

'Je bent... mooi,' zei hij onzeker. Hij kwam dichterbij om haar lichaam beter te bekijken, maar hij vond geen tekortkomingen. Schlehdorff ademde sneller toen hij voor haar bleef staan. Zijn hand streek doelloos over zijn borst, toen gingen zijn vingers naar beneden en bleven rusten bij de gesp van zijn riem.

Plotseling verscheurde het geluid van een granaat de stilte, en meteen daarop volgde een tweede inslag.

'Het begint weer,' zei Schlehdorff zenuwachtig. 'We moeten opschieten.'

Sophia staarde hem afwachtend aan. Dadelijk, dacht ze. Hij zal het dadelijk proberen.

'Ga liggen,' zei hij hees.

Ze gehoorzaamde zwijgend. Ze voelde geen afschuw of ontzetting, alleen maar een ijzige vastbeslotenheid. Ze negeerde de kou en de oneffenheid van de grond en keek toe hoe hij langzaam zijn broek losmaakte.

Het laatste stuk naar het landgoed was Richard te voet gegaan. Een vrachtwagen van een eenheid van het veldhospitaal waarbij hij zich had aangesloten, was op een mijn gereden en in de lucht gevlogen. Daardoor was de hele colonne in stukken gebroken. Het zag ernaar uit dat het opruimen nog wel een tijdje zou duren. Richard was de rest van de weg dwars door de velden gegaan, telkens dekking zoekend, want het gebied lag nog steeds onder zwaar artillerievuur. De Engelsen waren al tot de laatste heuvel ten zuiden van La Befana gekomen, en zouden die ook snel veroveren. Vanuit de verte was niet te zien hoeveel schade er was aangericht, maar toen Richard dichterbij kwam, zag hij de omvang van de schade.

De villa stond er nog, maar de muren waren op talrijke plekken kapotgeschoten en hadden donkere gaten als een maanlandschap. De ramen waren allemaal gebroken en uit de deurposten viel metselwerk. Daar waar de tuinmuur had gestaan, gaapten verschillende granaattrechters. Van de bijgebouwen stond alleen het kleine huisje van Donata er nog. Alle andere waren met de grond gelijkgemaakt of uitgebrand. Terwijl Richard nog probeerde een overzicht te krijgen van de verwoeste gebouwen, rende er een hond met zijn staart tussen zijn poten over de binnenplaats en verdween achter een ruïne, die hij pas na een tweede blik als de polikliniek herkende.

Onder aan het terrein van het landgoed, waar de weg nog begaanbaar was, was druk verkeer. Vrachtwagens en jeeps reden rammelend naar het noorden, weg van de aanvallende geallieerden. Duitse soldaten braken de geschutstellingen op de helling af en sloten zich toen bij de terugtrekkende artillerie aan, die in de richting van het Lago Trasimeno ging, waar zich de volgende verdedigingslinie bevond.

Er klonk een gehuil links van hem, en Richard kon nog net op tijd naast een heuveltje in dekking gaan, voordat dertig meter verderop een granaat insloeg. Er spoot aarde in alle richtingen en viel ook op zijn rug. Door de klap was Richard zo verdoofd dat hij in paniek dacht dat hij weer zijn gehoorvermogen kwijt was. Pas toen hij na een paar diepe, angstige happen lucht weer artillerievuur hoorde, lachte hij opgelucht. Haastig legde hij de laatste meters naar de villa af en liep eromheen. Er was nergens een teken van leven te ontdekken. Hij liep om een granaattrechter heen en ging het terras op. Daar lagen overal zandzakken, de meeste kapotgeschoten, hun inhoud aan elkaar geplakt door het bloed van de dode mannen die kriskras op de gebarsten tegels lagen. Richard telde vijf lijken, waaronder een officier met de rang van eerste luitenant. De inslag van de granaat had een been afgeslagen. Het brede bloedspoor achter hem bewees dat hij nog geprobeerd had zich het huis in te slepen. Richard liep erlangs en haastte zich naar de kelder. Ook daar drie doden, allemaal slachtoffers van een granaat.

Snel ging hij weer naar boven en doorzocht alle kamers, maar van de bewoners was er niemand meer. Dus Sophia had toch nog op tijd het gevaar onderkend en zich in veiligheid gebracht!

Het binnenste van het huis was verwoest; de lambrisering in de hal was op veel plaatsen weggeblazen, de mooie, houten leuning lag gebroken op de trap. In het witte marmer van de vloer zaten overal gaten van ingeslagen kogels. In de salon zag het er net zo uit. De vleugel was een wirwar van gekrast hout, uitgebroken toetsen en gebroken snaren. Er was op de hele benedenverdieping nauwelijks een meubelstuk dat niet beschadigd of verwoest was. Ook de badkamer boven had het zwaar te verduren gehad. De badkuip was in twee stukken gebroken, en een deel van de mozaïektegels was van de muren gevallen. Er was geen enkel raam meer heel in de villa. Er moest een ware geweervuurstorm over het huis zijn geraasd.

Zou Sophia met de kinderen naar haar oom in Montepulciano zijn gegaan? Richard vermoedde het, al was hij er natuurlijk niet zeker van. De hoofdzaak was dat ze niet meer hier was.

De onzekerheid had hem geen rust meer gelaten, vooral niet nadat hij gehoord had dat de terugtrekkende eenheden deze streek vol mijnen zouden leggen en geschutstellingen zouden plaatsen. De drang hier naartoe te gaan was er steeds geweest, maar vandaag was hij zo sterk geworden dat Richard hem haast lichamelijk gevoeld had. Hij had een plotselinge, onverklaarbare onrust gevoeld, die in de loop van de dag steeds sterker was geworden.

Hij ging naar de weg, voorzichtig de plekken met omgewoelde aarde ontwijkend, die op mijnen wezen. Vanuit het dal kwam een Duitse jeep dichterbij die de cipressenlaan naar het landgoed insloeg. Richard bleef afwachtend staan, zijn hand boven zijn ogen. De auto ging langzamer en Richard zag dat er drie mannen in zaten. De man naast de chauffeur kende hij, maar hij had geen tijd meer zich over dat toeval te verbazen. Het volgende moment kwam er een eskader laagvliegers vanuit het zuiden op de auto af. Vier, vijf, zes vliegtuigen, en allemaal waren ze er in een paar seconden. Twee van hen sloegen gelijktijdig af en het boordgeschut spuugde vuur en dood. Instinctief liet Richard zich op de grond vallen. Een van de duikbommenwerpers vloog over zijn hoofd en hij voelde een hete drukgolf over zijn huid trekken. Een staccato van schoten werd afgevuurd op de weg en de wagens werden uit elkaar gereten. Toen voelde Richard een harde klap tegen zijn been en het volgende moment was zijn hele rechterkant gevoelloos.

Ergens boven aan de heuvel ratelde afweergeschut en er stegen rookkolommen op in de lucht. Het eskader draaide naar het zuiden af en verdween snel in de verte.

Richard probeerde op te staan. Bij de eerste beweging verdween het verdoofde gevoel, en er kwam een stekende pijn voor in de plaats. Hij onderdrukte met moeite een schreeuw, onderzocht zijn been en zag dat hij boven zijn knie was geraakt en dat er een hevig bloedende wond zat. De spieren waren alleen maar doorboord, wat, naast de wetenschap dat hij er niet aan dood zou gaan, de enige troostrijke gedachte na deze aanval was. Hij trok zijn riem los en legde met behulp van zijn zakdoek zo goed en zo kwaad het ging een drukverband aan. Toen keek hij naar de jeep. Achter het stuur zat een piepjonge korporaal, voor wie elke hulp te laat kwam. Hij zat in elkaar gezakt, zijn dode ogen naar de hemel gericht.

Een paar meter verderop klonk een zwak gekreun. Richard verbeet zijn eigen pijn en kroop vooruit, tot hij de man had bereikt die achter de jeep op de weg lag. Richard zag meteen dat luitenant May niet zoveel geluk had gehad als hij.

Hij bloedde uit verschillende wonden in zijn borst en buik, en toen Richard voorzichtig zijn uniformjasje opensloeg, zag hij een wond waar een obsceen grijze darmkronkel uitstak.

'Wat doe je nou hier, man?' vroeg Richard, terwijl hij het jasje weer voorzichtig over de wond legde. Hij pakte de trillende hand van de jonge man, die hem met angstig vertrokken gezicht aanstaarde.

'Ze hebben me te pakken, hè?'
Richard gaf geen antwoord. Hij ging dichter bij de jongen zitten.
Hij had waarschijnlijk nog een paar minuten, niet langer.
May hapte naar adem. 'Ik wilde haar opzoeken. Ze... ze speelde zo
mooi piano. Ik moest steeds weer aan haar denken. Hoe mooi ze is
en dat ze nu een baby heeft...' Hij stopte en hoestte. 'Ik kwam hier
toch langs en toen dacht ik dat ik even naar haar moest gaan kij-
ken. Voor het geval dat. Gaat het goed met haar?'
'Vast.'
'Ze is hier zeker op tijd vertrokken, hè?'
Richard knikte, terwijl zijn blikken over het dal dwaalden. Zijn
ogen brandden. De pijn in zijn binnenste was bijna net zo erg als
die in zijn been.
'O, ik heb het zo koud,' fluisterde May.
Richard trok zijn uniformjasje uit en legde het over Mays bovenlichaam.
Het storingsvuur van de Duitse gevechtsbatterijen was verstomd,
en ook de artilleriebeschieting van de geallieerden was opgehouden.
Op de heuvel aan de overkant waren de omtrekken van een zestal
shermantanks te zien. Tien, hooguit vijftien minuten nog, dan waren ze er.
May had zijn blikken gevolgd. 'De Tommy's komen eraan. Neem
de jeep en ga er vandoor.' Hij hoestte weer, en tussen zijn lippen
kwam bleek, roodgekleurd schuim tevoorschijn.
'Ja,' zei Richard afwezig. Hij kon nu niet wegrijden, en dat had
niets met zijn been te maken. Zijn blik was weer heuvelopwaarts
gedwaald en bleef rusten op de kastanjeboomgaard, die tussen de
afgebrokkelde muur van het oude klooster en het landgoed lag.
'Als u haar weer ziet – doet u haar dan de groeten van mij?' fluisterde May.
Richard knikte. Hij voelde hoe de hand van de jonge man in de zijne kouder werd en verslapte.
De ogen in het gekwelde gezicht werden dof, zijn borst ging een
laatste keer omhoog, toen was het voorbij. Richard liet hem los,
kroop van de weg af en ging moeizaam staan.
Het deed afgrijselijk veel pijn, maar als hij voorzichtig liep, moest
het lukken.

Zijn blik bleef op het klooster gericht, dat er in het rode licht van de laagstaande zon uitzag als een middeleeuwse burcht.

In het oude klooster is een grote kelder. Als we nergens meer heen kunnen, verstoppen we ons daar.

Met één hand zijn bloedende been omklemmend, zette Richard zich wankelend in beweging.

Schlehdorff was begonnen haar te slaan. Ondanks verschillende pogingen had hij haar niet kunnen nemen. Hij zag er belachelijk uit, zoals hij over haar heen knielde, naakt vanaf zijn heupen, het pistool tegen haar hals duwend, terwijl hij met zijn vrije hand afwisselend in haar gezicht sloeg of zichzelf prikkelde.

'Loeder,' kraakte hij. 'Eén woord en ik vermoord je.'

Ze zorgde er wel voor dat ze niets zei. Ze wachtte op een kans.

Hij gaf haar weer een harde klap, deze keer niet met zijn vlakke hand, maar met zijn vuist.

Sophia begon uit haar neus en mond te bloeden, iets wat hem blijkbaar genoeg opwond om het nog eens te proberen.

Half snikkend, half hijgend wierp hij zich tussen haar gespreide benen. Het pistool ging een beetje opzij, maar niet ver genoeg. Sophia verstijfde van onuitsprekelijke afschuw, toen zijn lid tegen haar schaamstreek duwde. Nog een stukje, dacht ze. Dan is het zover. Dan vermoord ik je, als God me helpt!

Ze voelde het koude metaal over haar huid glijden, onder haar oor wegvallen. Hij stootte zijn onderlichaam tegen haar lichaam, maar hij kon niet binnendringen, ze was te droog.

'Hoer,' jammerde hij.

Plotseling begon Enrico te huilen, en Schlehdorff kwam met een ruk overeind.

'Nee!' gilde Sophia, maar hij was al opgesprongen en had zich met vlammende ogen naar het kleintje omgedraaid.

Hij hief het pistool en richtte het op de baby.

'Doe dat maar niet,' zei Richard vanuit de deuropening van de eetzaal, zijn pistool in zijn hand.

Schlehdorff bewoog zich niet, alleen zijn schouders zakten onmerkbaar naar voren.

'Laat je wapen vallen,' zei Richard.

Sophia kwam omhoog en steunde op haar knieën. Haar gezicht

deed pijn van de slagen, en ze trilde over haar hele lichaam. Richard zocht haar blik. Zijn gezicht was een star masker vol ontzetting.

'Het gaat goed met me,' zei ze snel, terwijl ze hem met haar blik verslond. Hij was gekomen. Hij was teruggekomen naar haar en hun kind. Zijn rechterbeen droop van het bloed en zijn gezicht was spierwit, maar zijn stem klonk vast en rustig.

'Laat dat ding vallen of ik schiet.'

Schlehdorff draaide zich om. Lachend. 'Jij en ik – we weten allebei dat je het niet doet, toch?'

'Je kunt het erop aan laten komen.'

'Een goed idee.'

Ondanks zijn naaktheid liep Schlehdorff op Richard af, de hand met het wapen hing nonchalant naar beneden. 'Ik heb je gemist,' zei hij zacht. Er lag een trek vol pijn om zijn bebloede mond. Hij liet Richard het gat zonder tand zien. 'Moet je kijken, ik ben misvormd! Maar de kerel die me dat heeft aangedaan, heeft ervoor geboet.'

'Blijf staan.'

Schlehdorff lette niet op zijn woorden. Sophia zag tot haar schrik dat de hand waarmee Richard het pistool vasthield, begon te trillen. *Schiet hem neer!* wilde ze roepen, maar er kwam geen geluid over haar bloedende, gesprongen lippen.

'Ze is het niet waard, weet je,' zei Schlehdorff nadrukkelijk. 'Ik kan het weten, want ik heb haar uitgeprobeerd. Meerdere keren zelfs.' Zijn ogen boorden zich in die van Richard. 'Heb ik ooit tegen je gelogen?' Nog een stap, toen nog één. 'Ze was goed, maar met jou was het beter. Veel beter.'

Richard kromp in elkaar alsof hij een harde stomp had gekregen. 'Blijf nou staan!' schreeuwde hij. Hij hield het pistool vastberaden op Schlehdorff gericht, maar zijn hand trilde nu zo hard dat hij zijn doel op zijn best toevallig zou raken als hij nu zou schieten.

Maar hij maakte geen aanstalten af te drukken, zelfs niet toen Schlehdorff met een paar stappen de afstand tussen hen overbrugde.

'Zie je wel. Je kunt het niet.' Schlehdorff keek Richard vol treurige genegenheid aan, terwijl hij eraan toevoegde: 'Ik zal altijd aan je denken. Altijd.'

De baby huilde nu op volle sterkte. Sophia begon naar haar zoon toe te kruipen, naar de plek waar ook de mitrailleur lag. Maar het wapen was te ver weg, veel te ver... Haar blikken gingen heen en weer tussen de mitrailleur en de twee mannen. En toen, voordat ze iets kon doen, ging Schlehdorffs hand met het pistool omhoog en schoot hij.

'Nee!' gilde Sophia, en de echo van haar kreet viel samen met de klik van de ladingsstoring. Schlehdorff bekeek het pistool met samengeknepen ogen, toen gooide hij het woedend weg en greep naar Richards wapen. Van waar Sophia zat, kon ze niet zien of hij het te pakken had gekregen, want een ogenblik later vormden de beide mannen een kluwen bewegende armen en schoppende benen. Sophia zag het gezicht van Richard dat knalrood was van inspanning, en toen weer Schlehdorff die hem vasthield en steeds weer zei hoeveel hij van hem hield.

In de dodelijke choreografie van die omarming draaiden de mannen om de beurt hun rug naar Sophia toe, struikelden heen en weer en vochten onophoudelijk om het pistool.

Sophia rende de laatste meters naar de plek waar haar huilende zoon lag. Ze bracht de mitrailleur in de aanslag, maar ze kon niet op Schlehdorff schieten, zonder het gevaar te lopen Richard te raken.

Een waanzinnig moment overwoog ze gewoon maar te schieten en ze desnoods allebei te doden om haar kind te redden, maar een hartslag later besefte ze de waanzin van die gedachte en begon ze van ontzetting schril te lachen.

Op hetzelfde ogenblik klonk er een schot en de beide mannen, nog in een stevige omarming, zakten tegelijk op de grond en bleven bewegingloos liggen.

Sophia ging langzaam naar hen toe, stap voor stap, bereid bij het minste teken van gevaar te schieten.

Maar Richard en Schlehdorff lagen er stil bij, hun ogen dicht, en pas toen Sophia vlak bij hen stond, begon Richard zich zwakjes te bewegen.

Sophia, die zich opeens helemaal slap voelde worden, zakte naast hem op haar knieën en begon hard te snikken.

Hij draaide zijn gezicht naar haar toe. Zijn ogen stonden triomfantelijk. 'Ik heb het toch gedaan,' zei hij, en toen verloor hij het bewustzijn.

Toen Richard weer bijkwam – uren of minuten later, dat kon hij niet zeggen – lag hij plat op zijn rug. Sophia, die weer aangekleed was, zat naast hem op haar hurken en verbond zijn wond. Hij was nog steeds in de eetzaal van het klooster, zag hij met een vluchtige blik op de kogelgaten in de muren. Dus kon hij niet lang bewusteloos zijn geweest. Maar nu was de ruimte vol mensen, bij wie de schrik nog op hun gezicht te lezen stond. Hij zag Henry, die zijn hoofd vasthield, met Fernanda die zich tegen hem aandrukte. En daar verderop Donata tussen haar jengelende kinderen... en nog een paar anderen die Richard niet zo gauw herkende, omdat hij draaierig werd en zijn ogen even dicht moest doen. Zijn been klopte van zijn heup tot zijn voet in een vreselijke kakofonie van pijn. Toen hij zijn ogen na een poosje weer opendeed, zag hij Benedetta links van hem die Sophia hielp hem te verbinden. Zijn blikken zwierven door de ruimte en toen hij Schlehdorff nergens kon ontdekken, raakte hij in paniek.

'Waar is hij?' fluisterde hij.

'Wie?' vroeg Sophia.

'Schlehdorff.'

'Henry heeft hem naar buiten gesleept,' zei ze kort.

'Is hij...'

'Morsdood,' antwoordde ze.

Opgelucht ontspande hij zich, voorzover dat bij die pijn mogelijk was.

Toen hij weer rondkeek, zag hij Josefa bij het valluik staan. Ze wiegde een blonde zuigeling in haar armen. Richard slikte hard en fluisterde: 'Mag ik hem zien?'

Sophia gaf Josefa een wenk en de kokkin kwam naar hen toe. Ze liet zich moeizaam op haar knieën zakken om hem zijn zoon te laten zien. Richard probeerde omhoog te komen, maar hij werd weer draaierig en liet zich terugvallen.

'Je hebt veel bloed verloren,' zei Sophia. 'Je kunt je beter niet bewegen.'

'Ga ik dood?'

'Alleen als je niet blijft liggen.' Haar stem klonk effen, maar uit de uitdrukking op haar gezicht was niets op te maken.

Richard draaide zijn hoofd om zijn zoon te bekijken. Er kwamen tranen in zijn ogen toen hij het volmaakte gezichtje zag.

'Hij heet Enrico,' vertelde Sophia hem. Het klonk koppig, een duidelijk teken dat Richard eventuele bezwaren beter voor zich kon houden. 'Hij is naar Henry vernoemd.'

'Nou ja, waarom ook niet,' zei Richard, die het een leuke naam vond. Hij deed zijn ogen weer dicht, omdat hij draaierig werd en bang was voor de ogen van al die mensen te moeten overgeven.

Hij kromp in elkaar toen Henry opeens opgewonden uitriep: 'Daar komen de tanks!'

Fernanda begon te jammeren. 'Ze zijn weer terug!'

'Nee, dat zijn de geallieerden!' juichte Henry. Hij liet zijn pijnlijke hoofd los en wees door de raamopening naar buiten. 'Sherman-tanks! Ze komen de heuvel af! Kom op, we gaan ze begroeten!'

En hij was al naar buiten, gevolgd door Fabio en Donata's kinderen, die samen met hem roepend en schreeuwend de helling afrenden om de bevrijders te ontvangen. Henry trok onder het lopen zijn overhemd uit en zwaaide het hoog boven zijn hoofd, een wit-fladderende vredesbanier.

De anderen gingen aarzelend achter hen aan, langzaam en dicht bij elkaar. Achter de eerste tank kwam een colonne infanteristen, die Henry tegemoet liep, vrolijk zwaaiend met zijn overhemd. Sophia zag dat de jonge Engelsman bleef staan en van louter opwinding van het ene been op het andere wipte, terwijl achter hem de mensen van La Befana aansloten om de bevrijders te zien. De tanks gingen langzamer en bleven ten slotte staan.

Sophia, die als enige was achtergebleven, stond bij het raam en keek naar de gebeurtenissen aan de voet van het klooster.

'Daarmee is het voorbij,' zei ze zacht.

Richard hief zijn hoofd op om haar beter te kunnen zien. Haar gestalte voor het raam was een silhouet van licht en schaduw.

'Ja, daarmee is het voorbij,' mompelde hij.

Ze liep naar hem toe en ging naast hem zitten. 'Was het het waard?'

Even vroeg hij zich af wat ze bedoelde: hun liefde, hun huwelijk, dat er geen was, of de hele oorlog. Wat hij ook geantwoord had, waarschijnlijk zou het verkeerd zijn geweest. Daarom koos hij een filosofisch antwoord. 'Wie zou dat nu al kunnen weten?'

'Je moet naar een ziekenhuis,' zei ze zakelijk.

'Ik weet het,' antwoordde hij.

'En daarna – kom je in krijgsgevangenschap, hè?'

Hij haalde zijn schouders op en onderdrukte een gekreun, omdat die beweging de pijn in zijn been deed opvlammen. 'Er wordt gezegd dat het heel comfortabel is in de kampen van de Tommy's.'

Ze wilde iets zeggen, maar deed het toch niet, in plaats daarvan pakte ze zijn hand. 'Ik wil je bedanken dat je ons leven hebt gered.'

Hij knikte zwakjes, en toen werd zijn gevoel haar verantwoording te moeten afleggen te sterk. 'Dat met Schlehdorff...'

'Dat was niks,' onderbrak Sophia hem. Haar gezicht werd rood. 'Hij heeft het wel geprobeerd. Maar hij kon het niet.'

'Dat bedoel ik niet,' zei Richard moeizaam. 'Het... Hij heeft... Hij en ik...'

Ze boog haar hoofd en liet zijn hand los. 'Ik wil er niets over horen.'

'Jawel,' zei hij wanhopig. 'Wat er tussen hem en mij was, is niet belangrijk. Ik wil... ik wil het vergeten, er nooit meer aan denken. Je moet alleen weten dat ik het voor jou heb gedaan.'

Ze keek hem teder aan. 'Het is al goed.'

Buiten voor de eetzaal klonken de stemmen van de Engelse veroveraars, die gekomen waren om hem formeel gevangen te nemen. 'Nu is het echt voorbij,' zei hij zacht.

Hij had een hoge prijs betaald voor de korte periode van geluk, dat werd hem duidelijk toen hij kort daarop op een brancard werd gelegd en weggebracht.

De Engelsen waren vriendelijk en correct, ze waren niet vijandig. Maar het zou lang duren voor hij weer normaal zou kunnen lopen, en nog langer voor hij weer vrij zou zijn. En hij zou misschien nooit de vrouw terugzien van wie hij meer hield dan van zijn leven, of zijn zoon die hij nog niet eens goed kende. En dit land, waar hij zijn hart aan had verloren, de eindeloze heuvels waar 's nachts de maan boven de cipressen opkwam, als de wind vol verwachting in de zilveren bladeren van de olijfbomen fluisterde...

Twee Engelse officieren droegen hem weg, terwijl hij naar de avondlucht keek. Ergens hoorde hij het gehuil van een zuigeling. Enrico. Wat had hij een krachtige stem, net zo sterk en onverwoestbaar als het land waar hij geboren was.

Opeens herinnerde Richard zich Sophia's vraag in de eetzaal, of het het waard was geweest.

Op dit moment wist hij dat het antwoord *ja* was.

Sophia keek de verplegers met de brancard na, tot ze bij de Rode-Kruisauto kwamen die beneden bij de weg wachtte. De kinderen speelden rond de tanks, en de vrouwen brachten de soldaten water en brood. De ondergaande zon dompelde het heuvellandschap van La Befana in een onwerkelijk, roodgouden licht.

Onwillekeurig wendde Sophia zich naar het grote, stenen kruis dat aan de achtermuur van de eetzaal hing, een eeuwenoud monument van onuitputtelijke, onuitwisbare hoop. En plotseling moest ze denken aan alle mensen die ze huilend had achtergelaten. Ze lachten naar haar en hielden troostend hun handen boven haar hoofd: haar moeder, haar vader, Elsa, Vascari, Antonio, Salvatore – ze waren er opeens allemaal en beroerden haar ziel.

Je bent niet alleen, fluisterden ze haar toe.

Sophia voelde zich omringd door hun aanwezigheid, en langzaam zakte ze op haar knieën, haar handen onder haar gebogen hoofd in gebed gevouwen. Woorden uit het boek Psalmen kwamen over haar lippen, lofprijzingen die ze als kind had gehoord en dacht allang vergeten te zijn.

Neem ik de vleugels van het morgenrood en laat me neer aan het eind van de zee, ook daar zal Uw hand me leiden en Uw rechterhand me vasthouden. Als ik denk: 'Pure duisternis zal me bedekken en nacht in plaats van licht me omgeven', zo zal ook duisternis niet duister voor U zijn, en de nacht zal licht worden als de dag... Met haar hoofd opzij luisterde ze naar haar eigen woorden, tot ze door het gelach van de mannen en vrouwen en het vrolijke geschreeuw van de kinderen overstemd werden. Haar hart sloeg langzaam en in het bewustzijn dat zij en de haren zouden blijven leven.

Na een poosje stond ze op en liep naar buiten naar de anderen.

Een jaar later

Sophia las het laatste stuk van Henry's brief en grinnikte.

... als ik geweten had dat die stomme oorlog voor mij nog tot het volgende voorjaar door zou gaan, dan was ik vast niet zo hard naar die tanks gerend, maar had ik me nog een keer in het bos verstopt. Maar ik ben aan het eind wel tot korporaal bevorderd, dus dat heb ik er in elk geval nog aan overgehouden. Mijn moeder is erg trots op me, en u ook hoop ik. Hartelijk bedankt voor uw vriendelijke uitnodiging. Als ik goed mijn best doe, denk ik dat ik in de herfst genoeg geld heb gespaard om naar La Befana terug te komen. Tot dan blijf ik uw zeer toegenegen Henry Mance.
P.S.: een kus voor Enrico en een voor Luisa.
P.P.S.: voor het geval ik langer zou blijven, heeft u dan werk voor me?

Lachend vouwde Sophia de brief dicht en legde hem weg. Werk was er meer dan genoeg.
Ze pakte haar vulpen om haar eigen brief aan Margherita en Rosalia af te maken, waar ze al aan begonnen was:

Ik ben blij dat de reuma in Margherita's handen door de nieuwe zalf wat beter is geworden. Ook Josefa's reuma is verrassend veel verbeterd, al geloof ik dat het minder komt door mijn zalf dan doordat de nieuwe keuken vorige week eindelijk klaar was. Misschien heeft het ook te maken met het feit dat dokter Rossi weer veel vaker langskomt om van Josefa's kookkunst te genieten.

Carla is weer in verwachting, waar we allemaal blij om zijn, behalve Fabio – die arme jongen is doodsbang dat het weer een tweeling wordt!

Donata heeft vorige maand een man uit Chiusi leren kennen, een metselaar, die geholpen heeft de huizen van onze arbeiders en de *Fattoria* weer op te bouwen. Het is een onbehouwen, nogal zwijgzame kerel, maar Donata ziet er heel gelukkig uit als hij bij haar op bezoek komt. Tegen de kinderen is hij erg aardig, wat natuurlijk heel positief is.

Vandaag heb ik een brief van Henry gekregen, hij wil aanstaande herfst hier naartoe komen. We wachten allemaal vol verlangen op hem, vooral Fernanda, dat kunnen jullie je zeker wel voorstellen. Het meisje loopt op rozen en zingt zelfs bij het werk.

Benedetta maakt goede vorderingen met Francesco, en ik dank God dat ze besloten heeft bij ons te blijven. Ze is een geschenk uit de hemel voor mijn broer. Als ik die twee samen zie, lijkt het vaak alsof ik maar één persoon voor me heb, als twee delen van één geheel.

Om jullie vragen over Renata te beantwoorden: ja, ik heb van haar gehoord, voor het laatst met Pasen. Ze schreef uit Rome, waar ze op mijn aanbeveling onderdak heeft gevonden bij bekenden van me, die haar ook aan werk hebben geholpen. Met haar zoontje gaat het goed; ze schreef dat hij al aardig begint te praten.

Met het landgoed gaat het gestaag beter. De eerste moeilijke tijd van een jaar geleden zijn we bijna vergeten, hoewel de gruwelijkheden in Noord-Italië die de laatste oorlogsmaanden hebben overschaduwd ons nog steeds bezighouden. Diezelfde verschrikkingen hebben de mensen overal in de wereld moeten doorstaan, voordat het monster eindelijk overwonnen was. Maar hoe vaak we ook aan de doden denken – het leven gaat verder en laat ons weinig tijd voor overpeinzingen.

De graanoogst was erg goed, en ook de olijfboomgaard belooft een rijke oogst – wat een geluk is, want we kunnen elke lire gebruiken omdat de wederopbouw van het landgoed bergen geld heeft gekost. Het werk aan de villa is nog niet klaar, maar de regen komt tenminste niet meer door het dak en de muren naar binnen, en onze mooie Jugendstilbadkamer is ook weer opgeknapt.

Vorige week hebben we nog een mijn gevonden die door het opruimingsteam over het hoofd was gezien, maar gelukkig is er niets gebeurd. In de tuin groeit en bloeit alles weer als vanouds. De loggia heb ik tegen mijn oorspronkelijke plannen in niet weer laten opbouwen. Het open uitzicht bevalt me wel. Vanaf mijn bureau kijk ik zo over het terras naar de fontein en de prachtige, in volle bloei staande rozenstruiken...

'Verdraaid,' mompelde Sophia. Ze legde de vulpen weg, sprong op en liep door de wijd openstaande deuren het terras op. Daar zaten de zestien maanden oude Luisa en de een maand jongere Enrico in een box, ze waren bezig een van de rozen op te eten die ze net in haar brief zo had geprezen. Preciezer gezegd, Enrico at de roos. Luisa keek opmerkzaam toe. Toen Sophia dichterbij kwam, keek het kleintje haar stralend aan. *Heb ik dat niet goed gedaan?* vroegen haar grote ogen.

Luisa, die gracieuzer en kleiner, maar wel beweeglijker was dan haar neefje, had het voor elkaar gekregen een van de takken die over de tuinmuur groeiden naar zich toe te trekken en er een bloem af te breken, waarna Enrico ermee mocht spelen en hem opat.

Sophia haalde de rozenblaadjes uit Enrico's mond. 'Bah! Waarom spelen jullie niet met blokken?'

Prompt begon haar zoon te huilen, zijn gezichtje woedend onder zijn lichtblonde haar. Boos liet hij zich achterover op zijn billen vallen, en keek naar Luisa alsof zij de schuld van alles was. Het kleintje trok een pruilmondje, waarna ze met Enrico mee begon te huilen. Ze was niet makkelijk van haar stuk te brengen, maar ze kon er niet tegen als Enrico huilde. Ze had een klein hartje en dus huilde ze uit louter sympathie ook deze keer mee. Haar kastanjebruine lokken wipten op het ritme van haar snikken mee.

'Lieve help,' zei Sophia, half lachend, half geërgerd. Ze tilde Enrico uit de box om hem te kalmeren en tegelijkertijd Luisa stil te krijgen, die alleen wilde ophouden als Enrico stil werd.

Terwijl ze haar zoon troostte en op haar arm heen en weer wiegde, zag ze een ruiter op de weg dichterbij komen. Het paard sjokte rustig langs de cipressen, en toen Sophia na een paar seconden haar

481

eerste schrik had overwonnen, herkende ze zowel paard als ruiter. Ze hield haar adem in. Toen begon ze te trillen en kon niet meer ophouden.

Enrico was opgehouden met huilen en dus zette ze hem weer bij Luisa in de box. Toen rende ze door de tuin naar het pad dat naar de weg leidde. Daar bleef ze staan wachten op de ruiter. Zijn blonde haar glansde in de zon als een gouden helm, en onwillekeurig kreeg Sophia het gevoel dat ze twee jaar terug in de tijd was, toen ze hem voor de eerste keer naar La Befana had zien komen. Vandaag kreeg ze hetzelfde gevoel als toen, een vreemd, bedwelmend gevoel van onvermijdelijkheid, alsof ze haar lot moest ondergaan op een manier waar ze zelf geen invloed op had.

Toen hij bij haar was aangekomen, stapte hij af. Sophia staarde hem aan. Hij zag er goed uit, veel beter dan bij hun laatste ontmoeting. Zijn gezicht was niet meer zo mager, en ook zijn lichaam zag er weer krachtig en soepel uit, hoewel hij nog altijd te mager was. Hij droeg een eenvoudige kakibroek met een blauw overhemd met korte mouwen, dat de kleur van zijn ogen weerspiegelde. Hij was gebruind, een teken dat hij de laatste tijd veel buiten was geweest.

'Waar heb je dat paard gevonden?' vroeg ze in plaats van een begroeting.

Hij keek haar aan. 'Bij de handelaar aan wie je hem had verkocht.'

'Ik had niet gedacht dat hij hem zou houden. Moest je veel voor hem betalen?'

Hij lachte even. 'Meer dan ik had. Je oom heeft me geld geleend. Ik moet je de hartelijke groeten doen van hem en zijn vrouw.'

Sophia knikte, terwijl ze haar hand uitstak om Sancho Pansa's neus te aaien. 'Brave kerel,' mompelde ze.

'Mag ik dat ook op mezelf betrekken?' vroeg Richard met een lachje.

'Hoe gaat het met je been?' vroeg ze zonder antwoord te geven.

Hij liep een paar stappen heen en weer en ze zag dat hij bijna niet mank meer was. 'Het gaat weer goed. Sprinten kan ik nog niet, maar al het andere werkt elke dag beter.'

'Heb je nog pijn?'

'Nee, gelukkig niet. Ik had een heel goede dokter. Zoals gezegd krijg je de hartelijke groeten van hem.' Weer die nadrukkelijke blik.

Ze sloeg verlegen haar ogen neer. 'Sinds wanneer ben je vrij?'
'Sinds vier weken. Veel eerder dan verwacht, als ik dat mag zeggen. Er werd me bij mijn vrijlating verteld dat mensen uit de hoogste kringen van de adel en de politiek zich voor me hebben ingezet. Onder anderen zelfs een echte bisschop.'
Sophia kreeg een kleur. 'Hij is een goed mens.'
'Dat is hij zonder twijfel. Over alle andere notabelen die verzoekschriften voor me hebben ingediend, wil ik het niet eens hebben. Ook niet over je oom die een jaar geleden opeens in de ziekenhuistent van de Engelsen opdook en erop stond mijn been te behandelen.'
'Dat had hij voor ieder ander ook gedaan,' beweerde Sophia.
'Vast.' Zijn stem klonk teder. 'Sophia, kijk me eens aan.'
Ze hield hardnekkig haar ogen neergeslagen.
'Je draagt de oorbellen die ik je gegeven heb.'
Haar vingers gingen vanzelf omhoog en betastten de antieke parelhangers, maar ze zei niets.
'Sophia, Johanna is dood.'
'Ik weet het,' zei ze zacht.
Hij knikte, alsof hij niets anders had verwacht. 'Je hebt de veldpostbrief die aan mij was gericht, gevonden.'
Sophia staarde naar haar voeten. Ze dacht aan de jonge luitenant, die zo van haar pianospel had genoten, en herinnerde zich hoe ze gehuild had toen ze hem dood op de weg had zien liggen. In het jasje dat over zijn lichaam was gelegd, zaten brieven die aan Richard waren gericht. Er stonden oudere data op; blijkbaar had hij ze pas na lange tijd gekregen. Daaronder was een officieel uitziende brief, waarin Sophia de naam van Richards vrouw ontdekte. Daarna had ze niet geaarzeld de brief te laten vertalen.
Johanna Kroner was gestorven, precies twee weken voordat Richard haar verteld had dat ze nog leefde. Sophia had er vaak over nagedacht, waarom het lot waarheid en leugen op deze vreemde manier had verdraaid, maar ze had er tot nu toe geen antwoord op gevonden.
En nog een andere vraag wilde sinds die tijd niet uit haar gedachten.
'Je wist het toen al, in de eetzaal van het klooster. Waarom heb je het me toen niet verteld?'

Richard staarde met een gespannen frons in de verte. 'Het was niet het goede moment.'

Ze dacht erover na, toen knikte ze.

'Kom, zeg je zoon eens gedag.' Ze sloeg de teugel van het paard om de stam van een jonge cipres en liep voor hem uit het terras op. Richard volgde haar. Toen ze Enrico uit de box tilde en op de grond zette, zei hij verbaasd: 'Kan hij al lopen?'

'Natuurlijk. En ook praten.' Ze bukte zich en fluisterde Enrico iets in zijn oor, toen zei ze tegen Richard: 'Let op.'

Enrico waggelde wijdbeens naar zijn vader toe. Richard ging op zijn hurken zitten, zijn gezicht vol spanning.

'Papa,' zei Enrico luid en duidelijk, toen had hij Richard bereikt. Het kereltje probeerde te blijven staan, maar hij schoot door zijn eigen vaart door en kwam bij Richards knieën neer, waar hij zich vasthield en hem nogal moedeloos aankeek.

'Hij gaat zo huilen, maar dat geeft niets, dat doet hij altijd bij vreemden.' Sophia merkte wat ze gezegd had en er gleed een schaduw over haar gezicht. 'Het spijt me zo Richard. Je hebt bijna een jaar verloren!'

'Ik had de foto's toch. Bedankt dat je die opgestuurd hebt.' Voorzichtig trok hij zijn zoon naar zich toe en stond met hem op. Enrico bekeek de man, waar hij zo sprekend op leek, twijfelend, maar besloot toen dat er geen reden was om te gaan huilen. Hij stak zijn hand uit en sloeg onderzoekend op de gladgeschoren wang van zijn vader.

'Papa,' zei hij weer.

'Dat heb je zeker met je moeder geoefend, hè?' vroeg Richard grijnzend. Opeens zag hij er erg jong uit.

Sophia voelde haar hart pijnlijk bonzen, net als eerder toen ze hem had zien aankomen. Het werd tijd dat ze alles weer in orde maakte. Richard ging op de tuinmuur zitten. Enrico spartelde in zijn armen, dus zette hij hem op de grond.

Ze volgden het kleintje allebei met hun ogen, toen hij wegliep en zich vol interesse over een insect boog dat voor zijn voeten over de stenen kroop.

Richard schraapte zijn keel. 'Waarom heb je me niet geschreven?'

Sophia dacht aan het afgelopen jaar, toen overal in Europa de oorlog verder woedde, aan de weken van honger en het wanhopige zoeken naar mijnen, aan de lange winter vol ontberingen, waarna eindelijk de wederopbouw volgde.

Maar ze dacht ook aan de tientallen brieven waaraan ze begonnen was en die ze toen weer had verscheurd. Brieven waarin ze hem wilde vertellen dat het allang niet meer belangrijk was wat hij had gedaan, omdat datgene wat hem met haar verbond ver boven de grenzen van de wet uitging.

Net als bij haar vader en Elsa.

Ze had zo vaak gedacht aan wat de Marchese haar gezegd had op de dag dat hij stierf.

Liefde volgt net als het toeval soms vreemde wegen. Het lot toont ons die wegen, en je kunt niet anders dan ze volgen. Liefde is sterker dan veel conventies. Ze is een heel bijzondere kracht.

Peinzend keek ze naar de grond, toen keek ze weer op en vond zijn blik. 'Ik wilde je wel schrijven. Ik heb het geprobeerd. Maar toen... het lukte niet.'

'Waarom niet?'

'Het was niet het goede moment,' herhaalde ze zijn eerdere woorden. Zijn ogen bleven strak op haar gericht. 'Is het dat nu wel?'

Ze haalde bevend adem. 'Ja. O ja.'

'Mijn god,' bracht hij met een hese stem uit, en het volgende moment lag ze in zijn armen. Hun lichamen en lippen vonden elkaar in een extatisch verlangen, en onverwachts smolt een jaar in de duur van een enkele ademtocht samen. Hun tranen vermengden zich, terwijl ze elkaar koortsachtig opnieuw in bezit namen, elkaars ziel weer opeisten en terugwonnen tot ze weer een waren.

Lang stonden ze daar in elkaar gestrengeld, voelden niets anders dan de warmte en het krachtige ritme van hun harten die in hetzelfde ritme sloegen, alsof ze elkaar op een geheimzinnige manier hadden aangeraakt en genezen.

Op een gegeven moment bracht een boos kindergebrul hen weer in de werkelijkheid terug.

'Maar lieverd, je wilt dat beest toch niet opeten!' Richard liet Sophia los en rende naar Enrico toe om hem op te tillen, voordat de duizendpoot hetzelfde lot moest ondergaan als de roos.

Luisa rammelde met de spijlen van de box en kondigde door middel van een pruillipje aan dat ze ook wel eens een andere plek wilde. Sophia pakte haar op en kuste haar op haar wang.

'Met ons haal je je wel een erg druk gezin op de hals,' zei ze tegen Richard.

'Wat zou ik me nog meer kunnen wensen?' vroeg hij eenvoudig.

Hij drukte zijn zoon tegen zich aan en legde toen zijn andere arm om Sophia en het kleine meisje. En zo bleven ze bij de balustrade staan en keken het weidse dal in.

Lees ook van Karakter Uitgevers B.V.

Brigitte Beil

Het einde van de regentijd

Een moderne, jonge vrouw ontdekt de verhalen over het avontuurlijke leven van haar overgrootouders aan het keizerlijke hof van Ethiopië.

Katrina Bernbacher, studente te München, ontdekt op zolder een doos met oude foto's van haar overgrootouders en hun kinderen in een exotische setting. Het blijken afbeeldingen van een stuk familiegeschiedenis waar zij niets van weet, reden genoeg dus om haar grootmoeder Eva met vragen te bestormen. Het fascinerende verhaal dat Eva vertelt over het leven van haar familie aan het keizerlijke hof van Ethiopië doet Katrina besluiten om op zoek te gaan naar haar *roots* in het verre Afrika. De resten van het verleden zijn grotendeels uitgewist, maar wat zij wel in dit prachtige land vindt is de liefde van haar leven.

Het einde van de regentijd is een heerlijke mengeling van *Out of Africa* en *Anna and the King*, gebaseerd op waargebeurde gegevens uit de familiegeschiedenis van schrijfster Brigitte Beil.

'Een schitterend kleurrijk beeld van Ethiopië aan het begin van de twintigste eeuw en een onthullende schildering van het koloniale denken, ingepakt in een spannend en romantisch verhaal over het streven van de mens naar liefde.' - amazon

ISBN 90 6112 282 1